HANNAH

DU MEME AUTEUR

Money (Denoël)
Cash (Denoël), *Prix du Livre de l'été 1981.*
Fortune (Denoël)
Le Roi Vert (Edition°1 / Stock)
Popov (Edition°1 / Olivier Orban)
Cimballi, Duel à Dallas (Edition°1)

Paul-Loup Sulitzer

HANNAH

roman

Stock/Edition n° 1

Je sais que j'ai le corps d'une faible femme, mais j'ai le cœur et la trempe d'un roi.

Elizabeth Ire,
reine d'Angleterre
(1588)

A ma mère
à ma fille Olivia

A Alejandra

L'été vient sur la plaine immense qui court de la Vistule jusqu'aux monts de l'Oural, des milliers de kilomètres à l'est. Face à ce vide perdu à l'horizon, il arrive qu'on éprouve un vertige, une angoisse. « Reb » Nathan, son père, les a ressentis et lui en a parlé ; il a cette aptitude étrange à se porter en imagination dans les étoiles, à rêver haut et grand, dont elle héritera. Il a souvent évoqué ces choses devant elle : la grandeur de l'univers, les doutes sur la place qu'il convient d'y tenir ; il l'a prise pour confidente, bien qu'elle soit une fille, et la plus jeune de ses trois enfants. Entre elle et lui, un amour fait d'une complicité inouïe, qu'aucun autre homme ne pourra jamais faire renaître. Elle gardera toujours le souvenir des grandes mains saisissant le petit corps, s'y incrustant avec une tendre violence, le soulevant à hauteur de la barbe blond roux, de la voix disant : « Il n'y a au monde rien de plus mystérieux qu'une petite fille », du rire, de la voix qui lui confie des secrets qu'elle ne peut pas comprendre, des secrets essentiels. Ils ont les mêmes yeux gris aux prunelles démesurées (et le même nez droit slave, le même front haut), au contraire de Yasha et Simon qui ont les yeux noirs fendus de Shiffrah, sa mère. C'est lui qui lui a appris à lire, très tôt, dans la Mischna et la Guemara du Talmud, voire dans les Midrashim. Elle se souviendra de leur commune lecture de passages du Pentateuque, en hébreu et en araméen et découvrira plus tard, dans sa hâte fiévreuse à lui transmettre le meilleur de lui-même, le pressentiment qu'il avait eu de sa propre mort.

L'été vient et il est exceptionnellement sec et chaud. Commencé dès avant Shavouot, il a d'abord donné les promesses de riches récoltes. Mais les épis ont peu ou mal gonflé, les grands coups de langue d'un vent brûlant ont couché les tiges de blé trop minces ; il n'est pas jusqu'au seigle qui n'ait versé. Les vaches ont sauté sur cette merveilleuse occasion de mal faire ; la plupart d'entre elles a cessé de donner du lait, certaines sont même allées jusqu'à se coucher stupidement sur le dos, ventre ballonné et pattes raidies tendues vers le ciel : mortes. Dans le même temps, un champignon s'est attaqué aux arbres et, après que des nuées d'oiseaux accourus de l'est eurent ravagé les semis, des insectes sont venus porter la maladie aux fruits. En vérité, c'est un été d'attente, au temps suspendu, et dans les deux villages, l'un juif (le *shtetl*) et l'autre polonais, séparés de trois kilomètres et s'ignorant depuis mille ans, on a le même sentiment d'une menace latente.

Elle, Hannah, a sept ans, depuis le premier des huit jours de la Pessah, la Pâque, quinzième jour du mois de Nisan [1]. Ce n'est qu'une toute petite fille, quoi que son père ait pu jusque-là lui apprendre ; en elle dort encore l'intelligence aiguë, froide, parfois cruelle, que les années à venir vont éveiller ; à peine a-t-elle eu la révélation, si douloureuse, de ce que les fêtes de la Pessah ont un tout autre but que de célébrer son propre anniversaire ; Yasha et Simon ont ri de son invraisemblable naïveté, qu'ils avaient pourtant pris grand soin d'entretenir. Elle est vraiment très petite, d'âge et de taille, maigre comme un hibou la veille du shabbat, un hibou dont elle a au surplus le grand regard élargi et grave. N'étaient précisément ses yeux, elle serait laide ; elle le sait. Elle parle peu. Certainement pas avec les autres fillettes de son âge. Guère plus avec Shiffrah, sa mère. A la rigueur avec son frère aîné Yasha, et encore depuis peu (il a six ans de plus qu'elle), depuis qu'à la fréquentation très assidue de l'école talmudique, la *yeshiva*, il a acquis sa maturité d'homme. Pour son père, elle le voit peu, il s'absente souvent, fait le négoce des tissus, se rend une fois l'an à Petersbourg et jusque sur les bords de la mer Noire, plus fréquemment à Dantzig, Lodz et Lublin.

Le monde d'Hannah est minuscule : elle n'a pas fait dix pas sur la route de Lublin, au nord-ouest ; n'a pas davantage osé s'aventurer dans le grand bois de pins qui boucle le shtetl à l'ouest, et dont deux ans plus tôt Yasha lui a révélé qu'il est hanté par les *dybbuks*, les démons, et surtout par Shibtah, la diablesse attirant les petits enfants par ses gâteaux pétris de graisse de sorcier et de chien noir. La seule porte qui lui soit ouverte sur le monde extérieur est celle du verger. Elle l'a passée, mettant au début ses pas dans ceux de sa mère qui sort chaque jour pour cueillir les simples et les plantes dont elle fait ses onguents. Puis elle a poussé ses incursions personnelles, solitaires, en cachette. La maison de reb Nathan et Shiffrah est la dernière au sud de shtetl ; un jardin potager et trois rangs de pommiers la prolongent. Au-delà, un sentier s'ouvre, contourne un bosquet de bouleaux, suit le cours d'un ruisseau (aux yeux d'Hannah, c'est un fleuve) et ainsi se développe, sinueux, conduisant au village polonais, quoique nul ne l'emprunte à cet effet. A la gauche du chemin, l'immensité des champs et de la plaine — autant dire un océan. Les premières fois,

1. Dimanche 19 avril 1875.

Hannah a tout juste atteint les bouleaux, là où le sentier se fait charmille, s'est glissée sous le couvert. Un jour est venu où elle les a dépassés, elle s'est aventurée. Au fil des tentatives, elle est allée de plus en plus loin, jusqu'à ce que s'éteignent derrière elle tous les bruits du shtetl, s'immergeant dans ce silence absolu, cette solitude mais aussi ces senteurs et cette lumière dorée. De cette nature et de toute cette vie végétale muette, on ne saura jamais si elle distingue et goûte la beauté — les paysages presque toujours la laisseront apparemment indifférente —, et néanmoins, par une prescience très surprenante, elle fait d'emblée corps avec elles, et s'en imprègne ; entre les plantes et les fleurs, et elle, toute son existence, persistera une étrange et mystérieuse connivence.

Il y a un certain endroit où le sentier s'incurve, escalade une montagne de deux mètres, tente de se frayer un passage au travers d'un fourré de chardons, une vraie forêt dont la cime dépasse la tête d'Hannah. C'est la dernière frontière, après quoi l'horizon s'élargit malgré des boqueteaux de saules, au point même que le village polonais y est en vue, avec son clocher de bois en forme de bulbe. Elle l'a franchie, le jour où elle a appris, désespérée, que les festivités de la Pessah n'étaient nullement prévues pour elle, quand son chagrin et sa honte lui ont fait rechercher un surcroît d'isolement.

Cela s'est passé dans les débuts de cet été caniculaire et sanglant de 1882. C'est ainsi qu'elle a rencontré Taddeuz.

Livre 1

MENDEL, DOBBE ET QUELQUES AUTRES...

1

LES CAVALIERS

Elle s'immobilise. Tenant à deux mains les deux galettes au miel et aux amandes. Au sortir même du fourré de chardons au cœur duquel elle vient de se glisser. Et tout recommence, exactement comme la première fois : Taddeuz est à quinze mètres d'elle.

La première fois, il était penché de même, entré dans l'eau jusqu'aux chevilles, presque complètement déshabillé, la blondeur d'or pâle de ses cheveux et l'incroyable blancheur de son dos recueillant et faisant éclater la lumière crue, présentant la ligne si pure de ses épaules et de sa nuque bouclée. Alors il s'est redressé, a contemplé son ouvrage en cours — une espèce de digue en pierres pour barrer le ruisseau —, la transpiration coulant sur ses joues comme des larmes ; il s'est mis tout à fait nu, s'est assis dans l'eau, a renversé son visage d'une beauté surnaturelle en arrière et l'a offert au soleil. Jamais Hannah n'a vu de garçon nu. Ses frères sont trop âgés pour cela. Mais il y a eu, dans la fascination qui l'a saisie, davantage et bien autre chose : elle a notamment cru à un *dybbuk*, l'un de ces êtres dont en somme personne ne lui a fourni de description catégorique ; le souffle lui a manqué ; elle aurait dû s'enfuir, elle est restée, accroupie cuisses ouvertes, comme le font les très petites filles à qui l'on n'a pas encore appris qu'elles doivent serrer les genoux. Elle a passé une heure au moins dans son antre végétal, dilatant ses prunelles claires, respirant un air empoussiéré et brûlant, invisible derrière le rideau de chardons. Elle l'a vu se rhabiller et longtemps après son départ, seulement, elle a quitté sa cachette. Cette fois-là, elle n'a évidemment pas osé aller jusqu'à l'endroit qu'il venait d'abandonner. Elle l'a fait plus tard. Car la scène s'est déroulée à plusieurs reprises, en peut-être deux ou trois semaines.

Dans l'intervalle, Hannah a pris ses renseignements sur les *dybbuks,* sans toutefois parler à quiconque de la rencontre. Yasha a été absolument formel un dybbuk peut être grand ou petit, gros ou maigre, noir ou blanc, vieux ou jeune, homme ou femme ou les deux

15

ensemble (ça, ça a laissé Hannah perplexe), il peut apparaître de jour ou de nuit, seul ou en compagnie d'autres démons de son espèce. Des informations aussi précises n'ont pourtant pas, dans l'instant, éclairé Hannah. Fort heureusement, avec tout le poids de son érudition talmudique et de sa virilité naissante — n'est-il pas, dit-on au shtetl, le meilleur des élèves de la *yeshiva* et ne commence-t-il pas à voir pousser sa barbe ? — fort heureusement Yasha a fini par se montrer plus explicite : entre autres moyens infaillibles d'identifier à coup sûr les dybbuks, il y a ces deux indices qu'un dybbuk a nécessairement les pieds palmés comme un canard et qu'il ne laisse nulle trace, même sur de la terre meuble, quand il marche. Tout est dès lors devenu limpide. Le garçon a des pieds admirables et dans la boue du ruisseau ses empreintes restent à chaque fois gravées.

Le jour suivant, Hannah a fait en sorte d'arriver la première au ruisseau, elle a déposé bien en vue, sur la plus grosse des pierres disposées pour le barrage en construction, l'une des galettes au miel et aux amandes de son petit déjeuner. Dissimulée aussitôt après dans sa retraite de chardons, elle a vu avec ravissement l'inconnu accepter son offrande (sans paraître s'en étonner d'ailleurs et elle s'est émerveillée d'une telle simplicité). Elle a renouvelé cette offrande, jusqu'à en faire un rite. Il leur a fallu presque un mois pour se rapprocher. Il en a pris l'initiative. Qu'elle soit fille, et plus jeune que lui de trois ou quatre ans, n'a pas semblé être pour lui un obstacle à des relations. Il a un air très doux, de longs cils, l'œil très bleu, et des façons de prince pour accepter paisiblement l'adoration d'Hannah. Lors des premières rencontres, il a condescendu avec nonchalance à lui expliquer son barrage : il lui faut bien s'occuper, le temps de ses vacances, avant qu'il ne regagne Varsovie. Puisqu'aucun des enfants du village polonais ne sait lire... « Moi, je sais », a soudain dit Hannah, tout enfiévrée de son audace. Pour preuve, elle a tracé de l'index un mot ou deux dans le limon noirâtre. En yiddish que, merveille, il sait un peu, moins bien toutefois qu'elle ne connaît le polonais. Le regard bleu est descendu sur elle, a semblé la découvrir avec surprise et intérêt. Leur amitié (mais Hannah n'en est pas à seulement oser *penser* le mot) est partie de là...

Il tourne la tête et la remarque : « Viens donc, dit-il, qu'est-ce que tu attends ? »

Elle lui tend les deux galettes, qu'il veut bien accepter. Il mange debout, avec des mines délicates, l'œil rêveur, se taisant, et bien sûr elle se tait aussi, vibrante d'un bonheur comme jamais elle n'en a connu, même quand à la nuit tombante, assise sous le porche, elle écoute discourir reb Nathan, son père. Taddeuz est autre chose : « Il est mon ami, à moi seule... je l'ai trouvé. » Pour la toute première fois de sa vie, elle voit vraiment la nature autour d'elle, depuis la petite clairière de saules et de sorbiers, si fraîche, où des papillons volètent. Il n'est pas sept heures du matin, on est au mois d'Elul, la chaleur monte, l'air semble immobile. Sur le sentier qu'elle a une nouvelle fois suivi, Hannah a noté l'absence bizarre des écureuils et des mulots que d'ordinaire elle croise. Ne s'en est pas longtemps étonnée, dans sa hâte de courir au rendez-vous. Elle a aisément quitté la maison : reb Nathan a emmené ses deux fils à quelque importante réunion d'hommes et Shiffrah elle-même a dû s'absenter, se rendant au chevet d'un enfant malade avec son assortiment de baumes, en se plaignant de manquer de sanicle, dont les graines restreignent la dysenterie et les crachements de sang.

Il suffira à Hannah de ramener de la sanicle pour justifier son absence.

Taddeuz achève la deuxième galette, n'ayant eu à aucun moment, pas plus que les fois précédentes, l'idée d'un partage — auquel Hannah n'aurait d'ailleurs pas osé prétendre. Il est déjà si extraordinaire qu'il accepte de manger son petit déjeuner... Avec la délicatesse qui lui est propre, il époussette les miettes sur lui puis s'allonge en appui sur les mains et boit à même la surface du ruisseau. Alors il semble se souvenir d'elle : « Tu as soif ? » Elle acquiesce timidement. Il la fait venir très près de lui et lui montre comment il faut s'y prendre. En vain. Elle ne réussit pas à toucher l'eau de ses lèvres, craignant de mouiller sa robe. Il fait alors une première chose absolument merveilleuse : prenant un peu d'eau dans ses paumes jointes, il la lui fait boire... ses mains sont très blanches et très fines.

— Encore ?

Elle secoue la tête, écarlate (elle a effleuré de sa langue la peau de Taddeuz). Il rit, la considère, rit encore. Jusqu'à ce jour, qui doit marquer la dix ou douzième de leurs rencontres, il n'a jamais posé la moindre question sur elle. A peine sait-il son prénom. Il a en revanche beaucoup parlé de lui-même : il est le fils unique d'un métayer du domain comtal, il ne vient ici qu'en vacances, il vit le reste du temps à Varsovie. Le nom de Varsovie revient constamment sur ses lèvres. Au mieux, un monologue. S'adresse-t-il vraiment à elle, d'ailleurs ? Il cesse de rire, fixant les immenses yeux gris, sans doute touché par la vénération qu'il peut y lire. Se produit alors la deuxième chose absolument merveilleuse : il plonge sa main dans sa poche, la retire, poing fermé :

— Tiens.

Le poignet tourne, la paume se révèle. Une véritable panique envahit Hannah.

— Mais oui, prends, dit-il. Je t'en fais cadeau. C'est un scarabée.

Il l'a sculpté lui-même, précise-t-il, avec un petit sourire où il semble se moquer de lui-même. Le bois de l'objet est sombre, presque noir ; la chose a deux yeux rouges qui, dans la lumière naissante du matin, brillent déjà comme des escarboucles. Cela ne ressemble guère à un scarabée, mais quelle importance ? Elle réussit à dire :

17

— Pour moi ?

Elle en tremble et va jusqu'à placer ses mains derrière son dos, en un refus affolé d'accepter un cadeau aussi fabuleux. Il doit la forcer en riant, il l'oblige à ramener ses bras devant elle et à entrouvrir ses doigts. Elle écarquille les yeux, au bord des larmes et lui, rit de plus belle. Il s'écarte, gonfle sa poitrine, étend les bras, d'un coup fort satisfait, de lui-même (sa générosité soudaine, tout à fait impromptue, l'enchante et lui donne un sentiment de toute-puissance) et de la vie en général. Il en éprouve un grand appétit de mouvement et d'espace. Il regarde à l'entour : une levée de terre, d'un mètre à peine, court parallèle au ruisseau, en délimitant le territoire. Au-delà, les champs. Les blés sont une mer mouvante, à peine piquée d'une grange-fenil, assez loin sur la gauche, semblable à une île ou un bateau. L'envie lui vient d'y tracer sa route. Déjà, il escalade le talus. Au moment de le franchir complètement, toutefois, il se souvient à nouveau d'elle :

— Tu viens ?

En contrebas au milieu de la clairière, elle est vraiment minuscule, visage triangulaire mangé par les lourdes tresses de cuivre rouge et ses yeux immenses, dans son affreuse robe de panne noire, mains serrées sur le trésor sculpté. Il lui sourit, charmeur :

— Je suis ton ami, non ?

Il fait plus encore que cette déclaration déjà si exaltante : au moment où elle se hisse à sa hauteur, il lui prend la main. Ils descendent ensemble la levée, entrent ensemble dans les blés.

Ni l'un ni l'autre n'accordent d'attention à la double alerte qui est alors sonnée : battement dur de la cloche d'église, mugissement angoissé de la corne de bélier, le *shofar* de la maison de prières.

Ils ont parcouru sept ou huit cents mètres. Taddeuz parle : il aura onze ans au Noël prochain et dès le printemps suivant, sans doute — on le lui a promis — il restera à Varsovie, même durant les vacances, il ne reviendra plus parmi ces paysans stupides : il lira tous les livres, deviendra avocat au moins, ou explorateur, à moins qu'il n'écrive des livres, lui aussi, auquel cas il deviendra forcément célèbre dans le monde entier. Disant tout cela, surtout la dernière phrase, il éclate de rire, se moquant de lui-même. Hannah ne relève pas le trait. Le ferait-elle, qu'elle en serait choquée, et tiendrait cette dérision pour sacrilège. Elle l'aime, va l'aimer infiniment plus qu'il ne s'aimera jamais lui-même.

Pour l'heure, elle n'en est pas à comprendre ces choses : Taddeuz lui parle, il se confie à elle, ensemble ils avancent parmi les vagues des blés, sous le soleil matinal qui déjà étourdit, et c'est assez pour lui donner tout le bonheur du monde.

Ils marchent au soleil. Le jour plein n'est pas encore complètement

18

levé, lumière rasante. Après avoir franchi la levée de terre, ils ont traversé un grand champ de blé en légère pente descendante. Ainsi, au premier chemin qu'ils croisent, ils se trouvent dans un creux à peine sensible ; face à eux se dessine un vallonnement, qui barre l'est et tout l'horizon. Main dans la main, Taddeuz parlant encore de Varsovie, ils gravissent la faible déclivité, foulant maintenant du seigle. Le mugissement désormais ininterrompu de la corne de bélier s'affaiblit avec la distance...

En haut, ils découvrent les cavaliers.

Ils sont une cinquantaine, peut-être plus. Derrière eux marche toute une troupe. Mais elle ne compte guère : Hannah et Taddeuz ne voient que les cavaliers, s'extasient. Le soleil rouge orangé agrandit jusqu'à l'irréel les silhouettes déjà hautes de leurs montures géantes ; les cavaliers vont au petit trot, leur puissance paraît implacable, le silence est ponctué, de temps à autre, par le bref ébrouement d'un cheval. Ils arborent des bannières, rouges et noires, souvent frappées d'une croix blanche. Leurs lances s'empanachent de cornettes et d'oriflammes, leurs uniformes blancs pourraient être — *à en croire Taddeuz, Lizzie, mais comme toujours il a dû laisser parler sa seule imagination* — ceux des Hussards de la Mort d'Elizabethgrad. La poussière qu'ils font lever de la terre si sèche enveloppe la piétaille et la minimise davantage encore. C'est une apparition de légende, surgie de nulle part. Taddeuz s'est figé, fasciné et, par la seule crispation de la main qui tient la sienne, Hannah à son tour éprouve une fascination identique.

Elle tient le scarabée dans son autre main libre, la droite.

La horde les voit peut-être, deux têtes d'enfants dépassant de la crête plantée de seigle, mais n'en montre rien. Elle passe, changeant à cet instant de cap et progressant désormais au nord. Ce pivotement de la colonne et la retombée de la poussière révèlent des charrettes, deux chars à bancs et un *tarentass* à la capote basse, pareillement emplis d'hommes, certains en redingote et chapeautés, d'autres en blouse et casquette, mais tous armés, de faux, de fourches ou de simples bâtons.

— Des Allemands, dit Taddeuz.

Il veut dire des tisserands, probablement venus de Lublin où l'on a créé des filatures. Il s'accroupit sur le sol et entraîne la fillette à faire de même. La chaleur s'accroît de minute en minute. Un mulot pointe son museau effilé puis file comme un trait dans la sèche forêt de seigle. Quelque chose se passe dans le ciel, à l'est. Au ras de l'horizon monte un gros nuage, unique, rougeoyant à la base puis gris-noir, à mesure qu'il prend de l'altitude et rejoint le soleil.

— Ça brûle, dit Taddeuz.

Et il doit savoir ce qui brûle, quel village connu de lui, puisque

19

l'immense domaine comtal géré par son père y touche. Mais il ne va pas plus loin dans son commentaire. Peut-être, d'ailleurs, parce qu'il n'a pas cerné l'objectif de la troupe qu'ils viennent de découvrir (et qui s'éloigne d'eux en direction du bois de bouleaux), parce qu'il n'a pas pris conscience du pogrom sur le point de s'abattre. Ou bien, s'il a à cet instant le pressentiment d'un danger, il le chasse aussitôt de son esprit. Taddeuz sait déjà écarter de ses préoccupations ce que la vie peut avoir de désagréable, si désagréable que cela puisse être.

Le piétinement de la colonne s'est estompé. Le silence est revenu. Taddeuz capture une première sauterelle, puis une autre. Et il invente immédiatement un jeu, en l'occurrence un concours de saut. La sauterelle Taddeuz l'emporte huit fois sur dix sur la sauterelle Hannah, quoique, avec magnanimité, il ait attribué au plus gros des deux insectes les couleurs de la fillette. Pour la première fois depuis qu'ils se rencontrent, Hannah éclate de rire. C'est si drôle de se voir, elle Hannah, dans cette sauterelle deux fois plus grosse que celle de Taddeuz. Que celui-ci sorte largement vainqueur du concours lui semble dans l'ordre normal des choses : gagner l'aurait atterrée. Ce premier jeu conclu, il en imagine d'autres, comme par exemple de tresser des herbes, ce qu'il fait avec une adresse incroyable, au contraire d'elle — il est vrai handicapée par le scarabée qu'elle refuse obstinément de lâcher. L'heure suivante, ils déambulent à découvert sur cette plaine infinie, décrivant un vaste demi-cercle autour de la grange (dont il ne semble pas qu'ils aient pensé à s'approcher), aux abords de laquelle les premiers moissonneurs de la fin de l'été ont commencé d'entasser quelques bottes.

... Conservant en permanence derrière eux, dans leur dos, le bois de bouleaux et le shtetl.

... Ne pouvant donc apercevoir la fumée qui commence à s'en élever.

... Pas plus qu'ils ne voient les cavaliers en train de revenir vers eux.

Yasha les découvre allongés à plat ventre, leurs nez à tous deux au ras d'un terrier.

A ce jour, Hannah a connu deux Yasha. Celui de ses premiers souvenirs, de ses premières années : un gamin crotté, qui ne prête guère d'attention au bébé qu'elle est, qui est parfois brutal, comme tous les garçons. Et puis l'autre, que la maison d'étude a transformé, qui porte caftan et bottes, papillotes et chapeau noir, qui lui parle avec douceur et parfois même lui sourit du haut de ses treize ans.

Elle lève la tête quand l'ombre de Yasha s'étend sur l'entrée du terrier et ne reconnaît ni l'un ni l'autre. Le Yasha dressé devant elle est encore plus blême qu'à l'ordinaire. Il est tête nue, ses papillotes collées par la sueur. Il halète et elle croit que c'est d'avoir couru après elle ; elle croit aussi que la formidable colère (ce qu'elle prend pour de la colère) dans ses yeux noirs s'explique par ce qu'elle a fait, depuis le matin et tous les matins des jours précédents : rencontrer Taddeuz, un Gentil. Déjà, elle ouvre la bouche pour expliquer la chose merveilleuse qui lui est arrivée : elle s'est fait un ami, un vrai, rien qu'à elle... Elle n'en a pas le temps : la main de Yasha la saisit à la nuque, la croche avec une force irrésistible. L'autre main bâillonne sa bouche. « Tais-toi », chuchote-t-il d'une voix sifflante. Il l'a mise debout, il la met en marche. Il la pousse pour la contraindre à avancer et après plusieurs mètres seulement, elle a un premier mouvement de révolte. Se retournant, elle découvre Taddeuz qui lui aussi s'est redressé et les regarde partir, très étonné. Elle ne peut en voir davantage. La poigne de Yasha se resserre, l'étranglant presque. Ils parcourent une trentaine de pas et soudain s'arrêtent. Yasha la plaque au sol, derrière un écran de tiges de blé, ou de seigle. Elle entreprend à nouveau de se débattre, prise d'une véritable fureur.

Ce qui se passe alors l'apaise d'un coup : Yasha en effet la relâche, cesse brusquement d'exercer sa force sur elle ; au lieu de cela, il la prend dans ses bras, avec infiniment de tendresse triste : « Pour l'amour de Dieu, Hannah ! » Cette fois encore, il chuchote. Elle fixe son visage et le découvre enfin tel qu'il est, à cette minute, blême non pas de colère mais d'angoisse et de chagrin. Il a pleuré et pleure encore, son caftan est déchiré en plusieurs endroits et au travers d'une de ces déchirures, elle note la plaie ensanglantée, sur sa poitrine, au-dessous de l'épaule gauche. Et il porte également au cou, plus justement sous l'oreille et la mâchoire, la trace d'un autre coup. *Yashale ! Yashale !* A la seconde, son amour pour son frère aîné prend le pas sur tout le reste. Hannah a envie de pleurer, elle aussi. Mais Yasha repart, l'emmène avec lui sans qu'elle tente de résister, désormais. Il lui fait parcourir des centaines de mètres, la force à se courber et par moments même à se figer, à s'écraser sur le sol, en alerte, guettant quelque chose ou quelqu'un qu'elle ne peut voir. Ce pourrait être un jeu formidable que cette course à travers champs, un jeu comme elle en a souvent joué, précisément avec Yasha — pas avec cet *imbécile* de Simon. Ce n'est pas un jeu... Elle voit bien que Yasha a peur.

La grange se dresse soudain devant eux. Plus tard, Hannah comprendra que, tout du long, Yasha s'est servi du bâtiment en bois comme d'un écran, le conservant entre les cavaliers et eux. Ils y entrent. L'odeur est délicieuse, celle du foin frais coupé, il y fait sombre, par contraste surtout avec l'éclatante lumière du dehors. Yasha a évité de toucher la porte, ils se sont glissés par l'entrebâille-ment. Durant quelques secondes, il se poste là, surveillant toute approche. Il demande, lui tournant le dos :

— Qui est-ce ?

Elle fait semblant de ne pas comprendre. Il explique qu'il veut parler du garçon blond.

— Taddeuz, dit-elle, comme si le nom seul justifiait tout.

Yasha se retourne, vient vers elle et alors seulement elle constate qu'il est également blessé à la jambe, vilainement. Du sang sèche sur sa botte gauche et sur le bas de sa *roubachka*. Il prend entre ses mains le visage d'Hannah. Malgré leurs six années de différence d'âge, il n'est pas beaucoup plus grand qu'elle. Il a toujours été petit, fluet, sinon chétif. Les yeux noirs profonds, pourtant, et une sorte de voile grisâtre déposé sur ses traits par d'innombrables heures passées sur les livres saints, démentent toute impression d'enfance. Ses doigts comme toujours tachés d'encre caressent les joues d'Hannah. Il dit, la voix très triste :

— Ils l'ont tué, Hannah. Ils ont tué notre père. Il est allé au-devant d'eux pour leur parler et les apaiser et ils l'ont tué.

« Ils » ? Hannah va poser la question. Mais la porte s'ouvre toute grande, la silhouette de Taddeuz se découpe dans l'éblouissant rectangle de lumière. Le garçon entre à son tour. Comme par hasard, il s'immobilise dans un rayon de soleil filtré par la lucarne du grenier, juste à l'endroit où une auréole peut se former autour de ses cheveux blonds. Il fixe le frère et la sœur et sourit, sûrement un peu gêné de les avoir suivis mais, par cet instinct qu'il a déjà, jouant de son charme.

— Tu attires sur nous les cavaliers, remarque Yasha en polonais.

— C'est mon ami, dit aussitôt Hannah.

Et elle craint soudain d'avoir un choix à faire. Elle répète en elle-même les mots que Yasha vient de prononcer, à propos de la mort de leur père mais la signification lui en échappe. D'autant qu'au même instant, à l'extérieur, il y a un piétinement. Des voix s'élèvent. Des rires. On parle en russe. Hannah ne comprend pas très bien. Les bruits se font plus proches. On vient manifestement vers la grange. La main de Yasha descend de la joue de sa sœur à son épaule : « Monte ! Vite ! » De nouveau, il chuchote. Il lui indique l'échelle et l'oblige à en escalader les échelons. En haut, elle trouve de la paille de l'été précédent, toute pourrie. « Tout au fond », ordonne Yasha. Elle va s'accroupir, à deux ou trois pas de la lucarne orientée à l'est, par où pénètre le soleil. Elle relève ses genoux et les encercle de ses bras. L'idée que son père est mort commence à entrer en elle. C'est à peine si elle remarque que Taddeuz a lui aussi gagné l'étage de la grange et qu'il y reste debout devant la lucarne, regardant en alternance à l'extérieur et en direction de ses deux compagnons, l'air perplexe mais vaguement amusé. Son sourire s'est néanmoins effacé. Yasha l'interpelle à voix basse, lui demandant de s'écarter de l'ouverture, où il risque d'être vu. Le regard bleu et le regard noir s'affrontent quelques secondes mais Taddeuz finit par s'exécuter. Il fait deux pas sur le côté et s'adosse à la cloison, mains réunies derrière le dos, avec l'expression de celui qui n'est en rien concerné par les événements en cours.

— C'est mon ami... croit bon de répéter Hannah, qui a senti la tension entre les deux garçons.

— Tais-toi, souffle Yasha.

Sa voix n'est vraiment plus qu'un murmure. Lui-même s'aplatit sur la paille, à la seconde même où les cavaliers atteignent l'entrée de la grange. Les ombres portées de trois hommes à cheval s'allongent sur le sol, en bas. S'y figent. Silence. Puis monte le bruit d'une conversation tranquille, en russe, dont Hannah ne saisit que quelques mots mais pas le sens général. En revanche, elle constate l'effet produit sur Yasha, elle voit ses yeux noirs s'écarquiller et comment il se met à haleter sans bruit, bouche grande ouverte. Il finit par secouer la tête et elle lit sur ses lèvres plus qu'elle n'entend les mots : « Ils vont mettre le feu à la grange. » Il se glisse vers elle, la prend par le cou, l'attire contre lui, l'embrasse sur le front : « Ne bouge pas. N'aie pas peur. »

Il se dresse, ses yeux plantés dans ceux de Taddeuz. Il descend l'échelle, gardant son regard braqué sur le jeune Polonais.

Jusqu'au moment où il disparaît.

Il y a huit cavaliers en tout, trois d'entre eux se sont avancés jusqu'au seuil de la grange. L'un de ces trois-là prépare déjà une torche. Il s'interrompt en découvrant la petite silhouette frêle de Yasha et se met à rire :

— Regardez donc qui nous arrive. Les rats sortent de leur trou ! (Il demande :) — Tu es seul ?

— Je ne sais pas votre langue, répond Yasha en yiddish.

Les cavaliers se mettent à parler entre eux, en russe. Tous sont en uniforme mais il n'y a aucun officier présent. Il y en a deux pour reconnaître finalement Yasha, qu'ils ont vu au village se débattre, tandis que les ouvriers des filatures tuaient son père (mais les soldats n'ont pas vraiment pris part au pogrom, ils y ont seulement assisté sans intervenir dans un sens ou dans l'autre). Ils hésitent. Plusieurs ont visiblement bu, sans doute du vin volé lors du pillage du shtetl. La question est enfin répétée, dans un allemand hésitant :

— Tu es seul ?

— Oui, dit Yasha.

— *Hep, hep, Jude !* crie en riant l'un des soldats, reprenant le vieux cri pour lancer les pogroms.

— Je suis seul, répète Yasha. Il ajoute : Et la grange est à des Polonais. Pas à un Juif.

— Ne mens pas. Tu mens sûrement.

Une lance s'allonge, sa pointe touche la poitrine à l'endroit de la blessure.

— Approche.

Il sort tout à fait de la grange, marche entre les chevaux géants. Le talon d'une botte l'atteint violemment au visage et le projette au sol. Il roule exprès le plus loin possible puis se relève et se remet en marche, s'écartant un peu plus de la grange à chaque pas. Il franchit ainsi le premier rang des cavaliers. Cette fois, il est heurté par le poitrail d'un cheval qu'on a lancé sur lui. Il retombe et se relève encore. Il titube, la plaie de sa jambe s'est rouverte et saigne beaucoup. Il pénètre le second rang des cavaliers et le dépasse sans qu'on tente de le frapper davantage. S'il y a un moment où il est très près de réussir — sauver certes sa propre vie mais surtout éviter l'incendie de la grange —, c'est celui-là. Il a en effet le temps de parcourir quelques mètres de plus et de deviner, par pur instinct, les cavaliers en train de s'amadouer derrière lui, nonchalants. Il les sent sur le point de tourner bride et de l'abandonner.

Puis le cri retentit et Taddeuz jaillit en un éclair hors de la grange, hurlant qu'il n'est pas juif, pas lui. Pas lui... Dans la seconde suivante, Yasha se met à courir, droit devant lui, n'espérant sans doute pas autre chose qu'attirer les cavaliers le plus loin possible de la grange, ayant compris que la découverte de son mensonge a tout changé. Il est très vite rejoint. Le bois d'une lance le cueille au milieu des reins, avec une extrême violence. Tout le poids du cheval et de son cavalier sont dans le coup qui lui est asséné. On n'a pas vraiment cherché à le tuer, mais il tombe face en avant, bras dressés, sans rien faire pour protéger son visage, criant sous la douleur mais très brièvement.

Hannah capte ce cri. Elle n'a à peu près rien saisi de l'échange en allemand, identifiant seulement la voix de son frère. Le brusque mouvement de Taddeuz se jetant à bas de l'échelle l'a trompée : elle a cru qu'il n'intervenait que pour sauver Yasha. Au point qu'elle manque de descendre à son tour, et de se montrer. Elle se ravise, se pelotonne, immobile, dans la paille pourrissante. Yasha lui a ordonné de ne pas bouger. Yasha va revenir. Lui et Taddeuz s'accommoderont l'un de l'autre, deviendront amis...

Elle ne sait pas qui a crié. D'ailleurs, le hurlement a été si bref, si rauque, que ç'aurait pu être n'importe qui. Ensuite, elle perçoit une nouvelle conversation, en russe encore, et elle pense que les choses s'arrangent, en effet, grâce à Taddeuz. Mais un bizarre silence s'établit et à la fin, plus par curiosité que par crainte, elle se hisse à la lucarne.

Le corps de Yasha est ce qu'elle aperçoit en premier. Etendu à plat ventre, bras en croix, il ne bouge pas. A trente mètres. A la pointe d'une langue de blé qu'on n'a pas encore fauché, vers laquelle il a désespérément couru, où il aurait pu se perdre s'il l'avait atteinte.

Yasha se trouve sur la droite d'Hannah. Sur la gauche, les cavaliers s'éloignent. Taddeuz? Où est Taddeuz? Elle le voit enfin : l'un des cavaliers l'a pris en croupe. Même aux yeux d'Hannah, il ne peut y avoir le moindre doute : non seulement Taddeuz s'en va mais il le fait de son plein gré, ayant passé ses bras autour du torse du soldat, appuyé sa joue contre le dos de l'homme, et souriant de plaisir. Un sentiment d'abandon et de trahison la frappe sur-le-champ, même s'il s'y mêle une incrédulité horrifiée. Les cavaliers prennent le trot, leur troupe s'éloigne sans qu'Hannah soit capable de faire autre chose que fixer la silhouette de son ami, qui en est maintenant à gesticuler avec entrain.

... Et il s'écoule bien deux ou trois minutes supplémentaires avant que le feu dans la grange ne devienne très réel. Une première flamme s'élève d'un coup, à partir du foyer grésillant, là où la torche a été jetée. Le brasier s'élargit, sans hâte, au bas de l'échelle. Tout le côté du bâtiment à l'opposé d'Hannah est bientôt pris.

— *YASHALE!*

Il ne remue pas tout de suite. Elle hurle à nouveau, à plusieurs reprises, sans s'affoler, avec même un calme stupéfiant, tandis qu'à quelques mètres d'elle l'échelle calcinée s'effondre, le feu se rapprochant sans cesse. Yasha ne se redresse pas mais il rampe. Toujours à plat ventre, il opère un lent demi-tour sur lui-même. A ce moment-là seulement, il parvient à décoller son visage du sol, il relève la tête à la façon d'un lézard. Ses bras s'allongent devant lui, doigts plantés dans la terre sèche. Il tire, gagne quelques mètres. « Saute, Hannah ! » Mais l'ordre reste sur ses lèvres... sans doute est-il déjà en train de mourir. Hannah continue de crier ; même le plancher sur lequel elle se trouve a pris feu à son tour. Yasha allonge une fois de plus les bras, agrippe le chaume de ses ongles, tire. « Saute, Hannah ! » Il n'est plus qu'à vingt pas de la grange...

— *SAUTE, HANNAH !*

Il met dans cet appel ce qui lui reste de forces et elle l'entend enfin. Elle se penche par la lucarne et découvre ce qu'il a tenté de lui indiquer : les bottes de foin, presque sous elle. Elle bascule plus qu'elle ne saute, chute de trois ou quatre mètres. Indemne, elle va à son frère et s'accroupit.

Le visage de Yasha est retombé sur le sol. Elle essaie de retourner son frère sur le dos : il lâche un gémissement de bête folle de douleur. Elle tente alors de le tirer loin de la fournaise. Très intelligemment, elle pense que le feu, après avoir dévoré la grange, va s'étendre aux bottes, puis au chaume, puis au blé encore en terre, et qui est si sec. Et dans ce cas, Yasha sera brûlé vivant, il brûlera puisqu'il ne veut pas bouger...

Et c'est très exactement ce qui arrive. Le foin s'enflamme peu avant que le bâtiment ne s'écroule, en une seconde. Le feu court tandis qu'elle s'acharne toujours à traîner Yasha. Il est encore vivant, malgré sa colonne vertébrale brisée, au moment où ses jambes puis ses hanches sont prises dans les flammes. Hannah le voit même qui bat l'air de ses mains et ouvre démesurément la bouche, lui adressant des signes : « *VA T'EN ! VA T'EN ! COURS !* »

Elle ne va pas courir, ou presque pas. Ce qui se passe alors est très étrange en vérité, surtout si l'on garde en mémoire qu'Hannah n'est qu'une petite fille de sept ans, sous les yeux de qui son frère est en train de brûler vif, qui quelques minutes plus tôt a appris la mort de leur père, et qui de surcroît a pour la première fois de sa vie éprouvé dans sa gorge le goût si amer de la trahison.

Elle ne court que sur quelques mètres, juste assez pour se mettre hors d'atteinte des flammes. Elle évite de se jeter dans le blé debout, se tenant dans les surfaces déjà moissonnées, où le brasier progresse moins vite. De la sorte, elle demeure très longtemps en vue directe du corps qui se tord sous l'effet du feu. A chaque fois qu'elle en a le temps, elle s'immobilise avec une maîtrise d'elle-même très extraordinaire, fixe le cadavre de Yasha et, aussi, la petite troupe de cavaliers de plus en plus lointaine. Puis, quand le feu se rapproche d'elle, elle repart calmement.

... Jusqu'au moment où elle aura gagné l'aire de battage faite de pierres plates — où les flammes ne peuvent la rejoindre. Et de là le chemin de terre, qui va servir de coupe-feu.

Trente-deux années plus tard, Taddeuz Nenski racontera une partie de cette histoire à Elisabeth « Lizzie » MacKenna, ne cachant rien de sa « trahison ». Pour le reste, pour les dernières minutes surtout, Mendel Visoker sera un témoin direct.

Mendel le Cocher se trouve à un peu moins d'une verste — mille mètres — de la grange au moment où elle brûle. Il a vu survenir les cavaliers, lors de leur premier passage, quand ils précédaient les tisserands allant à pied ou en charrette. Il a caché son propre véhicule et ses deux chevaux dans un bosquet de saules au bord du ruisseau, pas très loin de l'endroit où Taddeuz a édifié son barrage. Ce n'est pas son premier pogrom, il sait le mécanisme de ces choses, « *Hep, hep, Jude !* » et la suite. Dans son cas, ça a été le bâton, qu'on lui a administré une ou deux fois, et même un cheval tué « juste pour rire », dira-t-il en riant (mais l'humour de Visoker est *très* spécial). Il a vite deviné l'objectif de ce pogrom-là : le shtetl. « Il suffit de se mettre à l'abri et d'attendre. » Il attend. Il voit les huit soldats avinés repasser par la grange, il sait qu'auparavant les trois enfants s'y sont réfugiés. Il assiste à la sortie de Yasha, à sa tentative de fuite, au terrible coup de lance qui lui est porté par l'un des cavaliers, à sa chute. Il croit le garçon mort.

Il ne prend le risque d'intervenir — les cavaliers sont à deux cents mètres — que lorsqu'il découvre la petite silhouette en robe noire découpée dans la lucarne de la grange en feu. Dégager les chevaux enfouis sous la broussaille et atteler lui aurait pris trop de temps, il se met à courir. C'est pendant qu'il court qu'il la voit sauter sur les bottes, se relever, s'accroupir près du gisant puis se jouer du feu avec un sang-froid anormal. Par moments, il la perd de vue ; elle paraît enveloppée par les flammes jaunes et la fumée grise, mais toujours elle ressurgit, intacte, sans la moindre hâte, et à chaque fois le cœur de Mendel déjà forcé par sa course part d'un soubresaut nouveau. Lui qui croit au diable plus clairement qu'il ne croit en Dieu, va jusqu'à entrevoir l'œuvre de Satan dans cette danse folle et lente d'une fillette autour d'un incendie.

Hors d'haleine, soufflant, tremblant sur ses jambes, il débouche enfin sur l'aire de battage. Il la voit accroupie au bord du chemin, hors de danger, tournant le dos au feu. Avant d'aller à elle, il veut jeter un coup d'œil sur le cadavre du gamin. Horrible. Ce n'est plus qu'une chose noirâtre et fumante, épouvantablement tordue. A vomir. Il revient à la petite fille. Elle ne tourne même pas la tête à son approche. Ses immenses yeux gris contemplent la plaine, autant dire le vide. Elle tient entre ses mains un objet en bois noir, piqueté de deux marques rondes et rouges.

2

MENDEL VISOKER

Mendel Visoker a vingt-quatre ans. Il est vrai qu'on lui a tapé dessus, à coups de bâton, mais on s'y est mis à chaque fois à trente ou quarante, par prudence. Il serait homme à vous casser la tête si vous le frappiez le premier et si vous n'étiez que quatre ou cinq à vous attaquer à lui. Pis : il est capable de frapper (avec le sourire, en plus) *avant* d'être frappé lui-même, que ses adversaires soient des Juifs ou des Gentils. Ainsi à Lublin, quand il a fracassé six hommes qui ne l'avaient même pas touché. Il leur a brisé les os parce qu'ils avaient tranché les jarrets de l'un de ses chevaux (qu'il a dû ensuite abattre), sous le prétexte qu'il leur faisait trop de concurrence dans leur activité de transporteurs, lui un Juif.

Il est né très au nord, dans la région des lacs de Mazurie mais a quitté très jeune, à quinze ans, son shtetl natal. Il a jeté aux orties les phylactères dont on voulait lui ceindre le front et le bras gauche selon la coutume, au moment de la Bar-Mitzvah. Il a de même coupé ses papillottes et rasé sa barbe. Après quelque temps à Varsovie, comme souteneur dans un bordel de la rue Krochmalna, dit-on, il a trouvé assez d'argent pour s'acheter son premier cheval et sa première charrette et avec eux, il s'est mis à sillonner toute la Pologne, qu'elle soit russe, autrichienne ou prussienne. Rompant toute attache avec la Communauté, il aurait pu se contenter d'être renégat et apostat. Mais c'est un provocateur-né, qui se conduit en juif chez les Chrétiens, en chrétien parmi les Juifs, avec ostentation. L'affaire de Lublin a fait grand bruit, d'autant qu'elle est survenue au terme d'une longue série d'incidents identiques, dont il est clair qu'il les provoque. (S'il entre dans une synagogue, c'est vêtu en Polonais, en veste et casquette, et il prend volontairement place dans la partie de la maison de prière réservée aux femmes, entonnant les psaumes d'une voix de stentor ; dans les quartiers chrétiens en revanche, il revêt un caftan, se coiffe même d'une perruque à papillottes, arbore phylactères et vêtement à

29

franges — il s'est ainsi comporté à Kiev, qui est la ville russe la plus férocement antisémite.)

L'affaire de Lublin est de 1878. En ce temps-là, l'empereur de Russie Alexandre II n'a pas encore été assassiné, le procureur Pobiedonostzev n'a pas encore pu mettre en application son programme d'extermination des Juifs. A Lublin, on n'a même pas arrêté Mendel, ses six victimes n'ont pas déposé de plainte et la police du tsar a estimé qu'il n'avait peut-être pas tout à fait tort. Une telle carence administrative a révolté le président de la Communauté de Lublin qui, appuyé par les Anciens, a obtenu la condamnation du fauteur de troubles : un tel forcené met tous et chacun en danger, il peut attirer la foudre et toutes les représailles du monde. Le Cocher reçoit finalement trois ans de prison. Seulement... car les Russes ont refusé de le pendre. Trente-six mois de knout ne l'assagissent cependant pas. Sitôt libéré, au printemps de 1881, son premier soin est de prendre position devant la riche demeure de reb Baruch Fichelson, le président, et d'y mouliner toute une nuit durant sur un orgue de Barbarie une chanson d'autant plus exaspérante qu'elle déborde de louanges à l'égard de la générosité et de l'intelligence du même reb Baruch. Celui-ci essaie bien d'expédier contre l'insolent une douzaine des ouvriers de sa filature, en échange de la promesse alléchante de cinq kopecks de plus (par an). Il ne trouve pas de candidats au corps expéditionnaire. Le rire et la stature de Mendel Visoker sont décourageants. Ce n'est pas qu'il soit colossal, sa taille est à peine supérieure à la moyenne, mais il a le poitrail de deux Cosaques siamois, ses poignets évoquent des troncs d'arbre et il semble apte à décapiter un homme d'un seul revers de main.

Mendel Visoker se penche sur la petite fille puis s'accroupit et, reconnaissant les prunelles grises :

— Je sais qui tu es, dit-il. Les yeux de ton père. Tu es Hannah.

Le feu court vers l'ouest, lentement. Il prend son temps, avec une paisible certitude, en l'absence de vent. Un crépitement très doux naît du brasier dominé par une muraille de fumée. Sur un fond de teint grisâtre, une flamme pose parfois d'impalpables touches d'un orangé vif, souligné de fugitifs reflets pourpres. On ne voit plus rien des cavaliers, dans cet horizon rétréci, et pourtant la sensation de vide demeure : cette absence soudaine est étrange, à l'endroit où se dressait le fenil. « Ne bouge pas, je reviens », dit Mendel à Hannah, et il part chercher sa charrette et ses deux chevaux, pas très sûr qu'elle ait entendu sa recommandation. Il la trouve à son retour exactement telle qu'il l'a laissée, dans la même attitude, tenant toujours à deux mains son morceau de bois et le serrant avec tant de force que les jointures de ses doigts en sont blanchies, seul signe de sa tension extrême. « Si elle est vraiment tendue... » Un sentiment de malaise prend déjà Mendel : la réaction de la petite fille ne lui semble pas normale du tout, il la croit folle, égarée par tant de violence.

— Tu ne peux pas rester là.

Pas de réponse. Et cette façon qu'elle a de tourner le dos à l'incendie, bien qu'elle n'en soit qu'à vingt mètres...

— Je suis Mendel Visoker le Cocher, de Mazurie. Je connais ton père.

— Mon père est mort, dit-elle très calmement.

Mendel la regarde fixement pendant quelques secondes, de plus en plus mal à l'aise. Il reporte son regard vers le nord, en direction de la ligne des bouleaux derrière laquelle, voilà presque deux heures, il a vu disparaître la colonne. Un premier détachement est déjà revenu, le gros de la troupe peut ressurgir à tout instant.

— Quand est-il mort ?

— Ce matin.

— A cause du pogrom ?

— Je ne sais pas ce que c'est.

— Ça veut dire *dévastation,* en russe, explique Mendel continuant à guetter du côté des bouleaux. Est-ce que ton père est mort de maladie ?

— Non.

— On l'a donc tué...

— Yasha l'a dit. (Elle n'a toujours pas tourné la tête.)

— Yasha ?

— Mon frère aîné.

— Celui que les Cosaques ont frappé à coup de lance et qui a brûlé ?

— Oui.

« Quelle gamine pas ordinaire ! pense Mendel décidément troublé. De deux choses l'une : ou bien... » Mais il ne pense pas plus loin : au même instant, derrière le rideau d'arbres, il décèle un mouvement. Il dit :

— Viens. Je vais te ramener à ton shtetl.

Il sait déjà qu'elle ne va pas bouger. Elle ne bouge pas. Il la prend entre ses doigts, très délicatement comme une porcelaine, la soulève et la dépose sur le siège du *brouski.* Il y monte à son tour, fait claquer sa langue ; les deux chevaux s'ébranlent.

— J'ai connu ton père, dit Mendel. (Il met les chevaux au trot.) Je l'ai connu il y a six ans à Dantzig, où j'habite. Quand j'habite quelque part... Nous avons fait souvent des affaires ensemble, il me donnait des marchandises à transporter. Je suis même venu chez vous, mais tu ne peux pas t'en souvenir, tu étais trop petite. Et au printemps dernier, quand je suis sorti de prison, il a été l'un des très rares à me faire bonne figure. Je sais même que dans l'année 78, il est allé tout exprès à Lublin pour dire à reb Baruch Fichelson qu'il était le plus grand imbécile du monde. Tu connais reb Baruch Fichelson ?

31

Bien entendu, elle ne répond pas. L'entend-elle, seulement ? Devant les oreilles pointées des deux chevaux du brouski, les bouleaux se rapprochent. Et de même la colonne du pogrom. Celle-ci va défiler sur leur droite, et les arbres feront écran, comme Mendel l'a prévu. Il glisse un nouveau regard sur la fillette à sa droite. Si au moins elle pouvait pleurer ! ou même hurler. Cela vaudrait cent fois mieux que cette impression qu'elle donne d'être presque morte...

Cent pas encore et l'attelage pénètre sous le couvert. Mendel l'immobilise d'une légère traction sur les guides, notant avec ennui, d'un œil professionnel, qu'une des courroies d'enrênement du cheval de gauche est sur le point de céder ; et les dossières, les attelles de collier, voire les surdos ne valent guère mieux : « il va me falloir des harnais neufs, c'est ça, la vérité ». Il fait une reprise de guides, et les tenant maintenant par le seul petit doigt de sa main gauche reloge le fouet dans sa douille. Il met pied à terre, face au brouski, et aussi à la colonne qui défile à cent mètres d'eux, derrière la herse des troncs blancs mouchetés. La rage monte en lui, quoi qu'il fasse :

— Regarde-les, Hannah. Si ton père est vraiment mort, ce sont eux qui l'ont tué. Regarde-les. Ça se regarde toujours en face, la vie et la mort. Il n'y a pas d'autre façon de vivre.

Il ne peut s'empêcher de sourire d'une certaine façon, comme toujours en pareil cas. Il accroche les guides à la clé de sellette et dégage du chargement l'un des trois timons neufs qu'il transporte, outre des ballots de tissu et des livres. C'est une pièce de chêne de plus de trois mètres, qui pèse dans les soixante ou soixante-dix livres mais qu'il peut néanmoins brandir aisément d'une seule main. Et la rage continue de monter en lui :

— Si on veut vivre vraiment, Hannah...

Il parle volontairement très fort, d'une voix claire, en yiddish. Ainsi qu'il l'a souhaité, les hommes de la colonne l'entendent. Ils portent leur regard sur la carriole immobile au milieu d'une clairière, avec un homme en casquette et une petite fille. Mendel élargit son sourire, et leur adresse même un signe du bras — celui qui ne tient pas le timon.

— Tu veux que je t'en tue cinq ou six, Hannah ? Ça ne dépend que de toi. Dis-moi de les tuer et je les tue. Peut-être que j'en tuerai davantage, d'ailleurs. Peut-être huit. Ou dix.

Elle bouge enfin sa tête et le fixe, de ses immenses yeux impénétrables.

— C'est que je suis moi-même très en colère, Hannah. J'ai du chagrin aussi, bien sûr. Comme toi. C'est ça que je voudrais que tu comprennes : je sais ce qu'il y a dans ta tête.

« Enfin, j'espère », corrige-t-il pour lui-même. Il lui sourit, d'un sourire très différent du précédent, dents très blanches sous sa moustache noire, avec une gentillesse incroyable. En même temps, du coin de l'œil, il constate que la colonne vient d'obliquer, brusquement, ayant achevé de contourner le bois de bouleaux. Elle met cap au sud. Elle va passer à trente mètres du brouski arrêté.

— Hannah ? *Regarde-les !*

Lui-même est soudain sidéré par ce qui surgit alors dans les prunelles grises. Qu'il a pourtant pressenti, voire espéré : une effarante expression de haine et de douleur mêlées, mais d'une froideur glacée. Elle demande d'une voix lointaine :

— Vous pourriez vraiment en tuer huit ou dix ?

— Six ou huit, sûrement. Je suis très fort. Dix, peut-être. Je peux essayer, en tout cas.

Silence. Le regard gris s'écarte enfin. Elle pivote sur son siège, juste ce qu'il faut. Examine la colonne. Nouveau silence. Elle remarque très calmement :

— Ils sont bien plus de dix.

— C'est vrai, reconnaît Mendel en riant sauvagement. Je dirais qu'ils sont trente, au moins. Sans compter les Cosaques.

Dos tourné à Mendel : — Et quand vous en aurez tué dix, qu'est-ce qui arrivera ?

— Ils m'écrabouilleront, probable, répond Mendel en riant de plus belle. Ça les énerve, quand on les tue. C'est autorisé seulement dans un sens, les massacres. Tu vois leurs visages à présent, Hannah ? Ils sont vides. Ils ont tué, volé, violé, ils sont vides et mornes. De deux choses l'une, quand je commencerai de leur casser la tête : ou bien ils me frapperont tout de suite, ou bien ils se défendront à peine, tant ils seront encore stupéfiés.

— Et vous les tuerez tous.

— Je ne pense pas, non. A cause des Cosaques. Les Cosaques, eux, sont très alertes. Ils se sont reposés toute la matinée.

Il ôte sa veste et sa casquette de Polonais et les lance sur le siège du brouski. Quand il retrousse les manches de sa chemise chrétienne, sans col, ses bras, et ce qu'on peut voir de sa poitrine, apparaissent étonnamment hâlés, monstrueux de puissance. Il soulève le timon d'une main et va le porter à une quinzaine de mètres de là, à l'entrée de la clairière, près de l'endroit où la colonne va nécessairement passer.

Un temps. La colonne approche.

— Non, dit Hannah. *Non.*

— Non quoi ?

— Je ne veux pas que vous soyez mort.

La colonne débouche. A sa tête, un officier et six Cosaques. L'officier peut avoir seize ou dix-sept ans — et encore ; il est très blond avec un ridicule embryon de moustache. Il dévisage cet homme debout, aussi large que haut, présentant les plus gros bras qu'il ait jamais vus et tenant dressé un timon de trois mètres. Il stoppe la colonne d'un geste nonchalant, progresse au pas de quelques mètres.

Mendel lui adresse le plus large de ses sourires.

33

— Que fais-tu là ? demande l'officier.

— Je vais le planter et voir s'il prend racine, explique Mendel en désignant le timon.

— Tu es juif ?

— Ça dépend des jours, répond Mendel en russe. En ce moment, non. Plus depuis qu'on m'a demandé de ne plus l'être, il n'y a pas longtemps.

Et il pense qu'il va peut-être commencer par celui-là, après tout. A tant que faire. Il voit déjà, très distinctement, la blonde tête tsariste écrabouillée par le timon. Mais les Cosaques accourront aussitôt et il ne tuera pas plus de trois ou quatre hommes, au mieux.

— J'ai bien envie de te faire fouetter, dit l'officier. Peut-être même de te faire pendre.

Mendel se contente de lui sourire, pensant encore : « Ferme ta grande gueule, Mendel. Tais-toi. La petite t'a demandé de ne pas te faire tuer. Cet officier est un gamin, un *schlemiel*. Tu lui laisses le dernier mot et il s'en ira. »

Et après un moment, en effet, l'officier fait tourner son cheval et part. La colonne fait de même. Mendel Visoker a un peu de mal à se remettre en mouvement, tant il tremble de rage.

— Vous ne les avez pas tués, dit la petite fille derrière lui.

— C'est toi qui n'as pas voulu, ne cherche pas à m'embrouiller.

Il revient vers le brouski, traînant derrière lui sa massue géante. Mais il sent sur lui le regard gris, comme une brûlure et, incroyablement, ne peut se décider à relever la tête. Il range le timon avec une méticulosité excessive, s'affaire de même à arrimer les ballots, qui n'en ont nul besoin, puis à vérifier les harnais, à examiner les chevaux, qui ne se sont jamais mieux portés.

— Je vais te ramener à ton foutu shtetl, dit-il avec une détermination rageuse. Nous verrons bien si ton père est mort. De deux choses l'une... S'il l'est, j'avais des marchandises pour lui, je trouverai à les vendre ailleurs. Un client de perdu, dix de retrouvés.

Mais il n'arrive toujours pas à croiser le regard de la petite fille. Il vérifie une dernière fois la courroie d'enrênement du cheval de gauche. Elle tiendra bien jusqu'à Tarnopol, où il doit se rendre. (Il y a une femme — il a en tout, ainsi, dix ou quinze femmes, de Dantzig à Kiev, auxquelles il rend hommage, au hasard de ses pérégrinations.) Revenu près du siège du brouski, il gagne encore un peu de temps en observant où en est la colonne : elle fait caravane au lointain, déjà, et l'incendie des champs s'efface lui aussi. Ce qu'il reste à Mendel de colère contre lui-même tombe ; ne demeure que sa révolte ordinaire, familière, qui le tient depuis quinze ans, à laquelle il n'a trouvé d'autre remède que l'isolement, l'égoïsme, le sarcasme. Tout en somme rentre dans l'ordre normal des choses. Ce gamin carbonisé, les autres morts qu'il doit y avoir au shtetl, les femmes qu'on y a dû violer, les maisons et les récoltes incendiées, tout cela sera passé, comme d'habitude, en profits et pertes. « Ils vont encore se résigner — leur foutue résignation — et se confire dans leurs foutus rites, se remettre à lire leurs foutus livres saints, à discuter sans fin sur ce qu'un foutu prétendu érudit a dit ou n'a pas écrit il y a deux mille ans. » Mendel Visoker le Cocher redevient lui-même, il reprend ses distances, et son cynisme, sa meilleure arme — c'est ça ou devenir tout à fait fou. Du coup, il s'étonne plus encore de s'être laissé ainsi emporter, tout à l'heure, lui qui ne se mêle que de lui-même, au point de jouer sa vie sur le oui ou le non d'une morveuse de six ou sept ans.

Il faut en finir. Il hisse ses deux cents et quelques livres sur le banc de bois, reprend les guides. Ce qui arrive alors le stupéfie doublement. D'abord, ce que la petite fille est en train de faire : elle s'est penchée en avant, à toucher les genoux de son menton, elle écarquille les yeux jusqu'à l'impossible, ouvre immensément la bouche, comme quelqu'un qui voudrait vomir et n'y parvient pas, comme quelqu'un qui voit la mort, qui la voit vraiment. Tout cela sans le moindre son. Ça n'a strictement rien à voir avec un chagrin de gosse, c'est une extrême douleur d'adulte, un déchirement total, inouï. A vous glacer. Surtout qu'elle ne pleure pas.

La deuxième chose qui stupéfie Mendel vient de lui-même : il prend Hannah contre lui, d'une main il la ramène contre sa poitrine gigantesque, comme il prendrait un chaton (et elle s'accroche en effet avec des façons de chaton terrifié, perdu, mais toujours dans un silence effrayant).

Et c'est lui qui se met à pleurer.

Le bois de bouleaux défile maintenant sur leur gauche.

— C'est quoi, ce que tu tiens à deux mains ?

— Un scarabée.

— Ça ne ressemble pas trop à un scarabée.

— Je sais. Mais ça ne fait rien, dit-elle.

Le calme revenu sur son visage, dans tout son corps, elle est de nouveau assise sur le siège, dos droit, sage. Mendel a mis les chevaux au pas et, leur faisant contourner les arbres, les fait forcément passer sur les traces mêmes de la colonne. Traces visibles : en se retirant du shtetl, le pogrom a semé ses épaves : un chaudron, une robe ensanglantée, une *mezouza* arrachée à quelque montant de porte. Mendel voit même un livre aux pages déchirées mais il ne s'arrête pas pour le ramasser. Face à eux, le shtetl est surmonté de gros nuages de fumée.

— Un cadeau qu'on t'aura fait ?

Il parle du scarabée.

— Oui.

— Le garçon blond, c'est ça ?

Leurs regards se croisent et Mendel a soudain le sentiment très fort, très inattendu, d'une familiarité, sinon d'une amitié entre lui et la gamine. Elle acquiesce. Or, Mendel a bien en mémoire toute la scène qu'il a suivie à distance : si le garçon blond ne s'était pas jeté hors de la grange, les Cosaques auraient probablement laissé tranquille l'autre gamin, le Juif. Qui ne serait pas mort. Il scrute les prunelles grises : « Et le pire est qu'elle le sait. Son copain polonais les a bel et bien laissés tomber, son frère et elle, il a failli les faire tuer tous les deux. Mais elle ne lui en veut pas. » Mendel ne sait pas trop d'où il tient cette certitude. Il veut en avoir le cœur net et pose la question.

Silence. Pour la première fois depuis le tout début de leur rencontre, elle ouvre sa paume et contemple l'objet en bois.

— C'est vrai, dit-elle enfin. Il a eu peur. Il n'a que dix ans et demi.

— Mais tu n'es pas fâchée contre lui ?

— Non.

Elle n'a pas marqué la moindre hésitation.

— Sans lui, ton frère Yasha serait encore vivant.

Cette fois-ci, pas de réponse. Ils entrent dans le shtetl.

— C'est mon ami, dit Hannah, la voix sourde. Mon ami.

Le shtetl comporte trois ou quatre centaines de maisons, une synagogue flanquée de la maison du rabbin, de la piscine rituelle en gradins, de la maison d'étude. Il s'y trouve aussi une auberge, à l'écart, sur la route de Lublin, non loin du carrefour où le gouvernement a placé une statue de la Vierge. Des voyageurs chrétiens y descendent. C'est un shtetl banal, semblable à des centaines, des milliers d'autres. Mille, douze cents habitants en tout, du moins avant les « lois de Mai ». Promulguées par le tsar, les lois de mai 1882 ont chassé par centaines de milliers les Juifs de presque tous leurs établissements à l'Est, entraînant un exode dont le shtetl d'Hannah a accueilli sa part.

Le pogrom a frappé un village surpeuplé.

Hannah et Mendel Visoker y entrent à l'instant où l'incendie vient d'être contenu. Le brouski cahote dans la rue principale évidemment non pavée. La population tout entière est dans cette rue ; on y court en tous sens, dans la fumée et la poussière, la mélopée des prières et des incantations, les cendres voletant dans l'air brûlant. L'eau renversée des seaux qu'on se passe à la chaîne ne s'est pas encore transformée en boue. Au milieu de tout cela, le brouski passe dans une étrange solitude, comme invisible, ses deux passagers pareillement droits et impassibles. Mendel compte soixante, peut-être quatre-vingts, maisons ou granges incendiées. Arrivant sur la place du marché, il aperçoit une douzaine de corps étendus, d'hommes surtout, qu'on a dû retirer des habitations en flammes avant qu'elles ne s'effondrent. Il dirige vers eux ses chevaux. « Pourquoi suis-je étranger à ce drame ? » se demande-t-il. Il devrait éprouver de la fureur et de l'accablement, au vu de cette désolation. Or il ne ressent rien, sinon une surprise fascinée devant le calme total de la petite fille assise à son côté.

L'attelage parvient à trois pas des cadavres alignés et s'arrête :

— Est-ce que ton père est parmi eux ?

— Non.

Mendel remet les chevaux en marche, suit une deuxième fois la rue dans toute sa longueur, retraversant la cohue avec le même sentiment bizarre de n'être vu de personne.

— A droite, dit Hannah.

— Je suis déjà venu.

Il reconnaît le chemin doublement bordé d'aubépine. S'y étant engagé, il a le sentiment brutal que, derrière eux, une porte s'est refermée. Le silence gagne sur les lamentations du shtetl, ses cris, ses courses, faisant entrer le couple dans un autre monde. Mendel Visoker a en tout et pour tout rencontré cinq fois reb Nathan. De chacune de ces rencontres, il a conservé le souvenir le plus clair — on n'oublie pas de tels hommes. Entre eux, l'inégalité d'âge était mince — six ou sept ans —, mais les points étaient en revanche nombreux auxquels accrocher une amitié qui, dès les premières minutes, leur avait paru inéluctable et naturelle. En commun : leur sentiment d'appartenir à un monde condamné, un désespoir lucide, la certitude de ce qu'autre chose devait exister, qu'il leur faudrait trouver, qu'ils n'ont pas trouvé encore. Et les différences nécessaires : davantage d'exaltation et surtout de violence, de besoin d'action chez Mendel, faculté d'abstraction et plus grande imagination chez Nathan. « J'ai connu ton père », a dit Visoker à Hannah. C'est vrai, infiniment plus que les faibles mots ne l'expriment. « Et s'il est vraiment mort... »

— Le cheval, dit Hannah. Le cheval de mon père.

Et elle se penche en avant, le visage totalement pétrifié. Le brouski n'est plus qu'à dix tours de roues de la maison. Petite mais en pierre, elle a deux cheminées, et de vraies vitres aux fenêtres au lieu des vessies de bœuf utilisées pour la plupart des autres habitations du shtetl.

— Et il y a du sang sur la selle.

— Il n'est peut-être que blessé, remarque Mendel Visoker.

Il saute à terre, prend la fillette et veut la porter jusqu'à l'intérieur de la maison. Mais elle se débat avec une irrésistible douceur. Ils entrent. A Dantzig une fois, lors de leur avant-dernière rencontre (juste après la sortie de prison de Mendel), Nathan et lui ont parlé toute une nuit. De départ vers le Nouveau-Monde, de l'Amérique et de l'Australie, d'eux-mêmes, de l'association qu'ils souhaitaient entre eux...

... D'Hannah. Nathan avait beaucoup parlé d'Hannah : « J'ai une petite fille pas ordinaire, Mendel. Elle lit comme on boit de l'eau, et comprend mieux encore. Pour un peu, elle me ferait presque peur, par sa précocité. Et son regard, Mendel... »

La maison comporte cinq pièces, plus les dépendances. Elle contient une quantité ahurissante de livres. Un homme se tient dans la première pièce ; il est âgé, grand, maigre, gauche — plus tard Mendel saura qu'il s'agit de Berish Korzer, qui deviendra le beau-père d'Hannah en épousant Shiffrah. A l'entrée d'Hannah il agite maladroitement les mains mais la fillette le cloue sur place d'un regard, d'un sec mouvement de tête. « Hannah n'a pas sept ans, Mendel, avait dit Nathan. Elle les aura pour la Pessah mais, comment dire ? elle est d'ores et déjà le cœur et la tête de ma maison, la tête surtout... » Dans la pièce suivante, une chambre, Mendel Visoker découvre huit à dix personnes, groupées autour d'un lit, parmi lesquelles un visage effacé : Shiffrah, épouse de Nathan et mère d'Hannah.

Parfum d'encens, odeur des bougies pour la prière des morts, le *kaddish*... Ce qui se produit alors restera à jamais dans la mémoire de Mendel. Car les pleurs cessent, chacun se tait, tous s'écartent à l'approche d'Hannah qui avance lentement vers le lit, comme reconnaissant unanimement la qualité exceptionnelle des rapports du père mort et de la fille, la personnalité supérieure, indiscutée, de ce minuscule bout de petite fille.

Silence. Elle est maintenant tout au bord du lit posé très haut, à l'allemande, de sorte que le cadavre est à peu près à la hauteur de ses yeux. Elle bouge enfin, au terme d'une longue immobilité qui a figé tout le monde, jusqu'à Mendel Visoker. L'une de ses mains passe successivement sur toutes les blessures où le sang a séché, caresse enfin le visage du mort, que les coups de bâton ont hideusement déformé.

Pas de pleurs. Elle pose une seconde ses lèvres sur la main inerte de son père. — *Je n'ai jamais su tellement pleurer, Lizzie, tu le sais bien. Surtout quand j'ai vraiment mal...* — Elle se redresse :

— Ce n'est pas tout : ils ont aussi tué Yasha. Il a brûlé avec la grange Temerl et les champs. J'ai vu Yasha brûler vivant.

Encore à cet instant, c'est son père seul qu'elle regarde. Vient pourtant le moment où, pour ainsi dire, la vie reprend son cours normal. Hannah s'écarte du lit, s'en détourne, va vers sa mère ; elle enfouit son visage dans les plis de l'épaisse jupe noire, encerclant la taille maternelle de ses bras, par un mouvement qui paraît naturel et compréhensible à tous : mère et fille mettent en commun leur deuil, et la plus jeune recherche le réconfort de l'aînée...

... A tous sauf à Mendel Visoker. Dans la réaction d'Hannah se blottissant contre sa mère, Mendel sent la tromperie d'une concession aux normes. Il ne met pas en doute la réalité du terrible chagrin qu'elle éprouve ce jour-là. Bien au contraire, il restera longtemps bouleversé par l'intensité de ce chagrin, anormale pour une enfant de cet âge, et anormale aussi par l'obstination d'Hannah à vivre seule son désespoir. Mendel se demande qui console l'autre de la mère ou de la fille.

Il se posera moins de questions sur les événements des semaines, des mois, des années qui suivront la double mort de reb Nathan et de Yasha. A ses yeux, aucun doute : Hannah seule décide qu'on restera au shtetl, au lieu d'aller rejoindre à Lublin une sœur de Shiffrah. Hannah seule persuade sa mère qu'on peut survivre à trois, grâce à l'argent laissé par reb Nathan, au commerce des onguents et baumes composés par Shiffrah...

... Quitte à vendre la maison.

... Quitte à pousser Shiffrah à épouser le vieux Berish Korzer.

Et toutes ces manœuvres n'ont qu'un but, poursuivi année après année avec une fantastique opiniâtreté : attendre le retour de Taddeuz.

Les jours suivants, Mendel Visoker s'attarde au shtetl. D'abord à juste titre : il assiste aux obsèques de reb Nathan et de son fils, dans un village où l'on met en terre près de cinquante personnes, autres victimes du pogrom. Il escorte le corps de son ami jusqu'au cimetière ; il est présent quand, selon la coutume, on dispose sur les paupières des cadavres des tessons de bouteille, et entre leurs doigts un petit épieu — rites exprimant l'espoir qu'au jour de l'arrivée du Messie, les défunts pourront ainsi se creuser un tunnel jusqu'en Palestine. Il jette de la terre sur les tombes et mêle sa voix à celles des autres, lui qui n'a pas prié depuis quinze ans.

S'il s'attarde au-delà des funérailles, c'est sans raison claire. Montant à cru l'un de ses deux chevaux, dételé du brouski, il déambule dans le shtetl, où l'on efface peu à peu les cicatrices de la dévastation, avec la résignation obstinée des fourmis qui s'acharnent à refaire ce que le pied d'un promeneur a nonchalamment défait. Il retourne à l'emplacement de la grange incendiée, à l'endroit où Yasha a brûlé vif, reins brisés. Il cherche et retrouve l'endroit exact où le corps malingre s'est tordu sous le feu. Il n'y a aucune trace particulière sur le sol, de l'herbe repousse déjà et au spectacle de cette indifférence, une fugitive colère revient habiter Visoker : qu'est-ce que c'est que ce foutu monde où quelques heures suffisent à effacer tout souvenir des tortures d'un gosse ?

Il fait marcher son cheval sur les cendres de seigle, de blé et de sarrasin. La plaine immense à l'entour est vide, il n'y a en vue aucun autre cavalier que lui-même, aucune charrette. Vide comme un commencement des temps, à croire que rien ne s'est passé, que les cavaliers ont surgi de l'horizon sans limites et y ont disparu. Mais bien sûr ils reviendront, tôt ou tard. Ils reviennent toujours. Le soleil est de plomb. L'idée de l'eau fraîche du ruisseau lui vient en tête. Il refait le trajet qu'il avait couvert à la course pour se jeter à la rescousse d'une petite fille qui, tout bien pesé, n'avait pas un si grand besoin de lui. Il pénètre sous le couvert des saules et des sorbiers. Ici il a caché son brouski et ses chevaux ; ici il a guetté l'approche des hommes du pogrom ; assisté à la gaie cavalcade du petit couple main dans la main (sur le moment, il a cru à des enfants de Gentils, à cause de la blondeur du garçon et surtout parce qu'il avait peine à imaginer qu'une fillette juive puisse ainsi jouer avec un jeune Polonais) ; assisté à la scène de la grange jusqu'à...

Il pousse son cheval dans les broussailles, le long de la berge du ruisseau. C'est son sixième jour de présence au shtetl et, comme il débouche enfin dans la petite clairière en contrebas d'un talus, en vue d'un barrage fait de pierres et de branches assemblées non sans adresse, il découvre pourquoi, somme toute, il s'est attardé si longtemps.

Elle est là, accroupie avec les façons de la toute petite fille qu'elle est. Mais ses yeux sont fixés sur Mendel Visoker — regard impénétrable et si lourd, d'une profondeur si troublante.

— Tu es seule ?

Elle acquiesce. Auprès d'elle se trouve un sac empli de plantes fraîchement cueillies.

— J'aurais pu être n'importe qui, remarque Mendel. Quelqu'un capable de te faire du mal.

— Je vous ai vu arriver. De loin.

Elle ne bouge absolument pas, continuant de le regarder fixement ; bien qu'il se le reproche, étonné et agacé, Mendel en éprouve de la gêne. Il finit par détourner les yeux et les porte sur le barrage :

— C'est toi qui as fait ça ?

— Evidemment non.

— Pourquoi « évidemment » ?

— Ce sont les garçons qui jouent à ça. (Il y a dans le ton une sorte d'indulgence amusée.)

— Ton ami polonais ?

— Taddeuz, oui.

— C'est lui que tu attends ?

Mendel se décide à regarder de nouveau sa jeune interlocutrice. Il la voit secouer la tête et elle dit paisiblement :

— Il ne viendra pas.

Et tout se passe comme si, avec l'étonnante maturité qui est la sienne, elle devinait la question à venir de Mendel. Car elle se met à expliquer pourquoi, selon elle, Taddeuz ne reviendra pas. Ni ce jour-là, ni les jours suivants, ni aucun des jours que cet été de 1882 a encore à vivre : Taddeuz a forcément honte d'avoir été lâche, six jours plus tôt, dans la grange Temerl. Et donc il va l'éviter, elle

40

Hannah, aussi longtemps qu'il restera dans les parages, attendant de regagner Varsovie où il fait ses études.

— Il veut être écrivain ou explorateur, précise-t-elle. (Une lueur rêveuse, tendre, un peu moqueuse, transparaît dans ses prunelles claires :) Je ne crois pas qu'il sera jamais explorateur. Il est trop délicat. Mais écrivain, peut-être...

Mendel la considère, ébahi. Pensant : « elle parle de ce petit Polonais, qui a quand même trois ou quatre ans de plus qu'elle, comme une mère parlerait de son fils... Ou comme de son amant une femme amoureuse... » Et Mendel d'ordinaire si prolixe, à la langue si bien pendue, ne sait plus que dire. Il demande enfin :

— Et tu vas quand même attendre ?

— Mmmmm, fait-elle, très calme.

— Et s'il ne revenait pas de vingt ans ?

Sourire indulgent devant l'innocence de l'homme sur son cheval :

— Oh, il reviendra !

Mendel se tait. A nouveau sans réplique. Partagé entre plusieurs sentiments assez confus, il éprouve tout à la fois une irritation légère devant tant d'assurance (presque de l'arrogance), une inquiétude chagrine et surtout une tendresse qui l'étonne vraiment beaucoup, lui qui s'est depuis l'adolescence soigneusement gardé de toute attache. Il hoche la tête et entreprend de faire tourner sa monture. S'éloigne de quelques mètres. Il va regagner le shtetl, atteler le brouski et prendre illico la route au sud de Tarnopol. Il n'a que trop tardé.

— Mendel Visoker...

Elle le rappelle, de sa petite voix paisible. Il pivote en tirant doucement sur les rênes.

— Oui ?

Silence, puis :

— Je ne suis pas belle, hein ?

Il en a presque les larmes aux yeux, d'un coup. Elle s'est dressée mais elle ne paraît guère plus grande pour autant, dans sa robe de panne noire un peu trop large et trop grande pour elle, très frêle. Les rayons de soleil découpés par le feuillage encadrent sans le sortir de la pénombre son visage étroit, triangulaire, aux pommettes hautes avec de forts méplats. De la sorte, ce visage apparaît d'une pâleur presque livide, bien que piqueté de minuscules taches de rousseur. La bouche est un peu trop mince, trahit bien trop de détermination. Les cheveux de cuivre roux promettent d'être épais et lourds. Le contraste avec les yeux gris dilatés — qui pour l'heure fixent Mendel avec une intensité douloureuse, dans l'attente de la réponse —, ce contraste est saisissant.

Un hibou.

— Ça dépend comment on te regarde, et qui te regarde, répond enfin Mendel après avoir pas mal hésité, ayant en vain cherché une meilleure réponse.

Silence.

« J'aurais dû mentir, pense Mendel, pourquoi est-ce que je n'ai pas menti ? » D'autant qu'il voit sur les lèvres de la petite fille une espèce de demi-sourire triste qui se dessine, et ses regrets en sont avivés.

Il repasse une première fois au shtetl des mois plus tard. La veille du shabbat précédant Hannukah. Un jour de grand froid, pourtant ensoleillé, dans la matinée tout au moins car ensuite le ciel commence à lentement se couvrir ; le temps tourne à la neige. Mendel Visoker s'est effectivement rendu dans le Sud, à Tarnopol ; il y a séjourné deux semaines et a failli s'y établir plus longuement voire définitivement, tant sa femme locale, une Gentille, s'est montrée sournoisement habile. Il a fui plus au sud encore, a parcouru l'Ukraine, s'est retrouvé à Odessa. Il en revient, en route pour Dantzig, riche de presque quatre cent cinquante roubles.

Au shtetl, il va droit à la maison de feu reb Nathan mais hésite à l'instant de s'y montrer : que diable vient-il faire, à part s'abandonner un peu à la véritable fascination qu'exerce sur lui une morveuse de sept ans, du souvenir de qui il ne parvient pas à se défaire ?

Il trouve la mère et la fille occupées à trier des plantes séchées, étalées à même le sol. Shiffrah lui offre du café à la chicorée qu'il refuse. Hannah ne lui jette qu'un regard rapide, accompagné d'un vague mouvement de tête. Assez platement, il explique qu'il n'est que de passage, par hasard, pour s'assurer que la veuve et les enfants de son ami défunt vont à peu près bien ; demande s'il y a quoi que ce soit qu'il puisse faire. Avec une banalité identique, Shiffrah le remercie de sa sollicitude et c'est tout. Hannah n'a ni bougé ni ouvert la bouche tout le temps qu'il a parlé à sa mère mais, au moment où il s'apprête à remonter sur le brouski, il la voit soudain près de lui :

— Vous avez de nouveaux chevaux, remarque-t-elle.

Shiffrah est restée dans la maison, hors de vue.

— Est-ce que tu n'as pas un autre frère ? demande Mendel.

— Simon. Il est à l'école. Il n'a pas d'intérêt.

— Et toi ?

— Moi, je suis une fille. Et je sais déjà lire et écrire. Je n'ai vraiment pas besoin de l'école. Vraiment pas.

— Tu lis tant que ça ?

Elle se contente d'incliner la tête. Il se souvient qu'il a des livres à bord du brouski. Pour son usage personnel et aussi parce qu'il lui arrive de s'en servir comme de primes à l'achat, quand il fait quelque transaction — rien de tel qu'un petit cadeau à l'épouse ou la fille d'un négociant, pour aider à conclure une affaire. Il soulève la bâche qui les protège : livres de prière de femmes en dix ou douze exemplaires, autres ouvrages également religieux, mais aussi les classiques de ce

42

temps : *l'Héritage du cerf, le Bon cœur* ou encore *le Devoir des cœurs* ou *Joseph.*

— Je les ai déjà lus, dit-elle, méprisante.

Et avant qu'il ait le temps d'intervenir, cette petite diablesse effrontée s'est hissée sur le plateau du brouski et se penche sur les ouvrages avec avidité. Elle se met à fouiller dans les piles, se redresse d'abord, déçue : « Je les ai tous lus, les colporteurs ont toujours les mêmes... » et puis, une lueur triomphante dans les prunelles, elle met à jour les titres que Mendel Visoker se réserve à lui-même, qu'il lit au pas lent de ses chevaux, dans les interminables traversées des grandes plaines russes. Il dit aussitôt :

— Pas ceux-là. Ils sont à moi. D'ailleurs, tu es bien trop jeune...

Il pourrait tout aussi bien expliquer Maimonide à son cheval de gauche (son préféré) pour l'effet que sa remarque a sur la gamine. C'est tout juste si elle ne ricane pas. Parce que naturellement, aussi précise et vive dans son attaque qu'un gerfaut fondant sur un héron, elle a repéré les trois titres auxquels Mendel tient le plus. Elle demande :

— Et c'est quoi, ça ?

— Des poèmes. Tu ne comprendrais pas.

Elle coule vers lui un regard superbement narquois et se met aussitôt à feuilleter les livres. Ce qu'elle a entre les mains est *Qoso šel yod (le Jambage du Yod)* de J. L. Gordon qui, malgré la consonance de son nom est juif et russe et se trouve être un fabuliste-poète-romancier, exerçant une verve hautement satirique à l'encontre, notamment, des rabbins. Mendel en fait ses délices. Mais de là à le confier à la morveuse...

Le deuxième volume est du même Gordon — *Bimsulot yam (Dans les profondeurs de la mer)* — et met cette fois en cause Dieu lui-même, à qui l'auteur trouve bien de l'indifférence, devant les épouvantables malheurs accablant une jeune Juive espagnole. Bref, cela sent le soufre.

... Quant au troisième, il s'agit des *Mystères de Paris* d'Eugène Sue, dans la traduction allemande de Schulmann.

— Tu ne sais même pas l'allemand, dit Mendel accablé à la perspective de la défaite qu'il pressent.

— Comme ça, je l'apprendrai, répond Hannah.

Elle a vraiment l'air de croire que l'argument est sans réplique. Pour preuve : elle saute à bas de la charrette, tenant les trois livres serrés contre sa poitrine plate, à deux mains.

— Il n'est absolument pas question... commence à dire Mendel.

... Mais elle élargit les yeux, penche gentiment la tête, lui sourit : « Vous allez me les prêter, n'est-ce pas, Mendel Visoker ? » et le changement sur son visage, par rapport à sa gravité ordinaire, est si soudain, si spectaculaire que Mendel en est saisi. Jouent sans doute aussi les deux souvenirs capitaux qu'il a d'elle : ce moment où elle a

43

craqué et s'est accrochée à sa poitrine comme un petit chat perdu, et également cette question qu'elle lui a posée, six jours plus tard dans la clairière au bord du ruisseau : « Je ne suis pas belle, hein ? »

— Au moins, dit-il, lis-les en cachette.

— Promis. Et je vous les rendrai la prochaine fois.

— Si je reviens jamais dans ton shtetl.

— Vous reviendrez, assure-t-elle, ses yeux dans les siens.

Les premières neiges de l'hiver se mettent à tomber. Une curieuse mélancolie s'empare de Mendel. D'ordinaire, quand il repart d'un endroit où il a fait halte et quitte l'une de ses innombrables femmes, il est fort gai, quoi qu'il prétende à celle qu'il délaisse, quelque promesse d'un retour rapide qu'il puisse lui faire. Or, ce jour-là...

Il se fige, profondément interloqué : Mendel, tu es fou ! elle n'a que sept ans, qu'est-ce qui te prend ? Il vient brusquement de réaliser qu'il met la Morveuse au même rang que ses quinze ou vingt maîtresses. Le rabbin de Mazurie qui lui a appris à lire avait raison : Mendel Visoker est le plus fou de tous les Juifs de Pologne.

Il remonte dans le brouski. Prêt à faire claquer sa langue, il tourne à demi la tête (sans vouloir soutenir le regard gris) :

— Il est revenu ?

(Il ne retrouve pas dans sa mémoire le nom du garçon blond, mais bien sûr elle comprend qu'il veut parler de Taddeuz.)

— Pas encore.

Passer par le shtetl devient une habitude pour Mendel. Lui qui est toujours sur les routes, sous l'effet d'un impérieux besoin de mouvement. Sauf au plus glacé de l'hiver, quand il s'acagnarde à Dantzig chez deux sœurs lituaniennes, blondes et grasses à tenir chaud par les temps de froidure — surtout quand on se couche entre elles.

En 1883, il effectue deux passages, l'un au printemps, l'autre à l'automne. Les deux fois, il voit Hannah — puisqu'il ne vient que pour elle. Les deux fois la même réponse : *Pas encore*. Il n'en est pourtant plus à lui poser de question sur Taddeuz : elle y répond par avance.

Deux visites en 84.

Trois en 85 (c'est l'année où il pousse jusqu'à Vienne, sans autre motif que l'esprit de découverte).

Trois encore en 86.

1886 voit le remariage de Shiffrah, qui épouse en secondes noces Berish Korzer, le tailleur de soixante-douze ans. Il est clair pour Mendel qu'Hannah ne s'est pas opposée au remariage de sa mère — sans cela, il n'aurait certainement pas eu lieu. Hannah pourtant ne pense rien d'exaltant de son beau-père. Elle dit à Mendel qu'elle tient beau-papa pour un imbécile considérable : « Il est tellement bête qu'une fois, en confectionnant un pantalon, il a mis la braguette sur le côté. » Elle fait preuve de plus en plus, avec les années, de cet humour très acide et très tranquille, dont Mendel au reste est enchanté. Elle est d'une effarante précocité (mais la précocité, c'est simplement être en avance sur son âge ; or, au fil du temps, elle conserve et accentue constamment cette avance). Bien entendu, elle a appris l'allemand, dans Eugène Sue-Schulmann ou ailleurs, mais elle connaît également le russe à présent. Et même pas mal de français : en rupture de stock pour son approvisionnement en livres, Mendel a fini par puiser dans la littérature française, qu'on lit à Varsovie dans les hautes castes. Très sardoniquement, avec le secret espoir de rabattre enfin son caquet à « infernale morveuse », il a choisi au début Jean-Jacques Rousseau, l'*Emile* et l'*Essai sur l'origine des langues,* que lui-même s'est essayé à parcourir et qui l'ont plongé dans un sommeil hypnotique. Peine perdue ou du moins espoir déçu : elle a englouti les Rousseau comme on avale une cerise.

En français.

S'ajoutant au yiddish, à l'hébreu et au polonais qu'elle connaissait déjà, elle en est donc à six langues.

... Mais toujours pas de Taddeuz.

Au point que Mendel Visoker, qui s'exaspère chaque fois de la voir rester en attente, envisage lors d'un de ses nombreux séjours à Varsovie d'aller agripper ce foutu gamin au collet, pour le traîner au shtetl, pour qu'elle constate que son Taddeuz merveilleux de perfection ne vaut sûrement pas qu'elle lui consacre sa jeunesse. Il renonce à son projet. Non par crainte des ennuis qu'il pourrait lui valoir (ce genre de périls ne troublera jamais Visoker), mais parce qu'il voit bien qu'Hannah rejetterait toute intervention extérieure.

Deux visites en 87 (il passe par Hambourg et Rotterdam).

Et encore deux en 88. Elle a alors treize ans et il en a trente. C'est l'époque où, pour la première fois, il pense sérieusement à émigrer. En fin de compte il est (provisoirement) détourné de son projet par l'ampleur même du phénomène d'émigration : à s'embarquer, lui aussi, il aurait l'impression de suivre un mouvement d'ensemble, par réflexe moutonnier, lui qui est toujours allé à contre-courant — du moins est-ce l'opinion qu'il a à l'époque de lui-même. C'est que la vague des départs est puissante et soutenue. Les pogroms et sévices de 1881-1882, les lois de Mai décrétant expulsions et assignations à résidence, constituant de nouveaux ghettos, ont surpeuplé la partie polonaise de l'empire russe. Mendel a vu la seule ville de Brody, en Galicie, s'enfler de dix mille réfugiés de l'Est. Il perçoit le flot immense, qui d'ailleurs n'est pas fait que de Juifs : un nombre considérable de chrétiens s'exile de même, se déversant à l'Ouest, en direction surtout des Amériques. A Dantzig notamment, Mendel voit appareiller des bateaux surchargés, et aux frontières de la Russie avec la Prusse et l'Autriche se présentent jour après jour des hordes de candidats au grand voyage.

L'idée de partir loin, sans retour, est néanmoins dans la tête de Visoker.

Sa première visite en 1889 a lieu peu avant la Pessah. Il trouve une Hannah identique. Bien sûr, elle a grandi (mais jamais elle ne sera de taille élevée ou simplement moyenne ; elle tient de feu reb Nathan, son père, qui ne dépassait pas un mètre soixante) ; pour le reste elle est inchangée : poitrine plate et hanches étroites, menue sinon gracile, la peau très blanche qu'aucun soleil ne hâlera jamais, la chevelure lourde, et toujours ces yeux extraordinaires. La gravité domine dans son caractère, avec toutefois, d'autant plus surprenantes, de brusques poussées d'un humour abrupt, parfois féroce, quand sa fulgurante intelligence se déchaîne. A cette époque, elle lit pêle-mêle Hugo, Tourgueniev, Goethe... et même trois ou quatre Zola que Mendel a lui-même lus et longtemps hésité à lui confier — c'est de la pure pornographie, après tout —, mais qu'il lui a finalement portés en se disant qu'il était un fou pervers de pousser à de telles lectures une gamine juive au fin fond d'un shtetl. Car elle le fascine de plus en plus et il devine l'extrême et poignante solitude où elle vit.

Ce printemps-là, elle lui apprend que son frère Simon, qui a seize ans, est parti pour Varsovie afin d'y poursuivre ses études auprès d'un rabbin réputé — « quoiqu'il sache les livres bien moins que moi. Mais c'est un garçon et je suis une fille, bien que je sois plate comme une planche. » Quant au beau-père tailleur, un brave homme sans doute pas aussi bête qu'Hannah le prétend mais à coup sûr dépassé, voire terrorisé par sa belle-fille, le voilà gonflé de fierté d'avoir réussi à faire, à soixante-douze et soixante-treize ans, deux nouveaux enfants à Shiffrah. Celle-ci, ces deux maternités tardives l'ont empâtée. S'il y a eu un temps où Visoker a vaguement envisagé de l'adjoindre à son harem de veuves accueillantes, il y a renoncé depuis belle lurette : Shiffrah n'est pas laide, elle a de la joliesse dans le visage et — l'œil de Mendel le Cocher est infaillible en la matière — une sensualité latente un peu molle qu'il aurait pu être intéressant d'éveiller. Mais ce que Visoker retient surtout d'elle, c'est son extrême insignifiance, et sa prédisposition à se soumettre : elle a vécu sous l'autorité de Nathan et, à la mort de celui-ci, elle est passée sans heurt sous la férule d'Hannah, se laissant notamment convaincre de demeurer au shtetl ; sans doute aussi d'épouser Korzer. Pour Mendel il est maintenant avéré qu'Hannah a incité sa mère à se remarier, « afin de la *caser,* en quelque sorte, tout comme elle est fort capable d'avoir expédié son frère Simon à Varsovie. Ce petit monstre me manipule bien, moi, en m'obligeant à lui rafler tous les livres de Pologne ! »

C'est lors de sa deuxième visite de l'année 89, dans les tout premiers jours de l'automne, que la chose arrive.

— Je suis d'abord passé au shtetl, dit Mendel, mais personne n'avait l'air de savoir où tu pouvais bien être.

— Vous m'avez retrouvée.

Elle lui tourne le dos, occupée à quelque chose dont il ne discerne pas tout de suite la nature. Et puis il découvre ses pieds nus, ses jambes nues, les taches d'humidité naissante, en auréoles, sur le tissu de la robe grise qui se colle à la peau, et enfin les gouttelettes d'eau dans ses cheveux défaits. Tout devient clair — malgré des idées bizarres qui lui viennent et qu'il se hâte de refouler —, il a failli la surprendre alors qu'elle se baignait nue dans le ruisseau ; elle est tout bonnement en train de se rhabiller, sans la moindre hâte. Le regard de Mendel se pose sur le dos, sur la taille d'Hannah, à cet endroit où le tissu trempé se plaque sur les hanches, et le battement de son cœur s'accélère soudain ; il lui semble apercevoir une courbe inconnue...

Au même instant, lui tournant toujours le dos, mains et bras dressés pour rajuster sa chevelure, elle dit très calmement :

— De toute façon, au shtetl, personne ne se préoccupe jamais de savoir où je suis, ni ce que je fais. Je n'intéresse pas grand monde.

Là-dessus, elle se retourne enfin. Dans la seconde suivante, Mendel reçoit l'un des plus grands chocs de sa vie : cette Hannah qui lui fait face est métamorphosée ; il ne l'aurait pas reconnue, sans ses yeux. C'est une femme, pense-t-il avec un incompréhensible orgueil. En un seul été, elle s'est épanouie et lui qui, en quinze ans, a bien dû collectionner cent cinquante maîtresses, qui s'estime capable de jauger n'importe quelle anatomie féminine au vu d'une cheville ou d'un poignet, de la ligne du cou ou des épaules, ou par la seule façon de marcher, il en est étourdi. Bien sûr, elle reste assez petite, bien qu'elle ait dû prendre quatre ou cinq centimètres depuis le printemps, mais les seins sont venus, les jambes se sont allongées, les hanches arrondies. Tout cela encore un peu frêle et incertain, certes, mais les promesses sont réelles... « Et ce sont mieux que des promesses, Mendel ; elle aura, elle a déjà, l'un des plus beaux corps de femme dont tu as jamais rêvé ! » Il secoue la tête, incrédule mais aussi plein de honte — c'est qu'il se le figure on ne peut mieux, ce corps, avec une précision vraiment très gênante, aidé par son encyclopédique expérience et par le fait que le tissu de la sempiternelle robe de panne se plaque décidément trop sur la peau humide, sur les jeunes mamelons notamment, dont il voit distinctement les pointes dressées. Une chaleur lui vient dans le ventre, il entre en érection et en éprouve la plus grande fureur de son existence. Contre lui-même.

Il descend de cheval, se colle à la selle, constate qu'elle le regarde fixement, bras toujours dressés pour renouer ses tresses défaites, une épingle à cheveux entre les dents. Et, *c'est bien ça le pire,* elle a tout l'air de deviner ce qui se passe en lui et s'en amuse comme une vraie folle :

— J'ai changé, Mendel Visoker ?

Il déglutit :

— Pas mal, oui.

Il se sent d'une stupidité rare. Balance ses cent et quelques kilos d'un pied sur l'autre, projetant vaguement de faire quelque chose de pas ordinaire, n'importe quoi, comme par exemple de se glisser sous son cheval et de le soulever sur ses épaules, histoire de se calmer un peu. En fin de compte, il ne bouge pas du tout. Elle non plus, d'ailleurs. Ou à peine. Elle a achevé ses deux lourdes tresses et les fixe ensemble, en un chignon particulier qu'il n'a jamais vu chez aucune autre femme. (Mendel s'intéresse beaucoup à ces choses ; c'est l'expert russo-polono-juif numéro un pour toutes les questions qui concernent la gent féminine.)

— Moi, dit-il enfin d'une voix rauque, moi, tu m'intéresses.

Elle ôte l'épingle à cheveux d'entre ses dents et lui sourit :

— Merci, Mendel Visoker. Alors, il paraît que j'ai beaucoup changé ?

Rien que le coup d'œil oblique, moqueur et triomphant qu'elle lance vers un endroit, sous sa ceinture, devrait l'éclairer. Mais il ne remarque pas le sous-entendu. Il est bien trop occupé à surmonter sa colère contre lui-même et aussi, un petit peu, contre la Morveuse.

— Je t'ai apporté tes foutus livres, dit-il.

Et comme il reprend du poil de la bête, il ajoute, aussi sarcastiquement que possible :

— Seulement, ils sont en russe, de la première à la dernière ligne.

— Ça ne fait rien, réplique-t-elle, placide.

— Fedor Mikhaïlovitch Dostoïevski, comme tu me l'as demandé. J'en ai lu trois ou quatre : *Souvenirs de la maison des morts, Mémoires écrits dans un souterrain, Crime et châtiment,* et un truc appelé *l'Idiot.* C'est vraiment un auteur comique. Tu vas te tordre de rire.

— Très bien.

Il la connaît bien, quoi qu'il en pense lui-même, depuis sept ans qu'il la voit grandir et mesure son développement d'une année sur l'autre. Quelque chose l'alerte, dans la façon dont elle prononce ce « très bien ». Relevant enfin la tête, il la considère bien en face, droit dans les yeux. O surprise : disparue la lueur de triomphe, et jusqu'à l'expression de moquerie ; à la place, ce regard écarquillé, comme tourné vers l'intérieur, qu'il lui a déjà vu à leur première rencontre, juste après la mort de Yasha et, pire encore, quand ils ont eu la confirmation que reb Nathan était mort lui aussi.

... Et cette fois, tout de même, Mendel comprend. D'autant qu'ils se trouvent dans la clairière, aujourd'hui parée des couleurs de l'automne, où les vestiges d'un barrage vieux de sept ans subsistent encore. Il demande :

— Il est revenu ? Tu l'as revu, c'est ça ?

Elle fait un premier pas, puis un deuxième et plusieurs autres qui l'amènent tout contre lui. Elle pose sa joue sur la poitrine colossale et, après une dernière hésitation, Mendel Visoker referme ses bras sur elle. Malgré toute sa colère — « cet enfant de salaud de Polonais l'a fait attendre sept ans ! » —, malgré la pointe de jalousie qu'il éprouve, il est emporté par un déferlement de tendresse.

Oui, c'est bien ça.

Elle raconte que Taddeuz est réapparu à la mi-juillet (elle se sert du calendrier chrétien), un Taddeuz de dix-sept ans, « plus grand que vous », très beau en tout cas, plus beau que dans les meilleurs souvenirs. Et toujours doux, délicat, gai. Si attentionné et si intelligent... Durant les premières minutes, elle a à peine osé ouvrir la bouche mais bien entendu, il a compris sa timidité et pour l'apaiser, a parlé de lui-même (« le fils de pute ! pense Mendel, est-il seulement capable de parler d'autre chose que de lui-même ? »), de ses études qui, évidemment, sont fort brillantes :

— Taddeuz a deux ans d'avance sur tous les autres et dès cette année il est entré à l'université.

... Il va être avocat, le plus grand avocat de Varsovie, de Pologne, d'Europe...

— Au moins, dit Mendel.

Hannah s'est détachée de lui, elle marche dans la clairière. Elle dit que ses premières retrouvailles avec Taddeuz ont été *merveilleusement* naturelles, et que « non, Mendel Visoker, le passé n'a pas été évoqué ; pourquoi revenir sur ce moment de faiblesse qu'il a eu ? », que ces retrouvailles ont été suivies d'autres rencontres. Ils ont dû se voir huit ou dix fois en tout, au long de l'été qui vient de s'achever.

— Et il est où, maintenant ? demande Mendel.

A Varsovie ; qu'il a regagné deux semaines plus tôt ; quelqu'un d'aussi brillant, d'aussi *raffiné* (elle emploie bien, au milieu du yiddish, le mot français) que Taddeuz ne peut s'attarder dans un village, un trou perdu, sans personne à qui parler...

— C'est évident, remarque Mendel avec une âpre rancœur. Que ferait un tel génie parmi des paysans ? Je me demande pourquoi il n'est pas déjà à Prague, ou à Vienne, ou mieux encore à Paris. On doit l'attendre dans la fébrilité, là-bas, afin qu'il illumine le monde...

Il se doute bien que son ironie sera de peu d'effet. Elle n'en a aucun. A part ce très bref regard qu'Hannah lui lance, un regard assez railleur. Mais c'est plus fort que lui. Il est de nouveau en rage, il ne parvient pas à admettre la démesure du sentiment qu'Hannah porte à Taddeuz, au point de l'avoir attendu sept ans et de trouver admirable que ce petit salaud polonais qui a fait tuer son frère et a bien failli la faire tuer aussi, accepte d'oublier le passé, de la

49

rencontrer, et de parler de lui-même. De tous ceux qui aimèrent ou haïrent Hannah (rares furent les sentiments intermédiaires), Mendel Visoker a sans aucun doute été le premier à déceler son intelligence et son caractère hors du commun ; il n'y a pas que de la jalousie dans sa réaction, même si la jalousie est réelle ; il sait qu'elle risque de gâcher une vie qui peut être exceptionnelle à cause du « petit salaud ».

... Hannah va et vient, continuant à discourir, avec la prolixité de ceux qui se sont tus longtemps. Elle dit que Taddeuz, quoique plus âgé qu'elle de trois ans et en dépit de ses études, a lu moins de livres qu'elle ; en tout cas pas les mêmes. Elle lui a prêté, entre autres, *les Misérables*, et Taine et Renan et Barbey et Banville, car il lit très bien le français ; tout comme le russe et l'allemand ; elle s'émerveille de ce qu'il sache quatre langues (alors qu'elle-même en connaît déjà six !). Mendel l'interrompt et demande :

— Tu as parlé de lui à quelqu'un, à part moi ?

Elle secoue la tête.

— Même pas à ta mère ?

Un sourire tend les lèvres un peu trop minces. De toute évidence, l'idée de se confier à Shiffrah, pour quoi que ce soit, ne lui est jamais venue et l'amuse beaucoup.

Sa robe grise commence à sécher. Du coup, elle en redevient davantage fillette, adolescente tout au moins — les seins petits et ronds comme des pommes, haut placés sur la poitrine, sont toujours là pour tendre le tissu ; et il y a toujours ces diables de courbes à l'endroit des hanches. Un tel accomplissement physique n'étonne pas Mendel : dans tous les shtetls traversés lors de ses voyages, il a vu de fraîches mariées guère plus âgées qu'Hannah, quand elles n'étaient pas plus jeunes. Et justement...

Il trouve enfin le courage de poser la question qu'il a en tête depuis le début :

— Il t'a... touchée ?

Silence.

— Non, dit-elle. Pas vraiment.

— C'est quoi, *pas vraiment ?*

Ses yeux ne le quittent pas d'un long moment et il voit passer dans son regard une colère dure puis de l'ironie. Elle baisse la tête. Des quarante et quelques années où il la connaîtra, ce sera la seule fois où il la verra gênée.

— Il m'a embrassée, répond-elle.

Et elle précise : « Là. » Elle indique ses lèvres de l'index. « Rien d'autre. »

Un temps. Mendel se détourne, ayant à nouveau très envie de fracasser quelque chose :

— C'est toi qui n'as pas voulu ou c'est lui qui n'a pas osé ?

— Les deux.

Et elle rit, cette infernale petite garce ! Il l'entend rire dans son dos.

— Il n'est pas encore très dégourdi, dit-elle avec malice.

« Et moi, je le suis, dégourdi ? » pense Mendel. Il marche jusqu'au bord du ruisseau, s'assied, ôte ses bottes cosaques et plonge ses pieds nus dans l'eau. Son humeur a miraculeusement viré au beau. Il contemple avec satisfaction le feuillage jaunissant des saules au-dessus de sa tête : l'hiver va venir, saison qu'il aime bien et qu'il passera à Dantzig entre ses deux Lituaniennes (plus blondes et grasses que jamais et dont il commence à se lasser un peu ; peut-être après tout va-t-il les troquer contre cette Allemande aux yeux verts, veuve, Dieu soit loué, qui a le téton aussi dru que la fesse). C'est précisément dans ce moment où, son irritation tombée, il rétablit la paix entre lui et le reste du monde, qu'Hannah passe à l'attaque. Sans doute pas par hasard ; il soupçonne qu'elle le devine à tous coups, capable de le retourner comme une crêpe de sarrasin, malgré ses cent kilos, sa puissance et l'expérience qu'il a des femmes. Elle demande, derrière lui :

— Vous arrivez d'où ?

— Kiev.

Kiev notamment. Il a vagabondé comme à son habitude, parcourant l'Ukraine et poussant même une pointe jusqu'à Moscou, sans autre raison que sa fantaisie. En cette année 89, ses affaires vont à merveille. S'il a encore son vieux brouski, ses moyens lui permettraient d'acheter une ou deux autres voitures et de les confier à des employés. Il a choisi de n'en rien faire, de rester seul et libre, quitte à ne pas trop faire fortune...

— Et vous allez où ?

— Dantzig.

— En passant par Varsovie ?

Il se fige comme s'il devinait tout en une seconde. Sort ses pieds de l'eau.

— Pas question, dit-il. Non, non et non.

— Vous ne savez même pas ce que je vais vous demander.

Il sent qu'elle vient très près de lui.

— De deux choses l'une, dit-il ; ou tu veux que j'aille voir ton Taddeuz et lui porter un message, ou pire encore tu voudrais que je t'emmène le rejoindre.

Pas de réponse pendant longtemps. Elle s'est approchée à le toucher presque. Et soudain elle dit, d'une très petite voix :

— Je voudrais que vous me fassiez l'amour, Mendel Visoker...

Il lui faudra un sacré moment pour trouver le courage de se retourner :

— Tu veux que je te fasse *quoi ?*

— Vous avez très bien entendu.

— Je n'ai rien entendu. Je ne veux pas avoir entendu. Tu es folle.

Elle se penche et appuie ses lèvres sur les siennes, une simple pression, maladroite. Il se lève d'un bond et détale à l'autre bout de la clairière.

— Il n'y a pas à dire, remarque-t-elle avec une paisible acidité, je fais vraiment de l'effet aux hommes.

— Hannah, ça suffit. *N'approche pas !*

— D'accord.

Elle s'asseoit et entreprend avec le plus grand calme de lisser les plis de sa robe. Sur un ton très détaché, comme si elle parlait de couture ou de confection d'un gâteau :

— Je ne vais pas vous raconter que je vous aime. Vous ne me croiriez pas. Je ne suis pas tellement pressée non plus de ne plus être vierge. Ce n'est pas ça.

— Reste où tu es, dit Mendel (qui probablement se parle aussi à lui-même).

— Ce n'est pas non plus que je sois perverse. Mais j'ai réfléchi : tôt ou tard, je vais dormir... enfin, dormir... je vais me coucher avec Taddeuz. Il ne sait rien et moi non plus. Il faut bien qu'il y en ait un de nous deux qui sache.

— Par les cornes de Belzébuth, dit Mendel.

— ... Or, comme vous, vous avez de l'expérience.

Silence. Elle penche la tête :

— Vous avez bien envie de me flanquer une rouste, hein ?

— On ne peut pas mieux dire.

Elle pousse un grand soupir :

— Alors, c'est non ?

— Définitivement. Hannah ?...

— Oui ?

— Ne me demande pas si j'en ai envie ou non, s'il te plaît.

Il la considère éperdument et se demande bien par quelle monstrueuse imbécillité il ne l'a jamais trouvé jolie, jusqu'à cette seconde. Car elle est tout à coup radieuse. Elle lui sourit comme jamais :

— Donc, vous en avez envie. Je suis heureuse de l'apprendre.

— Va au diable.

— Je ne vous aime pas mais je vous aime bien. Beaucoup, même. Bon. N'en parlons plus. Parlons de vos « deux choses l'une » de tout à l'heure. C'est ça et ce n'est pas ça. C'est vrai que je veux aller à Varsovie, en partie parce que Taddeuz y est, mais ce n'est pas la seule raison...

Elle pivote et à son tour plonge ses pieds dans l'eau. Mendel la voit de profil, s'étonne de ce profil qu'il lui semble découvrir pour la première fois. Ce n'est pas qu'elle soit belle (sauf, très mytérieusement, quand elle sourit comme elle l'a fait un peu plus tôt, avec la bouche et les yeux) ; elle ne sera jamais belle au sens commun du terme. Il s'agit d'autre chose : de l'effet fascinant produit par ce petit museau triangulaire au teint pâle, aux pommettes hautes, dévoré par les prunelles grises ; de l'impression de tension extrême que dégage ce visage, surtout ainsi — menton posé sur les genoux et, en quelque sorte, projeté vers l'avant, volontaire et pourtant si délicat...

— Pas la seule raison ni même la principale, reprend-elle. Je veux quitter le shtetl, Mendel Visoker. Je veux partir...

... Et non, elle ne demande pas à Mendel de porter quoi que ce soit à Varsovie, n'attend pas davantage de lui qu'il l'emmène avec lui. Pas cette fois, mais au printemps prochain. S'il le veut. A son prochain passage, s'il y en a un. A lui de décider : il lui suffira d'éviter le shtetl, de n'y jamais remettre les roues de son brouski, pour le cas où il choisirait de ne plus s'intéresser à elle. Dans l'intervalle, en attendant le printemps, quoi qu'il décide, elle préparera son départ, elle a déjà en tête tous les arguments à développer pour convaincre sa mère, son beau-père, et jusqu'au rabbin, qui aura son mot à dire, avec sa manie de se mêler de tout, quoique ce soit un brave homme...

Mais elle a tout prévu. Elle tourne la tête et braque son regard sur le Cocher :

— Absolument tout. Vous en doutez, Mendel Visoker ?

— Fichtre non, répond Mendel.

Il est sincère. Profondément troublé mais sincère. Il ne doute pas une seconde qu'elle ait en effet très minutieusement mis au point les moindres mécanismes de son départ. Il va avoir tout l'hiver 1889-90 pour réfléchir à ces choses, lui est qui est mieux disposé que quiconque à comprendre le besoin de partir ; Hannah ne veut faire rien d'autre que ce qu'il a fait lui-même, s'affranchir.

A deux différences près. D'abord, le départ d'Hannah est un envol (le sien était une fuite), pour un destin infiniment plus vaste que le sien. Il dira en avoir eu la certitude sur-le-champ, fort de la connaissance qu'il avait d'elle. (Il est vrai qu'il le dira bien des années plus tard ; il est facile de réécrire une histoire dont on connaît la suite.)

La deuxième différence est toute simple... Hannah est une femme. Et qui a jamais entendu parler d'une femme, juive de surcroît, faisant fortune ?

Mendel Visoker sut, dès l'automne de 1899, qu'il reviendrait la chercher au printemps suivant, quand elle aurait quinze ans. Il ne douta pas une seconde, donc, qu'elle serait alors prête à partir. Mais il n'avait pas la plus petite idée de la façon dont elle allait s'y prendre.

DEUX ROUBLES A VARSOVIE

— J'ai quinze ans, dit Hannah au rabbin. Et je suis du sexe féminin, au cas où vous ne l'auriez pas remarqué.

Le rabbin ferme les yeux et se gratte la barbe, soupire, montre, en un mot, tous les signes de l'exaspération. C'est un très brave homme que ce rabbin-là. Probablement pas le plus érudit qui soit en Pologne, bien qu'il ait passé quinze années dans une des *yeshivoth* de Lituanie, qui dans sa jeunesse étaient les plus réputées pour le sérieux de leur enseignement. Mais il a aujourd'hui plus de soixante-dix ans et ces temps sont lointains ; il ne lui en reste qu'un goût prononcé pour la dialectique, qu'il n'a eu que très peu d'occasions de satisfaire depuis le jour (il avait alors la trentaine) où il est entré en fonction dans ce shtetl perdu au sud-est de Lublin.

Bien entendu, il connaît Hannah ; il l'a vue naître :

— Si ton père — qu'il repose en paix ! — vivait encore...

— Ce qui n'est pas le cas.

— J'aimerais que tu me laisses finir une phrase, de temps en temps. C'est moi, le rabbin, et pas toi.

— Ça m'étonnerait bien que je sois rabbin un jour, répond-elle suave. Pour toutes sortes de raisons.

Silence. Et nouveau soupir rabbinique. Le rabbin ne se rappelle plus très bien comment cela a commencé. Plus exactement, s'il se souvient des circonstances, il ne parvient pas à se remettre en mémoire les raisons qui l'ont conduit, lui un rabbin respectable, à établir des relations pareilles avec une enfant. Non que ces relations soient équivoques, il ne manquerait plus que ça... Mais enfin, une fille ! Cela s'est passé cinq ans plus tôt. Il s'est un beau soir avisé qu'elle ne fréquentait plus l'école, il est allé parler à Shiffrah, qui à l'époque n'était pas encore remariée avec Berish Korzer le tailleur. Sans grand espoir : il savait, comme tous au shtetl, que la fille de feu reb Nathan n'en avait jamais fait qu'à sa tête depuis qu'elle avait su parler — « Ce que depuis, Dieu la préserve du mauvais œil, elle n'a plus cessé de faire ! » L'entrevue avec Shiffrah avait donné le résultat attendu : rien. Bonne épouse et bonne mère, Shiffrah souffre d'une insignifiance de caractère qui ne lui a jamais fait ouvrir la bouche que pour dire oui. Le rabbin a donc dû affronter personnellement la gamine, qui approche de dix ans : se rend-elle compte qu'à ne plus vouloir aller à l'école, elle est en danger de rester ignorante ? Ricanement : elle sait lire et écrire depuis des lunes, dit-elle ; en yiddish, en hébreu et en araméen (pas très bien pour l'araméen), et aussi en polonais. Et pas mal en allemand itou. Le rabbin a alors sorti son Pentateuque ; elle a contre-attaqué par un feu roulant à base de Midrasch Rabba (commentaires sur le Pentateuque), de Sifra (commentaire du Lévitique), de Mischna et de Guemara. Elle en sait autant, et même plus, qu'un très bon élève de quinze ans...

Ainsi ont commencé leurs séances de *pilpoul*. (Comment ils ont pu en arriver là constitue, pour le rabbin, la partie obscure de ses souvenirs.) Pure et originale invention des Juifs de Pologne, qui tous savent lire et écrire dans une Pologne analphabète aux trois quarts, le *pilpoul* est une gymnastique de l'esprit où, étant entendu que les deux adversaires ont du Talmud une connaissance en principe parfaite mais à tout le moins égale, l'excellence et donc la primauté d'un interlocuteur sur l'autre sont établies par l'invention des analogies les plus surprenantes entre textes a priori sans aucun rapport, par la construction de syllogismes proprement extravagants entre la fin de tel traité et le milieu ou le début de tel autre, par l'assemblage de morceaux de deux ou trois citations différentes et la démonstration que cela peut vouloir dire quelque chose. C'est une quintessence de l'apprentissage de l'esprit, auprès de laquelle les discussions sur le sexe des anges des prêtres byzantins assiégés par les Turcs ne sont que balbutiements d'arriérés mentaux. Les trois premières années, le rabbin l'a emporté, s'amusant beaucoup ; mais quand Hannah a eu treize ans, ces affrontements presque hebdomadaires se sont parfois révélés équilibrés : sans pour autant savoir les livres par cœur, Hannah a témoigné d'une stupéfiante agilité intellectuelle. « Si seulement elle était un garçon ! » a fréquemment pensé le rabbin...

... Et à ce stade de ses réflexions, justement, une association d'idées se fait. Il demande :

— Et ton frère Simon ?

« Nous y sommes », pense Hannah. Elle répond :

— Toujours à Varsovie. Il a dix-huit ans et va très bien, comme ses études. Il n'est pas plus idiot qu'avant. Mais pas moins. Il nous a écrit pour la Pessah.

La Pessah a été fêtée deux semaines plus tôt. Le rabbin se gratte à nouveau la barbe. On voit clairement qu'il est perplexe.

— Reprenons tout depuis le début, dit-il.

— Bonne idée, dit Hannah.

— Tais-toi.

— Je me tais, dit Hannah.

— Tu viens me voir et tu me racontes que ton beau-père Berish Korzer qui a soixante-quinze ans...

— ... Mais qui a tout de même réussi à faire deux enfants à ma mère...

— Tais-toi.

— Je me tais.

— ... Que ton beau-père Berish Korzer qui a soixante-quinze ans te regarde avec concupiscence...

— Le mot est faible, dit Hannah. S'il ne faisait que regarder, ça irait encore. (Elle sourit au rabbin :) D'accord. Je me tais.

— ... te regarde avec concupiscence et même essaie de se livrer sur toi à... des attouchements, pendant les absences de ta mère.

Le rabbin s'interrompt, s'attendant à une nouvelle remarque mais cette fois, ô miracle, elle se tait. Il poursuit donc :

— Et ceci depuis des mois, depuis l'année dernière, et même avant, quand tu as commencé d'aller prendre les bains rituels de la menstruation, s'il faut t'en croire. Toujours selon toi, tu n'as pas osé en parler à ta mère, même et surtout après que Berish Korzer a offert de t'épouser quand il aurait divorcé de ta mère. Il aurait même envisagé d'aller s'installer à Lodz, où il a de la famille, et où tu le rejoindrais. Et en échange de toutes ces promesses véhémentes, il souhaiterait obtenir de toi...

Le rabbin cherche le mot approprié.

— Un avant-goût, propose Hannah impassible.

— Les premières faveurs, dit le rabbin. Et ce diable d'homme, si décrépit qu'il puisse paraître, incapable de soulever une chaise, ne cesserait jour après jour de te poursuivre. De sorte que ta position est intenable, et qu'à seule fin de préserver le bonheur de ta mère et de tes demi-frère et sœur nés du second mariage, tu n'as pas d'autre solution que de quitter toi-même le shtetl, au plus vite. A bord de la charrette de ce mécréant de Mendel Visoker, qui était un ami de feu ton père — Dieu fasse qu'il repose en paix. Et pour Varsovie. Varsovie où se trouve ton frère Simon et où, quelle coïncidence, j'ai moi-même une sœur cadette qui pourrait t'héberger et te trouver du travail...

Le rabbin se tait et vient le silence. C'est l'un de ces jours où il se sent fatigué et très vieux, où reviennent le hanter les souvenirs amers de sa propre arrivée au shtetl, quarante et quelques années plus tôt, quand il a découvert qu'il allait s'enterrer vivant dans cette bourgade perdue au cœur d'une plaine sans commencement ni fin. En près d'un demi-siècle, il n'a connu ici qu'un homme, exceptionnel d'intelligence et de culture, avec qui parler, parler vraiment. Cet homme est mort lors d'un pogrom. Et sa fille qui tient tout de lui, tous ses traits encore accentués, lui fait maintenant face. Le rabbin dit, non sans lassitude :

— Hannah, je pense que tu penses que je pense que toute cette histoire est affabulation pure et simple. Je sais que tu sais que je sais. Et toute logique, je devrais aller voir tes parents et leur apprendre tes révélations. Je ne doute guère de leur effarement. Ce pauvre Berish Korzer, que j'ai décidément beaucoup de peine à imaginer en satyre, ne s'en remettrait pas : il mourrait, suffoqué par l'indignation et la honte. Je vais donc faire silence sur toute cette affaire. Et ce qui m'irrite le plus est que tu l'as toujours su. Tu l'avais prévu.

Elle soutient un moment son regard et, tout de même, finit par baisser les yeux.

— Tu es très intelligente, Hannah. Sûrement trop pour ton bien. Est-ce qu'entre ce Visoker et toi...

— Non, dit-elle vivement. Ce n'est pas ça.

— Tu veux aller à Varsovie.

— Je veux aller n'importe où ailleurs qu'au shtetl. Le moment est venu.

Il la scrute, à présent convaincu qu'elle dit la vérité. Il peut prévoir ce qu'elle fera, si d'aventure il cherchait à étouffer cette histoire de tentative de viol : au lieu de n'en parler qu'à lui, elle ira jusqu'à répandre la fausse nouvelle dans tout le shtetl. Elle atteindra ainsi, de toute façon, son objectif, qui est de partir. Or le rabbin ne lui en veut pas trop de son chantage assez cynique. Il a eu tout le temps de mesurer sa force de caractère. Et sait surtout — mieux qu'elle-même à cette époque de sa vie, et plus précisément qu'un Mendel Visoker ou que quiconque — qu'une partie de la personnalité d'Hannah la rend apte aux calculs les plus froids, dès lors qu'elle se fixe un but. Mais le rabbin croit, espère, qu'il existe une deuxième Hannah, parallèle et complémentaire, capable des plus extrêmes passions, infiniment attachante. Et il aime cette Hannah-là, d'une tendresse un peu effarée.

— Et tu feras quoi, à Varsovie ?

— Je ne sais pas encore.

Silence. « S'il lui arrive quelque chose, pense le rabbin, je me souviendrai toute ma vie qu'elle est partie avec mon aide. Quoique... elle serait partie avec ou sans moi, en vérité. »

— Quand veux-tu partir ?

— Aujourd'hui. Je suis prête.

— Tu ne me laisses guère de temps pour annoncer la nouvelle à ta mère et obtenir son accord.

— Ma mère peut très bien vivre sans moi, dit Hannah. Elle n'a jamais eu besoin de moi. Ça la soulagera même, que je ne sois plus là.

— Je ne connais plus très bien Varsovie, dit le rabbin à Mendel Visoker. En quarante ans et plus, les choses ont dû changer. Mais je crois que c'est dans la rue Goyna.

— Nous trouverons, dit Mendel.

Il prend la lettre que lui tend le rabbin, recommandation de celui-ci à sa sœur. Les deux hommes échangent un regard.

— Je sais, dit Mendel à voix basse. Je veillerai sur elle comme sur ma propre sœur. Si j'en avais une.

Il n'a pu s'empêcher de mettre un peu d'ironie dans ses derniers mots et se le reproche : pour un rabbin, celui-ci n'est pas trop mal. Et il s'inquiète visiblement pour la Morveuse. « A sa place, c'est pour Varsovie que je m'inquiéterais. Ils ne savent pas ce qui va leur tomber sur la tête, là-bas... »

Il jette un dernier coup d'œil au groupe, au premier rang duquel Shiffrah, Shiffrah qui pleure. Mendel se hisse à son tour sur le brouski, où Hannah est déjà assise, droite, mains allongées sur les genoux et regardant devant elle. Il cherche vainement à dire quelque chose d'inoubliable, à l'occasion de ce départ. Ne trouve rien. Sinon un très banal : « On y va. »

L'attelage traverse la place du marché et s'engage sur la route de Lublin.

— Tu aurais dû te retourner et dire au revoir à ta mère, remarque doucement Mendel, un peu glacé quand même par le manque de chaleur, d'émotion dans cette séparation. (Hannah jamais ne reverra sa mère.)

Elle ne réagit pas. Ils sortent du shtetl. Pendant au moins une heure, sur un chemin à peu près rectiligne courant vers un horizon sans limites, dans ce paysage d'une platitude oppressante, ils avancent sans échanger un mot. Enfin, Mendel remarque :

— Je me demande bien ce que tu as pu leur raconter, pour qu'on te laisse partir aussi facilement...

— N'importe quoi, répond Hannah, d'une voix qui semble tout de même un peu bizarre à Mendel. Si bien que pour en avoir le cœur net, et à vrai dire incrédule (mais comme soulagé par cette preuve qu'elle est humaine, après tout), il se penche, l'examine de près, découvre que son menu visage est contracté, avec cet écarquillement des yeux, ce mouvement des lèvres qui seuls trahissent ses émotions profondes.

Jamais je n'ai su tellement pleurer, Lizzie. Mais j'ai bien failli le faire lorsque j'ai quitté mon village, sachant que je n'y reviendrais pas. Cette fois-là seulement et pas vraiment par tristesse — j'ai été mille fois plus bouleversée à la mort de mon père et n'ai pourtant pas versé la moindre larme — mais parce que j'ai eu la certitude que ce jour-là, lorsque Mendel m'emmenait, ma vie commençait enfin...

Ils sont à Varsovie onze jours plus tard, après une halte prolongée à Lublin, où Visoker charge une cargaison de foulards brodés à la main et de produits des filatures.

Hannah voit des bateaux.

— La Vistule, explique Visoker. Et nous sommes sur le pont de Praga.

— Je sais.

Elle suit des yeux un lourd navire blanc à bord duquel se trouvent cent personnes au moins, et jusqu'à des musiciens. Mendel se met à rire :

— J'oubliais : tu sais tout.

— Non, mais vous m'avez apporté un atlas, il y a deux ans.

Elle a beau faire, elle ne peut se contrôler tout à fait ; elle se penche en avant, mains crispées et jointes, se mordant la lèvre inférieure, toute sa vie dans ses yeux. Déjà, Lublin l'a impressionnée, mais Varsovie ! Le brouski progresse au milieu d'une chevauchée de *droschky,* sortes de calèches tirées par un seul cheval, et en redevient du coup rustique ; il y a une foule incroyable, à croire que les deux cent et quelques mille habitants de la ville (l'atlas n'est pas trop précis sur ce point) sont tous sortis dans les rues en même temps ; et dans cette mer humaine, Hannah voit des femmes d'une élégance qui la stupéfie, avec leurs chapeaux immenses, leurs robes colorées, leurs ombrelles diaphanes en ailes de papillon, leurs chaussures d'une finesse sidérante ; et leur extrême assurance, qui les fait se tenir comme des reines. Les hommes qui vont auprès d'elles leur marquent de la révérence, semblant croire qu'elles sont infiniment fragiles, et précieuses... Qu'il puisse exister de telles femmes, auxquelles la primauté est donnée uniquement parce qu'elles sont femmes, voilà sa constatation première en arrivant à Varsovie ; il lui semble dès cet instant avoir découvert une autre espèce, un autre monde où elle ne doute pas de pouvoir entrer.

Le reste, tout le reste, est alors sans importance. Même la nouveauté de ces dizaines de boutiques « raffinées », ouvertes à tous les regards par des vitrines, certaines présentant ce qu'elle prend d'abord pour des êtres vivants, bizarrement figés — avant de comprendre qu'il s'agit de sortes de statues, en cire peut-être —, arborant des vêtements proposés à la vente. Elle n'est pas davantage impressionnée par les étourdissants alignements d'immeubles, à étages et balcons, aux entrées majestueuses, aux portes monumentales, par la profusion des voitures, certaines attelées à quatre ou six chevaux et ne transportant qu'un couple, voire une femme ou un homme solitaire ; par l'impression générale de luxe et d'opulence, d'agitation, de vie...

... Et moins encore par la litanie de Mendel qui énumère et commente les monuments l'un après l'autre : colonne de Sigismond, palais de Saxe, palais Brühl ou Potocki, églises des Visitandines, des Carmes ou de Sainte-Anne, jardins et parcs, et toute cette eau gaspillée par des fontaines qui ne semblent couler que pour le seul plaisir des yeux. Elle n'écoute pas vraiment le Cocher. Ces merveilles dont il s'évertue à lui citer les noms la laissent indifférente. Ce ne sont que des outils, du décor, la manifestation d'une réussite, pense-t-elle. L'essentiel est ailleurs, dans cet autre monde dont elle vient de constater l'existence ; là est sa place. Elle va la prendre, et vite. Parce que Taddeuz doit en être un familier, certes, mais cette raison-là n'est qu'accessoire. Elle éprouve une véritable fièvre...

... Et une énorme déception quand, au terme de tous les tours et détours qu'il a faits, le brouski...

— On arrive, dit Mendel.

... le brouski débouche enfin dans le quartier juif — le ghetto déjà — regroupé autour de ses rues principales, Krochmalna, Smocha, Goyna et autres. Bien sûr, ce n'est pas un retour au shtetl, il s'en faut : ici aussi, comme dans toutes les autres parties de Varsovie qu'elle vient de traverser, il y a de vraies rues pavées, aux trottoirs en bois et parfois en pierre, bordées d'immeubles, plantées de réverbères, vibrantes d'un foisonnement de boutiques, d'échoppes, de magasins et de la même presse agitée, du même déferlement de foule. Mais...

Mendel Visoker stoppe une première fois le brouski, s'enquiert auprès d'un groupe de passants de l'adresse exacte, repart.

... Mais les différences ne sont qu'apparentes : les visages, et sans doute aussi ce qui se trouve dans les têtes, sont les mêmes qu'au shtetl. « Je ne change pas de monde, en venant vivre ici. » Elle dit à voix haute :

— Je ne vais pas rester, Mendel Visoker.

Il coule vers elle un regard intrigué, croyant sans doute qu'elle veut parler de Varsovie en général. Au même instant, il engage ses deux chevaux dans une rue à droite, avance encore un peu, s'arrête définitivement. Il accroche les guides. « Nous y sommes. » Il indique une boutique sur la vitrine de laquelle des inscriptions presque illisibles tant leur couleur est pâlie suggèrent qu'on y vend du lait, des fromages et des œufs. Il considère Hannah :

— Tu ne vas pas rester où ?

— Dans ce quartier. A plus forte raison chez ces gens.

— Mais à Varsovie, oui ?

— A Varsovie, peut-être.

Sur quoi un passant reconnaît Mendel et l'interpelle. Mendel et lui se mettent à discuter. Hannah qui jusque-là a examiné la boutique et conclu qu'elle est décidément sinistre, s'intéresse au nouveau venu (elle a machinalement noté, dans la façon qu'a Mendel de répondre à celui-ci, une hostilité qui l'intrigue). C'est un homme d'environ trente ans, habillé d'un pantalon jaune paille, d'une veste bleue à sequins d'argent sur une chemise rouge. Il a de grands et très beaux yeux noirs qui dévisagent Hannah avec une impudeur tranquille. Il demande à Mendel qui elle est.

— Ma nièce, en quelque sorte, explique Mendel.

— Je ne sais pas si je suis sa nièce, dit Hannah, mais il n'est sûrement pas mon oncle. (Elle soutient hardiment le regard noir ; l'homme est très beau, à sa façon canaille.) Et vous, qui êtes-vous ?

— Pelte Mazur.

Les yeux noirs rient :

— Visoker, est-ce que ta prétendue nièce a toujours la langue aussi bien pendue ?

Et tout en posant sa question, il laisse son regard courir sur le corps d'Hannah, sur tout son corps, se penchant même pour mieux voir, avec l'air d'apprécier vraiment ce qu'il voit.

— Hannah, dit alors Visoker d'une voix dangereusement traînante, cette espèce d'ordure que tu as en face de toi s'appelle Pelte le Loup. Evite-le.

— Elle a quel âge ? interroge Pelte.

— Trente-cinq ans, répond Hannah avant que Mendel ait eu le temps d'ouvrir la bouche.

Pelte le Loup éclate de rire mais, dans la seconde suivante, ses pieds quittent le sol et il se retrouve flottant dans l'air à trente ou quarante centimètres au-dessus du trottoir. L'énorme bras de Mendel s'est simplement allongé, sa grosse patte l'a saisi au collet et soulevé de terre.

— Ecoute-moi, Pelte, dit Mendel avec beaucoup de douceur, écoute-moi bien : tu touches cette petite, tu lui parles simplement et je te casse les deux bras, et même carrément les reins. Tu m'entends distinctement, Pelte ?

— Je crois, oui, dit Pelte qui commence à étouffer un peu.

Un attroupement est en train de se former. Mendel sourit et demande :

— A ton avis, Pelte, est-ce que je plaisante ? Tu me crois capable de te casser les bras et les reins ?

Le Loup profère quelque chose d'assez indistinct.

— Articule, dit Mendel en souriant toujours.

— Je t'en crois tout à fait capable.

— Très bien, dit Mendel, qui ouvre ses doigts et relâche complètement sa prise : à présent, fous-moi le camp, Pelte.

Il suit un moment des yeux l'homme au pantalon jaune qui s'éloigne en direction de la rue Krochmalna et sourit à nouveau, l'œil froid comme la mort, quand Pelte, juste à l'instant de disparaître, se retourne et lui adresse un geste obscène (Hannah *pense* que le geste doit être obscène — elle n'a jamais rien lu dans les livres à ce sujet).

— A présent, à nous deux, reprend Mendel. Qu'est-ce que c'est que cette histoire, tu ne veux pas rester chez la sœur du rabbin ?

— Je n'y resterai pas, c'est tout.

L'attroupement se défait et sur les visages, Hannah lit la déception de ce qu'aucune bagarre n'ait éclaté. Mendel Visoker soupire — lui et Hannah sont toujours assis côte à côte sur le siège du brouski :

— Ecoute-moi bien, Hannah, dit-il avec les mêmes mots et le

62

même ton dangereusement calme qu'il a eus pour menacer Pelte Mazur ; je t'ai amenée à Varsovie, comme tu le voulais. Parce qu'il valait mieux que ce soit moi qui le fasse plutôt que n'importe qui, parce que ta mère et ton rabbin étaient d'accord. Pour cela, j'ai fait un détour, j'ai perdu du temps dans mes affaires ; je veux bien en perdre encore un peu mais pas trop. Alors, de deux choses l'une...

— Je n'ai pas quitté mon shtetl pour venir vivre dans un autre shtetl un peu plus grand que le premier et avec des réverbères.

— De deux choses l'une : ou tu restes tranquille chez la sœur du rabbin, si elle veut bien de toi, de façon à ce que je t'y retrouve à mon prochain passage, ou bien je t'attache les pieds et les mains et surtout je te bâillonne, et je te ramène à ton shtetl. Je suis responsable de toi.

— Personne n'est responsable de personne. Surtout pas de moi.

— J'ai justement un sac vide, là derrière. Quelle heureuse coïncidence, dit simplement Mendel.

Hannah le dévisage. Elle a adoré la scène avec Pelte le Loup (quel nom *merveilleux*), le geste de Mendel l'a enchantée. Bien sûr, elle n'aurait peut-être pas dû le contredire, quand il a prétendu qu'elle était sa nièce, mais d'un autre côté, si elle ne l'avait pas fait, il n'aurait pas pris l'autre abruti par le cou et ne l'aurait pas soulevé de terre. Ç'aurait été dommage de manquer ça. Elle examine Mendel Visoker et, un court instant, rêve à ce qui aurait pu se passer, au bord du ruisseau, s'il avait accepté (elle pensait bien qu'il allait refuser) de lui faire l'amour. Cela aussi aurait été intéressant. Elle a décidément beaucoup d'affection pour Visoker, beaucoup... et aussi la paisible certitude qu'elle peut lui faire faire à peu près n'importe quoi. Enfin, presque. Elle lui sourit très largement :

— Je crois que je vais rester chez la sœur du rabbin, réflexion faite. Si elle veut bien de moi.

— Elle ne te connaît pas, et ignore ce dont tu es capable. Tu as donc une chance d'être acceptée.

Silence. Ils se sourient, complices. Il demande :

— As-tu au moins de l'argent ?

— Oui. Deux roubles.

— Ça va te mener loin.

— Il faut bien commencer. A n'importe quel problème, il y a toujours des tas de solutions. *NON !*

— Quoi, non ?

— Je ne veux pas de votre argent.

Nouveau silence. Il s'éclaircit la gorge, comme font les gens gênés par avance de ce qu'ils ont à dire :

— Hannah, retiens bien ce que je t'ai dit. D'abord que tu dois rester là où je vais te laisser. Promis ?

— Promis.

— Ensuite à propos de Pelte Mazur, de tous les Pelte Mazur de

Varsovie... J'ai vu comment tu le regardais. On ne regarde pas les hommes ainsi. Et en plus, Mazur...

Il s'interrompt, parce qu'elle est en train de pouffer et aussi parce qu'il cherche comment dire ce genre de chose. Elle vient charitablement à son secours :

— Je sais très bien qui est Pelte Mazur, Mendel Visoker.

— Tu n'en sais rien du tout.

— C'est un souteneur, un proxénète, déclare-t-elle très tranquillement. Comme vous l'avez été vous-même, d'après le rabbin de mon shtetl. Si je me laisse faire, Pelte Mazur le Loup va me séduire. Et d'un. Puis coucher avec moi. Et de deux. Puis m'apprendre comment on donne du plaisir aux hommes — ce que je ne sais pas du tout faire, d'ailleurs. Et de trois. Puis me mettre dans un bordel et c'est lui qui touchera l'argent que paieront d'autres hommes pour coucher avec moi. Je crois que j'ai très bien compris. C'est ça que vous vouliez me dire ?

— Par les cornes de Belzébuth... dit sobrement Mendel Visoker.

Elle sourit une deuxième fois, radieuse. S'apprête à sauter à bas du brouski quand elle se souvient qu'elle est à Varsovie, où elle va devenir une dame. Et les dames ne sautent pas à bas des brouskis, c'est très probable. Elle tend les bras à Mendel :

— Vous voulez bien m'aider à descendre ?

Il s'exécute, avec un air de désarroi qui réveille encore plus, si besoin était, la tendresse qu'elle a pour lui. Au point qu'elle met à profit ces quelques secondes où il la prend par la taille pour se coller contre sa poitrine de colosse, pour l'embrasser sur la joue et lui souffler :

— Aucun homme ne me séduira jamais si je n'ai pas envie d'être séduite, Mendel Visoker. Aucun homme ne se couchera contre moi si je ne veux pas qu'il le fasse.

Il la repose sur le trottoir. Il prend son baluchon qui ne contient qu'une seule robe de rechange, une chemise, deux ou trois linges. Elle s'assure qu'elle a bien entre ses seins les deux pièces d'un rouble qui constituent la totalité de ses biens terrestres et ils entrent dans la boutique.

La sœur du rabbin ressemble à s'y méprendre à une meule de foin, une vieille et très grosse meule de foin demeurée des mois durant sous beaucoup de soleil et encore plus de pluie, c'est-à-dire avachie, écroulée, brunie. Cela commence par la tête, sur laquelle elle porte un bonnet affaissé de couleur brune duquel, contrairement aux usages des femmes juives mariées, s'échappent quelques mèches marron ; le visage ensuite est large, d'une teinte uniforme de vieux cuir, et tout en plis successifs où un gros nez en patate fait proéminence ; elle n'a pas de cou, il y a comme une continuité entre la tête et le reste du corps, qui va en s'évasant à mesure qu'on descend, sous l'effet d'un nombre considérable de jupes superposées, toutes de la même tonalité entre le bistre et le chocolat. Une meule de foin en vérité. Qui se déplace, mais lentement, sur des jambes gonflées par l'éléphantiasis et un demi-siècle de station verticale dans la boutique, seize heures par jour au moins.

Elle s'appelle Dobbe Klotz.

Elle a un mari, qui se nomme Pinchos Klotz. Lui est forcément tout petit, tout fluet ; on ne serait pas loin de diminuer son volume de moitié en lui coupant ses papillotes et sa barbe, et en lui ôtant son chapeau noir. Dans le ménage Klotz, il compte pour du beurre (ce qui n'est pas si mal pour un crémier). Son seul rôle consiste à se lever chaque matin à deux heures pour aller chercher le lait frais, les œufs, la crème et les fromages à la périphérie de Varsovie. Il revient rue Goyna vers cinq heures trente (du matin), à temps pour l'ouverture à six heures de la boutique dont il assure alors le nettoiement, puis repart pour quelque expédition nouvelle qui le tient au loin jusqu'au début de l'après-midi. Nouvelle livraison ou approvisionnement, après quoi il est censé se rendre à la synagogue. La fin du jour le voit en principe réapparaître pour aussitôt s'enfouir, sous prétexte d'inventaire, dans la cave dont il ne sort plus jusqu'au lendemain. C'est une ombre d'homme, un soupçon de mari.

Le couple frise la soixantaine et n'a jamais eu d'enfant. En fait, depuis environ trente ans, ils ne se parlent pas, unis par l'une de ces haines silencieuses, minutieusement graduées, auxquelles seul un mariage parfait sait atteindre.

Dobbe Klotz lit la lettre de son frère rabbin. La relit. Elle est réellement monumentale, aussi grande que Mendel et le regard qu'elle braque sur ce dernier aurait de quoi susciter l'épouvante : chez elle, l'œil est petit, aigu, enfoui sous des paupières lourdes, plissées comme tout le reste du visage. Hannah compare Dobbe à une meule de foin, Mendel lui pense plutôt à un rhinocéros, animal des tropiques dont il a vu un dessin dans le *Journal des Voyages*. Sous l'impulsion du moment, il est à deux doigts de rappeler Hannah, de ressortir avec elle, quitte à lui trouver, quelque part dans Varsovie, auprès de l'une de ces nombreuses femmes qui lui réservent la meilleure audience, un refuge plus chaleureux.

Ce qui se produit alors le prend réellement par surprise :

— Et je devrais m'occuper de ÇA ? demande Dobbe Klotz. (Elle n'a qu'à peine regardé l'adolescente.)

— C'est qui, ÇA ? interroge Hannah avec énormément d'acidité.

Le pachyderme tourne la tête et la considère de haut en bas : « Elle va l'écrabouiller comme une punaise », pense Mendel alarmé, et il fait un premier pas en avant.

— Espèce de grosse baleine vous-même, reprend Hannah, je ne suis pas ÇA. Je suis une jeune fille.

Silence.

— Une baleine, hein ? répète Dobbe, une expression bizarre dans ses yeux minuscules et se grattant son gros nez de l'index.

— Une baleine. Et encore : ce n'est pas gentil pour les baleines. (Hannah produit un ricanement.)

Mendel fait un autre pas.

— Maintenant, dit encore Hannah, de deux choses l'une, comme dirait quelqu'un que je connais : vous me gardez ou vous ne me gardez pas. Vous dites non et nous partons, Mendel Visoker et moi. Ce n'est pas la place qui manque à Varsovie.

L'expression dans les yeux en vrille est de plus en plus curieuse. Dobbe demande à Mendel :

— Cette petite morveuse est toujours comme ça ou c'est seulement aujourd'hui ?

— A être franc... commence à dire Mendel.

— *Petite morveuse ?* dit Hannah.

— Hannah, s'il te plaît... essaie encore de dire Mendel.

Mais ni Hannah ni Dobbe Klotz ne l'écoutent ; elle se tiennent face à face — à ceci près qu'elles ont quelque cent livres et presque un demi-mètre de différence.

— Tu sais lire ? interroge Dobbe.

— Sûrement mieux que vous.

— Et compter ?

— Comme un usurier. Et la réponse à la question suivante est oui

— Je ne t'ai pas encore posé la question suivante.

— Vous allez me demander si je pourrais tenir votre magasin qui est sale comme une porcherie. La réponse est oui. Je peux le faire et puisque vous le faites, c'est que ça ne doit pas être bien difficile.

— Tu crois ça, hein ?

— Mmmmmm, fait Hannah.

Mendel les regarde qui se regardent, se sentant soudain exclu et il se demande à part lui : « Qu'est-ce qui se passe, au juste ? »

— En admettant, dit Dobbe, je dis bien en admettant, que je te garde...

— Et en admettant que j'aie envie d'être gardée par vous.

— Admettons-le, dit Dobbe.

— Admettons tout, acquiesce Hannah magnanime.

— Je te donnerai à manger et un endroit pour dormir...

— Propre. Pas comme ici. Avec une fenêtre et une lumière pour la nuit.

— Et pourquoi pas des draps de soie ? ricane Dobbe. Tu sais faire la cuisine ?

— Une vraie catastrophe, concède Hannah. Et pour coudre non plus, je ne suis pas terrible.

— Le manger et le lit, rien d'autre. Pas un rouble, pas un kopeck.

— Ça ne fait rien, répond Hannah tranquille, je n'aurai qu'à voler dans la caisse.

Mendel ferme les yeux, s'imaginant déjà en train d'arpenter les rues de Varsovie et d'y frapper à des millions de portes, avec l'espoir toujours déçu de caser la diabolique morveuse à la langue bien trop pointue. Il s'attend à voir exploser Dobbe Klotz. Elle explose bel et bien, mais pas du tout comme il l'appréhendait : un premier frisson court à la surface uniformément brune de l'incroyable amas de graisse, de chemises et de jupes ; le visage lui-même, avec ses méplats et ses plis hercyniens, ce visage frémit ; puis un grondement caverneux monte des entrailles, à la façon d'un volcan qui prévient de son irruption prochaine...

Et le rire éclate enfin, secouant toute la masse de Dobbe Klotz. C'est un rire à la mesure de cette femme, la rue Goyna tout entière en tremblerait, pour un peu. Et à ce rire, Hannah mêle le sien. Les deux femmes s'abandonnent à un vrai fou rire, sous les yeux d'un Mendel ahuri.

Un moment plus tard, Hannah dit :

— Tout est réglé à présent, Mendel Visoker. Je vais rester ici quelque temps.

Curieusement, de cette scène, Visoker ne conservera pas le souvenir de la drôlerie. Avec le recul du temps, il dira avoir éprouvé, passé le premier soulagement de ce que l'affrontement se soit bien déroulé (et d'être débarrassé de la Morveuse, aussi), un pressentiment désagréable.

En raison même de la rouerie un peu trop consciente d'Hannah, de sa confiance excessive en elle-même, de la certitude absolue où elle était de pouvoir manipuler tous et toutes.

Et en raison, face à elle, de la personne de Dobbe Klotz, avec sa sauvagerie réelle, et sa folie.

Hannah se voit affecter par Dobbe une chambre en soupente, au quatrième et dernier étage de cet immeuble de la rue Goyna, au rez-de-chaussée duquel est la boutique, et qui appartient aux Klotz. Se retrouver à une telle altitude l'enchante, après l'avoir un peu inquiétée au début (à ce jour, elle n'a encore jamais vu d'escalier ; chez elle, les granges ont des échelles).

C'est là, dans cette pièce de trois mètres sur deux, sans chauffage même durant les très durs hivers varsoviens, qu'elle va parachever sa personnalité, voir la fin de son adolescence, vivre aussi le premier de ses drames avec Taddeuz Nenski — et bien entendu l'affaire de Pelte Mazur.

La chambre comporte, comme elle l'a exigé, une fenêtre, une lucarne plutôt. Le soleil y entre le matin, quand il y a du soleil. A condition qu'elle grimpe sur une chaise, elle a vue sur les toits de Varsovie, largement jusqu'à la Vistule, jusqu'à la forêt de Praga, et tout d'abord sur les palais, les églises et tous les monuments de la ville.

Où est, où doit nécessairement être Taddeuz.

4

DOBBE KLOTZ

Dobbe achève de vérifier les livres de comptes et se gratte de l'index l'espèce de pomme de terre qui lui sert de nez :

— C'est quoi, ces quatorze roubles, soixante et onze kopecks et un groschen ?

— Du fromage pour reb Isaiah Koppel.

— Reb Isaiah aurait acheté une quantité aussi monstrueuse de fromage ?

— Quand je lui ai dit d'où venait ce fromage, oui. Et quand je lui ai appris que c'était un fromage tout à fait unique, arrivant tout droit des Carpathes, dont la seule possession provoquerait la jalousie de tous ses voisins. Une affaire à saisir, en somme. Reb Isaiah a tout pris. Il y en aurait eu davantage, tout partait.

Hannah sourit à Dobbe. Cela fait maintenant plus de deux mois qu'elle travaille dans la boutique et son entente avec la Meule de Foin a chaque jour pris plus de consistance. Elle explique que le fromage provient réellement des Carpathes, en fait des Hautes Tatry, et qu'elle a découvert cette provenance par Pinchos. L'idée lui est venue qu'il n'était pas normal qu'un fromage aussi voyageur se revende au même prix que l'ordinaire, qui n'est confectionné que dans les fermes des alentours de Varsovie. Elle a cru bien faire en triplant le prix de vente du fromage des Carpathes. Bien que le prix de revient en soit le même que celui des autres, oui.

— Parce que tu reçois les confidences de Pinchos ?

Qu'on puisse parler avec Pinchos, de quoi que ce soit, étonne visiblement Dobbe. Elle demande encore :

— Et pourquoi ce prix extravagant ? Quatorze roubles et soixante et onze kopecks, passe encore, mais *un* groschen ?

Hannah, sans un mot, tourne la page du livre de comptes. Au verso s'aligne une autre colonne. C'est arrivé deux semaines après son entrée en fonction dans la boutique. A proprement parler, elle n'a pas exigé de Dobbe un salaire, pour ses quatorze ou quinze heures quotidiennes de travail, mais elle a fait une suggestion : puisque les livres sont si bien tenus, et depuis des décennies, il est évidemment possible de déterminer une moyenne des recettes, au cours des trente dernières années, selon les périodes de l'année, les jours de la semaine, voire selon les produits vendus. Et ce qu'elle a proposé, c'était de recevoir quarante pour cent de tout ce qui, à compter du jour de son entrée, serait au-dessus de cette moyenne.

L'œil de Dobbe, son petit œil aigu et dur... S'il y a une chose au monde que Dobbe sait faire, ce sont les comptes. Elle les a faits et refaits toute une nuit ou presque avant de rendre sa réponse. (La nuit, elle n'est pas gênée par Pinchos puisque voilà un quart de siècle au moins que ce dernier dort exclusivement dans la cave.) Au matin, Dobbe a contre-attaqué : « Parce que tu espères que, toi présente, mon chiffre d'affaires (elle dit bel et bien " chiffre d'affaires ", tout comme un directeur d'usine) va monter ? — Oui. — Et de combien, selon toi ? — Allez savoir », a répondu Hannah imperturbable...

Ne ris pas, Lizzie, mais tout ce que je sais, à cette époque, du commerce, je l'ai puisé dans Au Bonheur des Dames *d'Emile Zola, que j'ai bien dû relire vingt-cinq fois...*

Dobbe a commencé à dire : « Je te donnerai du dix pour cent et encore à une condi... — Vingt-cinq. — Quinze. Je n'irai pas au-dessus. — Vingt. Vous ne risquez rien, Dobbe. Votre marge bénéficiaire est de soixante, dans le pire des cas, et vous ne me payez que si vous gagnez plus qu'à l'ordinaire. » Dobbe a finalement accepté vingt pour cent, sous la condition expresse — elle a dû s'estimer diabolique d'y avoir pensé — qu'au cas où le chiffre d'affaires viendrait à tomber *au-dessous* de la moyenne, la perte serait à porter au débit d'Hannah. Nouvelle discussion. A voix basse, puisqu'elles ont conduit le gros de ces négociations à la synagogue, dans la tribune des femmes, chacune tenant son livre de prières. Hannah a donné son accord, stipulant une réserve : elle ne pourra être tenue pour responsable que de vingt pour cent des pertes. Deux jours seulement, elle a eu son compte débiteur, et encore était-ce dans la semaine suivant immédiatement leur pacte. Car ensuite, sous l'effet de sa présence dans le magasin, de sa gaieté, de sa façon de faire avec la clientèle, le chiffre d'affaires s'est mis à monter avec une inexorable constance...

— Et justement, explique Hannah, j'ai fait tous les calculs. Vous pouvez les refaire. Vous les referez sûrement, d'ailleurs, telle que je vous connais...

— Tu peux parler, remarque Dobbe. Tu es encore plus rapace que moi.

— Avant l'entrée de reb Isaiah dont j'ai cru qu'il serait notre dernier client de la journée, j'en étais, dans mes bénéfices, à vingt-sept roubles et six kopecks. Enfin, presque : exactement vingt-sept roubles, cinq kopecks et un groschen... (Il y a deux groschens dans un kopeck, et cent kopecks dans un rouble.) Nous avons atteint le chiffre d'affaires moyen au début de l'après-midi. Tout ce qui venait ensuite était touché par ma prise de bénéfices. Ainsi des achats de reb Isaiah. En lui vendant son fromage pour quatorze roubles et soixante-dix kopecks, je gagnais, à vingt pour cent de cette somme, deux roubles et quatre-vingt-quatorze groschens...

— Exact, reconnaît Dobbe impassible qui, en effet, refait les calculs à mesure.

— Ce qui m'amenait, pour mon total, à vingt-neuf roubles, quatre-vingt-dix-neuf kopecks et un groschen.

— Et tu as ajouté un groschen supplémentaire sur la note de reb Isaiah pour faire un compte rond.

— Voilà. Vous me devez trente roubles.

Ce matin-là, au gré des loisirs que leur laissent les allées et venues de la clientèle, elles discutent la question de savoir comment doit être considéré le groschen supplémentaire : Dobbe Klotz soutenant qu'en toute logique ce groschen-là doit intégralement figurer dans les recettes et donc que vingt pour cent seulement doivent en revenir à Hannah. Et Hannah quant à elle faisant valoir que seule son honnêteté scrupuleuse a fait figurer ledit groschen dans le livre de comptes.

En dernière analyse, quatre ou cinq heures plus tard, la mathématique l'emporte : il est de toute façon impossible de diviser un groschen, qui est la plus petite unité connue.

C'est le temps de l'embellie, dans les rapports entre Hannah et Dobbe Klotz; le temps où la vieille grosse femme au caractère sauvage et dur, accoutumée de vivre repliée sur elle-même depuis des décennies, s'émerveille de l'irruption dans sa vie de l'adolescente, s'abandonne à une sorte de tendresse renfrognée, la seule dont elle soit capable. Cette embellie va durer, des mois et des mois, et la place prise par Hannah devenant toujours plus importante, l'amitié puis la tendresse vont évoluer vers un véritable amour, follement exclusif. Trouble. D'autant plus dangereux qu'il est le fait d'une femme excessive dans ses sentiments, qui n'a rien à envier à certains hommes pour la violence et la férocité.

Hannah reçoit ses trente roubles, et une demi-journée de congé. Pour la première fois, elle s'aventure seule dans Varsovie.

Rue Krolevska, c'est l'adresse indiquée par Taddeuz lors de leur dernière rencontre sur le bord du ruisseau, à la fin de l'été précédent. Hannah doit par trois fois demander sa route mais débouche enfin sur cette artère si impressionnante, bordée de palais et de demeures luxueuses, où les trottoirs de bois de presque tout le reste de la ville

71

sont remplacés par des trottoirs de pierre. Hannah n'en est pas surprise : l'idée qu'elle a de Taddeuz, du faste dans lequel il doit certainement vivre à Varsovie, cette idée en est confortée. Mais elle hésite tout de même en arrivant devant un immeuble qui ressemble fort à un hôtel particulier, séparé de la vie ordinaire par une grille élégante, puis un jardin superbe, puis un escalier de marbre. En haut une porte à deux battants, sculptée sur toute sa surface, et parée, dans un métal qui pourrait être de l'or, de serrures, d'une poignée double, d'un marteau — tout cela est si *raffiné,* pense Hannah. Elle hésite à actionner le marteau, non pas tant par timidité — ce n'est vraiment pas le trait dominant de son caractère — que par besoin de se préparer encore un peu aux retrouvailles.

Elle sait faire preuve du sang-froid le plus remarquable, mais à présent il s'agit de Taddeuz. Tout au long de sa marche vers la rue Krolevska, elle a imaginé, répété par avance cette rencontre maintenant si proche : elle frappera délicatement, avec élégance et distinction — en l'occurrence à l'aide du marteau —, Taddeuz sera là, de l'autre côté de la porte et... non, réflexion faite, elle se trouvera probablement face à un domestique ; il a sûrement un domestique, qui l'introduira, elle Hannah, jusqu'à un Taddeuz émerveillé de la voir à Varsovie. Taddeuz et elle prendront place dans un salon, on leur servira du café, sinon du thé, peut-être même du chocolat, avec en tout cas des gâteaux, et ils parleront littérature ; elle lui apprendra que grâce à Pinchos Klotz — correction : elle ne citera pas Pinchos qui n'est pas très reluisant comme relation —, elle révélera que grâce à un ami qui est bibliothécaire, elle a pu lire ce Schopenhauer dont il lui a parlé l'été dernier...

Elle décide qu'elle n'en est pas à trois minutes près. Un bonheur se goûte d'autant mieux qu'on l'a plus attendu et elle attend depuis déjà deux mois qu'elle travaille et habite rue Goyna, sans avoir strictement rien vu de la ville. Elle se met à marcher sur le trottoir d'en face. Sur sa gauche, il y a un jardin comme jamais elle n'en a vu (ce sont les jardins de Saxe mais à l'époque elle n'en sait pas le nom). Une grille là aussi se dresse comme un rempart. Au travers des barreaux, Hannah aperçoit des enfants qui jouent, soit poussant des cerceaux avec une adresse qui la ravit, soit bâtissant des châteaux de sable à l'aide de seaux et de pelles minuscules, à leur exacte taille : une telle miniaturisation apparaît à Hannah comme la quintessence de la richesse. D'autres enfants traînent des jouets au bout de petites cordes de couleur, d'autres chevauchent des chevaux nains ; l'un d'entre eux est même juché sur une machine ahurissante, faite de deux roues inégales, la plus grande étant plus haute qu'Hannah, et il trouve le moyen de conserver son équilibre, un vrai prodige. Tous arborent des vêtements superbes. Les garçons, par exemple, ont presque tous des costumes de marin (Hannah n'a pas une grande connaissance des marins mais a vu des dessins qui en représentent, dans les livres de Jules Verne que Visoker lui a portés). Quant aux petites filles, ô merveille, elles ont toutes des robes à leur taille. Des adultes accompagnent les enfants mais l'œil d'Hannah ne s'y trompe pas : il ne s'agit que de domestiques, des *gouvernantes* comme on dit en français.

... Elle cherche ailleurs et les retrouve, ces femmes, telles qu'elle les a remarquées deux mois plus tôt, du haut du brouski de Visoker, en traversant la ville. Quelques-unes déambulent dans les allées sous de fabuleuses ombrelles, majestueusement, avec cet air d'extraordinaire assurance qui a déjà stupéfié Hannah. Mais la plupart sont assises à l'abri d'une tonnelle fleurie, aux tables de ce qui doit être un *café* (là encore, Hannah utilise le mot français ; aucune des autres langues qu'elle connaît ne lui semble avoir de juste équivalent pour ce mot *café,* qui exprime le raffinement suprême...)

Mais il est temps. D'ailleurs, si cela se trouve, Taddeuz l'emmènera tout à l'heure à l'une de ces tables ; après tout, rien ne les oblige à boire leur chocolat dans un salon, par un temps si beau. Elle retraverse la rue Krolevska, évitant avec une virtuosité dont elle est fière le grand charroi des *droschky,* calèches et autres landaus. Elle pousse la grille, gravit les marches, arrive devant la porte. Un peu déconcertée, elle constate que le marteau est trop haut pour qu'elle puisse l'atteindre. Exaspérant. A croire que tous les habitants des beaux quartiers de Varsovie mesurent deux mètres. Avec ce fichu caractère qu'elle a, elle en est à envisager de flanquer des coups de pied dans le battant de gauche, mais découvre la chaînette et la poignée, du même métal doré que le marteau. Au point où elle en est... Elle tire. Ça tinte à l'intérieur. Bruit de pas. Le battant de droite s'ouvre. Paraît une femme à cheveux gris, entièrement vêtue de noir à l'exception d'un court tablier de dentelle blanche et d'une espèce de couronne également blanche dans les cheveux, qui la considère d'un air sévère :

— Je voudrais voir monsieur Taddeuz Nenski, dit Hannah dans son meilleur polonais.

— Qui ?

— Monsieur Taddeuz Nenski. C'est mon ami. Il est de mon shtetl. Enfin, pas vraiment de mon shtetl, il est le fils du métayer qui s'occupe des terres au-delà de la grange Temerl.

« Je ne m'en sors pas trop bien, pense Hannah avec une lucidité certaine. Pourquoi est-ce que j'ai parlé du shtetl, et de la grange Temerl ? Je laisse entendre que Taddeuz est juif, ce qu'il n'est pas. Et avec ce qui s'y est passé, à la grange, son petit moment de lâcheté, ce n'était pas malin d'y faire allusion. Tu t'étais juré de n'en plus jamais parler, espèce d'idiote. » La femme aux cheveux gris la considère avec surprise. Le mot shtetl a pourtant dû l'éclairer, car elle dit, en souriant amicalement et en yiddish :

— On t'aura mal renseignée, petite. Il n'y a pas et il n'y a jamais eu ici de Taddeuz...

— Nenski.

— ... pas de Taddeuz Nenski.

Sur quoi le battant est refermé au nez d'Hannah. Qui éprouve à nouveau l'envie de distribuer un coup de pied ou deux. Un long moment, elle s'adosse à la porte close. « Pauvre idiote ! » dit-elle à voix haute, s'adressant à la femme en tablier, à Varsovie, au monde en général et plus particulièrement à elle-même. Elle est en colère.

Le chagrin vient ensuite, et l'abattement. Elle s'est remise à marcher, cette fois sans but. On est au début d'août, les massifs fleuris des jardins de Saxe resplendissent, leur parfum est dans l'air, quoique mêlé à l'odeur du crottin de cheval, à des relents d'huile de chariot chauffée par le soleil, à des remugles exhalés par les égoûts et transportés par l'eau grasse des caniveaux. A force d'avancer droit devant elle, Hannah finit par se retrouver en vue de la Vistule. Il y a toujours des bateaux. Elle s'accroupit, reprenant la posture de sa prime jeunesse, obligée de fermer les yeux. Peut-être envisage-t-elle un retour au shtetl... Mais une femme s'approche, inquiète de la voir ainsi, au bord des larmes, trop près de l'escarpement qui domine le fleuve. La femme demande en polonais s'il y a quelque chose qu'elle puisse faire...

Hannah lui jette un regard quasi féroce : *RIEN*. Elle peut très bien s'en tirer toute seule, répond-elle avec hargne. Du même coup, elle se redresse et ce seul mouvement la remet en route, la force à puiser dans son énergie. Elle repart et, au rythme de ses pas, retrouve sa lucidité — et mieux que cela une lucidité nouvelle, neuve, inconnue à ce jour. Bon, c'est entendu, Taddeuz lui a menti, il n'a jamais habité dans ce palais ; ni sans doute dans aucun immeuble des beaux quartiers de Varsovie ; il fallait être bête comme toi, Hannah, pour croire à des mensonges pareils ; si ce sont de vrais mensonges : la vérité est que, comme toujours, Taddeuz a *rêvé* qu'il demeurait dans quelque endroit de ce genre, « et Taddeuz croit souvent ce qu'il rêve ».

Tout est clair.

Elle est revenue dans le centre-ville, dans une rue dont elle ignore le nom mais où s'alignent les boutiques les plus élégantes. Elle se campe devant une vitrine, qui s'empresse de lui renvoyer son image : « Regarde-toi, Hannah, regarde bien de quoi tu as l'air ! Tu fais peur. Pire que ça : tu fais rire. » L'Hannah qu'elle voit dans la vitre lui expédie un regard très clair, brûlant d'une rage froide ; elle est vêtue d'une robe grise qui l'attife n'importe comment, à la diable, un peu trop grande pour elle — et pour cause : la robe a appartenu à Shiffrah qui l'a retouchée pour sa fille. « Tu n'es pas jolie mais au moins tu as un joli corps, tu as des seins et des hanches ; il suffit que tu te rappelles les regards vicieux de Visoker ou de Mazur le Loup pour t'en convaincre. Un corps pas trop mal... mais qui le voit ? »

Quant aux chaussures — elle le découvre soudain — elles sont hideuses : des galoches informes, à tige montante et d'un vieux cuir tout crevassé, qui ont été à Yasha avant de lui servir.

A nouveau, un tout petit moment de dépression. Mais cette seconde crise dure peu : pleurer sur soi-même dessèche sans profit pour personne et à tout problème, il y a toujours deux ou trois solutions au moins.

Celle-ci par exemple...

Elle entre dans une boutique, effarée par le luxe, par le tapis qu'elle foule et qui recouvre un parquet admirablement ciré, par la profusion des tentures, des tapisseries, des meubles. Effarée mais n'en laissant rien paraître. Une jeune femme s'approche, écrasante de distinction dans sa robe à collerette de batiste blanche. Elle toise Hannah :

— Oui ?

— Je voudrais acheter une robe, dit posément Hannah.

Le regard de la vendeuse se pose sur la défroque grise, s'arrête sur les galoches, remonte :

— Quelle sorte de robe ?

— Une à ma taille, dit Hannah.

Son regard à elle court sur les alignements de mannequins, sur les comptoirs de chêne, les fauteuils et canapés tapissés de brocart, où des robes sont disposées. Et ce qui se passe alors va conditionner des années et des années de sa vie. (Elle parlera de hasard, par la suite, contant la scène à Elizabeth MacKenna.) Elle va droit à l'une des robes, qui n'est même pas au premier plan, qu'on a jetée sur le dossier d'une méridienne, une robe rouge andrinople et noire.

— Celle-ci. Combien vaut-elle ?

— Cent trente-deux roubles.

Dans l'attitude et le ton de la vendeuse, du mépris amusé.

— Je veux la voir, dit Hannah.

Une autre femme, avec la même collerette mais en plus de délicats poignets de dentelle, s'approche à son tour. Elle et la vendeuse chuchotent.

— Puis-je la voir ? dit encore Hannah.

Nouveaux chuchotements. On étale la robe pour elle. Elle n'y touche pas, demande simplement :

— Est-ce qu'elle est à ma taille ?

D'autres femmes font mouvement ; il est presque deux heures de l'après-midi et il n'y a aucune cliente dans la boutique, en dehors de cette gamine si bizarre, qui parle avec tant d'autorité et dont les yeux gris, parfaitement glacés, ne quittent le visage de la vendeuse venue la première que pour se poser sur celui des autres, s'y arrêtant chaque fois quelques secondes. C'est à cause de ces yeux qu'on lui présente la robe, la plaquant contre elle, l'alignant sur ses épaules :

— Elle est un peu trop longue.

Elle s'enquiert de ce qu'il est d'usage de faire en pareil cas. On lui répond qu'il devrait être possible de raccourcir le modèle de quelques centimètres, et que la maison se charge ordinairement de ce genre de travaux. Pour autant que la robe soit achetée. Et payée. Tout le personnel est maintenant en train d'observer la scène.

— Je vais verser trente roubles, dit Hannah d'une voix très claire et très calme, dans le silence. Est-ce que ce sera suffisant pour arrêter la vente et faire qu'on me garde la robe ? Est-ce que cela me garantira que ma robe ne sera pas vendue, en attendant que je revienne avec le reste de l'argent ?

Oui. Sous condition qu'elle ne tarde pas à revenir. Elle hoche la tête et, sur le chêne ciré d'un comptoir, dépose un billet de dix roubles, trois de cinq roubles, plus quatre pièces d'un rouble, une pièce de cinquante kopecks, quatre pièces de dix kopecks, neuf pièces d'un kopeck et deux pièces d'un groschen.

— Trente roubles. Je voudrais un reçu, s'il vous plaît.

On le lui établit, dans un silence extraordinaire. Elle plie le papier en deux et le glisse sous sa robe, entre ses seins. « Je vous remercie. » Elle ressort. Dehors, elle ne se retourne surtout pas en marchant, sachant très bien que plusieurs des vendeuses doivent s'être portées sur le seuil de la boutique, à la regarder partir. C'est seulement quand elle s'estime hors de leur vue qu'elle s'immobilise et s'abandonne enfin à ce tremblement de tout son corps, haletante, les yeux écarquillés.

Vingt minutes plus tard. Les porches, les longs couloirs, les cours de l'université sont à peu près déserts. Seuls quelques ouvriers en blouse mettent de l'ardeur à feindre de travailler. Elle finit cependant par découvrir le concierge, qui lui apprend qu'aucun étudiant ne peut être là, puisque c'est l'été et donc les vacances. « Je sais, répond Hannah (qui en fait vient de l'apprendre), mais je dois absolument retrouver mon cousin Taddeuz Nenski, pour lui apprendre que son oncle et sa tante, c'est-à-dire mon père et ma mère, viennent de mourir. » Le concierge, bouleversé par sa condition d'orpheline, par la dignité dans la douleur, si touchante, dont elle fait preuve, le concierge se met en quatre : il dépêche l'un de ses fils au domicile de l'un des secrétaires de la faculté de Droit et après une heure, le secrétaire en personne arrive, apitoyé à l'extrême, lui aussi. Tout en feuilletant ses registres, il s'informe des circonstances du drame. Hannah donne donc des indications supplémentaires : la tante et l'oncle de Taddeuz, autrement dit ses parents à elle, ont péri dans l'incendie de leur maison, un incendie allumé par des Cosaques ivres, et elle-même n'a dû de survivre qu'à un pur miracle, elle a pu sauter par la fenêtre, en chemise. Et par la suite, elle n'a trouvé à se mettre que ces pauvres hardes qu'elle porte. Les deux hommes qui, en bons Polonais, haïssent considérablement les Cosaques, en ont les larmes aux yeux. Ils offrent même de lui prêter un peu d'argent, afin qu'au moins elle puisse prendre un *droschky*. Elle remercie noblement : il lui reste encore deux roubles, dit-elle, qu'un voisin compatissant lui a donnés. (Ce sont les deux roubles qu'elle avait en arrivant à Varsovie avec Visoker.)

Elle demande si les études de Taddeuz vont bien. Le secrétaire répond qu'elles vont à merveille : Nenski est un brillant sujet, qui a deux ans d'avance et ne tardera pas d'être avocat. « Voilà au moins un point sur lequel il n'a pas rêvé », pense Hannah.

On lui apprend que son cousin Taddeuz a pour adresse un immeuble d'une rue du quartier de Praga, de l'autre côté de la Vistule.

Elle y est vers cinq heures, ayant passé le pont de Praga à pied.

On est loin de la rue Krolevska et de ses fastes. Ce n'est qu'une maison ordinaire, à un étage, plantée en bord d'une rue qui n'a aucun trottoir, même en bois, où les eaux usées, la pluie et, au printemps, le produit de la fonte des neiges s'écoulent par une dépression centrale, pour l'heure puante d'immondices.

— Je suis sa sœur, dit Hannah à la grosse logeuse polonaise. Pas exactement sa sœur : sa demi-sœur en vérité. Nous avons le même papa, mais pas la même maman.

Et d'expliquer que leur papa commun a fauté hors du mariage. La grosse femme au visage rougeaud renifle : voilà qui ne l'étonne guère, elle ; elle a toujours su que les hommes sont tous des cochons abjects et irresponsables. « Vous parlez de mon père », fait remarquer douloureusement Hannah. L'autre en convient et son regard s'attendrit : « Pauvre petite. Quel âge as-tu ? » Hannah dit qu'elle a dix-sept ans, qu'elle vient juste d'arriver à Varsovie pour y toucher un héritage et qu'elle espérait simplement embrasser son demi-frère. Avec l'espoir aussi qu'il la protègerait de tous les hommes avides. Sur l'avidité des hommes, leur scélératesse, la logeuse polonaise est plus que prête à marquer son accord total : elle-même a failli être violée cinq ou six fois... (Hannah doute beaucoup de la réalité de ces tentatives : la logeuse est de sa propre taille mais trois fois plus large, ses cheveux jaunes sont raides et coupés au bol, Dobbe la Meule de Foin pourrait être sa sœur jumelle.)

La logeuse concède toutefois que, pour un homme, le demi-frère Taddeuz est très convenable : il est calme, courtois, très doux et paie son terme à l'année...

— Mais il n'est pas chez lui, dit Hannah.

Il n'y est pas. Il est parti sitôt la fin des cours universitaires, pour Prague, dont il ne reviendra qu'à la fin août, dans le meilleur des cas.

— Puis-je au moins voir sa chambre ?

C'est une surprise, même si Hannah est convaincue par avance que Taddeuz, avec toute la délicatesse qui est en lui, ne peut habiter n'importe où. La chambre est belle, elle est vaste, complétée d'un petit cabinet de toilette ; surtout, ses deux fenêtres ornées de fleurs en pots s'ouvrent sur une vraie terrasse (Hannah n'a jamais vu de terrasse) — pas un simple balcon — qui donne une vue admirable sur le cœur de Varsovie, les clochers à bulbe vert de ses églises baroques, la superbe architecture de Stare Miasto, la Vieille Ville, les anciens remparts ocre doux. On accède à la terrasse par une porte-fenêtre à la française et, en se penchant à la balustrade, on découvre la Vistule qui coule en contrebas.

— C'est très beau, dit Hannah.

Elle doit fermer les yeux une seconde, car elle s'imagine, là dans cette chambre et sur cette terrasse, en compagnie de Taddeuz, à contempler la fin du jour...

... Ou à l'aube ; ce qui implique bien plus, et surtout qu'elle et Taddeuz aient dormi ensemble tout une nuit...

— C'est ma plus belle chambre, est en train de dire la Polonaise. C'est même la plus belle chambre de Praga, peut-être de Varsovie. Votre frère l'a voulue à tout prix, il la paie même pendant l'été, pour être sûr de la garder...

Hannah s'avance jusqu'à l'extrémité de la terrasse : d'autres fleurs en pot en font comme un jardin suspendu. Elle revient à l'intérieur : la propreté et l'ordre y sont remarquables, les très nombreux livres s'alignent impeccablement sur des étagères. Le lit est à quatre quenouilles de bois sombre et chantourné, et à nouveau le cœur d'Hannah bat la chamade — tôt ou tard, elle s'allongera sur ce lit, nue. Elle le sait ou, mieux encore, le veut, ce qui dans son esprit revient au même. Elle s'écarte du lit et remarque les titres de quelques livres, certains de droit mais la plupart de poésie : Slowacki, Musset, Byron, Shelley, Leopardi. Et aussi Towianski et Torwid, dont elle ignore tout. « Il va falloir que je les lise... »

Elle achève son inspection par le bureau sur lequel Taddeuz travaille. Une dizaine de feuillets s'y trouvent, maintenus par une pierre rouge, d'un rouge sombre à peine brillant, l'exacte couleur et probablement la même origine que les yeux du scarabée qu'il avait sculpté pour elle.

— Les meubles sont à lui, dit encore la logeuse polonaise. Et les fleurs. Tu devrais sortir à présent. Il n'aime pas qu'on entre chez lui. Même pour le ménage, je n'ai pas le droit, c'est lui qui s'en occupe. Si tu n'étais pas sa sœur...

— Sa demi-sœur seulement. Et justement je voudrais...

Elle baisse la tête avec juste ce qu'il faut de honte et de chagrin :

— Je voudrais que vous ne lui disiez pas que je suis venue, ni même que je suis à Varsovie. D'ailleurs je ne vais pas rester, puisque je pars demain pour l'Italie, avec l'héritage que m'a laissé mon grand-père. Taddeuz serait si triste et puis...

La voix sourde, elle raconte son histoire, qui est plus triste encore que Taddeuz ne pourrait l'être : comment le meilleur ami de Taddeuz a essayé de la violer et n'attend qu'une occasion pour recommencer. Un vrai fou lubrique. Mais comment dire ces choses à Taddeuz ? La croirait-il ? Et s'il tuait son meilleur ami ? (Qui ne le serait plus, forcément.) A moins qu'entre eux, les hommes...

— Ils s'entendent tous comme des voleurs, dit la logeuse polonaise avec la plus farouche conviction. Même les meilleurs, tu peux me croire, ma petite...

— Ah, c'est bien vrai, hélas, dit Hannah en s'en allant.

Dobbe Klotz la considère avec une stupéfaction mêlée d'horreur :

— Tu veux que je te prête combien ?

— Cent soixante-quinze roubles.

— Et pourquoi pas deux cents ? ricane la Meule de Foin.

— Seulement si vous insistez, dit Hannah, paisible.

Une fois de plus elles sont dans la tribune réservée aux femmes, dans la synagogue, livre de prière en mains. Une fois de plus, elles chuchotent, malgré le regard noir que leur jette de temps à autre la femme du rabbin, chargée du maintien de l'ordre. Quatre jours se sont écoulés depuis qu'à l'occasion de sa demi-journée de congé, Hannah s'est rendue rue Krolevska, à l'université et à Praga, depuis qu'elle a versé trente roubles d'arrhes pour une robe qui en vaut cent trente-deux.

— Bien entendu, c'est non, souffle Dobbe. *NON, NON ET NON.*

— Vous devriez réfléchir davantage.

En bas dans la *menorah,* aux côtés des lampes à huile et de l'Arche sacrée, brûlent plusieurs chandelles commémoratives et leur senteur monte jusqu'à la tribune.

— Prions, dit Dobbe.

— Et pourquoi pas ? dit Hannah.

Un prédicateur de passage fait fond sonore ; il parle justement des femmes, dont il pense qu'elles ont toutes, par nature, de bonnes chances d'aller en enfer où, entre autres choses, on leur arrachera les seins avec des fers rougis au feu, avant de les étendre sur un lit de braise. Très indifférente à ces perspectives effroyables, Hannah se tait et attend, sentant le regard de Dobbe sur elle. Et bien évidemment, selon le calcul d'Hannah, Dobbe se remet à chuchoter. Elle pose la question, l'une des trois questions qu'elle doit nécessairement poser (les deux autres portant sur la destination de la somme et sur les modalités de remboursement) : Dobbe demande ce qui va se passer quand elle aura refusé...

— Je vais m'en aller, dit Hannah. Je vous quitterai, vous et Pinchos. Je n'ai pas le choix.

Si déterminée qu'elle puisse être, elle ne peut faire autrement que de ressentir le choc qu'elle vient d'infliger à la géante. Elle voit les grosses mains se mettre à trembler. C'est au point que, dans un mouvement de tendresse, rare chez elle, elle pose ses doigts sur l'une de ces mains.

Dobbe Klotz sera, avec Mendel Visoker, l'un des grands remords d'Hannah quand elle se penchera sur sa jeunesse. Bien des années plus tard, racontant cette scène à Lizzie MacKenna, elle révélera la honte qu'elle a éprouvée, à l'instant de ce chantage. — *Lizzie, je n'étais alors qu'une horrible gamine, incroyablement égoïste et convaincue de pouvoir manipuler n'importe qui. C'est ma seule excuse. D'autant que je n'étais pas si maligne, en fin de compte : à aucun moment je n'ai prévu ce que Dobbe allait faire plus tard. N'empêche qu'à l'époque, je n'ai pas douté une seconde qu'elle allait me donner cet argent. C'est terrible, de détenir ce pouvoir sur quelqu'un, et d'en avoir si clairement conscience...* (Soit dit en passant, quand Lizzie MacKenna recevra cette confidence, elle pensera que quelqu'un détient sur Hannah, sur l'Hannah adulte, un pouvoir presque identique. Lizzie MacKenna se gardera bien d'en faire la remarque — les yeux d'Hannah, comme toujours, liront en elle et Hannah hochera la tête, disant : « Non, ça n'a rien à voir avec ce qui se passe entre Taddeuz et moi... »)

Dobbe Klotz va prêter l'argent. Non sans un combat d'arrière-garde qui dure trois ou quatre jours. Naturellement, elle pose la deuxième question, veut savoir à quoi va servir un tel capital. Hannah le lui dit, en toute sincérité, renonçant à présenter l'une de ces explications extravagantes qu'elle est capable d'inventer. Une robe à cent trente-deux roubles ? La Meule de Foin a beaucoup de mal à s'en remettre, elle qui n'a pas dépensé la moitié de cette somme, en quarante années, pour les huit ou dix jupes qu'elle porte superposées.

— Mais ce n'est pas tout, dit Hannah, il me faut aussi des chaussures. Et un sac, un chapeau, des gants. Et un jupon. Probablement même deux jupons... Plus une autre robe plus simple, pour tous les jours. Et les chaussures qui vont avec.

Il y a rue Goyna, pas loin, un magasin où l'on vend des vêtements pour femmes. Hannah veut bien s'en contenter pour la robe numéro deux. Elle la paie six roubles et vingt-trois kopecks, après un marchandage de trois jours. A Dobbe qui cherche à comprendre comment elle peut discuter si âprement et, dans le même temps, payer sans barguiner cent trente-deux roubles pour une robe qui ne doit pas être tellement différente, Hannah répond que la robe rouge et noire est un rêve, et qu'on ne négocie pas un rêve.

Rêve ou pas, vient un moment où Dobbe pose la troisième question : comment sera-t-elle remboursée, avec des intérêts raisonnables, de cet argent qu'elle prête ?

— J'ai des projets, dit Hannah. Qui vous feront gagner beaucoup d'argent, outre tous les bénéfices que je vous ai déjà fait faire.

Vers la mi-août, elle se rend dans la très élégante boutique de la rue du Faubourg-de-Cracovie, munie de son reçu. Elle essaie la robe rouge andrinople et noire qui, à la stupeur des vendeuses, lui va à la perfection, à quelques centimètres près, en longueur — elle est vraiment petite. Mais la finesse de sa taille, la rondeur de ses hanches, le galbe de ses seins hauts sont soudain révélés. Mieux encore : le rouge qu'elle a choisi fait, avec ses prunelles grises et ses lourds cheveux torsadés à la façon d'un pain de shabbat, un contraste impressionnant. Que salue le silence subit qui accueille sa sortie de la pièce d'essayage ; que disent aussi les regards, éberlués par une telle métamorphose. Quant à Hannah, elle demeure impassible, quoique se contemplant en pied dans un grand miroir de Venise ovale. S'il y a un moment où elle a la confirmation de ce qu'elle a espéré : avoir une petite chance d'être un tout petit peu belle, à défaut d'être jolie, c'est celui-là. Elle note sa propre prestance, ce miracle qui fait que, sitôt habillée comme elle entend l'être, elle devient extraordinairement différente, semble d'un coup plus grande, plus âgée, avec une apparence de mystère hautain. En dépit ou peut-être à cause de la pâleur de son visage étroit. En raison, surtout, de l'expression de vie intense dégagée par ce visage.

Elle enregistre tout cela avec une froide lucidité, tel un joueur de cartes faisant le compte des atouts qu'il a en main. Et quand on lui annonce que quelques jours seront nécessaires aux retouches, puisqu'on est en août et que du personnel a été renvoyé pour n'être pas payé à ne rien faire pendant la morte-saison, elle répond qu'elle attendra. Mais que bien sûr, elle exige une ristourne, pour ce retard.

Elle ne paiera finalement la robe que cent vingt-cinq roubles. On ne marchande pas le prix des rêves, mais l'idéalisme d'Hannah a ses limites.

Mendel Visoker effectue un premier passage à Varsovie à la fin de l'automne 1890...

... Puis un deuxième, au printemps de 91. Dans les deux cas, bien entendu il se rend rue Goyna. C'est à sa seconde visite que les transformations le prennent par surprise : nouvelle enseigne et nouveaux locaux, le magasin s'est agrandi d'une boutique adjacente. Et encore, les vrais changements sont ailleurs : là où il n'y avait qu'une espèce de sombre caverne fleurant le lait aigre, au fond de laquelle Dobbe Klotz se tenait tel un ours en hibernation, Mendel découvre avec stupéfaction quelque chose de clair, de très propre, de remarquablement organisé, où se presse une vraie foule ; et pour Hannah, le Cocher la trouve à la tête d'une équipe de deux jeunes vendeuses — l'une des deux absolument ravissante —, vêtues comme elle de blouses blanches à col bleu ciel.

— Que diable as-tu fait de Mme Klotz ? demanda Mendel ahuri.

... Pas seulement ahuri par ces innovations de forme : l'Hannah qu'il retrouve est prolixe et gaie ; s'interrompt à tout moment pour interpeller telle ou telle cliente et faire quelque plaisanterie ; elle a un peu grandi et témoigne d'un entrain presque féroce.

Dobbe Klotz, dit-elle, est sortie pour une heure ou deux. Elle fixe Mendel droit dans les yeux :

— Il va falloir que je vous parle. Ce soir, après la fermeture ?

Il est près de deux heures de l'après-midi, Mendel a deux ou trois rendez-vous d'affaires ; après quoi il a projeté de se rendre, pour dîner et dormir, soit chez une Gentille de la rue Mirowski, qui se prénomme Kryztina, soit chez une bonne à tout faire — surtout l'amour — travaillant pour un riche marchand hassid de Leizer Przepiorko. Il n'a pas encore fait son choix.

Lui et Hannah conviennent de se retrouver à l'épicerie-café de la rue Krochmalna.

Il l'y attend jusqu'à plus de neuf heures, en vain. S'est-elle attardée au magasin ? Il s'y rend et trouve porte close. Il se dit qu'il la verra le lendemain et, en raison de l'heure, opte finalement pour la chrétienne, qui le reçoit avec enthousiasme.

Il est au lit avec elle, et plus précisément *sur* elle, quand Hannah survient.

Elle s'asseoit sur le bord du lit. Mendel s'écrie d'une voix étranglée : « Sors immédiatement de cette chambre ! » tandis qu'il recouvre à la hâte les deux corps nus, le sien et celui de Kryztina. Mais Hannah ne s'en installe que mieux, arrange les plis de sa robe et se met à expliquer son retard par un autre rendez-vous qui l'a retenue. Elle justifie le fait qu'elle ait aisément retrouvé Mendel par le brouski, qu'elle a suivi à la trace. Ses yeux gris d'un calme olympien paraissent enfin découvrir Kryztina, en grande partie disparue sous le drap et dont on ne voit plus guère que les mèches blondes et les grands yeux bleus affolés.

— Bonjour, madame, dit Hannah en polonais. Je ne veux surtout pas vous déranger. Continuez donc, je vous en prie.

— *Dehors !* grogne Mendel, en fin de compte pas si loin du fou rire.

— Est-ce qu'elle comprend le yiddish ? (Hannah désigne Kryztina.)

— Pas un traître mot.

— Tant mieux. Nous pouvons donc parler tranquilles, Mendel Visoker. Les affaires d'abord. Elles vont très bien. Vous avez vu le magasin ; nous en avons triplé la recette, en moyenne générale. Certains jours, nous la quintuplons, la courbe est montante. Surtout depuis que j'ai convaincu Pinchos d'engager quelqu'un pour l'assister dans ses tournées. Le plus dur a été de lui faire acheter deux autres charrettes et les chevaux qui vont avec. Quant au deuxième magasin...

— Bonté divine ! s'exclame Mendel, ça ne pouvait pas attendre demain, toutes ces informations ? (Mais il demande tout de même, abasourdi à retardement :) *Quel second magasin ?*

— Celui que j'ai persuadé Dobbe d'ouvrir, près de l'Arsenal.

— C'est au diable. Et ce n'est pas dans le quartier juif.

— Justement. Il fallait bien trouver une autre clientèle.

Mendel s'assied dans le lit, du coup. Oubliant presque qu'il est nu et que quelques secondes plus tôt, il a été surpris en train de...

— Il est vraiment ouvert, ce second magasin ?

— Il l'est. Et il marche bien. (Elle sourit :) Rien de plus simple, Mendel Visoker. Quand les gens achètent quelque chose dont ils ont vraiment besoin...

— Des fromages, dit-il un tantinet sarcastique.

— Par exemple. Quand ils achètent des choses dont ils ont vraiment besoin, ils discutaillent, prêts à se battre pour un groschen. En revanche, qu'ils achètent quelque chose dont ils pourraient se passer pendant cent ans et alors là, ils sont prêts à payer n'importe quel prix.

Il éclate de rire :

— Et tu leur vends quoi, dans ce second magasin ?

N'importe quoi, dit-elle. N'importe quoi pourvu que ce soit cher, et introuvable ailleurs. De l'épicerie dans les débuts. Mais elle commence à en avoir assez, des fromages. Elle explique que ce qu'elle vend le mieux, à présent, ce sont des chocolats, des gâteaux, du café, du thé et des liqueurs. Elle projette d'ailleurs d'ouvrir un salon de thé...

A ce stade de son exposé, la Polonaise proteste qu'elle est dans *sa* chambre, dans *son* lit, en bref, critique cette conversation qu'elle ne peut même pas suivre. Mendel lui claque gentiment une fesse et lui conseille de dormir un peu. Il s'enquiert :

— Et avec quel argent as-tu fait tout ça ? Tu n'avais que trois ou quatre roubles, à ton arrivée.

— Deux roubles, corrige-t-elle.

Sur quoi, elle raconte comment elle a, avec Dobbe Klotz, passé un accord lui concédant vingt pour cent des recettes supplémentaires au-delà du chiffre d'affaires moyen. Cela dans un premier temps. Dans un deuxième, elle a convaincu la Meule de Foin...

— Je veux dire Dobbe. Je l'appelle ainsi mais je l'aime bien...

... convaincu la Meule de Foin d'investir un peu plus. Dobbe a de l'argent, bien plus qu'elle ne le savait elle-même, avec tous ces loyers qu'elle perçoit. Elle entassait, ce qui ne sert à rien.

« Surtout à toi », remarque Mendel, et c'est le premier signe de ce que, sa première gaieté s'estompant, il commence à éprouver un malaise bizarre. Qu'il ne s'explique pas, à cet instant. Les yeux gris se braquent sur lui, indéchiffrables. Elle acquiesce :

— Surtout à moi. Je l'ai donc convaincue d'investir. D'abord pour rénover, agrandir, engager du personnel, dont Rebecca — vous l'avez remarquée, je l'ai vu, celle qui est si jolie... Est-ce qu'elle dort, cette idiote ?

Il faut à Mendel une bonne seconde pour comprendre qu'elle parle de Kryztina. Il soulève le drap : la Polonaise a fini par s'endormir, en effet. Elle ronfle même un tout petit peu, délicatement...

— Ensuite, poursuit Hannah, j'ai eu l'idée du second magasin. J'avais moi-même trois cent quinze roubles, ça ne suffisait pas. D'ailleurs, je n'avais pas le droit de lancer une autre affaire sans Dobbe, ce n'aurait pas été honnête. Je lui ai donc proposé de mettre de son propre argent. Elle n'en avait pas assez. Restait à emprunter.

Mendel a froid, soudain. Allongeant un bras, il prend sa chemise sur la chaise voisine et l'enfile, prenant grand soin de protéger sa pudeur. Hannah :

— J'ai dû aller voir quinze ou vingt prêteurs mais finalement j'en ai trouvé un qui convenait. Au début, il ne voulait que prêter l'argent, avec en garantie l'immeuble des Klotz, et des intérêts. Pour finir, il est entré dans l'affaire, pour trente du cent...

— Il a quand même prêté de l'argent ?

— Evidemment.

— Qui est-ce ?

— Leib Deitch.

Visoker connaît le nom, et malgré la chemise enfilée, sa sensation de froid s'accroît.

— Tu aurais dû m'en parler, Hannah.

— Vous n'étiez pas là.

— Tu aurais sûrement réussi à me joindre, si tu l'avais voulu.

— C'est vrai, reconnaît-elle. Elle abaisse son regard et rectifie quelque pli imaginaire sur sa robe. Alors, pour la première fois depuis qu'elle a fait irruption dans la chambre, Mendel remarque cette robe noire et rouge — un rouge très particulier — qui va à merveille à son teint pâle, à ses yeux, ainsi qu'à ses cheveux — Visoker a toujours l'œil aussi acéré pour ce genre de choses —; qui met en valeur sa silhouette et ce ravissant petit corps qu'elle a, à damner un saint homme. Mendel est saisi par ce nouveau changement en elle, qu'il aurait dû noter plus tôt. Mais son sentiment de malaise persiste...

— Et que dit Mme Klotz de tous ces risques que tu lui fais prendre ?

— Elle fait ce que je veux, répond Hannah. A chaque fois... ce n'est qu'une question de temps.

Relevant la tête sur ces derniers mots, elle fixe Mendel avec une telle expression de triomphe, de défi et de certitude qu'il devine tout. Tout lui devient clair, à commencer par cette extraordinaire emprise que la Morveuse exerce certainement sur la vieille femme...

Bien sûr, quelque prix qu'il ait à payer, Mendel Visoker survivra au drame. Il est peu probable qu'il en ait eu le pressentiment. Dans le moment, il n'éprouve que de l'inquiétude, curieusement nuancée de fierté — somme toute, c'est par lui qu'Hannah est arrivée à Varsovie ; c'est à lui qu'elle se confie ; et il a été le premier à percevoir ce qu'il y a en elle d'exceptionnel...

« Mais de deux choses l'une, Mendel, car il y a bien deux façons de voir les choses : tu peux t'extasier, et même t'enorgueillir, de ce que la Morveuse a déjà fait et va faire ; elle qui n'a que seize ans, quoiqu'elle en paraisse cinq ou six de plus avec ce chapeau, cette robe, ces gants, ce sac et surtout cette foutue façon qu'elle a de dévisager les gens ; tu peux te dire qu'elle a du génie et que c'est bien dommage qu'elle ne soit qu'une femme, sans quoi elle deviendrait d'une richesse et d'une puissance incroyables, avec toutes les qualités qu'elle a...

« Mais d'un autre côté, tu peux aussi avoir peur. Pas seulement de ce qu'elle fait, et des risques qu'elle prend. Tu peux avoir peur d'elle, tout simplement ; de cette façon qu'elle a de se servir de tout le monde, en devinant à tout coup ce qu'on a dans la tête, ce qu'il faut dire ou faire pour se rallier les gens, comme toi ou la mère Klotz. Celle-là, elle lâche tout l'argent de quarante années de travail sans même espérer vraiment en être plus riche — ça lui servirait à quoi, d'être plus riche ? —, elle est bougrement fascinée et risque de se réveiller un jour. Ce qui pourrait bien être terrible, avec cette sauvagerie qui est en elle... » Il dit :

— Tourne-toi, s'il te plaît.

— Pourquoi ?

— Parce que je vais sortir de ce lit, voilà pourquoi.

Elle commence par sourire, œil en coulisse et moqueuse mais consent néanmoins à détourner la tête et ainsi (tout en la surveillant de près pour le cas où elle le lorgnerait tandis qu'il se rhabille), il redécouvre ce même profil, si aigu, si intense, presque avide. Il voit le sourire s'effacer peu à peu, et à la place s'étendre une expression de gravité pensive.

Il enfile sa veste et coiffe sa casquette de Polonais : « On y va. » Dernier coup d'œil en direction du lit : Kryztina y dort comme une bienheureuse. Voilà bien le genre de femme qu'il aime : vous arrivez, vous repartez à l'improviste (le mot est faible, l'entrée d'Hannah les a interrompus en plein élan) et pourtant, pas un mot de trop, ou à peine...

— Et on va où ? demande Hannah.

Il la pousse dans l'escalier :

— Chez ton ami Leib Deitch, qui est si obligeant.

Ils le trouvent lampant du vin d'Allemagne en compagnie de trois ou quatre autres hommes d'argent. C'est un homme de forte corpulence, barbu comme deux rabbins, qu'on ne doit pas voir souvent dans la piscine, à en juger par ses ongles. Leib Deitch ne fait aucune difficulté pour montrer à Mendel tous les documents concernant le prêt et sa prise de parts dans le magasin près de l'Arsenal. Il remarque simplement :

— Je ne savais pas qu'elle était votre nièce.

— On ne choisit pas sa famille, répond Mendel.

Il lit et relit mais tout lui paraît en ordre, quoiqu'il ne soit pas homme de loi ou tabellion. Il demande à Leib Deitch s'il croit vraiment à la rentabilité du second magasin. Les premiers résultats la démontrent, cette rentabilité, assure le prêteur :

— Je n'y croyais pas au début mais votre nièce a une force de persuasion pas ordinaire...

— Je sais, acquiesce Mendel. Elle a même réussi à me convaincre que je suis son oncle. Mais je voudrais vous prier de quelque chose, reb Leib : vous êtes un homme d'expérience, dont la réputation n'est plus à faire ; votre prudence en matière de placements d'argent est légendaire et quant à votre honnêteté, on en parle jusqu'à la mer Noire...

Deitch cille tout de même un peu.

— Si, si, pour en parler, on en parle, reprend Mendel. Et justement, je voudrais vous prier de veiller sur ma nièce. S'il lui arrivait quoi que ce soit...

Mendel Visoker gonfle sa poitrine et, du coup, la pièce où ils sont rétrécit de moitié :

— ... j'arracherais la tête au responsable. Et je ne suis pas homme à me préoccuper de broutilles, comme de papiers signés ou non.

Rue Krochmalna, l'épicerie-café vient de fermer ses portes. Un peu plus loin sur la place, les deux ou trois bordels ont ouvert les leurs. Une immédiate association d'idées fait monter à l'esprit de Mendel le nom de Pelte Mazur le Loup. Il est sur le point de le prononcer, et de demander à Hannah si le souteneur a tenté de la revoir, ou pire. Aurait-il posé la question que bien des choses en auraient été changées. Mais Hannah qui marche à sa droite se remet à la même seconde à parler, après un silence assez peu dans ses habitudes. Elle interroge Mendel sur ses projets, ou plus exactement sur ce vieux projet qu'il caresse depuis des années, de quitter à jamais la Pologne et de s'embarquer pour le Royaume-Uni de Grande-Bretagne, la France, l'Amérique ou ailleurs...

— Ou l'Australie, dit-elle. Vous m'aviez parlé de l'Australie, il y a trois ans, et de votre ami Schloimele, qui a fait fortune à Sydney et qui n'arrête pas de vous écrire de venir le rejoindre...

Sa mémoire le surprendra toujours. Se met-il à raconter telle anecdote sur un dénommé Priluki à Odessa qu'elle le corrige aussitôt : il doit confondre, ou bien il y a deux Priluki car dix-huit mois plus tôt il lui a dit qu'un Priluki de Kiev, ayant quatre filles dont une baptisée Anastasia, qui a un grain de beauté au-dessus du sein gauche... donc ce Priluki de Kiev... Le pire est qu'elle a toujours raison. S'il doit un jour écrire ses mémoires, le plus simple sera de faire appel à elle ; elle lui dévidera à coup sûr les noms, les adresses et les caractères physiques intimes de chacune des deux ou trois cents femmes, entre mer Noire et Baltique, qui lui ont fait bon accueil !

— D'autres nouvelles de votre Schloimele ?

— Pas de nouvelles. Il m'a juste écrit deux ou trois fois, c'est tout.

— Plutôt cinq, rectifie-t-elle. Sans compter qu'il y a peut-être une autre lettre de lui, en attente chez les Lituaniennes de Dantzig.

Oh ! nom d'un Cosaque, qu'a-t-il, qu'ont-ils à faire, elle et lui, de Schloimele Finkl, de l'Australie et de Sydney — ou est-ce Melbourne, il confond toujours ? Où veut-elle en venir ? L'expédier en Australie ? A moins qu'elle ne veuille y émigrer elle-même ? Elle ne sait même pas où ça se trouve, l'Australie (lui non plus, d'ailleurs) !

— Je sais très bien où c'est, dit-elle placidement. On descend les côtes d'Afrique, à moins de prendre le nouveau canal, et tout au bout on tourne à gauche ; ensuite, c'est tout droit, je l'ai vu sur mon atlas. Mendel Visoker ?...

Jusque-là ils marchaient côte à côte, dans la rue Krochmalna où la nuit venue commence à déposer calme et silence. Mais Hannah s'arrête soudain en prononçant le nom de Mendel. Celui-ci fait deux ou trois pas en solitaire avant de s'en apercevoir. Se retournant, il la découvre immobile, avec cette sorte de regard tourné vers l'intérieur qu'elle peut avoir parfois. Elle dit, la voix un peu sourde :

— Je l'ai revu, Mendel Visoker. Je parle de Taddeuz Nenski, bien entendu.

— J'avais compris, répond-il, brusquement pincé par cette inexplicable jalousie qu'il a déjà éprouvée. Et alors ?

Tout près d'elle, en bordure de trottoir, se trouve une charrette à bras. Elle s'y accote, délicatement, très droite, avec des gestes de femme faite et non plus d'adolescente. La nuit est douce ; la pluie de tous les derniers jours a enfin cessé, si elle menace de tomber encore ; et il y a dans l'air en bouffées, véhiculé par un léger vent d'est, un peu de la senteur des forêts de Praga par-delà la Vistule.

Elle se met alors à raconter ses retrouvailles très particulières avec Taddeuz.

5

LA CHAMBRE DE PRAGA

En septembre de l'année précédente, c'est-à-dire 1890, Taddeuz est rentré de Prague, comme sa logeuse l'avait prévu. Pour reprendre ses études — il n'est plus qu'à une année de son diplôme.

Hannah apprend aussitôt la nouvelle, alertée par le réseau d'espionnage qu'elle a mis en place, dont le premier chaînon est justement la logeuse...

— Elle s'appelle Marta Glovacki, Mendel Visoker. Elle croit tout ce que je lui dis, dès lors que mes mensonges entrent dans ses vues. Elle ressemble beaucoup à un baril de saumure, sauf qu'elle sent plus fort. Elle n'a plus de dents, presque plus de cheveux, mais croit que tous les hommes la recherchent. Bon, il suffisait de le comprendre. D'abord, je lui ai fait un premier mensonge : Taddeuz était mon demi-frère. Elle m'a cru. Mais j'ai bien vite su que ça ne suffirait pas, j'ai donc inventé autre chose : que je n'étais pas du tout la sœur de Taddeuz, qu'au contraire je l'aimais, qu'il m'aimait aussi mais que si moi je le savais, lui l'ignorait complètement ; que nous avions lui et moi, dans notre village et sur le foin d'une grange... enfin bref, elle m'a crue encore. Je pense même qu'elle préfère la deuxième version, c'est un baril de saumure d'une nature sentimentale.

(A cet endroit du récit, Visoker se sent à nouveau glacé par tant de cynisme tranquille. Même lui, qui n'a jamais eu trop de remords de conscience, pour ce qui est de raconter des histoires aux gens afin qu'ils lui achètent le chargement du brouski... Et en plus du cynisme, il y a cette détermination, patiente, implacable, dont Hannah une fois de plus lui révèle l'existence comme l'un des traits essentiels de son caractère...)

— ... Et quand j'ai expliqué à la Glovacki que j'étais prête à me sacrifier pour Taddeuz, elle m'a crue plus que jamais. Elle en a pleuré. Elle ne sait pas lire, surtout pas en français, sinon je lui aurais prêté *les Deux orphelines* et *la Porteuse de pain,* qui lui auraient bien plu. Je lui ai dit que je voulais attendre que Taddeuz ait enfin découvert son amour pour moi, et aussi qu'il ait achevé ses études, quitte à le perdre à jamais en prenant le risque qu'il épouse une jeune fille de Varsovie avec une belle dot. Ça aussi, ça l'a fait pleurer, la brave femme. Mais ça a marché : elle m'informe, me signale toutes les allées et venues de Taddeuz : s'il recevait un jour une créature, comme dit Marta Glovacki, je le saurais en deux heures...

L'un des problèmes d'Hannah, concernant Taddeuz, durant l'automne de 90 et l'hiver suivant, est qu'elle travaille seize ou dix-sept heures par jour. S'absenter pour traverser la Vistule et se rendre à Praga, perdre donc quelques heures, équivaudrait (elle ne l'exprime pas ainsi mais c'est bien l'idée) à relâcher sa mainmise sur Dobbe Klotz. Certains jours, le risque est moins grand : faisant et refaisant ses comptes — si béate qu'elle soit devant Hannah, elle ne perd pas son sens du commerce —, la Meule de Foin ne peut faire autrement que se rendre à l'évidence : les chiffres partout grossissent. Chaque innovation s'est révélée fructueuse, y compris l'embauche des deux vendeuses à la rue Goyna. L'une d'elles s'appelle Hindele, elle a dix-huit ans, les formes et le doux caractère d'une vache ; Dobbe la terrifie et malgré cela, elle parvient à dormir tout en travaillant, gardant les yeux ouverts pour donner le change, parfois même bras tendu et tenant en main la louche qui sert à mesurer la caillebotte. Ceci dit, elle est capable de travailler sans broncher dix-huit heures par jour, sept jours sur sept.

Rebecca Anielowicz est d'une autre trempe (elle reviendra dans la vie d'Hannah sous le nom de Becky Singer). Elle est ravissante, d'une beauté à étourdir, gaie et vive ; elle a seize ans comme Hannah. C'est la fille d'un horloger de la rue Twarda, elle est donc varsovienne. Dès les premiers jours, sa complicité avec Hannah s'est établie en toute certitude, comme l'amorce d'une amitié parfois orageuse qui va durer plus d'un demi-siècle.

A l'automne de 90, elle représente la solution la plus sûre au problème de la surveillance de Taddeuz.

— Elle est la seule, avec vous, Mendel Visoker, à tout savoir de Taddeuz et de moi. Je l'ai présentée à Marta Glovacki comme ma cousine ; c'est elle qui me sert de relais, elle utilise ses frères et sœurs — elle en a quatorze — comme agents. Si je m'absente, je peux compter sur elle pour bien des choses...

— Par exemple prévenir une tentative d'indépendance de Mme Klotz.

— C'est une façon de dire les choses.

— Hannah, ô Hannah ! ne peut s'empêcher de s'exclamer Mendel.

— Je n'ai jamais fait tort à Dobbe d'un seul groschen, jamais. Elle était horriblement seule, avant que vous ne m'ameniez chez elle. Elle sera seule quand je la quitterai, ce qui arrivera forcément. Mais entre-temps, je l'aurai enrichie et je lui aurai donné de l'affection, à ma manière...

Il s'écoule près de trois mois avant qu'Hannah ne se décide à établir un premier contact avec Taddeuz. Les rapports dressés par les frères et sœurs de Rebecca, se relevant jour après jour dans une filature digne de la Tchéka, la police secrète du tsar, l'ont mise au courant de toutes les habitudes de l'étudiant. Il ne manque jamais ses cours : « Il n'étudie pas seulement le droit, il apprend aussi la littérature. Je vous l'ai dit, je crois qu'il sera écrivain, un jour, même s'il ne le sait pas encore. Il écrit de la poésie, et aussi des *morceaux de livres...* Est-ce qu'on dit ça : des morceaux de livres ? »

Mendel secoue la tête : comment diable le saurait-il ? Son français n'est pas des meilleurs, et il ne connaît aucun écrivain...

— J'ai également fait prendre des renseignements à l'université. On m'a confirmé ce qui m'avait déjà été dit : Taddeuz est extrêmement brillant. Je n'en suis pas surprise, bien entendu : j'ai toujours su combien il était intelligent... Et donc, à la fin de novembre, je l'ai vu...

Fin novembre, Hannah prend une autre après-midi de congé, la deuxième. Elle se rend à l'université et y rejoint son espion de ce jour-là, l'ami d'un frère de Rebecca. Le jeune agent de renseignements et son chef de réseau font le point : le sujet suit un cours sur les écrivains russes. L'agent a quatorze ans et ne sait pas le russe, il ne peut donc être plus explicite. Hannah le remercie, lui donne quartier libre et monte elle-même à...

— Pas si vite, l'interrompt Mendel, tu veux réellement dire que tu as fait surveiller ce garçon ?

— Jour après jour, semaine après semaine, mois après mois.

— Par des *gosses ?*

— Par des gosses. Au début les seuls frères et sœurs de Rebecca. Mais très vite, ça n'a pas suffi : il a fallu en enrôler d'autres. Que je paie en fromages. Pas les meilleurs fromages, bien sûr.

— Combien en tout ?

— Une trentaine. Pour certains, je les paie en sucreries, quand ils n'aiment pas le fromage qui sent trop fort. Parfois même, je leur donne un groschen ou deux, en prime. Ça marche très bien.

— Dieu Tout-Puissant ! s'exclame Mendel jurant comme un catholique.

La rue Krochmalna commence à se vider. La montre de Mendel indique plus de dix heures. Seules quelques silhouettes apparaissent encore, à l'entrée des bordels. « Continue », dit Mendel.

... A l'université, Hannah monte donc au premier étage, où se trouve la salle de cours où Taddeuz suit un exposé sur les écrivains russes. A travers la porte, elle entend parler de Lermontov — « je ne l'ai pas lu, je vais m'y mettre » — et de Gogol — « j'ai lu de lui *les Récits de Saint-Pétersbourg* et *les Ames mortes* » — et quand un brouhaha annonce que le cours s'achève, elle va se tapir dans une encoignure. Elle voit Taddeuz sortir en compagnie de condisciples...

— Il est plus beau qu'il ne l'a jamais été, Mendel Visoker. Il a incroyablement grandi, il est bien plus grand que vous, il dépasse tous les autres, c'est un prince. Il a un costume bleu, qui lui va bien pour la coupe mais qui est vieux, et usé, tout comme sa chemise et ses chaussures, qui auraient besoin d'un ressemelage...

— Tu pourrais peut-être lui donner un peu de ton argent ? suggère Visoker s'efforçant au sarcasme. Puisque tu es si riche.

— Pourquoi pas ? Je le ferai peut-être, le moment venu. Je vais être très riche, c'est vrai, je sais comment on gagne de l'argent. Et s'il est écrivain, avant qu'il devienne célèbre... on verra. Bon. Ce jour-là, je l'ai suivi. Il a eu un autre cours ensuite. De droit, pendant deux heures. Après, il a quitté l'université, il a marché un moment dans la rue du Faubourg-de-Cracovie, avec deux camarades. Je n'entendais pas ce qu'ils se disaient, j'étais trop loin, mais c'était facile à comprendre : ses camarades lui ont proposé d'entrer dans un café et il a refusé. On voyait bien qu'il en avait envie, pourtant. Mais c'est sûr qu'il n'a pas assez d'argent. Il est reparti, seul...

— Et tu t'es montrée ?

— Non.

— Comprends pas, dit Mendel.

— Je n'étais pas encore prête. Il est reparti seul. J'ai cru qu'il allait revenir à l'université, mais non, il est allé dans le jardin qui est derrière, il s'est assis sur un banc et s'est mis à lire un livre qu'il avait sur lui. Il écrivait des choses. Après une heure, il est encore reparti, a traversé le pont de Praga et même, un long moment, est resté à regarder le fleuve...

Hannah ferme les yeux, revoit la scène, une fascinante expression de tendresse sur son visage étroit.

— Et il ne t'a vue à aucun moment ? demande Mendel dont la gorge s'est soudain nouée.

— Non. J'ai fait très attention. Quand il est rentré chez Marta Glovacki, j'ai attendu, pour le cas où il ressortirait. Mais non. La nuit est venue, il a allumé sa lumière. Il devait travailler...

Elle rouvre les yeux et le fulgurant regard se braque sur Mendel :

— Je ne suis pas folle, Mendel Visoker. Et j'aime Taddeuz, je l'aime comme une femme, pas comme une gamine.

— Tu n'as peut-être jamais été une gamine.

— Peut-être, dit-elle. Mais ça ne m'a pas empêchée de souffrir. Au contraire.

— Excuse-moi, dit Mendel. (A ce moment comme jamais, il aime Hannah, d'amour, de tendresse et d'amitié.)

Durant l'hiver 1890-1891, à quatre autres reprises, entre deux allées et venues d'un magasin à l'autre et forte des informations fournies par ses trente espions stipendiés par des sucres d'orge et des fromages un peu avariés, Hannah observe ainsi Taddeuz. Sans jamais se montrer à lui. Puisqu'elle n'est pas « encore prête »...

Dix heures trente, indique la montre de Visoker. Dans la rue Krochmalna, les halos des rares lampes à pétrole ou des chandelles éclairent encore les façades : le quartier juif dort. L'air se fait de plus en plus froid : on a beau être au printemps, les nuits de Varsovie sont glaciales. Hannah pourtant ne bouge pas, apparemment insensible à ce froid, toujours accotée à l'un des bras dressés de la charrette. « Il y a une sorte de folie en elle, pense Mendel ; mais je me ferais aussi bien tuer pour elle. » Il cède pourtant un peu à sa jalousie et à sa vague colère et demande :

— Il ne voit donc jamais de femme, ton Taddeuz ? Avec tous tes espions tu dois sûrement tout savoir de ses amours, le nom des filles, le nombre de fois qu'il les a eues...

S'il a espéré, si peu que ce soit, la faire sortir de sa tranquillité, il en est pour ses frais. Elle a un petit sourire indulgent, à croire qu'elle est fière des succès féminins de son Taddeuz. Dit que, bien sûr, c'est l'inconvénient de son système de surveillance : la nuit tombée ses espions doivent rentrer chez eux manger leur soupe avec papa et maman. Mais elle pense savoir, tout de même, pas mal de choses sur les amours de Taddeuz...

... Et pour répondre à la question que Mendel Visoker doit avoir en tête, non. Elle n'est pas jalouse. Il lui semble tout à fait normal qu'un homme ait des expériences, avant de se fixer. A son avis, les hommes sont différents des femmes : « ce n'est pas à vous que je l'apprendrai, qui avez dans les trois cents maîtresses. Une femme qui ferait comme vous serait la plus grande putain de Pologne... »

Elle n'est pas jalouse, donc :

— Une fois même, je l'ai vu avec une fille. Ils sont montés chez elle, près de la place du Vieux-Marché. Une fille assez jolie mais qui avait de grosses jambes. Je sais que Taddeuz n'aime pas les grosses jambes. Je l'ai même rencontrée, cette fille, en me faisant passer pour polonaise. Elle est un peu bête et n'a pas d'argent. D'ailleurs, Taddeuz s'en est vite débarrassé, elle l'ennuyait, comme je l'avais prévu. C'est vrai que je ne connais pas toutes les femmes qu'il a eues. Il en a sûrement eu beaucoup, beau comme il l'est. Ça n'a pas d'importance. Je suis plus inquiète de quelqu'un appelé Emilia. C'est la fille d'un grand notaire, elle est très riche. Pas très, très jolie mais très riche. Et elle trouve Taddeuz beau, elle aussi. Comme elle a beaucoup d'argent et que Taddeuz n'en a pas, c'est inquiétant. Il pourrait en venir à accepter de l'épouser à cause de son argent. Taddeuz n'a plus que sa mère, qui n'est pas si riche — son père est mort en décembre de 89. Il se laisse circonvenir par cette Emilia, il va au plus facile, comme toujours.

— Mais tu empêcheras que cela se produise.

— Je l'empêcherai. Jusqu'à la fin de ses cours, je suis tranquille. Le père d'Emilia se nomme Wlolstka, il ne voudra pas entendre parler d'un gendre sans diplôme. Mais après... J'ai donc besoin d'argent moi-même, pas seulement à cause de Taddeuz — mais c'est aussi une raison qui compte. Voilà pourquoi j'ai ouvert le second magasin près de l'Arsenal, et pourquoi je vais faire des tas d'autres choses.

— Tu vas devenir très riche.

— Oui.

Le ton est plat : elle constate une évidence. « Quand je pense, se dit Visoker, quand je pense qu'elle est à Varsovie depuis presque un an, qu'en un an elle n'a sûrement jamais écrit à sa mère, jamais cherché à voir son frère Simon — ou si elle l'a vu, ça n'a guère dû compter, et surtout que depuis plus de dix mois elle traque ce Polonais à distance...

— Et l'affaire de la mort de ton frère Yasha ?

— C'est du passé.

— Peut-être pas pour lui. C'est bien possible qu'il ait encore honte, même après des années.

— Je lui ferai passer sa honte.

— Tu ne lui as seulement jamais parlé.

— Je n'étais pas prête.

— Tu ne lui as pas parlé parce que tu avais honte de Dobbe ?

— Un peu, oui. De Dobbe et Pinchos Klotz, de la rue Goyna, des fromages, du quartier juif, de moi. Et même de vous. Mais c'est fini. Je n'ai plus honte de rien.

Elle sourit et, baissant la tête, contemple d'un air de grande satisfaction la robe noire et rouge, et tout le reste de son équipement.

— Il te fallait une robe et des souliers neufs, dit Mendel avec une hargne moqueuse qu'il se reproche. Il te fallait une robe et des souliers de dame polonaise.

Elle le fixe :

— Vous ne comprenez décidément pas grand-chose, Mendel Visoker. Il fallait que je sois prête à l'intérieur de moi.

— Et quand le seras-tu ?

Elle baisse à nouveau la tête, une brève seconde, puis la relève :

— Je le suis.

Pinchos Klotz amène la carriole à l'entrée ouest des jardins de Saxe, à l'extrémité de la longue allée qui part de la façade du palais Potocki. Pendant les quatre mois qui ont suivi l'arrivée d'Hannah chez les Klotz, Pinchos n'a pas dit un mot ; même les huit ou dix premières fois où Hannah l'a accompagné dans ses tournées ; pas davantage quand elle a eu tant d'idées neuves sur la qualité des produits fermiers qu'il collecte : selon elle, il fallait désormais qu'ils fussent différents de ceux qu'on pouvait trouver au marché Yanash ou n'importe où ailleurs à Varsovie — différents et de qualité infiniment supérieure. Il s'est tu encore en s'entendant intimer l'ordre, par Dobbe, d'approvisionner désormais le magasin en quantité de choses, pas seulement de la crèmerie mais aussi de l'épicerie fine. Il s'est de même exécuté quand on lui a dit qu'il aurait deux aides, et qu'il devrait fournir une deuxième boutique, avec des produits provenant d'Allemagne, de Suisse et de France...

Un soupçon d'homme.

Et ça a été une étrange et silencieuse bataille, entre Hannah et lui, avec pour enjeu de le faire sortir de son mutisme de plus de trente ans. Jusqu'à ce jour où elle trouve la faille, se mettant à lui lire à voix haute un poème qu'elle aime : elle est certaine qu'il goûte la poésie, voire qu'il en écrit lui-même... Et elle aimerait qu'il lui fasse lire ce qu'il fait. Il s'y décide un jour et lui tend avec une horrible timidité quelques feuillets gribouillés, où le moindre millimètre carré a été couvert d'encre. Elle sait lui en parler, après les avoir lus, tandis qu'ils avancent ensemble sur la charrette, entre deux fermes, et il faut vraiment toute la perspicacité d'Hannah pour discerner qu'il connaît sans doute le plus grand bonheur de son existence grâce à ses compliments.

Pinchos arrête la carriole, cesse lui-même tout mouvement, les guides entre ses petites mains fines. Il est de la taille d'Hannah. Il la suit de ses grands yeux noirs quand elle saute à terre. « Merci », dit-elle. Il acquiesce. Elle lui sourit et c'est la première fois de cette journée mémorable où elle laisse transparaître un peu de sa nervosité. Elle dit, bien que ce ne soit pas du tout nécessaire : « A six heures et demie, donc. » De nouveau, il fait signe que oui. Silence. Puis : « Pinchos ? J'ai un peu peur, tout de même... » Dans les yeux du petit homme passe une lueur très amicale : il penche un peu la tête. « Je comprends, dit Hannah ; vous êtes sûr que tout ira bien. » Il acquiesce encore en la regardant partir.

Juste sur le point de franchir la grille et d'entrer dans les jardins de Saxe, elle se retourne et cherche ses yeux. Il incline la tête avec un demi-sourire timide. « Tout ira bien », répète son regard.

Le contrôleur en chef des équipes de surveillance est posté à l'entrée principale de l'université. C'est un gamin de treize à quatorze ans, du nom de Maryan Kaden, qui n'est juif que par sa mère. (Lui aussi, comme Visoker ou Rebecca Anielowicz, reviendra par la suite dans la vie d'Hannah.) Il dit que Taddeuz est en salle de cours, qu'il a disposé un membre au moins de son équipe à chacune des issues des bâtiments universitaires ; de plus, il a mis en place tout un réseau d'estafettes : « Quelque chemin qu'il prenne pour sortir, je le saurai dans la minute et je t'avertirai. » Maryan Kaden, à vingt centimètres près, est déjà tel qu'il sera par la suite : de taille moyenne mais râblé, le cou puissant et court, un air de décision et surtout de sérieux, un formidable esprit de méthode. Orphelin de père, il vient de trouver un travail de débardeur à la gare de la Vistule ; Hannah lui a promis un emploi de conducteur-livreur au magasin de l'Arsenal. Il demande : « Où seras-tu ? » Hannah lui indique le trottoir opposé, en face du palais Staszic, et dit :

— Passe me voir après-demain en fin de journée et tu seras embauché. Une promesse est une promesse.

Elle traverse la rue du Faubourg-de-Cracovie quand les cloches de l'église des Carmes se mettent à sonner cinq heures. Leur tintement se mêle à la seconde près aux battements de Sainte-Anne et à ceux plus lointains de la cathédrale Saint-Jean.

Cinq à six minutes plus tard, Maryan traverse à son tour la chaussée : Taddeuz s'apprête à quitter l'université, tout indique qu'il va faire halte, comme bien souvent, à la librairie de la rue de la Sainte-Croix.

Et il sera seul.

— Je voudrais *Un héros de notre temps* de Mikhaïl Lermontov, dit Hannah d'une voix qui est juste un soupçon trop forte.

Taddeuz est à deux mètres d'elle, dans son dos. Quand il est entré dans la librairie, elle s'y trouvait déjà (un peu hors d'haleine) et il est passé très près d'elle, à la toucher, sans la remarquer.

— En polonais, je vous prie, répond Hannah à la question posée par le libraire. Pas en russe.

Au même instant, elle sent son pouls s'accélérer et manque de se mettre à trembler : Taddeuz, entre la dizaine de personnes présentes, vient de bouger et se rapproche...

Le libraire n'a pas le Lermontov en traduction polonaise, seulement l'édition russe.

— Je la prends tout de même, dit Hannah luttant pour ne pas se retourner. Et je voudrais aussi *le Bonheur* de Sully-Prudhomme, *la Mer* de Jean Richepin, *les Petits poèmes en prose* de Charles Baudelaire, ces livres en français, je vous prie. En allemand, vous me donnerez *les Ballades* de Ludwig Uhland et aussi...

De son aumônière rouge et noire assortie à sa robe, elle retire un feuillet et lit en hésitant :

— ... Et aussi, de quelqu'un du nom de Friedrich Nietzsche, un livre appelé *Ainsi parlait Zara*...

Elle s'interrompt et sourit au libraire d'un air un peu confus : « Je n'arrive pas à me relire... »

— Zarathoustra, dit la voix de Taddeuz derrière elle. *Ainsi parlait Zarathoustra.*

— Merci, dit Hannah d'un ton machinal et toujours sans se retourner. C'est bien cela. Bien entendu, poursuit-elle en s'adressant au libraire, si vous n'avez pas tous ces titres, je peux attendre. Voudrez-vous les faire livrer à...

Alors seulement, comme frappée par une découverte subite, elle se retourne lentement, avec juste ce qu'il faut de surprise amusée :
— Taddeuz ?

Il est si grand ! Trente centimètres au moins de plus qu'elle. Il la fixe et ce qu'elle lit alors sur son visage la paie au-delà de toutes ses espérances, de sa si longue attente et de tous ses préparatifs sur plus d'un an. Il hésite, ne cessant de les scruter, elle, sa robe et son chapeau, avec une véritable incrédulité. Elle parvient à lui sourire, se battant à nouveau contre elle-même et cette stupide envie de pleurer qui lui vient.
— Hannah, dit-il enfin. Vous êtes Hannah.
Cette autre partie d'elle-même qui demeure froidement lucide en toutes circonstances enregistre ce « vous » comme son plus grand triomphe.
— Hannah, répète-t-il, c'est incroyable...
Il secoue la tête. Elle se détourne brusquement, incapable de réprimer le tremblement de ses doigts. Face au libraire, elle sort un autre morceau de papier, réussit à parler presque normalement : « Vous voudrez bien faire porter les livres à cette adresse. Voici cinquante roubles. » Le libraire fait remarquer que c'est trop. « Vous m'ouvrirez donc un compte avec le reliquat, j'achète beaucoup de livres », réplique-t-elle.
Ils sortent ensemble, Taddeuz et elle. Ou plutôt — elle prend grand soin qu'il en soit ainsi — elle sort la première et il la suit. Elle a de longue date préparé tout cela, le moindre mot et le moindre geste : si elle avait accepté la conversation à l'intérieur de la librairie, ils s'y seraient peut-être attardés, à bavarder, et le moment venu quand elle aurait voulu sortir, sans doute l'aurait-il laissé s'en aller sans la retenir ; tandis que de la sorte, forcément intrigué par sa transformation et puisqu'elle refuse l'échange immédiat, il doit nécessairement la suivre. « Tout se passe comme je l'avais prévu », pense-t-elle triomphante. Elle se reprend, recouvre presque toute sa maîtrise d'elle-même. Taddeuz parle, s'étonne encore ; il ne la savait pas à Varsovie, ne s'attendait sûrement pas à la retrouver « à ce point changée », et dans une librairie en plus, à acheter des livres de poésie, lui qui en lit tant. Avec une timidité qu'elle croit affectée, jouée, simple tactique d'un séducteur roué...
Oh Lizzie, je suis si stupide en ce temps-là à Varsovie, lorsque j'ai seize ans et que je retrouve enfin Taddeuz ! J'effectue toutes sortes de calculs incroyablement compliqués, avec plein de machinations machiavéliques — ou que je crois machiavéliques, et dont je suis très fière. Je prête à Taddeuz une rouerie, une expérience des femmes, et de la vie, qu'il est très loin d'avoir. Je vais même jusqu'à penser, pauvre idiote, que je l'ai alléché

avec ces cinquante roubles que j'ai montrés chez le libraire. Je gâche tout,
autrement dit. Déjà. Comme je vais gâcher le reste...

Avec timidité il lui demande s'il peut la tutoyer, comme il est
normal pour des amis d'enfance :

— Après tout je vous ai... je t'ai connue quand tu avais... (Il hésite
et fouille sa mémoire.)

— J'ai dix-huit ans, dit-elle, se vieillissant de vingt-deux bons
mois. Et nous pouvons nous tutoyer, bien sûr...

Elle avance tête baissée et devine ce qui se passe en lui : il est
sûrement en train de rechercher dans sa mémoire les souvenirs de
leurs premières rencontres au bord du ruisseau. Et elle sait le danger
de telles réminiscences : d'une seconde à l'autre, il va se rappeler la
scène de la grange, sa propre lâcheté, la mort de Yasha par sa faute.
De fait, très vite, il ralentit sa marche, elle le sent se raidir : « Ça y
est, tout lui revient, pense-t-elle, le moment est venu. » Elle dit avec
presque de la précipitation :

— J'ai rompu avec ma famille, Taddeuz, et avec mon village. Je
vis seule à présent. Grâce à l'héritage de mon oncle Bunim... (Elle lui
sourit :) C'est extraordinaire de se retrouver avec tant d'argent, d'un
coup. Je ne sais même pas ce que je vais en faire. Voyager, peut-être.
Est-ce que tu es jamais allé à Vienne, et à Paris ?

Il semble se reprendre, lui aussi : non, il ne s'est jamais rendu qu'à
Prague, l'été précédent, chez une tante. Mais le ton même de sa voix
alerte Hannah, qui, avec affolement, comprend qu'elle a sous-estimé
les remords de Taddeuz : il pourrait très bien, sous le coup, la planter
là et s'enfuir. Elle s'empresse de se remettre à parler, dans le seul but
de gagner du temps. Elle accumule les détails sur son prétendu
héritage, improvise sur son canevas de départ, durant quelques
secondes de véritable panique. Elle dit qu'elle n'a pas encore perçu le
capital, que pour l'instant on ne lui sert qu'une rente de deux cent
quarante roubles par mois (c'est quatre fois ce que Taddeuz reçoit de
sa mère, et elle le sait), il faudra des mois avant que ne soit réglée la
succession de son oncle d'Amérique...

Les minutes s'écoulent et le risque de voir Taddeuz la quitter
disparaît. Il répond aux questions dont elle le presse, sur la façon dont
il vit à Varsovie, l'endroit où il habite, ses études, ses occupations
(alors qu'elle sait pratiquement tout de lui). Et les livres ? demande-
t-elle. A-t-il lu Lermontov ? (*Un héros de notre temps* est l'un des titres
qu'elle a remarqués quand elle a visité la chambre de Praga ; elle avait
noté la présence entre les pages de quantité de petits morceaux de
papier, comme pour un volume qu'on annote.) Leur conversation
prend dès lors un tour amical, presque complice. « J'ai gagné »,
pense-t-elle. Ils arrivent sur les arrières du palais Radziwill, où se
dressent les premiers escarpements de la rive gauche de la Vistule,
bien que le fleuve lui-même soit assez loin de là. Hannah s'engage sur
un chemin de terre en pente, trébuche, pas très assurée elle-même de

l'avoir fait exprès. Taddeuz la rattrape juste à temps mais, même après qu'elle ait recouvré son équilibre, il conserve sa main autour de son bras...

— J'ai bien failli ne pas te reconnaître, Hannah...

Voix grave, basse, presque rauque, et son regard cherchant celui d'Hannah. Et la pression doucement insistante de ses doigts l'incitant à demeurer immobile, à se retourner et à lui faire face...

— Hannah...

« Il va chercher à m'embrasser. » Cela aussi, elle l'a prévu — c'est même pourquoi elle a choisi de passer par cet endroit, sous les arbres, où ils sont seuls. Elle s'est très soigneusement préparée pour une telle circonstance, a relu tous les livres, dont cinq fois *les Liaisons dangereuses* de Laclos, qui lui sont restées mystérieuses à bien des égards ; et Rebecca qu'elle a interrogée ne lui a pas non plus été d'un grand secours. Quoi qu'il en soit, elle a déterminé sa stratégie : elle s'écartera, avec douceur, comme une *grande dame* (elle emploie le mot français, même lorsqu'elle réfléchit), il ne faut surtout pas qu'il la prenne pour une *fille facile* (en français, de même)...

Beaux calculs. Elle les découvre faux. Car à ce moment-là elle s'écarte, non pas avec douceur mais presque d'un bond, sans pouvoir se contrôler et se dit à elle-même, avec une sombre fureur : « Espèce d'idiote, pour un peu, tu te retrouverais dans un arbre, avec le saut que tu as fait ! » Elle ne remarque pas, dans l'instant, que Taddeuz n'est pas très adroit non plus — ce n'est que plus tard, trop tard, qu'elle en aura la révélation.

Pendant les minutes qui suivent, elle se réfugie une fois de plus dans la littérature. Elle parle de Stéphane Mallarmé, dont elle sait tout juste le nom, n'en ayant jamais lu la moindre ligne, et de Musset, qu'elle connaît à peine un peu mieux ; et que d'ailleurs elle prénomme Albert...

— Alfred, corrige Taddeuz.

— Je voulais parler de son frère, improvise aussitôt Hannah.

— Ah bon ? dit Taddeuz, qui paraît sincèrement étonné.

La suite de la rencontre se déroule un peu mieux. Surtout dès qu'elle abandonne le sujet de la littérature, terrain décidément un peu trop glissant, pour parler de voyages et de tout cet argent qu'elle va recevoir. Elle est bien plus à l'aise : elle *sait,* en toute certitude, qu'elle sera un jour très riche et que donc elle voyagera, suivant les lignes qu'elle a tracées sur son atlas depuis trois ans.

Les cloches de la cathédrale ont depuis longtemps sonné six heures qu'elle parle encore, intarissable :

— ... Cette dame qui est donc la sœur très riche du directeur de l'usine dont j'hérite...

— Hannah, dit-il enfin, je ne connais même pas ton nom entier...

Silence. Elle le dévisage interdite. Toute préoccupée de ses mensonges, elle n'a pas vraiment remarqué qu'il ne l'écoutait plus.

Lui aussi la fixe, avec une gentillesse et une douceur qu'elle croit simulées. Il secoue la tête et elle croit encore à une comédie quand il se met à lui dire qu'il se sent très seul, à Varsovie, qu'il est très heureux de l'avoir retrouvée par hasard — « Où habites-tu ? Tu ne m'en as rien dit... » —, qu'il souhaiterait la revoir...

... Qu'il n'a pas trop d'argent. Son père est mort et depuis les choses de sa vie ont changé... — *J'étais si bête, Lizzie, si stupide, j'ai vraiment cru qu'il ne cherchait qu'à m'apitoyer. Puisque je mentais, il devait forcément mentir aussi : voilà comment j'étais alors...*

Il parle d'une voix très douce, avec un petit sourire timide, comme pour s'excuser d'étaler ainsi ses difficultés. Il penche sa haute taille...

— Nous pourrions peut-être nous revoir, en effet, dit-elle, son ton laissant entendre qu'elle vient tout juste de découvrir une telle possibilité.

Elle sourit : « Pourquoi pas ? »

Tout au long de leur promenade, c'est elle qui a constamment choisi la direction à suivre. Ils ont ainsi débouché sur la place du Vieux-Marché, exactement à l'heure qu'elle avait prévue. De fait, une calèche vient d'apparaître et s'approche de leur couple. Elle s'immobilise, conduite par un Pinchos enfoui dans une livrée presque à sa taille, sauf peut-être la casquette vraiment un peu trop grande. Mais il l'ôte, en ouvrant la portière à Hannah...

— Il me faut partir à présent, dit-elle.

Elle fait à nouveau semblant de réfléchir. C'est elle qui suggère un rendez-vous, non pas le lendemain ou le surlendemain, comme Taddeuz le propose, mais la semaine d'après...

... à moins qu'elle ne soit obligée d'aller visiter cette usine de Lodz que son oncle Bunim lui a léguée, auquel cas bien sûr... Elle a tant à faire, avec cet héritage...

Rendez-vous à la librairie de la rue de la Sainte-Croix, oui. A cinq heures.

Elle y est sept jours plus tard, faisant exprès d'être en retard de vingt bonnes minutes. Cette fois-là, elle lui demande de l'emmener boire un chocolat à la terrasse d'un café des jardins de Saxe. Elle sait que le prix des consommations excède les moyens de l'étudiant, elle annonce qu'elle les prendra à sa charge. Il sourit sans rien répondre mais quand on leur porte les chocolats, il donne un rouble et six kopecks à la serveuse. Et Hannah pense : « Je devine son jeu : il investit, en quelque sorte, et ce n'est que quand il aura dilapidé le peu d'argent qu'il a, qu'il acceptera comme un dû les cinq cents ou mille roubles dont je lui ferai cadeau... »

Pour cette deuxième rencontre, elle a préparé un exposé très complet sur « l'usine de Lodz », sur les immeubles qui vont lui revenir à Varsovie... Mais dès les premiers mots, il la coupe et lui pose quantité de questions sur elle-même, ses goûts, sa façon de vivre, ses ambitions pour l'avenir. Elle en conclut qu'il essaie de lui donner le change, en affectant de n'être pas intéressé par son argent. Tant d'hypocrisie la peine, sans tout à fait la surprendre. D'autant que ce jour-là, elle est particulièrement fatiguée : levée à trois heures, elle a passé la journée à courir de la rue Goyna à l'Arsenal, d'un magasin à l'autre ; Dobbe lui a fait une scène très dure pour une erreur (commise par Rebecca) portant sur un rouble et dix-neuf kopecks ; en outre, fort de sa qualité de copropriétaire du second magasin, Leib Deitch a prétendu chasser Maryan Kaden, qui n'est qu'à moitié juif et qu'il juge trop peu souriant avec la clientèle (la vraie raison de l'hostilité de Deitch à l'encontre de Maryan est la fidélité inconditionnelle de celui-ci à l'égard d'Hannah — et Hannah le sait)...

Et puis il y a Pelte Mazur.

Obsédant, à défaut de se montrer très inquiétant. Hannah n'est pas du genre à avoir peur d'un Mazur ; elle a d'ailleurs pris ses dispositions, en évitant bien d'en parler à Mendel Visoker, qu'elle ne veut pas mêler à ça — il serait capable de tuer le Loup et irait en prison, ou pire se ferait lui-même tuer. A trois ou quatre reprises, Mazur s'est planté sur son passage, la contraignant à faire un détour. Il a cessé son jeu imbécile le jour où Hannah lui a écrasé sur la figure un fromage qu'elle avait tenu prêt pour l'occasion. Toute la rue en a ri. Mais depuis, le souteneur la suit. Pas régulièrement. Il peut s'écouler deux, voire trois semaines sans qu'il se montre et puis soudain, lors d'une de ses allées et venues, elle le découvre derrière elle, à distance toujours. Souriant. (Hannah a eu de Rebecca l'explication de la veste à sequins que porte Mazur : l'homme a longtemps travaillé dans un cirque, à lancer des couteaux.)

Mazur n'apparaît à aucun moment lors du deuxième rendez-vous d'Hannah et Taddeuz.

Elle le voit ou croit le voir la troisième fois, quand l'étudiant et elle — il pleut à verse d'une grosse pluie d'été — vont visiter la bibliothèque et la gracieuse église des Visitandines.

En revanche, il ne suit pas Hannah à l'occasion du quatrième rendez-vous, ni du cinquième...

Le cinquième rendez-vous est celui où Hannah accepte enfin de suivre Taddeuz dans sa chambre de Praga.

— Et enfin la terrasse, dit-il.

Elle passe le seuil de la porte-fenêtre. C'est comme de ressortir la tête à l'air libre, après s'être complètement immergée dans le ruisseau. La chaleur n'y est pour rien, bien qu'il fasse très chaud : on est au tiers du mois de septembre et alors qu'il a beaucoup plu cet été-là, les derniers jours d'avant l'automne sont marqués par une semicanicule. La chambre est en réalité plus fraîche que la terrasse ; sur celle-ci, maintenant plein ouest, le soleil frappe directement, elle le reçoit en plein visage, au point qu'elle doit plisser les yeux pour découvrir l'alignement de Varsovie, sur l'autre berge de la Vistule. Hannah n'est pas dupe : la température n'est nullement en cause, dans ce sentiment d'oppression qu'elle éprouve ; elle va faire l'amour avec Taddeuz, le moment est venu, moment qu'elle a choisi elle-même, après des semaines et des mois... Depuis des années, en fait, elle a toujours su que les choses se passeraient ainsi.

Ses mains tremblent un peu. Elle les pose sur la balustrade de bois et les force à se détendre. De même, elle aspire très profondément, intimant à ses poumons, à son cœur de reprendre un rythme régulier. Comme toujours, elle enregistre minutieusement tout ce qui se passe en elle, les moindres signaux émis par son corps, des seins durcis sous la soie de sa robe à la chaleur diffuse dans son ventre, cette envie d'entrouvrir les lèvres et cette langueur générale...

Elle s'écarte de la balustrade :

— Tes fleurs auraient bien besoin d'être arrosées.

« Tu aurais difficilement pu trouver plus imbécile, comme réflexion à faire, pense-t-elle aussitôt après. Pourquoi ne pas dresser un état des lieux, tant que tu y es ? » Elle se retourne : Taddeuz la considère et ne bouge absolument pas. Il se tient légèrement en retrait du seuil, hors d'atteinte de la lumière éclatante du soleil. Il a tout l'air d'attendre quelque chose. Mais quoi ? Qu'est-elle censée faire ? Il doit y avoir plus d'une demi-heure qu'ils sont ensemble, et seuls, dans la chambre, et à aucun moment il n'a esquissé le moindre geste. Cela bien qu'à plusieurs reprises ils se soient trouvés très près l'un de l'autre — à respirer l'odeur de Taddeuz, reconnaissable entre toutes, à jamais —, ainsi pendant ces interminables minutes, délicieusement cruelles, où il lui a montré un à un chacun des livres qu'il possède, une centaine en tout. Et encore a-t-il parlé, au moins, ce qui n'est même plus le cas. Ce silence qui prend de la densité au fil des minutes recommence d'oppresser Hannah, bien plus que ne l'a fait un peu plus tôt le spectacle du grand lit à quenouilles.

Là encore, Lizzie, je n'ai à aucun moment pensé qu'il pouvait être horriblement intimidé, presque paralysé par l'amour réel qu'il avait pour moi, le vrai respect qu'il me portait. Je le croyais si plein d'expérience...

Elle retraverse la terrasse, franchit le seuil. Il s'écarte à la seconde où elle arrive sur lui. Elle interprète ce recul comme une dérobade et, immédiatement, avec cette fulgurante promptitude qui chez elle enchaîne les sentiments presque aussi vite que les réflexions, elle éprouve de la honte, de la colère et du chagrin : il ne veut pas d'elle, voilà la vraie raison ; il la refuse alors même qu'elle lui a fait clairement comprendre qu'elle était prête à tout lui donner. Elle gagne le milieu de la chambre, s'y fige quelques secondes, les yeux écarquillés, submergée par le désespoir. En entrant, elle a déposé sa

102

capeline, ses gants en point d'Irlande, son aumônière incrustée de perles (fausses mais qui ont l'air tout à fait vraies) sur une espèce de fauteuil en velours bleu. Elle ferme les yeux : Oh Hannah, tout s'écroule ! Elle fait un premier pas vers le fauteuil, puis un deuxième. Durant ces brèves secondes, elle se voit très distinctement dévalant l'escalier, sous le regard ahuri de Marta Glovacki, puis courant dans la rue comme une folle, traversant le pont de Praga, du haut duquel elle se jettera peut-être...

... quoique, réflexion faite, elle se voit mal en suicidée. A un problème, il y a toujours des tas de solutions ; d'ici un an ou deux, ou dix ans s'il le faut, je finirai bien par le convaincre...

... Et alors seulement, elle sent un contact sur son épaule. Elle essaie même un peu — très peu — de résister à la traction qu'il exerce. Par un dernier mouvement d'orgueil, dont elle sait bien la fragilité ; peut-être aussi par instinct de femme. L'autre main de Taddeuz — elles sont immenses, ces mains ! — lui encercle la taille. Taddeuz l'attire contre lui. Une partie d'elle-même s'émeut, retient son souffle, envahie par un extraordinaire sentiment de triomphe. Mais dans le même temps, l'autre Hannah met en route la froide mécanique à enregistrer les choses. Elle se l'est promis : elle ne manquera rien, aucun détail, de la première fois où elle fera l'amour avec Taddeuz, qui sera son premier homme. Et le seul (quoique à franchement parler elle ait quelques doutes, sur ce dernier point ; ̄ sait-on jamais avec la vie et ses surprises ?). Elle se laisse enfin aller, s'abandonne en pleine connaissance de cause, sent les doigts de Taddeuz qui, de la taille, sont en train de remonter vers ses seins. Sent aussi son corps à lui, maintenant pressé contre le sien, contre son dos. Elle en identifie tous les reliefs. Un en particulier dont elle a sans grand succès tenté de connaître la nature...

Elle attend. Elle sait que c'est lui qui doit la mettre nue, avec la tendresse et l'expérience qu'il doit avoir acquises. Du moins c'est ce qu'elle a lu dans les livres. Mais rien de tel n'est arrivé. Quand il l'a étreinte, c'est elle qui a dû se tourner vers lui pour caler son visage sur la poitrine de Taddeuz, et pour... oui, pour sentir — contre son abdomen à cause de cette différence de taille qui jamais ne lui a semblé si grande — cette étrange partie de lui-même, dont elle devine la force. Les bras de Taddeuz l'enserrent comme un piège à loup. Il s'est courbé pour écraser sa bouche contre la sienne, mais... est-ce cela qu'on appelle un baiser inoubliable ? Elle se sent plutôt asphyxiée. Elle se dégage et l'envie de rire lui vient, d'un coup, surtout quand elle découvre l'expression de son visage : il croit qu'elle le repousse. — *Si j'avais su, Lizzie, si j'avais su ce que pouvaient être la timidité et l'orgueil mélangés...*

— Aide-moi, s'il te plaît...

Elle pivote à nouveau et lui présente son dos — les trente-neuf boutons de la robe rouge andrinople et noire, tous gansés de soie. Mais il ne comprend pas ; dans quel rêve est-il perdu ? la confond-il avec une autre ? elle se le demande, elle se le demande avec une ironie doublée de tristesse. Ses bras viennent autour d'elle à nouveau, s'enhardissant jusqu'à ses seins, les caressant sans adresse. Elle ferme les yeux avec violence, partagée entre l'envie de rire qui remonte et une attente exaspérée. A cet instant seulement, l'idée lui vient que peut-être il ne joue pas la comédie, que peut-être il ne *sait* pas.

— Les boutons, Taddeuz. Je t'en prie.

Malgré sa bonne volonté, Taddeuz n'en a, une minute plus tard, défait que quatre. « Restent trente-cinq, calcule-t-elle automatiquement, on y sera encore dans trois jours ! » Et le rire la secoue, un rire qu'elle ne peut pas retenir. Il s'immobilise.

— Qu'est-ce qu'il y a ?

— Rien. Continue.

Il ne bouge plus. Il s'écarte un peu. Dit doucement : « Je suis complètement idiot, c'est ça ? » Quelques secondes passent. Elle se retourne lentement et avec assurance. Pour la première fois depuis qu'elle l'a découvert au bord du ruisseau, elle le voit vraiment. Il est d'une beauté exceptionnelle (cela elle le savait déjà) mais il y a au fond de son regard bleu, une tendresse pensive et un peu triste. Et déjà cette expression de résignation à la défaite.

— Je suis complètement idiot, répète-t-il, le front buté. Et ridicule, en plus.

— Ce n'est pas vrai, dit-elle, irritée qu'il se sous-estime, abandonne si vite.

Elle n'a plus du tout envie de rire.

Il la regarde fixement. Il ne bouge toujours pas mais ses mains crispées se sont légèrement détendues. Elle s'assied sur le lit, l'attire à elle avec douceur, l'oblige à prendre place à côté d'elle. « Embrasse-moi », murmure-t-elle. Elle s'allonge sur le dos, place ses paumes autour du visage de Taddeuz, exactement comme elle a mille fois rêvé de le faire.

— Doucement...

Leurs lèvres se touchent à peine. Sans parler, il lui demande si c'est bien ainsi et elle lui dit oui, c'est bien, continue. Leurs bouches se caressent, se découvrent, se quittent pour explorer de nouvelles régions du visage. Parfois, en un éclair, Hannah cesse de penser et sent comme un léger frisson sur sa peau. Et de même sur son visage puis tout le long de son corps s'éveillent des vibrations étranges. « Il m'embrasse, Taddeuz m'embrasse », les mots surnagent parfois pour s'engloutir à nouveau dans les sensations — non pas celles des livres, non pas celles que Rebecca a pu lui décrire — du plaisir qui monte en elle.

Elle n'essaie pas de défaire elle-même les boutons de la robe, sachant qu'elle n'y parviendra pas. C'est Rebecca qui d'ordinaire l'aide à se déshabiller… Elle est ivre d'amour et épuisée d'attente. Les caresses de plus en plus précises de Taddeuz vont bientôt se transformer en manœuvres désespérées pour enlever la robe. Une vague de rage la parcourt : cette saleté de robe qui s'obstine entre elle et lui ! La prochaine fois, elle en achètera une autre, une robe simple, ni rouge andrinople ni noire assurément, mais une robe qu'une femme et un homme peuvent faire glisser sans avoir l'air d'acrobates débutants.

C'est Taddeuz qui maintenant ne résiste plus. Son corps se presse contre le sien avec une violence qui l'effraie un peu ; elle a la certitude affolante, immédiate, du moment où il sera en elle, et tandis que leurs bouches ne se perdent que pour reprendre haleine, elle sait qu'elle veut, quoi qu'il arrive ; elle veut que cela soit maintenant et à jamais, tant pis pour les plans, tant pis pour leur ignorance d'adolescents. Elle s'allonge tout à fait et retrousse d'elle-même, le forçant à se soulever légèrement, tout le bas de sa robe et le jupon qu'elle porte au-dessous. Au milieu des épaisseurs du tissu qui lui tient chaud, si chaud, elle retrouve le cordonnet qui lui maintient à la taille ce long pantalon bordé de dentelle… Elle défait le nœud à grand-peine, renonce aux jarretières et aux bas, tant pis pour la honte, c'est ainsi qu'il la prendra.

Et pourtant, avant que cela se passe, Taddeuz fait une chose très étrange, qu'elle n'oubliera jamais. Il enlève sa chemise d'un geste rapide, dont la grâce contraste avec ce qui a précédé et ce qui va suivre. Un instant il s'immobilise et prend les mains d'Hannah, les porte à sa propre poitrine, les pose sur son cœur. A travers le brouillard de ses cheveux noirs, derrière sa fatigue, son attente, son plaisir, sa déception, Hannah le voit, miraculeusement beau et fort, capable de tout, bouleversant… Elle ferme les yeux.

Et cela est. Elle ne le voit pas libérer son sexe et tenter de pénétrer en elle, elle ne sait pas la crainte atroce qu'il a de lui faire mal, de la déchirer ; elle prend le membre vibrant et chaud entre ses mains et le guide. Au moment où il pénètre en elle, elle le sent au bord des larmes, mais déjà elle oublie tout, seule reste la déchirure, renouvelée à chaque fois qu'il va et vient en elle, emportant dans la souffrance qu'il lui inflige jusqu'à son aptitude à s'analyser en toute circonstance. Elle s'est attendue à cette douleur, a cru s'y préparer, mais jamais elle ne l'aurait imaginée si vive et si constante, si propre à redoubler de force quand elle la croit apaisée. Hannah se mord les lèvres pour ne pas crier…

Et s'interdire de supplier qu'il cesse.

Ce souvenir-là, surtout, va rester dans sa mémoire : l'échec. Et chacun des autres rendez-vous qu'elle aura avec Taddeuz dans la chambre de Praga en sera de même marqué, de la fin de l'été au courant de l'hiver 1892. C'est au point qu'elle ne sait même plus si elle le désire. Et pourtant oui, elle le désire comme elle ne peut, même en imagination, rêver de désirer un autre homme. Mais même après que la douleur a disparu, même quand son corps s'est fait à celui de Taddeuz, rien n'est venu, ou si peu, remplacer la douleur.

Si peu, Lizzie. Je n'éprouvais à peu près rien quand il était en moi. Mon amour pour lui se mettait comme entre parenthèses. J'en étais venue à croire que j'étais infirme. C'est vrai que, d'une certaine façon, je l'étais. Hannah de seize ou dix-sept ans l'était, cette Hannah de Varsovie vivait dans l'exaltation, le besoin absolu, le fanatisme de la jeunesse. Elle voulait tout et ne savait pas donner...

Pour ouvrir le deuxième magasin, Hannah a dû trouver un prête-nom, et un Polonais. Elle ne peut pas en être la gérante en raison de son âge ; et Dobbe, après avoir dit oui, s'est ensuite refusée à tenir cette fonction : les difficultés qu'éprouve à marcher la Meule de Foin, son caractère aussi, qui la pousse à la claustration, sont les raisons de ce refus.

Le prête-nom s'appelle Sluzarki. C'est Leib Deitch qui a avancé son nom...

... et qui le propose encore, en décembre 91, quand il est besoin d'un autre gérant officiel pour un troisième magasin.

Pour cette troisième affaire, qui marque une nouvelle étape, bien plus importante que les deux précédentes, du développement d'Hannah, plus question d'épicerie, même fine comme dans la boutique de l'Arsenal : il s'agit cette fois de mode, et de mode féminine. Maryan Kaden sera le seul témoin, bien qu'en retrait, de cette entreprise — Rebecca elle-même en ignorera toujours tout, ce qui ne laisse pas de surprendre quand on connaît les relations d'amitié entre les deux jeunes filles. Kaden a connaissance du projet pour la première fois aux alentours de la mi-octobre, quand Hannah lui demande s'il n'aurait pas, du côté de sa famille polonaise, quelqu'un de confiance, de qui il ne sera exigé que des heures de présence, une bonne présentation et une aptitude à signer des papiers sans chercher à les comprendre. Kaden finit par se découvrir une espèce d'oncle éloigné qui a été instituteur avant de se mêler de politique, lors de la révolte anti-russe de 1863. L'oncle accepte et finit par être accepté comme gérant par les deux associés, au terme de ce qui restera dans la mémoire de Maryan comme une fort âpre discussion entre Leib Deitch et Hannah.

Deux associés et non trois : Dobbe Klotz reste en dehors de l'affaire et, comme Rebecca, en ignore jusqu'à l'existence. Un point qui ne sera pas sans conséquences.

Le troisième magasin est donc ouvert en décembre de l'année 91, vers le début du mois. Ce n'est certes pas une boutique importante occupant dix ou quinze vendeuses, à l'image de celle dans laquelle

Hannah a acheté sa première robe : le local est petit et n'y sont employées que deux personnes, engagées par Hannah elle-même ; il est situé à deux pas de la rue du Faubourg-de-Cracovie, en plein centre.

On s'explique qu'Hannah ait pu mener à bien son projet sans en révéler quoi que ce soit à Rebecca et plus encore à Dobbe Klotz : elle partage son temps depuis des mois entre les deux épiceries, va de l'une à l'autre selon les besoins, son emploi du temps n'est donc pas contrôlable — à preuve ses rendez-vous avec Taddeuz, qui ont également lieu à l'insu de la Meule de Foin.

Quant aux conditions dans lesquelles elle est parvenue à convaincre Leib Deitch de l'accompagner dans cette nouvelle entreprise, Maryan n'en saura jamais rien. Il se rappellera simplement le chiffre de deux mille quatre cents roubles, montant de l'investissement personnel d'Hannah...

... et se souviendra qu'Hannah a été sa première cliente, choisissant pour elle-même une seconde robe « de dame », noire et rouge andrinople comme la première, mais légèrement décolletée et, surtout, avec des boutons sur le devant.

Les premiers signes de ce qu'Hannah commence à craquer physiquement apparaissent dès la mi-octobre. Rebecca les note, s'en inquiète. « Rien qu'un peu de fatigue », explique Hannah. De fait, avec les semaines qui passent, l'état de la jeune fille semble s'améliorer. Mieux, à partir de décembre, le visage étroit prend un éclat radieux, une plénitude particulière, où Rebecca dans son inexpérience voit les effets heureux de la liaison avec Taddeuz.

D'une certaine façon elle ne se trompe pas.

Et puis, en cette fin de 1891, Rebecca Anielowicz vient elle-même de se fiancer, ce qui l'occupe assez. Elle doit épouser le fils d'un très aisé fabricant de foulards de Lodz, qui a passé sur la dot plutôt chétive en ne retenant que le visage de la promise. Son mariage est prévu pour le printemps suivant.

Il est même convenu que Rebecca cessera de travailler chez les Klotz à partir du premier jour de janvier 1892.

Elle est donc absente quand cela arrive.

6

PELTE LE LOUP

Ce soir-là de janvier 92, elle rentre rue Goyna bien plus tard que d'habitude, vers minuit. Elle gagne sans bruit sa chambre mais, d'une façon ou d'une autre, vraisemblablement parce qu'elle guette ce retour depuis des heures, Dobbe l'entend et hisse sa masse jusqu'au cinquième étage.

Elle trouve Hannah déjà couchée, enfouie jusqu'au cou sous les couvertures. Toutefois la lampe à huile est restée allumée.

— Tu as oublié d'éteindre, dit Dobbe.

Pas de réponse. Les yeux d'Hannah sont fermés.

— Je sais que tu ne dors pas, dit encore Dobbe.

Et elle entre dans la chambre, ce qu'elle n'a jamais fait auparavant, depuis qu'Hannah y est installée ; gravir tous ces escaliers ne convient guère à ses grosses jambes gonflées par cinquante années de boutique. La chambre, outre le lit qui est sur la droite, contient une petite table, une chaise et une sorte de penderie constituée d'une corde tendue d'un mur à l'autre à laquelle on a accroché un rideau de cretonne. Sur la table, le halo de la lampe éclaire des piles de papiers et de livres — il y en a d'autres à même le plancher. Pas de chauffage, l'air est d'un froid un peu visqueux. Dobbe s'assied sur la chaise, pour récupérer de son ascension :

— Je veux te parler, je sais que tu ne dors pas.

— *Pas ce soir.*

Elle a étrangement détaché chacun des trois mots, les a prononcés d'une voix de petite fille, au prix d'un effort énorme. La lampe en position basse l'éclaire peu. Mais l'œil de Dobbe Klotz a toujours été aigu : il repère la marbrure sur la tempe, la tache sombre sur l'oreiller, le collet de la robe dépassant, qui révèle qu'elle s'est mise au lit sans se dévêtir. Dobbe monte l'éclairage :

— Tu es blessée ?

— *Je... suis... tombée,* dit Hannah dans le même souffle syncopé.

— Tu mens, répond simplement Dobbe.

109

Lentement, lourdement, Dobbe se redresse et avance vers le lit, la lampe à la main. La pleine lumière révèle une meurtrissure sanguinolente à la tempe, puis une autre à la mâchoire. Ce n'est pas tout : soulevant la couverture, la Meule de Foin découvre les premières lacérations de la robe. Hannah a toujours les yeux clos, et ne réagit pas ; elle est livide. Les grosses mains veulent la faire asseoir mais elle lâche un petit cri plaintif. « On t'a frappée ! » Dobbe rabat tout à fait la couverture : sur la poitrine, robe et chemise sont en lambeaux, les seins sont nus, l'un d'entre eux marqué par une très fine estafilade, qui saigne à peine. Mais tout le bas du vêtement est ensanglanté. Dobbe le retrousse : aucun sous-vêtement. « On t'a violée. » Dobbe fait le tour du lit et tire le rideau de la penderie : le pantalon est là, déchiqueté par une lame, tout à côté d'un broc et d'une cuvette emplie d'eau rougie. « *On t'a violée !* » Dobbe ne pose pas de questions, elle est sûre de son fait. Les plis du mufle lui servant de visage se contractent en une impressionnante expression de rage et de haine. Elle prend soudain conscience du froid, enveloppe Hannah dans une couverture, malgré les plaintes de la jeune fille ; elle soulève le tout comme elle ferait d'un enfant, redescend ainsi les étages. Chez elle, elle la dépose sur son propre lit, qu'elle tire tout près du poêle.

— Qui t'a violée, Hannah ? Qui ?

Les yeux gris s'entrouvrent à peine :

— N'en dites rien à Mendel Visoker, Dobbe, je vous en supplie...

Dobbe lui ôte sa robe et sa chemise, les découpant sur toute leur longueur avec un couteau. Elle se penche sur le corps nu, ses doigts spatulés touchent la toison du pubis, encore un peu engluée par la semence en train de sécher. « Ecarte les jambes. » Hannah ne semble pas avoir entendu. Dobbe exerce sa force entre les cuisses, les amène à s'ouvrir, se penche : l'une des muqueuses saigne mais la découpure s'étend aussi sur l'aine, elle est très fine et indubitablement due à une lame. Dobbe fait chauffer de l'eau sur le poêle et par deux fois lave la jeune fille :

— Tu m'entends, Hannah ?

— Ne dites rien à Mendel...

— Qui t'a fait ça ?

— Ne dites rien à...

Hannah est en train de perdre conscience, Dobbe la croit même endormie, mourante peut-être quand ses yeux se révulsent, mais le petite visage triangulaire aux arêtes aiguës se tend sous l'effet de l'effort qu'elle fait pour demeurer lucide : « Dobbe, j'ai mal, très mal... » Dobbe se met à pleurer, elle place ses mains de géante autour des hanches, embrasse le ventre nu, veut y poser sa joue. Le cri d'Hannah retentit.

Dobbe s'est redressée, affolée. Et Hannah dit :

— Je suis enceinte, Dobbe.

110

Vers une heure trente du matin, Hannah semble s'être enfin endormie, sous l'effet du laudanum que la Meule de Foin lui a fait prendre. Celle-ci l'a recouverte de toutes les couvertures et courte-pointes qu'elle a pu trouver, et elle a également bourré le poêle. Elle juge avoir fait tout ce qu'elle pouvait faire. Une trentaine de minutes plus tôt, Pinchos est monté, en chemise et bonnet de nuit sur la tête, clignant des yeux comme un oiseau nocturne. Sans prononcer un mot : seuls ses yeux exprimaient une interrogation : « *Fous-moi le camp* », lui a dit Dobbe avec une formidable et farouche fureur. Il a regagné sa cave.

Dobbe est seule, à présent. Et Hannah paraît dormir, même s'il lui arrive encore, dans son sommeil, de gémir très doucement, tel un enfant malade. Après une autre demi-heure de veille, ne constatant aucun changement, Dobbe estime pouvoir s'absenter, comptant sur le somnifère. Pour la deuxième fois cette nuit-là, elle remonte les cinq étages, tirant sur la rampe et faisant halte à chaque palier pour soulager ses jambes. Elle pénètre à nouveau dans la chambre en soupente, y relève à nouveau ces détails qu'elle a notés lors de sa première visite...

Ainsi tout ce sang dans la cuvette, qui ne peut en aucun cas provenir des seules estafilades que porte le corps d'Hannah...

... Ainsi cette penderie presque vide, où ne se trouve pas la robe noire et rouge à cent trente-deux roubles...

... Ainsi encore ces traînées de sang rose sur le bord inférieur de l'oreiller. Dobbe soulève ce dernier et découvre le rasoir. C'est un coupe-choux à manche d'os, plus petit que la normale ; il est encore à demi ouvert, la lame en est poisseuse de sang et de même le manche. « Elle s'en est servi ! » Une joie féroce mêlée d'orgueil envahit Dobbe : « J'espère qu'elle lui a tranché la gorge ! »

Elle se saisit du rasoir et le laisse tomber dans la cuvette, avec l'intention de nettoyer l'un et l'autre. Ote pareillement la taie d'oreiller, un drap et une couverture maculés de sang. Elle va tout laver, effacer toute trace ; l'idée qu'Hannah ait sans doute tué un homme ne doit guère l'inquiéter dans l'extraordinaire état de haine où elle se trouve. Linges roulés en boule sous son bras, tenant à deux mains la cuvette, elle s'apprête à ressortir quand son regard tombe sur le seul endroit de la chambre qui puisse encore recéler quelque mystère : la table et surtout le tiroir de cette dernière. Elle finit par l'ouvrir, bien entendu, après avoir reposé la cuvette. A l'intérieur, elle trouve toute une liasse de feuillets manuscrits, tous de la même écriture ample, élégante, qui n'est certainement pas celle d'Hannah. Il s'agit de poèmes en polonais, non signés. Dobbe les parcourt, à la recherche d'une quelconque indication sur leur auteur. Rien. Alors seulement elle pense à regarder au verso. Elle n'a pas à aller plus loin que le premier ; sur celui-ci, Hannah a écrit, de sa petite écriture

111

serrée si caractéristique, en bas de page et à droite : *6 septembre 1891 — Taddeuz m'a fait l'amour pour la première fois.* Les autres feuillets portent également des dates, à peu près de semaine en semaine. La plus récente étant celle du 30 décembre. Mais rien que des dates : une autre fois seulement Hannah a assorti son indication d'un commentaire : *28 novembre 1891 — J'ai un peu peur.*

Les grosses pattes de Dobbe tremblent. Mais le tiroir contient encore deux autres choses. La première est un gros calepin à couverture de basane. L'ouvrant, Dobbe y découvre pour l'essentiel des chiffres...

Oh Lizzie, je n'ai écrit ce « j'ai un peu peur » que lorsque j'ai découvert que j'attendais l'enfant de Taddeuz. Et je m'inquiétais, non pas tant de mon état — j'en étais si fière et si heureuse — que des conséquences qu'il aurait sur ma vie de l'époque, avec ces millions de choses que j'avais à faire, ces trois magasins dont j'avais à m'occuper, cet autre que je voulais ouvrir... et aussi, c'est vrai, de la réaction de Taddeuz. Qui évidemment ne sait rien. Je ne lui ai rien dit. Mais je ne veux pas qu'il croie que j'essaie de lui forcer la main, en l'obligeant à m'épouser seulement parce que je suis enceinte. Ce qu'il aurait fait, avec sa droiture...

... Les chiffres sont alignés en colonnes, à raison d'une douzaine de colonnes par page du calepin de basane. Les colonnes sont numérotées de 1 à 12 et il ne faut pas longtemps à Dobbe pour comprendre que la première colonne représente le chiffre d'affaires du magasin de la rue Goyna, la deuxième la part personnelle d'Hannah sur ces recettes (part calculée sur la base de l'arrangement qu'elles ont pris, elle et Hannah), la troisième le chiffre d'affaires ou plus justement les bénéfices de la boutique de l'Arsenal, la quatrième la part d'Hannah (trente pour cent) sur ces mêmes bénéfices...

Tout cela d'une écriture presque illisible à force d'être minuscule et serrée, d'une régularité à donner le frisson.

... Mais ce n'est pas tant cette minutie qui effare Dobbe Klotz et lui inflige le choc qu'elle reçoit à cette minute. Et pas davantage le fait que le jour où elle a passé un accord avec la Meule de Foin sur une répartition des recettes du magasin de la rue Goyna, Hannah avait déjà en tête — ouvrant des colonnes à cet effet — un deuxième magasin. Et d'autres.

Ce qui glace à cet instant Dobbe Klotz et la fait basculer dans la folie, c'est la double découverte qu'elle fait : Hannah a ouvert un troisième magasin sans lui en rien dire (et ce magasin rapporte déjà gros, quoique ce détail-là soit pour Dobbe sans importance)...

... et Hannah verse régulièrement de l'argent à ce Taddeuz dont Dobbe ignore tout, sinon qu'il l'a mise enceinte et qu'elle a peur de lui. Ce point-là est indubitable : Hannah a bel et bien ouvert une colonne tout exprès, intitulée TAD, dans laquelle elle a inscrit des chiffres, entre dix et vingt roubles à chaque fois, à des dates qui correspondent exactement à celles figurant au verso des feuillets portant les poèmes.

Il y a bien une troisième chose dans le tiroir, à côté de ces feuillets et du calepin, mais Dobbe emportée par une puissante vague de colère et de haine, Dobbe ne lui accorde qu'une attention mineure : il s'agit, enveloppé d'un ruban de moire tamisée très soigneusement noué, d'un morceau de bois sombre, incrusté à l'une de ses extrémités de deux minuscules éclats de verre rouge, ou de pierre, qu'on dirait être des yeux.

Dobbe a refermé à clé la porte de la chambre. Elle redescend, transportant les linges et la cuvette, et trouve Pinchos debout au pied du lit :

— Qu'est-ce que tu fais là ?

— Cri, dit Pinchos.

Et à la seconde suivante, comme pour éclairer une explication si laconique, Hannah crie à nouveau. Le hurlement est très bref, arraché du fond de la gorge ; il s'interrompt à peine éclaté, se poursuit par une plainte. Dans le même temps, le haut du corps se tend et s'arc-boute.

— Médecin, dit Pinchos.

— Non.

— Mourir, dit Pinchos.

— *NON !*

Les regards de Dobbe et de Pinchos se rencontrent, pour la première fois depuis plus d'un quart de siècle.

— Va-t'en, ordonne sauvagement Dobbe.

Mais il ne s'exécute pas, pas tout de suite. Il continue de fixer Dobbe avec une intensité incroyable, toute sa vie dans ses yeux noirs à l'ordinaire doux et voilés, mais maintenant pleins de menace. Il se détourne pourtant...

— Pinchos ?

Il attend, dos tourné.

— Elle a été violée, dit Dobbe. Elle a mal, mais surtout dans sa tête.

Il ne bouge pas et continue d'attendre.

— Elle avait un petit rasoir avec un manche en os, celui-ci. Tu avais le même, autrefois.

Aucune réaction.

— Tu le lui as donné, Pinchos ?

Rien.

— Tu le lui as donné. C'est donc que tu savais qu'elle risquait d'être attaquée. Et par qui.

Toujours rien. Dobbe tient encore la cuvette, où il y a tant de sang.

Elle ajoute, comme à regret — mais la férocité des sentiments qu'elle éprouve subsiste dans ses mots :

— Je crois, j'espère qu'elle l'a tué avec ce rasoir. Pinchos, Hannah n'est pas chez moi, tu ne l'as pas vue cette nuit. Hier soir, elle est venue nous prévenir qu'elle devait se rendre dans son shtetl, à cause de sa mère malade, où elle restera le temps nécessaire. Tu ne sais rien d'autre.

Toujours pas de réponse. Il est vêtu entièrement, sauf pour le chapeau, avec phylactères et vêtement à franges.

— *Pinchos ?*

Il a finalement, tout de même, une espèce de mouvement de tête qui peut passer pour un acquiescement. Il s'en va et une demi-heure plus tard à peu près, Dobbe l'entend marcher dans la cour du côté de l'écurie : il attelle son cheval, ainsi qu'il a l'habitude de le faire pour ses tournées.

Bruit de la charrette et du cheval dans l'impasse puis dans la rue Goyna. Ce bruit décroît et s'éteint. Sur le lit, Hannah continue à s'agiter, et à gémir dans son sommeil ; parfois même elle crie vraiment, sous l'effet d'une douleur dont Dobbe Klotz, se trompant en toute bonne foi, croit qu'elle a des causes plus psychologiques que physiques. Le laudanum qu'elle lui a déjà administré une première fois, et qu'elle ne va pas cesser de lui administrer encore, découle de cette erreur. Dix grains, quatre-vingts gouttes, soit un peu moins que la dose prise par Dobbe elle-même quand elle souffre par trop de ses jambes. Le médicament opiacé fait son effet : les cris cessent, remplacés par une plainte douce, qui a cet avantage de n'être pas audible, que ce soit des autres appartements, ni surtout du magasin.

... C'est ce qui va permettre à la Meule de Foin, le temps qu'il faudra, de dissimuler la présence d'Hannah chez elle, de garder Hannah pour elle seule.

A aucun moment, j'en suis sûre, elle ne soupçonne qu'elle est en train de me tuer, Lizzie...

Le 7 janvier 92, de toute la journée, Maryan Kaden ne voit pas Hannah. Il s'en étonne un peu mais ne s'en inquiète pas — sa confiance en elle est totale. Il fait ce jour-là ce qu'elle lui a ordonné de faire : il accomplit normalement son travail au magasin de l'Arsenal, comme livreur-conducteur de charrette, puis à neuf heures du soir, à la fermeture, va prendre sa part de la surveillance de Taddeuz, relayant un autre gamin. Taddeuz est chez lui, vraisemblablement occupé à lire ou écrire. S'étant assuré que l'étudiant ne va pas ressortir pour quelque escapade, Maryan rentre chez sa mère — il a huit frères et sœurs, dont il est l'aîné ; et tout ce monde vit sur son salaire.

Les journées du 8, du 9 et du 10 s'écoulent sans qu'Hannah

reparaisse. Et cette fois, Maryan s'inquiète. D'autant que des choses se passent : le 10 dans l'après-midi, Leib Deitch en personne — et non l'un de ses habituels agents — se présente à la boutique près de l'Arsenal : sans prendre de gants, il annonce au jeune garçon qu'il est mis à la porte, à compter du lendemain, qu'il sera remplacé par un homme en qui Deitch a toute confiance. « Oui, bien sûr, ton amie est d'accord, répond Leib Deitch à la question que Maryan lui pose ; nous en avons parlé elle et moi avant qu'elle ne parte en voyage. » Ce licenciement prive Maryan et sa famille de tout revenu immédiat, mais il s'est déjà trouvé dans ce genre de situation difficile et son caractère est solide. Il y a pire : allant aux nouvelles à la boutique de modes dans la rue du Faubourg-de-Cracovie, il apprend de son oncle qui en est officiellement le gérant que le matin même, Deitch lui a fait signer il ne sait trop quels papiers, qui semblent bien avoir pour conséquence un rachat de toute l'affaire par Deitch.

Dans la même soirée du 10 janvier, Maryan, tout en se reprochant un peu cette démarche (il a vraiment l'air de pleurnicher parce qu'on l'a privé de son emploi, estime-t-il), Maryan se rend à la rue Goyna. La crèmerie est fermée, alors qu'il est à peine sept heures et c'est déjà une première surprise. Maryan ne connaît pas Hindele, la vendeuse, et moins encore Zirel, qui a été engagée pour remplacer Rebecca depuis une dizaine de jours. Il se résoud à interroger Dobbe Klotz elle-même. Sans grand enthousiasme : la vieille grosse femme l'a toujours mis mal à l'aise. Il prend le couloir et va frapper à la porte de l'appartement privé. Dobbe finit par apparaître mais au lieu de le faire entrer, elle l'entraîne au long du corridor, puis dans la rue : oui, dit-elle, il est exact qu'Hannah s'est absentée de Varsovie, pour quelques jours et peut-être davantage ; elle a reçu une lettre de la jeune fille, qui est arrivée au shtetl et s'inquiète beaucoup de la santé de sa mère très malade, pour ne pas dire mourante.

Par amour-propre, Maryan évite de parler de son licenciement dont, à tort ou à raison, il croit Dobbe informée. Il ne veut pas supplier, surtout pas cette mégère géante au visage encore plus fermé qu'à l'ordinaire et qui semble fatiguée, tendue.

Il s'en va.

C'est Pinchos qui a dû faire venir le médecin, Lizzie. Passant outre à l'interdiction de Dobbe et probablement au prix d'un affrontement qui a été féroce. Il me sauve la vie, en tout cas, en appelant à mon chevet un médecin qui avait fait ses études à Vienne avec le fameux Semmelweiss. Je ne crois pas qu'un médecin ordinaire m'aurait guérie de la fièvre puerpérale qui a suivi ma fausse-couche, surtout avec cette fracture que j'avais à l'os du bassin, et tous ces coups de pied que j'avais reçus. Mais je n'ai aucun souvenir des premiers jours, j'ai dû délirer, sous l'effet de la fièvre, et j'ai dit bien trop de choses. Mon seul souvenir, le premier, est la voix du médecin me suppliant de ne pas bouger dans mon lit afin que se consolide ma fracture. Pour le reste : Dobbe, et bien plus rarement Pinchos, l'ombre de Pinchos venant me contempler en silence tandis que Dobbe est à la boutique, dans la journée donc, me contemplant de ses grands yeux tristes, si doux, qui exprimaient tant de choses sans qu'il eût besoin de parler...

Mais je revois surtout Dobbe, elle est omniprésente. Je suis d'une extrême faiblesse, c'est elle qui me fait manger et me lave, avec ses énormes mains d'homme et cette façon masculine de me caresser. Mais parfois, quand je ne suis pas hébétée par tout ce laudanum qu'elle me donne, je surprends son regard et cette expression très particulière que lui donnait une grande rage intérieure. Je sais maintenant qu'elle préparait sa vengeance, ce qu'elle croyait être notre vengeance. Je lui demande à voir Rebecca et Maryan Kaden. Elle me répond que l'une est partie pour Lodz rejoindre son fiancé et qu'elle fera venir l'autre dès que j'irai mieux. Et les jours passent, j'en perds le compte puisque je ne sais pas combien de temps je suis restée inconsciente — en réalité bien plus de trois semaines mais Dobbe me fait croire que ça n'a duré que quelques jours.

Elle ne me parle pas de Leib Deitch et de ce qu'il est en train de faire. Et évidemment, elle ne me dit rien de Taddeuz. Je ne sais pas alors qu'elle connaît tout de lui, ou le croit, grâce à la fouille de ma chambre, grâce surtout à cette petite idiote de Rebecca.

... Pas plus qu'elle ne va me parler de la lettre qu'elle enverra à Mendel Visoker.

Je n'en apprends l'existence que le 23 février. Quand tout est arrivé et qu'il est déjà trop tard...

Maryan, vers le 20 janvier, a la chance de retrouver le travail qu'il avait quitté pour entrer au magasin de l'Arsenal : débardeur à la gare de la Vistule. C'est un emploi qui le tient surtout la nuit et donc le laisse libre dans la journée : il en profite pour trouver à s'embaucher comme portefaix au marché Yanash mais, parce qu'il attend le retour d'Hannah d'un jour à l'autre, il continue d'assurer la surveillance de Taddeuz dont elle l'a chargé.

Et ainsi il note la péripétie qui achève de déclencher la mécanique. Faute de meilleure interlocutrice, il va voir Rebecca, qui s'apprête en effet pour son mariage — mais qui n'est pas encore partie pour Lodz, contrairement à l'assertion de Dobbe Klotz. A la grande déception de Maryan, Rebecca ne sait rien de plus que ce qu'il sait lui-même : Hannah est dans son village à soigner sa mère. « Elle finira bien par rentrer », conclut gaiement Rebecca, qui ne sera jamais d'un naturel très angoissé. Elle écoute Maryan lui dresser la liste de ses préoccupations, tant à propos de la gestion du magasin de l'Arsenal que de celle de la boutique de modes (dont elle apprend l'existence du même coup, vexée) et n'y prête pas beaucoup d'attention : l'argent, la finance, le commerce, ce que peut faire ou ne pas faire un Leib Deitch la laissent comme toujours d'une indifférence minérale. En revanche elle dresse l'oreille quand le garçon prononce le nom de Taddeuz (Rebecca connaît Maryan mais ne l'apprécie guère : elle le trouve d'un ennui mortel, il est si sérieux, uniquement préoccupé de travail et d'argent !)

— Taddeuz Nenski ? (Voilà un sujet qui l'intéresse — enfin !) Et que fait-il, le beau Taddeuz ?

(Dévorée par la curiosité, elle s'est un jour littéralement enfuie de chez Dobbe et a réussi à apercevoir l'étudiant. Elle avait cru jusque-là qu'Hannah, par ailleurs si extraordinairement intelligente, en rajoutait un peu, avec son Taddeuz. Mais non. Elle en est restée pétrifiée : le plus beau garçon dont une fille puisse rêver, à n'y pas croire. Et cette élégance...)

Maryan Kaden lui raconte la scène qu'il a surprise. Deux jours plus tôt, Taddeuz a été invité à dîner chez les Wlolstka, le riche notaire qui a une fille à marier, qu'Hannah lui a bien recommandé de surveiller. Et justement... Après le dîner, il a vu l'étudiant se promener dans le jardin de la maison sur l'avenue Marshalkovski, au bras de la demoiselle, qui avait l'air tout énamouré.

— J'ai pu parler à l'un des domestiques des Wlolstka, précise Maryan. Il est question de fiançailles. Et il y a autre chose : Hannah a indiqué une adresse à Taddeuz, pour qu'il sache où la joindre. J'y suis passé : il y a deux lettres de l'étudiant pour Hannah mais le concierge n'a pas voulu me les donner. D'ailleurs, je ne saurais pas quoi en faire...

C'est surtout de cela que Rebecca, la future Becky Singer, va se souvenir. De sa propre colère et de son indignation. Elle a reçu les confidences d'Hannah, sait presque tout de la comédie jouée par son amie, y a même joué son rôle, sait comment Hannah a tout fait pour convaincre Taddeuz de la réalité d'un prétendu héritage, allant jusqu'à...

Elle demande :

— Il était habillé comment, Nenski, pour aller voir sa promise ?

Un beau costume, chemise et souliers neufs, et même un manteau à col de loup, précise Maryan avec sa minutie ordinaire. Rebecca ricane, elle grince des dents. Elle est à peu près sûre qu'Hannah a donné de l'argent à Taddeuz, et beaucoup, sous forme de prêt — « je ricane ». Si Taddeuz peut à présent parader boulevard Marshalkovski, aller y faire sa cour, y faire bonne figure au point qu'on commence à y évoquer des fiançailles, c'est en somme avec l'argent d'Hannah.

En parler à Dobbe Klotz semble à Rebecca, dès lors, la seule chose à faire.

Pelte Mazur est tué dans la nuit du 23 au 24 février 1892. Au terme d'une traque qui a duré six semaines. L'ancien lanceur de couteaux n'est donc pas la victime d'un accident.

A cette traque, Mendel Visoker n'a pris aucune part, il en ignore en fait l'existence. Le Cocher est arrivé vers neuf heures, par une nuit particulièrement glaciale, en vue de la maison où Mazur s'est réfugié. Une maison qui n'est pas dans Varsovie mais à la sortie de la ville, bien après la rue Muranow. L'endroit n'a rien d'attrayant, bien que ce soit presque la campagne, avec des vergers, des champs et des vaches : à une portée de fusil se dresse la massive silhouette en briques de la Citadelle, qui sert de prison.

Mendel, d'abord, a relevé dans la neige fraîche les traces de la carriole, puis il a vu la carriole elle-même à l'arrêt, assez bien dissimulée entre les arbres. Il l'a reconnue, on ne le surnomme pas le Cocher pour rien : il identifierait une voiture entre mille autres. Il lui a ensuite suffi de suivre les pas.

Il devine la présence humaine dans le fourré de viornes avant même de l'avoir vraiment vue. Il dit à voix basse :

— Ce n'est que moi, Visoker. Ne me tuez pas, s'il vous plaît.

Il laisse s'écouler quelques secondes puis se glisse à son tour entre les branches. Au centre du fourré, il y a une sorte de petite cache et, comme il l'a prévu, Pinchos Klotz s'y trouve, tout recroquevillé, petit et frêle comme un enfant. Il ne se tourne même pas vers Mendel. Celui-ci secoue la tête :

— Ça n'a vraiment pas de sens. Et vous comptiez le tuer comment, tout seul ?

Pas de réponse et, pendant un instant, Mendel croit que le petit homme est tout bonnement mort de froid — selon lui, cela doit faire dans les vingt heures qu'il est ainsi tapi ; bras croisés sur la poitrine, mains glissées sous les aisselles, de fines stalactites de glace suspendues à ses papillottes ; gardant ses yeux élargis sur la maison qui est à cent mètres, avec une intensité hyptnotique. Mendel demande :

— Vous saviez que j'allais venir ?

Mouvement de tête : non.

— Vous saviez que votre femme m'avait écrit ?

Mouvement de tête : non.

— Mazur est vraiment dans cette maison ?

— Grange, dit Pinchos.

Mendel Visoker a débarqué à Varsovie cinq heures plus tôt, du train de Dantzig. La lettre de Dobbe Klotz lui est parvenue au matin du 22 février. Elle n'aurait pas pu tomber plus mal, à deux jours près il ne l'aurait même jamais reçue : il a dans la poche de sa veste un billet pour le parcours complet Dantzig - Hambourg - Amsterdam - Londres - Lisbonne - Port-Saïd - Aden - Colombo - Singapour - Port-

118

Moresby - Sydney. Tous les derniers mois il a senti monter en lui l'envie du départ, comme une rage de dents ; les vieux démons sont revenus, qui l'ont hanté depuis son adolescence, et que les chevauchées à travers la grande plaine russe ne suffisent plus à apaiser. Ça l'a pris d'un coup, un soir de déprime un peu plus dur que les autres — couché entre ses deux Lituaniennes un peu trop grasses, un peu trop vieilles, et geignardes — à force de voir s'en aller à l'ouest la moitié de la Pologne, Juifs ou non-Juifs. Outre cela une nouvelle lettre du cousin Schloimele lui est parvenue après quatre mois de voyage, vantant plus que jamais les splendeurs australiennes. Et Mendel a soudain découvert qu'on change plus aisément et plus vite d'existence que de costume ou de café : en quelques heures il a vendu le brouski, les chevaux, ses parts sur une ou deux affaires, liquidé son compte à la Banque de la Baltique, et acheté son billet.

Son départ est prévu pour le 25 février, mais ce ne sera qu'un saut de puce, il s'agit simplement de partir, se mettre en route : de Dantzig, il ira d'abord à Amsterdam où il restera plusieurs jours à attendre un autre bateau pour Londres. Et c'est d'Angleterre seulement qu'il s'embarquera pour le grand large, le 11 mars au matin, à bord du *Tasmania*. Et là-dessus, au milieu de tous ces beaux projets, alors qu'il commence en pensée à rejeter la Pologne et l'Ukraine derrière lui de la même façon qu'il a quitté tant de femmes, la lettre de Dobbe. Il a fait ses calculs : en allant et revenant par le train, en restant douze heures à Varsovie, il aura tout le temps de tuer Pelte Mazur le Loup et de filer sans aucun risque d'être jamais pris.

La lettre de Dobbe Klotz dit sans préambule : *A Mendel Visoker : elle a été violée, et frappée. On lui a cassé les os à coups de pied. Elle était enceinte et c'était sûrement la raison. Elle a fait une fausse-couche et a failli en mourir. J'ai espéré qu'elle avait tué l'homme, mais non. Et ce fou de petit Pinchos a disparu depuis deux semaines. Venez. L'homme est un Polonais du nom de Taddeuz Nenski.* Mendel a brûlé la lettre, par prudence. Et pour une autre raison aussi : il ne croit pas beaucoup que le violeur d'Hannah soit Taddeuz. Il a son idée. Débarquant du train il s'est rendu rue Goyna, vu Dobbe (à qui il n'a rien dit, au sujet de Mazur) mais pas Hannah, qui dormait profondément. Il s'est mis en chasse et la piste que Pinchos Klotz, avec ses soixante ans et son mètre cinquante, a mis des semaines à relever, il l'a, lui, retrouvée en trois heures, faisant pas mal de dégâts sur sa route. Mais puisqu'il disparaîtra le lendemain...

Il demande :

— C'est bien Pelte Mazur qui l'a violée, monsieur Klotz ?

Acquiescement.

— Et frappée ?

Acquiescement. Mendel sourit : il se promet beaucoup de plaisir à tuer le Loup. Son regard se porte sur la grange accolée à la maison, dont il n'aperçoit guère que le toit :

119

— Et il serait là ?

Troisième acquiescement.

— Il a ses couteaux ?

Oui, signale Pinchos. Son chapeau noir profondément enfoncé sur la tête, visage si mince mangé par la barbe, il a enfilé tous ses caftans les uns sur les autres pour se protéger du froid, sans parvenir pour autant à se grossir. Il s'est remis à neiger, depuis peu, et cette neige assourdit jusqu'au battement de tambour provenant de la Citadelle. Mendel estime qu'il doit être dans les vingt et une heures trente. Son train, demain matin, part dans un peu moins de neuf heures. Plus de temps qu'il n'en faut. Il se redresse :

— Je vais y aller, et y aller seul. Vous me gêneriez et l'on vous mettrait en prison, vous.

Pinchos hausse les épaules. Mendel donne un petit coup de poing sur le chapeau, juste assez, gentiment. Pinchos s'allonge, nez dans les viornes et la neige.

Quand Mendel frappe à la porte, un homme vient ouvrir qui parle polonais avec un accent d'Allemagne et, à la description qui lui en a été faite par une putain de la rue Krochmalna, Mendel reconnaît un ancien leveur d'haltères qui se nomme Hermann Erlich. Il y a aussi une femme dans la maison, et cette femme a une barbe, ce qui lui a permis de voyager jusqu'en Espagne avec un cirque.

A la question très aimablement formulée par Mendel, Erlich répond que ni sa femme ni lui n'ont vu serait-ce l'ombre de Pelte Mazur depuis des lunes. Plus depuis une tournée qu'ils ont faite ensemble, il y a de cela cinq ans. Les petits yeux durs de l'ex-manieur de fonte se font encore plus durs et plus brillants : non, il ne sait pas où est Pelte, pas du tout, et de toute façon, il a tant d'amitié pour lui qu'il irait jusqu'à casser les reins de quiconque chercherait noise à son vieux copain. Sur cette menace sans équivoque, il fixe bien Mendel, pour lui confirmer que c'est bien de ses reins à *lui* qu'il parle.

Mendel sourit : on l'aura mal renseigné, voilà tout, et qu'on l'excuse pour le dérangement. Il se détourne un peu et frappe.

Une fois, deux fois, trois fois. Un peu incrédule, c'est bien la première fois qu'il voit quelqu'un rester debout si longtemps. Mais l'haltérophile finit par s'effondrer, les yeux blancs.

Il est obligé d'assommer aussi, mais avec délicatesse, la femme à barbe qui envisageait de le couper en deux avec un tranchoir...

Le silence se fait. Mendel souffle l'unique chandelle. Il ôte ses chaussures et se colle à un mur, à côté de la huche à pain.

— Pelte ? Je suis là. Comme promis.

Il a crié.

Aucun bruit ne provient tout d'abord de la grange (à laquelle on accède par une porte). Puis Mendel capte un très léger mouvement de pas. Il sait très bien ce que Mazur est en train d'essayer de faire : sortir par l'autre porte de la grange. Il crie, goguenard :

— Ne te fatigue surtout pas : je l'ai bloquée. Il va te falloir venir par ici. Je t'attends.

Trente secondes d'un silence oppressant et puis le panneau dans le mur séparant la maison de la grange, ce panneau pivote. Mendel ne le voit pas vraiment, dans cette obscurité totale, mais il perçoit le grincement infime...

... Et la respiration de Mazur.

— Visoker ?

— Qui d'autre ? dit Mendel en riant.

— Je ne l'ai pas violée.

— Ah non ?

— Je ne l'ai pas fait. Elle avait un rasoir, elle s'en est servi avant que je puisse.

— Mais tu as essayé.

— J'étais saoul.

— Ça ne change vraiment pas grand-chose, mon bon. Je t'avais prévenu de ne pas la toucher. Et puis tu l'as frappée à coups de pied.

— J'étais saoul. Mendel, en souvenir du bon vieux temps...

— D'abord, dit Mendel très tranquillement, je vais te casser les poignets. Et ensuite seulement, le cou.

Il y a un sifflement et un premier couteau se plante dans la huche à pain, que Mendel tient dressée à bout de bras devant lui.

— Raté, dit Mendel. Et tu n'as pas trente-six couteaux.

— J'en ai d'autres.

Mendel est maintenant de l'autre côté de la pièce, accroupi. Bien lui en prend : un deuxième couteau vient frapper le mur juste au-dessus de sa tête.

— Raté encore.

Il file à quatre pattes et soudain ressent une morsure dans ses reins, quelques centimètres au-dessus de la ceinture. La lame n'a pourtant fait qu'entailler sa peau.

— Raté toujours. Et tu n'as que trois couteaux, d'habitude.

— J'en ai d'autres.

— Je ne crois pas, dit Mendel.

Silence total. Sauf ce battement de tambour qui roule. Qu'est-ce qui leur prend donc, à ces foutus militaires ? pense Mendel, de quoi diable se mêlent-ils ? (A cet instant-là, Mendel est sous la table, non loin de la femme à barbe assommée — il sent son odeur plutôt nauséabonde. Et à quelques signes, il devine que ladite femme, voire son hercule d'époux, ce qui serait plus ennuyeux, sont en train de reprendre conscience.)

— Je vais faire un pari, dit-il à haute voix. Je vais parier que tu n'as plus de couteaux. Je vais venir vers toi et te casser les poignets. Avant de passer au cou.

121

Et il fait ce qu'il a dit, comme toujours il l'a fait et le fera toute sa vie. Il se met debout et entreprend d'avancer vers l'endroit de la pièce où il est à peu près sûr que Mazur se trouve. Au quatrième pas en effet, il *sent* la présence. Il frappe à la volée, touche mais insuffisamment pour que le coup soit décisif. Et c'est une nouvelle morsure, tout au long de son bras droit. « Cette ordure avait bien un autre couteau ! » Il se jette en avant et croche Pelte à l'épaule ; sa main descend, encercle le poignet, le broie au sens propre : il perçoit le craquement des os pulvérisés. Mais c'est à cette seconde que s'ouvre la porte sur l'extérieur et qu'une minuscule silhouette se jette dans la maison en hurlant. « Ce fou de Pinchos Klotz ! » pense Mendel. Son attention a été détournée pendant un très court laps de temps. Suffisant : une lame s'enfonce dans son flanc gauche.

— J'avais *deux* autres couteaux, souffle Mazur.

Juste avant de se mettre à hurler quand son autre poignet est cassé.

... Et il ne cesse de hurler que lorsque la main de Mendel lui enserre le cou, en broie les cartilages puis tourne d'un mouvement sec et fracasse les vertèbres.

Mendel tombe à genoux. « Je ne vais quand même pas mourir ici ! » Il prend le manche du couteau enfoncé dans sa hanche et tire, haletant sous la douleur extrême et pris d'un étourdissement. Mais dans son dos, des choses étranges se déroulent, il capte des cris inarticulés et les bruits d'une lutte. Presque aussitôt, la lumière revient, la chandelle est rallumée. Il a juste le temps de découvrir la femme qui, elle aussi, le voit et se précipite sur lui, brandissant son tranchoir. Elle s'empale d'elle-même sur le couteau que Mendel tient encore à la main, tombe sur lui et le fait s'écrouler.

Suivent des secondes d'une interminable immobilité, dans cette irréalité bizarre qui succède toujours aux déchaînements de violence. Mendel a fini par se dégager du corps de la femme, il reste un moment assis, dos au mur, contemplant cette pièce où plus rien ne bouge. « Oh mon Dieu ! » La longue table de ferme lui cache aussi bien Pinchos que le leveur d'haltères, mais aucun d'eux ne remue plus. « Oh mon Dieu ! » répète Mendel. S'aidant du mur derrière lui, il se remet debout.

Pinchos Klotz a le cou brisé, tout comme Pelte Mazur. Mais, c'est incroyable, soit avant de mourir soit en mourant, le petit homme est parvenu à enfoncer dans la poitrine d'Erlich, jusqu'à la garde, un grand couteau de boucher que Mendel ne lui avait pas vu entre les mains. « Sans doute le cachait-il sous tous ses foutus caftans... »

Erlich n'est pas encore mort, mais ne vaut guère mieux. Il essaie de parler mais la mousse rosâtre que Mendel a souvent vue aux moribonds paraît aussitôt sur ses lèvres.

— Je ne voulais pas que tu meures, lui dit Mendel avec douceur. Et pareil pour ta femme. Je ne voulais pas. Mais qu'est-ce que je peux faire, maintenant ? Si je te mets sur une voiture ou un cheval, le temps que je t'emmène à la Citadelle ou en ville, tu auras passé. Ça ne servira à rien et tu auras un peu plus mal, c'est tout. Tu comprends ?

Les paupières du mourant battent lentement, une seule fois, signe qu'il a compris. Mendel hoche la tête. Le formidable élan de colère qui l'a porté depuis Dantzig, et sa furieuse envie de tuer, sont tombés l'un et l'autre. Il éprouve en lieu et place une grande tristesse, et un non moins grand sentiment de vide. Comme toujours (il a tué son premier homme quand il avait seize ans). La porte sur l'extérieur est demeurée ouverte et montre qu'il neige dru, bien plus que tout à l'heure, mais le tambour militaire s'est tu, à croire vraiment que ces foutus soldats ont voulu, à distance, cadencer tout ce carnage.

Mendel marche jusqu'à la femme, qui a bien été tuée sur le coup — le couteau de Mazur lui est entré dans la gorge. Mendel fouille une armoire, en sort, aligne sur la table et allume toutes les chandelles qu'il peut trouver. Il s'occupe aussi de lui-même, des trois blessures qu'il a. Il en survivra, aucun doute : « De deux choses l'une, Mendel, soit ton heure n'est pas venue, ou bien tu es carrément immortel. » Il se met torse nu et applique de la neige sur ses plaies, jusqu'à ce qu'elles cessent à peu près de saigner. Ensuite, il les bande à l'aide des lambeaux de la chemise de rechange, à peu près propre, d'Hermann Erlich ; et il se rhabille, enfilant une sorte de capote qu'il a trouvée à une patère et qui a l'avantage de n'être pas trouée de coups de couteau — il pourra monter dans le train sans être remarqué.

— Tu es mort ?

Erlich ne répond pas. Mendel constate qu'il vit pourtant encore un tout petit peu. Il s'assied sur le sol à côté de lui et lui prend l'épaule, la pressant au rythme des halètements de souffrance, en réconfort.

— Pour le manteau que je t'emprunte, dit-il, je te laisse quinze roubles. Je ne suis pas un voleur. Tout, sauf un voleur.

Il glisse l'argent dans une poche du moribond et attend. L'idée lui vint vaguement d'une mise en scène du massacre, qui l'innocenterait. Mais ce serait peine perdue : avec tous les dégâts qu'il a faits dans sa quête pas trop délicate de Pelte Mazur, personne ne doutera qu'il est l'assassin du Loup. Et donc des trois autres tant qu'à faire. « Tu n'as pas d'autre solution que de monter dans le foutu train, puis dans le foutu bateau, avant qu'on découvre tous ces cadavres. »

Depuis un moment, il s'est mis à parler à haute voix. Doucement, il évoque des voyages, des paysages, des hommes et surtout des femmes rencontrés et accueillants aux vagabonds. C'est sa façon à lui d'adoucir la mort de l'hercule, qui a tant dû rouler sa bosse et sa misère, lui aussi. Mais vient un moment où il constate qu'il ne parle plus que pour lui : l'autre a aspiré son dernier souffle. Mendel lui ferme les yeux et s'en va, refermant aussi la porte de la maison, sur les quatre morts et les chandelles alignées.

123

Sept heures plus tard, au cœur de la nuit enneigée, il est à la gare de la Vistule. Il avise Maryan Kaden et lui fait signe.

— Je ne peux pas quitter mon travail comme ça, rétorque le gamin.

— Tu gagnes combien, petit ?

— Un rouble et trente kopecks par nuit.

— En voici cinq cents, de la part d'Hannah et de moi, tu nous les rendras dans vingt ans, même jour, même heure. Monte.

Maryan s'installe sur le siège de la carriole de Pinchos Klotz, derrière laquelle est attaché le cheval loué par Mendel en descendant du train.

— Une question pour commencer, dit Mendel. Il y a la moindre petite chance que le Taddeuz ait fait du mal à Hannah ? Réfléchis bien.

Le jeune Kaden réfléchit beaucoup, secoue enfin la tête :

— Pas que je sache. Sauf bien sûr...

— Sauf ce qu'il lui a fait dans un lit, je sais. Rien d'autre ?

Maryan raconte l'histoire du notaire Wlolstka et de sa fille, du beau costume de Taddeuz boulevard Marshalkovski. Mais très vite, Mendel l'arrête : il a déjà appris l'affaire, en sait même un peu plus. Il demande :

— Tu as une idée de l'endroit où il peut être, le Taddeuz ?

Maryan commence à parler de la chambre de Praga et encore une fois Mendel le coupe :

— De ça aussi, je suis au courant. J'y suis passé cette nuit. Il n'y était pas et la chambre est vide. Sa logeuse ignorait où il s'est rendu en s'en allant voici quinze jours. Tu en sais plus qu'elle ?

— Non, pas vraiment, dit Maryan. (Lui aussi a depuis deux semaines constaté la disparition de Taddeuz Nenski. Qui n'a pas seulement déménagé de Praga : il a aussi abandonné ses cours à l'université, cessé de fréquenter les librairies, il s'est comme envolé, effacé de tout Varsovie.) On dit qu'il a des ennuis avec la police.

S'étant un peu éloigné de la gare de la Vistule, Mendel arrête la carriole.

— Bon, dit-il, il n'est pas tout à fait impossible qu'il m'arrive quelque chose d'ennuyeux dans les deux heures qui viennent. J'ai comme qui dirait mis du désordre dans cette foutue ville. Mais j'ai aussi appris quantité de choses. Et si j'ai des ennuis, il faudra que tu répètes bien à Hannah ce que je vais te dire. Elle m'avait parlé de toi, tu es paraît-il de confiance...

Maryan baisse la tête et la relève, avec son air de sérieux et de solidité. « Une supposition que j'aie un fils, pense Mendel, ça ne me déplairait pas qu'il ressemble à ça. Sauf qu'il ne sait pas rire. »

— Le Leib Deitch, tout d'abord, reprend Mendel. Je suis passé le voir et l'ai tiré du lit. Nous avons conversé, lui et moi. Il s'est brusquement souvenu qu'il devait quatre mille roubles à Hannah.

124

Les voici, avec les papiers en règle. Tu les remettras à la petite. Si elle veut des renseignements complémentaires, elle n'aura qu'à aller le voir à l'hôpital. Il va y être quelque temps : il a cassé un banc avec sa tête. D'accord ?

— D'accord, dit Maryan en prenant l'argent et les papiers.

— Plus grave, maintenant. Pinchos Klotz est mort.

Mendel raconte l'hécatombe sans rien omettre.

— ... Et la Dobbe, de son côté, elle a bien montré qu'elle est folle. Elle s'est acharnée sur Nenski avec une méchanceté incroyable. Elle a constitué, je dirais une ligue, avec des rabbins, le président du consistoire et même des curés catholiques et surtout un procureur russe, qu'elle a peut-être bien payé ou qui de toute façon ne demandait pas mieux que de poursuivre un étudiant polonais. Elle a monté une foutue machination pour prouver que le Taddeuz a non seulement violé et battu une petite fille juive qu'auparavant il avait séduite et mise enceinte — et il a voulu la tuer parce qu'elle était grosse de lui — mais, en plus, avait des papiers révolutionnaires dans sa chambre, cachés sous des livres. Elle l'a fait chasser de l'université, de chez les Vlolstka, de partout, dans la honte, en faisant savoir à tout le monde quelle ordure il était. Elle a aussi payé une dénommée Glovacki, qui était la logeuse du petit, et qui a dit tout ce qu'il fallait dire pour qu'il ait les plus gros emmerdements possible. Et ça y est : la Tchéka le recherche.

« La Dobbe s'est à peu près ruinée, avec toutes ses manigances, mais elle s'est bien vengée, sous prétexte de venger la petite. Tu comprends ça, gamin ? Voilà bien ce que tu devras dire à Hannah : qu'en vérité Dobbe Klotz a agi en son nom propre, par une espèce de jalousie de folle ; que ça l'arrangeait bien de croire que c'était Taddeuz le coupable, que plus Taddeuz était câlin et doux, plus il était amoureux d'Hannah et Hannah amoureuse de lui, et plus il était coupable aux yeux de Dobbe. Tu comprends ? »

— Je crois, dit Maryan.

— ... Et tu diras encore à Hannah que la Dobbe est foutument dangereuse et qu'elle...

Mendel s'interrompt. En expliquant du mieux qu'il peut ce qui s'est passé, il vient aussi de se l'expliquer à lui-même. Et la sourde intuition qui, dès la réception de la lettre à Dantzig, n'a pas cessé de faire son chemin en lui, cette intuition monte complètement à la surface et devient évidence. Malgré la fatigue, les blessures — en cassant plus ou moins la tête de Deitch à coups de banc il a évidemment rouvert ses blessures —, si pressé par le temps qu'il puisse être, il lui reste encore quelque chose à faire, à quoi le jeune Maryan ne pourra suffire, si bon garçon qu'il soit. Il consulte sa montre et voit qu'il est largement plus de cinq heures. « Tu as encore dans les soixante-quinze minutes devant toi, Mendel ; ça devrait te suffire pour aller la chercher, l'arracher à Dobbe, la mettre quelque part où elle sera tranquille et grimper dans le foutu train. Ce n'est pas le gamin qui pourra faire ça. Et puis tu es responsable d'elle, tu l'es depuis dix ans, de la minute où tu l'as prise contre toi et as pleuré sur elle... Que ça te plaise ou non... »

Il sourit à Maryan :

— Rectification : à compter de demain, tu trouveras Hannah ailleurs qu'à la rue Goyna...

Il indique l'adresse de Kryztina la catholique, rue Mirowski, là même où un soir Hannah est venue l'interrompre dans ses ébats interconfessionnels.

— Adieu, petit. Et que Dieu te garde, dans le cas où il existerait.

En chemin, il commence à garder l'œil sur la police, et les gens de la nuit dont il a autrefois fait partie. « Tu as beau être immortel, Mendel, il y a tout de même des limites. On va te reconnaître, dans le quartier, et d'ici à ce que quelqu'un ait couru voir chez les Erlich si tu n'y as pas cassé quelques vases... » Il neige plus que jamais quand il arrive rue Goyna. La crèmerie est fermée et sombre. Il enfile le corridor, frappe, se retrouve face à face avec Dobbe Klotz. Sur la fin de cette si longue nuit, il est au bout de ses forces, l'esprit un peu embrumé. Quoiqu'il ait fait son plan. Il dit :

— Eh bien, ça y est.

L'œil de rhinocéros : — Vous l'avez retrouvé ?

— Retrouvé et tué, répond Mendel. C'était bien ce que nous voulions, vous et moi, non ?

Dobbe dresse sa masse au milieu de la porte. Il doit la pousser un peu pour pénétrer dans la première pièce. Et c'est à cet instant-là que Dobbe demande, imperceptiblement hésitante :

— L'étudiant polonais, hein ?

« Elle vient de se trahir ! pense Mendel dans la seconde. Elle *savait* que l'étudiant n'était pour rien ou presque dans l'affaire, et m'a pourtant lancé sur lui, par sa lettre... »

— Qui d'autre ? dit Mendel. Et il s'est défendu.

Il montre son bras où le sang a coulé et rougi la paume et les doigts. Mais il continue d'avancer et entre dans la seconde pièce. A sa première visite, onze heures plus tôt, Hannah dormait profondément, « à cause du médicament que le médecin lui fait prendre », avait expliqué Dobbe ; et de fait Mendel a eu beau tenter de l'éveiller, elle n'avait pas réagi. Il voit immédiatement le changement : Hannah bouge à son entrée, elle ouvre de grands yeux incrédules :

— Mendel, oh Mendel !

Il prend une lampe et l'approche pour mieux la voir, aussitôt horrifié par sa maigreur et sa faiblesse extrême. Il s'agenouille auprès du lit, pensant avec presque de la haine contre lui-même : « Et tu serais parti pour l'Australie sans jamais la revoir ? » L'immense amour qu'il a pour elle le submerge, un amour augmenté de tendresse, d'amitié et d'admiration et qu'à ce jour il n'a jamais osé s'avouer. Il l'embrasse sur le front et lui chuchote à l'oreille : « Ne dis rien, je vais t'emmener... » Il dit aussi mais à voix haute :

— Des Polonais sont à mes trousses, ils vont venir ici et peut-être ils se vengeront sur elle. Le mieux est de la mettre à l'abri...

... Et il prend de plein fouet, à la base de la nuque, un premier coup qui le fait s'effondrer sur la main d'Hannah.

— Vous mentez, Visoker, dit la grosse voix de Dobbe. Vous mentez. Vous n'avez pas touché au Polonais, vous étiez avec Pinchos, puisque vous avez sa charrette.

Elle le frappe à nouveau, sur le flanc, si bien qu'il peut rouler sur le côté.

— Tous les mêmes ! crie Dobbe en cognant encore avec ce qui est un rouleau à pâtisserie.

En d'autres circonstances cela aurait fait rire Mendel, qui a déjà été matraqué de la sorte, au rouleau, par deux ou trois femmes enragées d'être quittées. Mais Dobbe est d'une autre trempe, elle cherche à le tuer, avec des moyens plus forts que ceux de beaucoup d'hommes. Il roule un peu plus sur lui-même et parvient à bloquer un bras, puis un deuxième ; il se relève en chancelant et sans attendre, frappe du front en plein milieu du mufle. Ce qui l'étourdit un peu plus lui-même, mais moins que Dobbe, qui s'effondre comme une tour. « Ce n'est pas Dieu possible, se dit obscurément Mendel, je suis décidément en train d'assommer la moitié de Varsovie ! »

... Non seulement il n'a plus tellement le cœur à rire (pour l'une des très rares fois de son existence), mais il se sent tout à fait mal, la douleur lui prend tout le corps.

Il traîne la géante inanimée jusqu'à la resserre, dont il referme la porte à clé. A sa surprise, il découvre en se retournant Hannah debout, pieds nus et en chemise, et le considérant de ses yeux gris qui ont recouvré presque toute leur acuité.

— Je sais, dit Mendel, ça peut surprendre. Mais je ne suis pas devenu fou. Je t'expliquerai. Il nous faut partir, je n'ai pas trop de temps.

Il ramasse tout ce qu'il peut trouver de couvertures et de courtepointes, et même une fourrure, avec quoi il entreprend de l'envelopper.

— Je peux marcher, dit-elle.

— Tant mieux. Sauf que ce n'est pas le moment.

Il veut la prendre dans ses bras et elle a un mouvement de défiance. Il lui sourit :

— Tu n'as donc pas confiance en moi, Hannah ?

Les yeux gris. Et une poignée de secondes.

— Si, dit-elle.

Et elle pose sa joue contre sa poitrine, comme dix ans plus tôt, au moment des cavaliers et du pogrom.

Comme ils approchent de la rue Mirowski, Varsovie s'éveille, bien qu'il fasse encore nuit noire et que la neige continue de tomber. Mendel a parlé très vite, il a dit, sinon tout, du moins l'essentiel : « Maryan t'expliquera le reste et te donnera l'argent. » Il se retourne une nouvelle fois, il n'y a plus de doute : les deux souteneurs le suivent et ils ne sont pas seuls, il en vient de partout, en confrérie, réunis en assemblée générale pour lui faire payer l'exécution de Mazur et du couple Erlich. « A tout prendre, je préférerais de loin la police, qui attendra un peu avant de me mettre la corde au cou. » Il reporte son regard sur Hannah et son cœur se serre : elle semble foudroyée, avec ces yeux écarquillés qu'elle a dans ses grands moments de souffrance. Il dit avec des larmes, pour la seconde fois pleurant sur elle :

— Au moins, il est vivant, Hannah. Il a filé Dieu sait où mais il est vivant.

— Je lui avais écrit, dès que j'ai pu.

— Dobbe ne lui a sûrement pas transmis ta lettre. Je jurerais qu'il n'est plus en Pologne. Tu peux vraiment marcher ?

Presque en se cachant, il consulte à nouveau sa montre — six heures et deux minutes : « Ça va être très juste, Mendel. Sauf si le foutu train a du retard, simple question de chance. Mais j'aimerais bien dormir un peu, je ne vaux plus grand-chose. » La carriole s'engage dans la rue Mirowski. Mais...

— Tout s'effondre, dit Hannah avec un calme hallucinant. J'ai tout perdu, tout gâché. Tout.

... Mais les poursuivants ont gagné du terrain, ils sont bien vingt ou trente. « Et ils me tomberont dessus sitôt que la petite m'aura quitté. Puisqu'il faudra bien que je m'arrête, au moment de me séparer d'elle pour toujours. »

Et, chose extraordinaire dans l'état de désespérance où elle est, Hannah elle aussi se retourne, avec sang-froid, et elle aperçoit les truands en chasse :

— Pour vous, Mendel Visoker ?

— Ils prennent un peu l'air, c'est tout.

— Ils vont vous tuer.

— Il y a déjà dix ans que j'aurais dû mourir, réplique Mendel en riant. Il y a dix ans, aux abords d'un foutu shtetl sans nom, en faisant tournoyer un timon de charrette sur la tête de Cosaques, à cause d'une morveuse.

Il ramène son regard devant lui et découvre cette fois le jeune Maryan Kaden, qui vient vers eux en marchant très vite, suivi de deux policiers à cheval. Mendel stoppe la carriole et ferme les yeux. Il soupire, puis sourit. Tout est très clair en lui, à cet instant.

— Hannah, ne m'interromps pas, le temps presse. J'ai acheté un billet pour l'Australie. Prends-le et sers-t'en si ça te chante. Ou revends-le. Prends l'argent aussi. Les gardes-chiourme me le voleront, de toute façon, autant que ça te serve.

Elle secoue la tête avec sa farouche détermination coutumière. Il lui fourre le billet et le portefeuille entre les bras, la soulève d'une main et la dépose par terre :

— Va chez Kryztina, c'est une brave fille.

— Je vais faire une déposition et tout dire, pourquoi vous avez tué Pelte Mazur.

— Ils ne m'enverront peut-être qu'en Sibérie. D'où je m'évaderai, tôt ou tard, sois tranquille. *Fiche-moi le camp !*

Il est tellement épuisé qu'il peine à simplement garder les yeux ouverts. Son flanc et surtout sa nuque lui font un mal de chien. La battue des souteneurs s'est figée à dix mètres en arrière, les policiers et le jeune Kaden ne sont plus qu'à quelques pas, droit devant.

— Pour l'amour du ciel, Hannah, fous-moi le camp. Va où tu veux. Deviens très riche. Montre-leur qui tu es, quelle foutue femme tu es. Va où tu veux. Mais je n'y serai plus, penses-y.

Tout en parlant, il sourit à Maryan Kaden, qui lui-même secoue la tête avec un grand chagrin et dit :

— Je n'ai rien trouvé d'autre que d'appeler la police...

— Mon fils n'aurait pas fait mieux, répond Mendel. Si j'avais un fils. Et de deux choses l'une...

Il lâche les guides et s'affaisse. Pas inconscient, mais ralenti. « De deux choses, l'une... De deux choses, l'une... » Il ne se souvient plus de la suite.

... D'ailleurs, il a toujours eu envie de visiter la Sibérie. Et puisqu'on lui paie le voyage...

Il est condamné à vingt ans, plus la déportation à vie. Les avocats qu'elle a payés à prix d'or ont fait un travail du diable et réussi à empêcher qu'on le pende. Malgré le procureur (le même qui recherche en vain Taddeuz) qui a beaucoup insisté pour présenter le massacre comme une écœurante et sanglante querelle de souteneurs.

Elle le regarde partir enchaîné et deux jours après, elle s'embarque pour l'Australie.

Livre 2

DES KANGOUROUS
ET UNE AUTRUCHE

7

LA MALLE DES INDES

Elle marche dans les rues de Sydney.

En Australie depuis six semaines, elle vient seulement d'y arriver.

Hannah n'a pas pris le *Tasmania* à bord duquel Visoker aurait dû embarquer le 18 mars. Son état de santé ne lui permettait pas de partir si vite et puis elle a tenu à toute force à savoir ce qu'il allait advenir de Mendel. Elle l'a assisté du mieux possible durant son procès, elle a même envisagé, sinon de le suivre en Sibérie (elle y a pensé, à vrai dire), du moins d'aller jusqu'à Petersbourg ou Moscou afin d'y tenter quelque chose en sa faveur, n'importe quoi, y compris de financer son évasion. Elle a eu les idées les plus folles mais n'a pu en mener à bien aucune : on lui a refusé tout passeport pour la Russie intérieure — sous prétexte de son jeune âge, de son état de juive et de femme, et de son absence de tout lien de parenté avec le condamné. Derrière l'opposition systématique de l'administration tsariste, elle a reconnu, à plus ou moins juste titre, l'intervention de Dobbe Klotz.

La même Dobbe Klotz lui a écrit six lettres : Hannah n'en a pas ouvert une seule.

Tout le temps que Mendel est demeuré en prison à Varsovie, dans l'attente de son procès, elle a essayé chaque jour de le voir et de lui parler ; en vain. De même a-t-elle tenté de lui faire parvenir des billets, graissant la patte d'un ou deux geôliers : sans beaucoup plus de résultat, elle ne sait même s'il a pu la lire.

Elle n'a pas fait que cela, dans l'intervalle : faute de pouvoir s'y rendre elle-même, elle a financé le voyage jusqu'à Prague de l'un des cousins de Maryan Kaden, pour s'assurer que Taddeuz ne se trouvait pas chez cette tante où il avait passé l'été de 1891, un an plus tôt ; l'espion est revenu en jurant que l'étudiant n'y avait pas remis les pieds. Et — Hannah y a dépêché Maryan lui-même — Taddeuz n'a pas davantage été revu dans son village natal ; tout indique donc que, comme Visoker l'a prédit, il a quitté la Pologne ; Hannah a pensé, et pensera longtemps, qu'il est allé se réfugier à Vienne ou à Paris.

Mendel a été jugé et condamné vers le milieu d'avril ; il a pris la route du bagne trois semaines plus tard et elle n'a pu le voir qu'en cette circonstance-là. L'apercevoir, plutôt, de loin, quand on l'a extrait de son cachot. Mendel l'a aussi reconnue et il lui a souri de toutes ses dents blanches sous sa moustache noire, dressant ses poignets enchaînés aussi haut qu'il l'a pu, à la façon des anciens gladiateurs que rien ni personne ne pouvait abattre ; il lui a crié : « Bon anniversaire, Hannah ! » lui rappelant ainsi qu'elle venait d'avoir dix-sept ans.

Elle marche dans les rues de Sydney. Elle n'a pas revendu le billet de bateau acheté par Mendel, elle a simplement reporté les dates, bien décidée à partir, à quitter cette Pologne où elle a tout gâché. Sous l'effet d'une sorte de superstition, il lui a semblé qu'en prenant ainsi sa suite, elle accomplissait le vœu et le rêve de Mendel, suivait la route qu'il lui avait tracée, continuait à bénéficer de la protection qu'il lui avait apportée pendant dix ans. Elle a fait le compte de tout l'argent en sa possession : vingt-six mille roubles, dont vingt-deux représentant sa fortune à lui. Elle a vu dans ce capital la possibilité de préparer l'accueil qu'elle lui fera, quand il sera évadé. (Elle est convaincue de l'immunité et de l'indestructibilité de Mendel, persuadée qu'il parviendra à la rejoindre, même du fin fond de la Sibérie ; et en quel autre endroit du monde pourrait-il mieux la retrouver qu'en Australie, chez le cousin Schloimele où il comptait se rendre de toute façon, et où la Tchéka ne lui courra certainement pas derrière ?)

... Et puis, avec ce premier argent qu'elle fera fructifier au-delà du possible, elle deviendra bien sûr extraordinairement riche, ce qui ne sera pas sans intérêt quand elle remettra la main sur Taddeuz...

Elle marche dans les rues de Sydney. Dès les premiers jours qu'elle a passés chez Krystina rue Mirowski, elle s'est mise en tête d'apprendre l'anglais. Sitôt qu'elle a pu marcher librement, elle est allée à l'ambassade du Royaume-Uni de Grande-Bretagne, y a trouvé l'aide voulue et les livres nécessaires, ainsi que l'appui bienveillant et très vite amical d'une Mme Leonora Carruthers, femme de l'un des diplomates, qui deux heures par jour lui a fait répéter *I am, you are, he is* et les verbes irréguliers, pendant plus de deux mois, éblouie par les progrès de son élève. Dans le même laps de temps, Hannah a lu dix ou douze heures par jour — elle n'avait pas grand-chose d'autre à faire ; elle a englouti toute la bibliothèque de l'ambassade et quotidiennement les gazettes, absorbées de la première à la dernière ligne.

Leonora Carruthers et son mari l'ont aidée à obtenir un passeport pour Londres et par suite pour l'Australie (elle a triché sur son âge, prétendant qu'elle avait vingt ans).

Elle a quitté les Carruthers en larmes (*ils* pleuraient mais pas elle, bien qu'elle ait un peu fait semblant, par politesse et par affection d'ailleurs sincère). Elle a gagné Londres au départ de Dantzig, a pris la Malle des Indes.

... Puis de Bombay à Singapour, de Singapour à Perth, de Perth à Melbourne, elle a voyagé en deuxième classe, trois ponts au-dessus des émigrants ordinaires, à laquelle lui donnait droit le billet de Mendel, qui n'a jamais été avaricieux. Cela a été un voyage bizarre, au cours duquel elle n'a que très peu quitté sa cabine, épuisant là aussi la bibliothèque du bord (Dickens pour l'essentiel) et se refusant à descendre aux escales, de peur d'être abandonnée par le paquebot.

A huit heures et demie du matin, le 16 juillet 1892, le steamer de quatre mille tonnes *China*, de la compagnie Peninsula & Oriental, a doublé le cap Ottway et répondu aux signaux de son phare ; il est entré dans Philip Bay sur fond de feu de brousse dans le lointain (du moins est-ce, à ce front de lueurs rougeoyantes, l'explication qu'a fournie à Hannah l'un des jeunes officiers du bord qui, comme une quinzaine de ses confrères depuis Dantzig a tout tenté pour s'introduire dans sa couchette, sans plus de succès que les précédents). Le *China* a attendu huit heures à Point Londsdale la marée montante, accroissant d'un dernier délai un voyage de soixante et onze jours en tout.

Hannah a mis à profit cette attente pour s'enquérir de la façon de gagner Sydney depuis Melbourne. Elle a une fois de plus fait ses comptes, pensant d'ores et déjà en anglais (avec le français — et outre le yiddish — c'est une langue étrangère qu'elle parlera à la perfection, sans autre accent que celui qui est d'usage parmi les indigènes de Paris, Londres ou New York) : elle détient, ce 16 juillet 92, la somme honnête de huit cent quatre-vingt-dix-sept livres sterling et quatorze shillings...

Elle marche dans les rues de Sydney et n'a plus un sou. Depuis six semaines. On lui a tout volé moins de trois heures après son débarquement dans le port melbournien de Sandridge et son passage à Flinders Street Station — autrement dit la gare —, après qu'elle a elle-même porté son grand sac en tapisserie (on prétendait lui faire payer *UN* shilling pour ce portage !) et s'est résignée, la mort dans l'âme, à acquitter le prix d'un cab pour le centre-ville à trois kilomètres de là — en réalité, elle aurait bien volontiers parcouru la distance à pied mais elle a eu honte de son avarice, surtout devant les autres passagers et le jeune midship tout déçu de n'avoir même pas pu l'embrasser, auxquels elle a fait tant de mensonges durant tout le voyage — *j'étais dans ma période affabulatrice, Lizzie. Ce que j'ai pu raconter comme histoires extravagantes, en ce temps-là !*

On lui a recommandé de descendre à l'hôtel *Oriental*, sur Collins street. Mais quand elle s'y est enquis du prix d'une chambre, elle a dans la seconde fait demi-tour et a finalement trouvé, dans Swanston, une petite *boarding-house*, une pension de famille pas trop dispendieuse, qui présente cet avantage d'inclure le montant du repas du soir dans le prix de la journée. Il était trop tard pour déposer son argent dans une banque et dans son ignorance d'alors, elle n'a pas pensé à le confier à un coffre, d'ailleurs le modeste établissement en était dépourvu.

Renonçant à trimballer plus longtemps son sac en tapisserie, qui pèse quelques kilos — outre ses quatre robes de rechange, deux paires de chaussures, son linge de dessous, il contient une vingtaine de livres en anglais et en français —, elle l'a enfermé dans une armoire et est ressortie à peine installée, impatiente de voir vraiment Melbourne, sa première ville étrangère en somme puisqu'elle n'est pas descendue aux multiples escales. Elle n'est guère allée loin, tout au plus a-t-elle poussé une pointe jusqu'à Bourke street dont le midship du *China* lui a vanté les mérites, lui assurant que c'était l'équivalent de la rue de Rivoli à Paris (Hannah n'a aucune idée de ce que peut être la *rue de Rivoli*). Elle y a relevé quelques boutiques, fort banales, et son humeur s'en est trouvée encore améliorée : si c'est là toute la concurrence qu'elle va devoir affronter, elle est sûre de gagner. Cette découverte, la légèreté de l'air, l'animation de la ville l'ont enfiévrée.

« Je vais certainement faire fortune ici... »

De retour à la pension et à la perspective d'aller s'asseoir à la table d'hôte, elle a décidé de se mettre sur son trente et un. Le portefeuille de Mendel lui a posé un problème, enflé qu'il est par les liasses. Elle a bien fait un essai, répartissant les billets tout autour de sa taille et contre ses seins mais pas de doute, ça la boudinait, avec sa robe de soie si bien ajustée. De sorte qu'elle a commis la folie de laisser le maroquin dans sa chambre, si rassurante par ses rideaux de cretonne, ses coussins brodés, ses fanfreluches et sa porte fermant à clé ; elle l'a caché sous le matelas.

Remontant une heure plus tard, elle a trouvé la porte forcée. Et si le sac était encore dans l'armoire, l'argent, lui, avait disparu.

Elle a dix-sept ans et presque cinq mois. Et elle est au bout du monde, à vingt mille kilomètres de son shtetl.

8

LOTHAR HUTWILL

La *landlady* de la *boarding-house,* autrement dit la propriétaire de la pension de famille de Swanston street, est une ascétique femme à cheveux gris et aux dents jaunes du nom de Mrs Smithson. Elle a un mari quelque part, en mer, sous une casquette de maître d'équipage, mais tout le temps qu'elle restera à Melbourne avant de trouver le moyen de voyager enfin jusqu'à Sydney, Hannah ne le verra jamais, ce mari, et elle ira jusqu'à penser qu'il est imaginaire. Mrs Smithson proteste aux premiers mots, jure qu'il est absolument impossible que, dans une maison comme la sienne, un vol puisse être commis ; elle n'a pour pensionnaires que les rarissimes femmes seules (mais honnêtes) existant à Melbourne, plus deux ou trois couples âgés et une poignée de pasteurs anglicans...

... Et puis vient un moment où elle ne peut que se laisser convaincre par cet énorme désespoir d'une Hannah livide, qui en est à oublier son anglais dans son affolement, y mêle du français, de l'allemand, du russe et jusqu'à du yiddish. Hannah et elle fouillent une nouvelle fois la chambre, sans plus de résultat. La pièce est à l'extrémité d'un couloir au deuxième étage, et ce couloir lui-même s'achève sur un mur percé d'une fenêtre à guillotine. Les tourniquets de celle-ci sont brisés. Force est à la landlady de reconnaître que peut-être après tout, les *larrikins*...

Le constable du poste de police est du même avis : les larrikins ont encore frappé. « Larrikin », le mot est inconnu d'Hannah. On lui explique qu'il s'agit de voleurs typiques d'Australie, opérant en bande, dont l'audace est sans bornes :

— Jamais vous n'auriez dû laisser tant d'argent à la portée de...

En polonais, pour être sûre de n'être pas comprise, Hannah explique au constable ce qu'elle pense de ses conseils.

... Non, le policier ne croit pas qu'il y ait beaucoup de chances de retrouver les voleurs, et moins encore de récupérer l'argent.

Vers neuf heures du même soir, Mrs Smithson apporte du thé à sa

137

locataire. Qui est à présent allongée raide sur son lit et contemple le plafond de ses yeux dilatés. — *J'étais si bas et si désespérée, Lizzie... Au point que j'en suis venue à envisager de me tuer... Pas très longtemps, à vrai dire. Une demi-seconde, peut-être... Et encore...* — Parce que cet argent qu'elle a perdu, à cause d'une négligence incroyable de sa part, elle qui est tellement méfiante, cet argent n'est pas le sien, c'est celui de Mendel. A cela surtout, elle pense, bien plus qu'à sa propre situation.

Elle ne dort pas de la nuit.

... Mais « ça ne sert à rien de pleurer sur soi-même, ça vous dessèche la peau et ça vous donne des rides, sans profit pour personne. D'ailleurs, à un problème, il y a toujours des tas de solutions. » Dans l'aube qui naît, elle recouvre l'essentiel de son énergie. Dès le matin, portée désormais par une rage froide, voire de la haine, à l'encontre d'elle-même et de sa bêtise, elle va s'informer des conditions et du prix du voyage entre Melbourne et Sydney. A la gare de Spencer street, on lui apprend qu'elle devra d'abord emprunter les chemins de fer de la colonie de Victoria jusqu'à un endroit nommé Wodonga, puis embarquer à bord d'une diligence et y rester quinze ou vingt heures, selon la route, avant de disposer du système ferroviaire de la Nouvelle-Galles du Sud. Parce que les territoires australiens sont pratiquement indépendants les uns des autres, et qu'il y a même des contrôles douaniers au passage des frontières.

Le voyage dure dans les trois jours et coûte quarante-cinq livres et quinze shillings.

« Et si tu faisais la prostituée, Hannah ? »

Sa première idée est d'aller emprunter la somme au jeune midship du *China*. Elle voit bien l'inconvénient de la démarche : fureteur comme il l'est, le petit marin va sûrement la tripoter ; déjà qu'à bord, elle a dû livrer bataille !

Elle abandonne rapidement le projet. Non que l'idée d'être tripotée lui répugne — « il est mignon, après tout, et bien propre » —, mais il est certainement insolvable, pense-t-elle.

(Tout au long des soixante et onze jours de son périple entre Dantzig et Melbourne, elle a débattu fort sérieusement avec elle-même : devait-elle ou non rester physiquement fidèle à Taddeuz ? Avec les premières moiteurs méditerranéennes et particulièrement égyptiennes pendant la lente descente du canal de Panama, elle a décidé que non. Simple affaire de jugement : il s'écoulera bien deux années, trois en comptant large, peut-être même quatre avant qu'elle fasse fortune suffisamment pour épouser Taddeuz et avoir des enfants de lui — « j'aurai alors dans les vingt et un ou vingt-deux ans, je ne serai plus très jeune, bien sûr, mais pas trop vieille non plus » —, ce serait bien stupide de ne pas utiliser ce délai pour se préparer à la noce. Il lui semble tout à fait évident qu'elle devra se présenter à Taddeuz avec tous les avantages possibles. Savoir faire l'amour en est un, et non des moindres. « Il faudrait aussi que j'apprenne la cuisine, mais ça peut attendre, surtout en ce moment où je n'ai pas de quoi acheter un œuf — j'ai faim, soit dit en passant. Passons à autre chose. »)

... Sauf à se faire hétaïre, il est clair qu'elle aurait besoin de quelqu'un d'expérimenté qui... (« Tu en arrives à te faire rougir toi-même, idiote ! »)... enfin bref qui l'initie, quoi. Le midship n'en est sûrement pas capable, tout marin qu'il est ; avec un peu plus de stratégie, il aurait peut-être réussi à la séduire, preuve qu'il était plutôt inexpérimenté.

... Si seulement Mendel avait accepté de la déflorer, comme elle le lui avait proposé au bord du ruisseau ! Elle serait aujourd'hui nettement plus avancée et, en somme, débarrassée du problème.

Le midship écarté en tant que bailleur de fonds potentiel, elle examine les candidatures des passagers en compagnie de qui elle a effectué la dernière partie du voyage. Mais elle leur a raconté qu'elle se rendait à Sydney rejoindre un oncle propriétaire d'un nombre incroyable de mines d'or. Difficile de revenir en arrière, à présent. Elle essaie néanmoins. Elle se rend à pied jusqu'au port avec l'espoir d'y relever leurs adresses en Australie dans les registres de la compagnie de navigation. Pour rien : le couple âgé sur lequel elle comptait le plus habite dans une ville de l'ouest, Adelaïde ; le dénommé Wittaker aux grosses moustaches s'est rembarqué à peine arrivé, pour l'île de Tasmanie ; le pasteur Forbes, sa femme et leurs quatre enfants ont rejoint leur maison de Donnybrook. Et ainsi de suite. Il n'est guère que ce couple de jeunes mariés anglais, les Fleming, à avoir indiqué comme résidence un quartier de Melbourne ; et encore est-ce vague : « South Yarra ». Deux jours durant et toujours à pied, Hannah fait un à un les cottages au bord de la rivière. Echec total. Revenir à Swanston street est chaque fois une torture, en raison des ampoules à ses pieds qui ont perdu l'habitude de la marche — « et tu voudrais aller à Sydney sur tes jambes ? »

Pour l'heure, Mrs Smithson la loge et la nourrit à crédit, s'estimant en partie responsable du vol commis chez elle. La solution est néanmoins provisoire, à l'évidence.

Elle cherche du travail mais très vite renonce : le salaire moyen est de huit ou neuf shillings par semaine ; il lui faudrait deux années d'économie pour réunir quarante ou cinquante livres, à condition de ne pas manger et de dormir sous un arbre.

Elle ne pense au télégraphe que le quatrième jour — jamais elle n'a utilisé un mécanisme aussi moderne —, et seulement par hasard, en passant devant le General Post Office. Reste à trouver de l'argent. Elle vend la première de ses cinq robes, pour deux livres et demie, à une modiste de Bourke street, avec en plus le sentiment d'être volée. Elle expédie son message de détresse, qu'elle a soigneusement rédigé afin qu'il soit le plus succinct possible : *Mr Schloimele Visoker, 173 Glenmore road — Paddington — Sydney — Besoin vital cinquante pounds — Madame Mendel Visoker, pension Smithson — Swanston street — Melbourne.*

« Je pourrais très bien être mariée à Mendel, après tout... »

Quatre, cinq, six jours d'attente, tandis que Mrs Smithson se fait de plus en plus boudeuse, se voyant nantie pour l'éternité d'une locataire qui ne la paie pas. Ou presque pas : Hannah lui remet généreusement dix shillings comme provision. Avec le reste — deux livres —, elle ouvre un compte bancaire, le premier de sa vie.

Elle meuble son attente en arpentant la ville, façon aussi de se réhabituer à l'exercice : du Palais des Expositions de 1880 aux deux musées flanquant la Bibliothèque municipale. Dans l'un des musées, elle reste plantée devant la réplique (en plâtre doré) d'une fabuleuse pépite d'or (deux mille trois cents onces, presque soixante-cinq kilos !) découverte, à en croire la légende, à deux centimètres sous la surface du sol...

« Et si je me faisais chercheuse d'or ? »

Elle visite tous les monuments de Melbourne, jardin botanique et jardins Fitzroy quand il ne pleut pas, bibliothèque quand l'hiver austral se fait trop humide. Elle lit les auteurs du cru : Henry Sawery, Rowcroft, Vidal et surtout Rolf Boldrewood, dont *Robbery Under Arms* (Vol à main armée) l'enchante.

Reste que le temps passe et que rien n'arrive, surtout pas de réponse du cousin Schloimele : « Je demanderai à Mendel de lui frictionner les côtes, à celui-là ! »

Le douzième jour, elle vend une deuxième robe. Mais à de tout autres conditions que la première : elle a retenu la leçon. A la modiste de Bourke street, elle se présente vêtue de son orgueil, la robe aux trente-neuf boutons...

— Je viens de m'apercevoir d'une chose horrible. Sur cette robe dont je me suis défaite, je crois avoir laissé un camée que je tiens de ma grand-mère, la comtesse de Laclos. Que je m'apprête à retrouver, puisque je regagne la France dès lundi prochain... Quelle jolie boutique vous avez là, on se croirait rue de Rivoli à Paris, vous connaissez bien sûr la rue de Rivoli ?... L'une de mes anciennes femmes de chambre y a également ouvert boutique, l'an dernier ; je l'ai un peu aidée à cela, la brave fille, en lui donnant l'équivalent de trois cents livres. Est-ce qu'une somme pareille suffirait, en Australie ? Oui ?... Et il faudrait combien pour avoir quelque chose de plus grand ?

La conversation prend le tour d'un interrogatoire sur les modalités de l'installation d'un commerce. Elle ressort avec l'adresse de l'acheteuse de sa première robe. C'est une certaine Margaret Atkinson, qui habite dans l'aristocratique quartier de Saint-Kilda. Hannah s'y présente sous le nom d'Anne de Laclos (elle a emprunté le patronyme à l'auteur de l'un de ses livres de chevet, *les Liaisons dangereuses*). Elle raconte à peu de choses près la même histoire que celle servie à la modiste : elle est prétendument française donc, et riche, elle voyage pour son plaisir accompagnant son père, et se défait de quelques-unes de ses toilettes sur l'injonction paternelle, l'auteur de ses jours estimant que cent douze robes, c'est décidément trop...

« Bon sang, Hannah, pourquoi mens-tu ainsi ? Tu as vraiment besoin d'en rajouter ? »

La deuxième robe est vendue pour douze guinées — douze livres et douze shillings — à Margaret Atkinson. Celle-ci a tout au plus la trentaine. Hannah l'a trouvée assise sous une véranda prolongeant une maison superbe, face à une pelouse merveilleusement entretenue qui descend en pente douce vers la mer. Deux enfants jouent à l'entour, sous la surveillance d'une gouvernante.

Ce sont ces enfants, ainsi que quelques mots prononcés par son hôtesse, qui vont enfin donner à Hannah l'idée qu'elle recherchait... Quoique ce ne soit pour l'heure qu'un embryon d'idée.

Margaret Atkinson, en effet, parle d'un voyage qu'elle va effectuer en famille, à destination de la Nouvelle-Zélande où son mari a des intérêts importants. Donc, si Hannah veut lui vendre d'autres « robes de Paris », il conviendrait qu'elle se hâte.

— Je peux revenir après-demain, propose Hannah. Une autre de mes robes vous irait à merveille...

Rendez-vous est pris. Hannah s'en va, descend le long du jardin qui l'impressionne énormément — « j'en aurai un comme ça, dès que je serai riche, dans douze ou dix-huit mois... » Un peu plus bas se trouvent des établissements de bain, désertés puisqu'on est en hiver, et malgré son étonnement de ce que l'on puisse être assez fou pour entrer dans la mer, son idée continue de lui tourner en tête, prend de la consistance, tandis qu'une fois de plus elle rentre à pied à Swanston street, ne faisant qu'une halte en cours de route : pour déposer onze livres à son compte de l'Union Bank of Australia, portant à treize pounds le montant de ses économies.

Rapide calcul : en vendant à Margaret Atkinson ou à une autre les trois robes qui lui restent, et surtout celle à trente-neuf boutons dont elle pourrait obtenir au moins vingt-cinq guinées, elle parviendrait bien à plus de quarante-huit livres. « Sauf qu'il me faudrait aller toute nue comme une Canaque. » Mais c'est spéculation pure : elle sait très bien, à l'intérieur d'elle-même, qu'elle ne se défera jamais, même mourant de faim, de la première robe qu'elle ait jamais eue. Même si — ou peut-être parce que — Taddeuz n'a pas réussi à la lui enlever, dans la chambre de Praga...

C'est presque avec indifférence qu'elle s'enquiert auprès de

141

Mrs Smithson d'un éventuel envoi d'argent par le cousin Schloimele. Rien, bien entendu.

Elle verse une livre à sa logeuse, se reprochant un peu sa prodigalité : « si je lui paie tout ce que je lui dois, elle va finir par me considérer comme une pensionnaire ordinaire... » Avec une partie des shillings qui lui restent, elle s'achète des chaussures neuves, les moins laides qu'il soit possible de trouver dans les boutiques de Bourke street, fabriquées en Amérique et presque à sa pointure — elle chausse du trente-trois. En bourrant un peu les souliers des débris d'un vieux jupon, cela va à peu près et a au moins le mérite de soulager ses pieds pleins d'ampoules.

A Melbourne cet hiver-là, qui est l'été en Europe, l'Opéra donne « la Fille de Madame Angot », tandis que sur le trottoir d'en face le Théâtre Royal programme « la Grande Duchesse de Geroldstein », d'un certain Jacques Offenbach. Bourke street est la rue préférée d'Hannah à Melbourne ; les trottoirs y sont larges (la rue elle-même fait trente pieds, ce qui lui semble énorme), les boutiques nombreuses, la foule des promeneurs très dense bien que (à son avis, mais quel autre point de comparaison a-t-elle ?) moins « raffinée » que rue du Faubourg-de-Cracovie. A un endroit, le milieu de la chaussée est occupé par un ruisseau qu'on franchit par un pont de bois...

Mais Bourke street s'achève sur la gare de Spencer street et l'idée d'Hannah prend définitivement forme. Elle pose la question dès le surlendemain, tout en vendant — pour seize guinées —, sa troisième robe, celle en satin, dont elle affirme imperturbable qu'elle est de Worth, le grand couturier parisien (elle a lu son nom dans un vieux numéro de *l'Illustration*). A son acheteuse, elle explique qu'elle ne va pas laisser seulement quelques robes en Australie...

— Ma femme de chambre voudrait demeurer dans ce pays, s'y établir. Elle a une sorte de cousin, ou d'oncle je ne sais pas au juste, du côté de Sydney. Avant de regagner l'Europe, je voudrais aider cette pauvre fille à retrouver une situation. Vous savez ce que c'est : on s'attache à son personnel. Et puis elle est encore jeune, je ne voudrais pas la confier à n'importe qui, je suis responsable d'elle, en quelque sorte. Elle peut s'occuper d'enfants, ou de travaux de secrétariat, elle sait admirablement lire et écrire et connaît quatre langues ; elle a dix-neuf ans et s'appelle Hannah. Je ne m'en sépare qu'à regret, et bien sûr je lui établirai les certificats les plus élogieux...

Elle répond d'Hannah comme d'elle-même, en bref. Mme Atkison connaîtrait-elle une famille qui...

La jeune femme de Saint-Kilda en partance pour la Nouvelle-Zélande promet de faire de son mieux.

... Mais revenue dans Bourke street, Hannah ne se contente pas de cette promesse. Elle se rend à la gare et, sous un prétexte à dormir debout, se fait communiquer les réservations de train en première classe pour Wodonga et Sydney. Une carte consultée à la Bibliothèque municipale le lui a appris : Wodonga est la ville-frontière de la colonie de Victoria, sur la rivière Murray. L'employé qu'elle a choisi pour victime est un grand jeune homme presque aussi mignon que le midship du *China*, il a le cœur encore plus tendre. Il gobe l'histoire que lui sert Hannah, selon laquelle elle est à la recherche de son père parti se faire chercheur d'or en abandonnant sa femme et ses huit enfants. Emu jusqu'aux larmes, il invite Hannah à dîner et bien sûr elle accepte, puisque ce sera autant de moins qu'il lui faudra payer à Mrs Smithson. Grâce à lui, elle dresse une liste des riches familles avec enfants en proche partance pour le Nord, fuyant l'hiver de Melbourne...

... Tient cette liste à jour par de quotidiennes visites à la gare (le troisième jour, l'employé la demande en mariage mais elle se débarrasse de lui en lui révélant l'épouvantable vérité : elle est déjà mariée et mère de deux enfants, au vrai ce n'est pas son père qu'elle traque mais son époux ; il est encore plus ému que la première fois...)

... Et complète sa liste par une enquête auprès de la réception de tous les grands hôtels de Melbourne.

Une semaine plus tard — elle a débarqué depuis vingt et un jours —, elle ferre un premier poisson, ou plus exactement un banc de poissons : une tribu de richissimes Brésiliens qui en effet ont besoin d'une gouvernante pour leurs quatre enfants et s'apprêtent à partir pour Brisbane. Espoir vite déçu : ces Brésiliens imbéciles comptent effectuer le voyage par mer, passant devant Sydney sans y faire escale. En outre, ils ont avec eux, non pas des domestiques ordinaires, mais des esclaves, affranchis depuis si peu de temps [1] qu'eux-mêmes semblent ignorer leur libération...

Deux autres semaines passent. — *Ça n'avait aucun sens, Lizzie... Ce que j'ai fait à Sydney, j'aurais tout aussi bien pu le faire à Melbourne, peut-être mieux et plus vite... Mais j'avais Sydney en tête, à la limite, c'était un match entre l'Australie et moi, un défi à relever ; je n'allais pas capituler au premier obstacle... Je crois que ça a été la vraie raison de mon obstination, plus encore que le fait d'être sûre qu'à Sydney, Mendel allait me retrouver plus aisément qu'à Melbourne...* — Le trente-quatrième jour est le bon.

Presque simultanément, le même jour en tout cas, tous les dispositifs d'alerte fonctionnent : l'employé de la gare de Spencer, le réceptionniste de l'hôtel *Oriental* dans Collins street, les petites annonces enfin du *Melbourne Argus* lui annoncent la nouvelle : une certaine Mme Eloïse Hutwill recherche une femme de chambre, avant de reprendre le chemin de ses propriétés dans la haute vallée de la Murray. Hannah prend le temps de s'informer. Les propriétés en

1. L'esclavage n'a été aboli qu'en 1888 au Brésil.

question se trouvent près d'un endroit au nom exotique, Gundagaï, en Nouvelle-Galles du Sud. Quant aux Hutwill, ils sont fort riches, c'est un couple sans enfant, d'origine suisse alémanique ; une famille installée en Australie trente ans plus tôt et ayant apporté des plants de vigne dans ses bagages : leur fortune tient aux vignobles (leur vin d'Albury est réputé et a obtenu un prix à l'Exposition de Paris en 1878) et à des mines.

Informations précieuses mais qui manquent de coûter cher à Hannah : quand elle se présente à la superbe maison de Toorak, sur la rive gauche de la Yarra, elles sont bien dix ou douze postulantes déjà en attente. L'heure suivante, tandis qu'elles font toutes antichambre, Hannah s'emploie à éliminer la concurrence. Le danger principal lui semble venir d'une forte fille blonde, pas plus futée que les autres mais qui sait forcément l'allemand puisqu'elle est du Schleswig-Holstein. Dans un allemand volontairement approximatif, Hannah s'étonne de la présence d'Hildegarde, qui devrait plutôt être à Saint-Kilda, chez cette jeune femme habitant une magnifique maison à colonnade, qui a deux enfants adorables et cherche une gouvernante-préceptrice parlant la langue de Goethe et capable de l'enseigner à ses rejetons, moyennant le salaire exorbitant de vingt-cinq shillings par semaine...

— Une affaire unique que j'aurais bien saisie moi-même mais comme je ne sais vraiment que le russe, à part l'anglais...

Hildegarde part comme la foudre, munie de l'adresse de Saint-Kilda. La voie est libre. Du moins Hannah le croit-elle. Quand vient son tour d'être reçue par Eloïse Hutwill, elle se retrouve en face d'une petite femme boulotte, aux lèvres minces, aux doigts boudinés surchargés de bagues, au regard bizarrement fiévreux et dur, qui l'interroge d'abord en anglais, puis en allemand, prend à peine connaissance des certificats (rédigés par Hannah elle-même)...

... Mais tout au fond de la chambre où a lieu l'entretien et que les rideaux tirés plongent dans la pénombre, se trouve une porte à demi ouverte sur une pièce plus sombre encore. Et Hannah acquiert à la seconde la certitude qu'au-delà de cette porte se trouve quelqu'un d'autre, qu'elle ne peut voir mais qui la voit, elle ; et de la décision de qui dépend qu'elle soit ou non engagée...

— J'aime, dit Eloïse Hutwill, que mes femmes de chambre aient de l'élégance. Vous marchez, s'il vous plaît, de cette commode à ce fauteuil... Tournez-vous, je veux vous voir de dos... De profil, à présent... Venez près de moi... Défaites ce décolleté... Oui, je veux voir vos seins, j'ai horreur des femmes de chambre qui bourrent leur chemise pour faire croire qu'elles ont une grosse poitrine... Penchez-vous...

Face à l'entrebâillement de la porte sur la pièce obscure, Hannah s'incline, ayant dégrafé le haut de sa robe et baissé autant qu'elle l'a pu sa chemise de linon.

144

— Rajustez-vous, dit Eloïse. Allez attendre à côté. On viendra vous donner la réponse.

La réponse est oui, Hannah est engagée, pour dix-huit shillings par semaine, salaire qui est très au-dessus des normes.

« Reste à savoir pourquoi on me paie tant », pense Hannah.

Elle reçoit — autre prodigalité qui l'étonne — dix livres pour s'habiller de neuf, se chapeauter et se chausser de même. Instructions qui lui sont données par une espèce d'intendante au visage impassible, visiblement d'origine germanique, elle aussi, et à l'anglais rudimentaire. Elle estime que les deux robes rouge andrinople et noir survivantes sont bien trop distinguées pour une domestique. L'intendante s'appelle Hartmann, elle a les idées les plus précises sur le type de toilette à arborer : uniquement des robes noires à collerette grise, et à décolleté carré...

— Pour les dessous, de la dentelle...

Elle relève la jupe d'Hannah, la lui remonte jusqu'aux hanches, hoche la tête :

— Ça ira. Vous êtes habillée comme une dame, pour qui vous prenez-vous ? Soyez ici, avec votre bagage, après-demain après-midi, prête à partir. Vous avez de la famille, en Australie ?

— Mes cinq frères, dit Hannah. Tous plus grands les uns que les autres. De vrais géants.

Le 19 août 92, elle règle à Mrs Smithson les trente-deux shillings qu'elle lui doit encore. Et dans le sac en tapisserie où, par-dessus ses robes personnelles, elle range ses effets de femme de chambre, elle glisse le rasoir-couteau à manche de corne en acier de Sheffield, flambant neuf, tranchant à couper un cheveu en long (elle en est sûre : elle a essayé) qu'elle a acheté le jour même.

Le lendemain, à cinq heures du matin, elle s'embarque dans le train pour Wodonga, en gare de Spencer street. C'est la deuxième fois qu'elle prend le train (elle est déjà allée de Varsovie à Dantzig) mais le paysage qui défile est celui d'une Australie inconnue. Pas très alléchant au premier abord : passé les usines du faubourg de Footscray, le décor est plat, vide, désert, sans arbres ; des clôtures en fil de fer découpent à perte de vue ce que l'on appelle des *paddocks,* où des moutons s'ennuient à mourir, quoique assemblés en quantités incroyables. Et d'autres moutons ne cessent d'apparaître obsédants, à intervalles réguliers, ceux-là dans des trains qui vont vers Melbourne. Tant de moutons commencent d'insupporter Hannah, qui par ailleurs n'est plus très loin de haïr son employeuse. Ce n'est pas seulement parce qu'Eloïse Hutwill minaude, qu'elle a d'horripilantes façons de petite fille (bien qu'elle ait cinquante ans bien sonnés), ni qu'elle exige à tout bout de champ d'être aspergée d'eau de Cologne et de manger en permanence une charcuterie tirée d'un gigantesque

145

...sier. Mais surtout qu'elle parle. D'une voix aigre, dans un ... mêlé de dialecte helvétique parfois incompréhensible. Elle ... litanie de ses richesses australiennes, qui sont considérables, ... à elle, à elle seule, rien n'est à son mari...

...'Hannah n'a toujours pas vu. Tout au plus l'a-t-elle aperçu deux ..., d'assez loin toujours, dans un cas à la maison de Toorak et dans l'autre à la gare, à côté d'Eloïse, alors qu'elle contrôlait le chargement des seize ou dix-sept malles de ses employeurs. Curieusement, il n'a pas effectué le trajet avec son épouse, pas dans le même wagon du moins.

Le train s'arrête à Wodonga, après l'impressionnante traversée d'une forêt pétrifiée d'eucalyptus, branches étendues comme des squelettes, sans une feuille en raison du garrot de fer posé, a consenti à expliquer Eloïse, par les éleveurs de moutons qui tuent ainsi toute végétation autre que l'herbe. Wodonga est au bord de la rivière Murray, on y quitte la voie ferrée pour un omnibus à six chevaux afin de passer l'eau et de parvenir à Albury, première ville de la Nouvelle-Galles du Sud. Le contrôle douanier est de routine, ce n'est que dans l'autre sens, quand on entre dans la colonie de Victoria, que les formalités sont sévères. Hannah note le fait, à tout hasard, note même le montant des taxes à l'importation : vingt pour cent. Cela lui vient tout naturellement, d'enregistrer de tels détails, bien qu'elle n'ait pas pour l'heure la moindre idée de l'usage qu'elle pourrait en faire.

A ce moment-là seulement Lothar Hutwill les rejoint, s'étant séparé du groupe d'hommes avec lequel il a voyagé jusque-là. C'est un homme élégant, mince et de haute taille, quoique moins grand que Taddeuz. Sans aucun doute plus jeune que sa femme, de peut-être dix ans — il aurait donc la quarantaine. Son regard aimablement ironique croise celui d'Hannah et elle a immédiatement la conviction que c'était lui qui se trouvait dans la chambre obscure — « s'il s'y trouvait vraiment quelqu'un, tu as peut-être laissé un peu trop aller ton imagination » — à assister à l'examen de passage. « Au moins aura-t-il vu mes seins, j'espère qu'ils lui ont plu. Sans doute, puisqu'ils t'ont choisie, sa femme et lui... »

Il s'adresse à Hannah en allemand, un allemand très pur. Il est courtois et familier, disert, et lors du dîner qu'on prend à l'*Exchange Hotel* insiste pour qu'Hannah s'assoie à leur table — « nous sommes en Australie, mademoiselle, pas en Europe ; les différences sociales n'existent pour ainsi dire pas, ici... » Il est drôle et gai, raconte l'histoire du conseiller municipal de Ballarat (c'est une ville à l'ouest de Melbourne) qui, saisi d'une demande d'importation de trente gondoles vénitiennes pour décorer un lac de la cité, a protesté, disant qu'il ne voyait pas la raison d'une telle dilapidation des fonds des contribuables : pourquoi ne pas faire simplement venir d'Italie un couple de ces animaux, une gondole mâle et une femelle, et laisser faire la nature ?

146

Hannah rit. Il y a en Lothar Hutwill un tout petit quelque chose de Mendel Visoker — *la même façon de sourire avec les lèvres sous la moustache et surtout avec les yeux, Lizzie... Il avait alors quarante-deux ans, me paraissait en même temps très vieux et pourtant encore assez jeune, avec ces mèches argentées sur ses tempes et son teint hâlé...*

On passe la nuit à Albury. Elle découvre très vite que le propriétaire de l'hôtel est juif. Son yiddish de Roumanie est tout juste compréhensible à une oreille polonaise : oui, il connaît les Hutwill, il les voit passer chez lui trois ou quatre fois l'an ; il ne pense pas trop de bien de mistress Eloïse, qui à chaque passage le rend à demi fou par ses exigences. Il est plus nuancé en revanche s'agissant de mister Lothar : « Attention, *faygeleh*[1], ça se sait aussi bien à Sydney qu'à Melbourne : les femmes de chambre sont destinées au maître et ils en engagent jusqu'à cinq et six par an... D'accord, d'accord, mais je t'aurai prévenue... »

Le lendemain, le 21, une berline en coupé trois-quarts attend devant la porte de l'hôtel, conduite par un grand diable aux cheveux carotte, qui répond au nom de Micah Gunn et sert les Hutwill. On prend la route, traversant des vignobles. La voiture n'a que deux vraies places, plus une banquette leur faisant face, qu'on appelle « l'avance » et que, galamment, Lothar choisit pour lui-même, laissant aux deux femmes les sièges capitonnés de velours. Très vite, Eloïse s'endort, ronflant bouche ouverte, de la transpiration coulant sur ses joues, ne s'éveillant qu'à demi, de temps à autre, pour exiger d'être humectée d'eau de Cologne...

— Où avez-vous appris l'allemand ?

A la question d'Hutwill, dont les genoux touchent les siens, Hannah répond n'importe quoi : qu'elle a vécu à Vienne (elle espère qu'il n'y a jamais mis les pieds, ce qui semble être le cas), puis dévie rapidement la conversation sur un sujet qui l'intéresse davantage : comment fait-on fortune, en Australie ? Il sourit, moqueur : « Parce que vous comptez faire fortune ? » Elle se contente de soutenir son regard et le voilà parti à parler des biens terrestres des Hutwill, des vignobles (ceux qu'on traverse leur appartiennent) et des mines, mines d'or mais aussi de cuivre, de fer et de charbon, toutes en Nouvelle-Galles du Sud, à l'intérieur de la colonie, aux alentours de Bathurst, Lithgow, Cobar... Il montre ces endroits à Hannah sur une carte. La route suivie par la berline est proprement épouvantable et à deux ou trois reprises, Lothar est projeté sur son interlocutrice, qui n'arrive pas à déterminer si ces contacts sont voulus ou non...

... Jusqu'au moment où elle-même s'envole, lancée en l'air par un nouveau cahot.

Quand on a quitté Albury à cinq heures du matin, la diligence à quatre chevaux du service postal de Sa Gracieuse Majesté avait déjà

1. Petit oiseau, en yiddish.

147

pris la route. La berline la rejoint vers huit heures, et pour cause : la grosse voiture a versé sur un tronc d'arbre, juste après le franchissement d'un gué au triple galop. Aucun des neuf voyageurs entassés dans les quatre places du convoi officiel n'est sérieusement blessé et au vrai l'accident semble avoir mis tout le monde en joie — « ces Australiens sont tous plus fous les uns que les autres », pense Hannah. La berline poursuit sa propre route, après que Gunn et Lothar Hutwill ont aidé à remettre sur ses roues l'engin de mort. Suivent quinze autres heures, entrecoupées de haltes très brèves, d'un voyage qui restera dans la mémoire d'Hannah comme le pire qu'elle ait jamais fait. Le paysage est de montagnes, ou de ce qui paraît tel à Hannah qui n'a jamais vu que des plaines. L'air est de plus en plus chaud et humide, la nuit n'apporte que peu de fraîcheur. Il est deux heures du matin, le 22 août, quand la voiture passe un pont...

— Le Murrumbidgee, indique Lothar Hutwill.

Le pont est interminable, près d'un mile anglais de long, et en dépit de sa totale hébétude après ces millions de cahots, Hannah aperçoit sur la rivière les lumières multicolores de bateaux à vapeur, comme assis sur des roues à aubes latérales.

— Gundagaï, dit encore Hutwill.

Vingt minutes plus tard, la berline s'engage au long d'une allée bordée des inévitables eucalyptus. Tenant des lanternes, des domestiques se précipitent. On porte littéralement Eloïse, ronflante comme tous les sonneurs de cloche de Varsovie, jusqu'à son appartement.

Hannah quant à elle gagne en titubant la chambre qu'on lui a désignée. Elle n'a même pas la force de se déshabiller. S'endort comme une masse. Avec une dernière pensée en tête : elle n'est plus qu'à un jour de voyage du cousin Schloimele.

La sensation d'une main enserrant sa cheville l'éveille.

Il fait grand jour. Lothar Hutwill est assis sur son lit, vêtu d'un superbe costume blanc crème et d'un gilet de soie écarlate, une pépite d'or surmontée d'une perle piquée dans sa cravate. Il devine la question qu'elle va poser :

— Dix heures du matin. Et ma femme n'a nul besoin de vos services, elle ne s'éveillera pas avant demain, dans le meilleur des cas. Elle fait de même à chaque voyage.

— Votre main, dit Hannah.

— Je ne vous toucherai pas autrement. Pas si vous n'en avez pas envie. Vous en avez envie ?

Elle était couchée sur le côté, elle passe sur le dos et le fixe, d'abord bizarrement molle, encore appesantie de sommeil, alanguie. On a tiré devant les fenêtres de ces choses qu'elle n'a jamais vues et qui sont d'étroites lattes de bois ne laissant filtrer qu'un soleil strié ; dans l'air

148

immobile de la chambre flotte une fragrance d'eucalyptus assez entêtante.

Depuis sa cheville la main remonte encore un peu plus sous sa jupe, sans hâte ; elle passe le genou, effleure l'intérieur de la cuisse.

— On a déjà essayé de me violer, dit-elle. On n'a pas réussi. On a eu le ventre ouvert d'un coup de rasoir.

— Et vous avez un rasoir ?

Le ton est amusé, si le regard est attentif et lourd. Elle n'a aucunement peur de lui, en fait, et continue de le regarder fixement, ne le trouvant plus si vieux. La main sous sa jupe, un instant immobile, vient de reprendre sa progression. Avec beaucoup de délicatesse, elle se pose sur le renflement de son ventre, paume ouverte, doigts écartés mais inertes ; la chaleur du contact se fait perceptible au travers de la soie du pantalon de dentelle.

— Vous n'aurez jamais besoin de rasoir avec moi, Hannah.

Pression légère des doigts sur son ventre. Et elle pense, la petite mécanique dans sa tête se remettant paresseusement en route : « Tu as envie de te laisser faire l'amour, Hannah, envie qu'il te mette nue, très doucement, très délicatement. Qu'il t'épluche, en quelque sorte, sans te sortir de ta langueur. Il en est sûrement capable... Sauf que si tu acceptes maintenant, tu ne pourras plus lui demander d'argent. » Elle s'étonne elllle-même de cette dernière conclusion, qu'aucune réflexion consciente n'a précédée : d'où lui vient cette certitude qu'elle va, tôt ou tard, lui emprunter de l'argent ?

— Retirez votre main, je vous prie.

Il hoche la tête en souriant. Il a un sourire lent à se dessiner, précédé d'une petite contraction, d'un pincement de la lèvre supérieure.

... Mais il s'exécute, la libère. Demande :

— Juive ? Je vous ai entendue parler avec l'hôtelier d'Albury.

— J'ai seulement appris un peu de yiddish.

— Je vois.

Rien n'indique dans son intonation s'il la croit ou non. Il se met à parler de lui-même. Il est né en Suisse, dans un endroit appelé Solothurn, n'avait jamais envisagé d'émigrer en Australie, avait même commencé d'étudier à Heidelberg — la philosophie —, et puis une lettre lui est parvenue du bout du monde, lui demandant s'il voulait venir prendre la suite de son cousin Joachim. Lequel s'était rompu le cou en raison d'un désaccord avec son cheval. Lothar a remplacé Joachim en toutes choses, y compris dans le lit de sa veuve...

Pause dans le récit à cet endroit. Les yeux marron passent sur le corps étendu d'Hannah, remontent lentement jusqu'à ce bras que depuis son réveil elle garde obstinément glissé sous un oreiller. Il se demande visiblement si elle tient ou non un rasoir.

— Il y a quinze ans, reprend-il, Eloïse n'était pas ce qu'elle est devenue. Ou cela ne se voyait pas. Vous avez deviné que j'assistais au défilé des candidates femmes de chambre à Sydney, n'est-ce pas ?

— Oui.

— On vous a dit que les femmes de chambre d'Eloïse n'étaient recrutées qu'à mon seul usage ?

— Oui.

— Et pourtant vous avez entrepris et poursuivi le voyage.

Elle répond oui une troisième fois. Il hoche à nouveau la tête.

— Vous m'intriguez, dit-il. Et vous m'intéressez plus encore. Puis-je toucher vos seins ?

Elle secoue la tête.

— Je les ai déjà vus, remarque-t-il. A Toorak, quand Eloïse vous a ordonné de dégrafer votre robe ; ce que vous avez fait, en sachant que quelqu'un d'autre regardait. C'est un accord que ma femme et moi avons passé depuis à peu près dix ans : elle choisit elle-même mes maîtresses, ce qui en somme est une façon de s'assurer de ma fidélité. Elle choisit ses femmes de chambre en fonction de mes goûts. De ce qu'elle croit être mes goûts. C'est-à-dire qu'elle écarte d'office toutes celles qui pourraient me plaire. Dieu merci, j'ai réussi à la convaincre que je n'aimais les femmes que plantureuses. En sorte qu'elle vous a élue : vous étiez la plus maigre et la plus petite du lot. Est-ce que vous coucheriez avec moi si je vous donnais cinq livres ?

— Non, dit Hannah en souriant.

— Dix ?

— Non plus.

Il rit : — J'aurais été très surpris que vous répondiez oui. Vous m'avez posé quantité de questions bizarres, pendant notre voyage en diligence. Bizarres provenant d'une femme, j'entends. Vous envisagez réellement de faire fortune en Australie ?

Elle acquiesce, ses yeux dans les siens. Silence. Puis il demande :

— Vous pensez en être capable ?

— Mmmmmm, fait-elle, le fixant toujours.

— Une idée sur ce que vous allez faire pour gagner autant d'argent ?

— Pas encore.

Nouveau silence.

— Je n'ai pas d'argent moi-même, Hannah, elle vous l'a certainement dit. Chaque shilling que je dépense me vient d'elle, je peux dépenser presque autant que je veux à condition de rendre compte très exactement de la moindre de ces dépenses. Vous auriez accepté ces dix livres, il y a un instant, c'est Eloïse elle-même qui vous les aurait payées. Quoique dix livres lui auraient certainement paru une... rétribution bien trop élevée. Est-ce que quelqu'un vous attend à Sydney ?

— Pas vraiment.

— Un homme ?

— Pas le genre d'homme auquel vous pensez, dit-elle.

Elle s'étire — gardant toujours son bras sous l'oreiller — et ajoute : « J'ai soif. » C'est vrai qu'elle a la gorge sèche, mais elle tente une expérience, aussi. Et l'expérience est concluante : Lothar Hutwill se lève, laissant sur le lit son chapeau à larges bords, revient avec un verre d'eau. Dans l'intervalle, Hannah s'est assise. Elle boit, tandis qu'il reste debout face à elle. Elle prend son temps, tout à fait éveillée à présent bien que moulue sur tout le corps par les vingt et une heures de voiture. Sa langueur a disparu, la mécanique dans sa tête a repris son régime de croisière, analyse tout. Pas une seconde jusqu'à cet instant elle n'a douté de ce qu'elle allait faire, sitôt parvenue à ce trou perdu à l'intérieur de l'Australie : planter là ses fonctions de femme de chambre et, par le plus court chemin possible, filer jusqu'à Sydney. Ça a été son objectif depuis le départ, elle s'y est accrochée avec la dernière énergie, au point qu'elle n'a finalement consacré que fort peu de temps à l'autre question, en fait plus importante : que fera-t-elle à Sydney quand elle y sera enfin ? Elle y a certes pensé mais n'a rien trouvé. Il n'est évidemment pas question d'élever des moutons ou de creuser le sol comme une taupe, pour en extraire de l'or, du cuivre ou, plus ridicule encore, du charbon : « Sois lucide, Hannah, tu n'as pas vraiment les qualités physiques nécessaires. En plus, ça te prendrait quinze ans, dans le meilleur des cas, de devenir riche. Et puis tu es une femme, donc, en principe, tu ne disposes pour faire fortune que de deux moyens connus : faire la prostituée de façon industrielle ou épouser un homme qui a lui-même beaucoup d'argent et te couvrira de bijoux pour peu que tu sois suffisamment câline... Beurk.

« ... Un homme comme Lothar Hutwill qui, si tu comprends bien ce qu'il est en train de te dire, ne serait pas opposé à l'idée d'assassiner sa femme à condition que tu l'aides un peu... Une raison supplémentaire de fiche le camp d'ici au plus vite... »

Elle repose son verre, dont elle a fait durer le contenu aussi longtemps que possible. Elle n'est pas sûre du tout d'avoir interprété exactement la pensée de Lothar Hutwill ; peut-être ne projette-t-il pas de tuer sa femme, après tout. Elle demande :

— Est-ce que vous vous confiez ainsi à toutes les femmes de chambre ?

— Non, dit-il en souriant.

— A moi seulement ?

— A vous seulement.

Bruits de chevaux dehors. Il tire de son gousset une montre et la consulte. Elle observe ses mains. — *Il y a toujours une chose que je remarque en premier chez un homme, Lizzie, avant les lèvres, les yeux, son sourire ou ses dents : ses mains. Je les aime belles, soignées, raisonnablement fortes mais longues. Et elles disent beaucoup, selon qu'elles se crispent, s'agitent sans raison ou au contraire sont calmes. J'ai*

151

toujours été un peu inquiétée, mais plus encore attirée par un homme qui a de belles mains et sait les contrôler...

Les mains de Lothar Hutwill sont, après celles de Taddeuz, les plus remarquables qu'Hannah ait jamais vues. — *Lizzie, méfie-toi toujours d'un homme aux mains calmes et souples à la fois...*

— Je dois partir, dit-il. Je m'absente deux ou trois jours, je me rends à Adelong, à vingt-cinq miles au sud. Nous y sommes passés la nuit dernière mais vous dormiez. Dommage : Eloïse y a deux mines d'or. Et puisque vous êtes si intéressée à faire fortune...

Il étend son bras et, de la pointe de l'index et du majeur, la contraint à clore ses paupières.

— Vos yeux sont de vrais fusils, Hannah. Nous nous reverrons, bien entendu...

Dans les deux minutes suivantes, de sa fenêtre, elle le voit monter à cheval et partir, flanqué de deux hommes qui semblent des gardes du corps. Qui en tout cas portent des fusils en bandoulière et de curieux chapeaux avec un bord relevé et fixé à la coiffe.

Elle reste encore un quart d'heure à observer au travers de la jalousie. L'allée d'eucalyptus est sur sa droite. A gauche, elle découvre la rivière. La maison est grande, prolongée sur l'un de ses côtés par des baraquements en bois qui doivent servir d'écurie. Nulle part on n'aperçoit âme qui vive. « Un piège, Hannah ? Tout est trop facile... »

... Elle aimerait savoir par exemple où est le grand escogriffe aux cheveux rouges, Micah Gunn...

Devoir voler un cheval la chagrine un peu. Mais ce ne sera pas vraiment un vol : à Yass, où elle prendra le train pour Sydney, elle laissera le cheval à quelqu'un de confiance, qui le restituera aux Hutwill. Et d'ailleurs, le moyen de faire autrement ? Si elle ne part pas aujourd'hui, demain elle aura sur le dos l'implacable Eloïse. « Encore une fois, tout s'arrange un peu trop bien, Hannah : lui, Lothar, prend soin de te prévenir qu'il sera absent, que sa femme ne te réclamera pas avant vingt-quatre heures... Il t'a même abandonné une carte du pays, c'est presque trop beau pour être vrai... »

Elle recompte une dernière fois son argent : vingt-cinq livres et dix-huit shillings lui restent de la vente de ses robes, plus une livre et cinq shillings économisés sur l'avance qui lui a été faite à Melbourne afin qu'elle s'équipe. Rapidement, elle fait toilette et se change, enfile la robe bleu roi, en forte toile, qu'elle a achetée tout exprès ; y accroche cette épingle de sûreté, également acquise pour la circonstance, dont elle va se servir pour fixer sa jupe entre ses jambes, lorsqu'il faudra enfourcher le cheval à la manière d'un homme.

... Elle allait oublier le rasoir : elle le récupère sous l'oreiller où il se trouvait, comme Lothar Hutwill s'en doutait. Son sac de tapisserie à la main (elle y transporte toujours ses douze ou quinze livres — *Vanity fair* de Thackeray, plusieurs Dickens et, en français, son cher Choderlos de Laclos), elle se risque dans le couloir.

Vide.

L'escalier de même. Il règne dans la maison le plus lourd des silences. Parvenue au rez-de-chaussée, elle ouvre une porte ; elle est tombée juste au premier essai : elle est dans un très beau bureau, sûrement celui de Lothar Hutwill. Sur le plateau de la table, posés en évidence, deux livres reliés de cuir, visiblement lus et relus : *le Gai savoir* et *Ainsi parlait Zarathoustra*, de Nietzsche. « A croire qu'il t'offre de les emporter, Hannah... Mais elle se contente d'un feuillet de papier qui se trouve justement là, à côté d'une plume et d'un encrier. Elle écrit en allemand : *Je laisserai le cheval à Yass. Pour l'avance sur mes gages, et le prix de mon voyage jusqu'à Gundagaï, je vous rembourserai dès que possible.* Elle hésite, très tentée d'ajouter autre chose qui serait la réponse aux derniers mots d'Hutwill, quand il a dit : « Nous nous reverrons, bien entendu. » Pour finir, elle se contente de signer en improvisant : un H double, fait de quatre barres verticales dures, légèrement penchées à droite et barrées d'une horizontale unique et ascendante — une signature qu'elle crée ce jour-là, par hasard, et qui deviendra célèbre.

Retour dans le hall toujours aussi silencieux et désert. Elle s'oriente et, dix mètres plus loin, doit se tapir derrière une tenture au moment du passage de quelqu'un qu'elle ne voit pas. Elle repart, traînant le sac — « Mendel dirait " ce foutu sac " » — qui pèse déjà le poids d'un âne mort.

Pas d'autres rencontres tandis qu'elle traverse l'immense maison. Elle atteint enfin l'écurie. Aucun palefrenier. En revanche, huit ou dix chevaux y sont alignés devant des mangeoires. Souvenir de la voix de Mendel : « Un cheval, ça se monte toujours à gauche, jeune idiote... Et on lui parle, Hannah, on lui dit qu'on l'aime et qu'on compte sur lui... » Elle se choisit ce qu'elle pense être une jument, sans en être trop sûre, mais qui lui plaît, avec son œil luisant et doux. Reste à la seller : elle y perd trente bonnes minutes, se cassant un ongle au pasage. « Je vais finir par jurer comme Mendel ! Et si ça se trouve, en plus, au moment où je mettrai le nez dehors, je découvrirai Hutwill et tous ses hommes pleurant de rire... » (Elle n'arrive pas à se défaire de cette impression que son départ ou plus exactement sa fuite ont été programmés par son hôte.)

Elle réussit finalement à sangler à peu près convenablement la sous-ventrière et accroche son sac au troussequin de la selle...

... S'assoit pour récupérer : elle est en nage et à demi épuisée d'avoir si longtemps tenu la selle pesante à bout de bras.

— Ecoute-moi... dit-elle à voix basse à la jument. Tu aurais quand même pu t'agenouiller, comme font paraît-il les chameaux. En tout cas, nous allons partir ensemble, ou du moins je l'espère. Je compte sur toi, je t'aime infiniment, je veux croire qu'en tant que femelle tu feras preuve d'un peu de solidarité. Si tu pouvais me garder sur ton dos, ça m'arrangerait bien. Je ne suis pas trop adroite, comme écuyère...

Pas de réponse. « Il est vrai que je lui ai parlé en yiddish. » Un fou rire monte en elle — nerveux. Elle prend l'animal par la bride et, yiddish ou pas, constate enchantée que la jument la suit. Une minute après, elle est dehors, sous un soleil de plomb, presque certaine de n'avoir pas été vue. Evitant l'allée, elle s'engage au travers d'un bois de gommiers. Ce n'est qu'un quart d'heure plus tard que, s'aidant d'un tronc d'arbre abattu, elle se hisse sur la jument et s'assoit sur la selle.

Elle prend la route du nord, extraordinairement fière d'elle-même...

... Et à ce moment-là seulement découvre que Micah Gunn la suit.

Il s'arrête quand elle s'arrête, repart aussitôt après elle. Impossible de s'y tromper, ce sont ses cheveux rouges et sa haute silhouette d'épouvantail. Et pas de doute non plus quant à sa stratégie : il la suit et ne fait rien d'autre. Elle a bien pensé l'interpeller, et lui expliquer, par exemple, qu'elle est simplement sortie, avec le plein accord de Lothar Hutwill, faire un tour pour visiter les environs. Mais il reste constamment hors de portée, immobile sur son grand cheval bai clair, presque jaunâtre, attendant très patiemment qu'elle se remette en route ; la seule fois où elle a tenté d'aller vers lui, il a fait reculer sa monture. De deux choses l'une, comme dirait Mendel Visoker : ou bien il exécute des ordres qui lui ont été donnés, ou bien il agit pour son compte...

... et la culbutera dans le premier fourré australien venu.

Même si elle croit davantage à la première hypothèse qu'à la deuxième, elle sort du sac, pour le glisser entre ses seins, le rasoir à manche de nacre. « J'aurais dû me faire docteur, avec mon goût pour éventrer les gens ! »

Deux heures passent et puis deux autres, sans que change quoi que ce soit dans cette filature bizarre. Le paysage traversé est superbe, même aux yeux d'une Hannah préoccupée : la route suit le flanc de la montagne, dominant la vallée de la Murrumbidgee, l'air est plus frais, presque piquant...

... Et Micah Gunn continue d'avancer derrière elle, gardant en permanence, entre elle et lui, un intervalle d'à peu près trois cents pas. Ne faisant jamais mine de se rapprocher. Même quand elle traverse et dépasse sans s'y arrêter, sous l'œil bovin de quelques fermiers, un petit assemblage de maisons regroupées autour d'une église blanche — plus tard, elle saura que l'endroit s'appelle Jugiong. Même quand la route se rétrécit et se faufile entre les arbres. Cette présence obsédante et muette sur ses talons commence à lui user les nerfs, qu'elle a pourtant si solides.

Et puis, surtout, elle sent l'épuisement la gagner, en plus des douleurs bien réelles dues à l'échauffement de la selle : les courbatures de la veille se mêlent aux élancements de son ventre — parce qu'elle a ses règles en plus ! « Oh ! nom d'un chien, pourquoi est-ce que je suis une femme ? Ça ne pouvait pas attendre, non ? » Elle se sent fiévreuse et le devient un peu plus à chaque mile abattu, au point de voir des Micah Gunn partout. A un moment, elle découvre qu'elle est en train de parler de Taddeuz à la jument. Qui pointe ses oreilles en signe d'intérêt. — « Enfin, je crois. Mais lorsque je l'entendrai me répondre, c'est que je serai devenue complètement folle. » A en juger par le soleil qui se couche, il doit être bien plus de six heures du soir quand, à un dernier détour de la route, elle aperçoit les arches d'un pont métallique, tel que décrit par Lothar Hutwill : elle est à Yass. Se laisser glisser à bas de la selle est d'abord un soulagement immense mais très vite la réalité s'impose : le seul fait de marcher la met à la torture. « Et en plus, je suis ridicule ! » Titubant sous les regards, elle pénètre dans le hall du *Commercial Hotel* au milieu d'un grand charivari. D'être la seule femme visible, accentue encore un peu plus le sentiment d'abandon misérable qu'elle éprouve. Et aussi sa fureur, qui heureusement la porte : jusqu'à la banque de la réception qui est trop haute pour elle, elle a le plateau à hauteur de ses yeux.

— Malade ? s'enquiert le réceptionniste.

— Pas plus que vous, crétin, répond-elle, contrainte de hurler pour dominer le vacarme ambiant. Je voudrais une chambre, sans homme dedans si possible, ainsi que l'horaire du train pour Sydney et le prix d'un billet.

Il lui fournit les trois. Lui demande si elle veut dîner. Elle répond non avant même d'avoir réfléchi : tout l'établissement est empli d'hommes visiblement gorgés de bière, nombre d'entre eux assemblés autour d'un piano désaccordé et reprenant en chœur des refrains dont elle ne comprend pas un mot sur dix. Elle n'a qu'une hâte : être seule et allongée... *A plat ventre !*

La chambre qu'on lui donne est située juste au-dessus de la grande salle, si bien qu'elle reste des heures les yeux écarquillés dans la pénombre, tenaillée par la faim, secouée par des nausées, brûlante de fièvre, ne sachant ce qui lui fait le plus mal, de ses courbatures, de ses brûlures au derrière ou de ses douleurs menstruelles. Elle se retrouve une fois de plus en train de se parler à elle-même : « Tu as voulu venir en Australie ? Tu y es. Ce n'est pas un pays pour les femmes, si tant est que ça existe, ce genre de pays. Et tu prétends y faire fortune ? Laisse-moi rire. Regarde-toi ! » (A un moment, juste histoire de se confirmer tout le mal qu'elle pense d'elle, elle se traîne jusqu'à un miroir mural et y contemple sardoniquement une Hannah échevelée, livide, aux traits creusés et aux grands cernes bleus : « Tu ferais peur à un kangourou. »)

Le sommeil finit cependant par la prendre tandis qu'à moins de deux mètres sous elle, de l'autre côté du mince plancher de bois, les voix avinées n'en finissent pas de brailler.

Et Micah Gunn est assis devant l'hôtel à l'attendre quand elle en sort le lendemain, pas mal flageolante.

Elle a bu un peu de thé tiède et l'a aussitôt vomi, chaque spasme la martyrisant davantage. Ses muscles refroidis par la nuit rivalisent dans la douleur ; mettre un pas devant l'autre réclame tout bonnement de l'héroïsme et son ventre lui fait mal à hurler. Micah Gunn la regarde venir vers lui. Strictement impassible, il bourre paisiblement une courte pipe, puisant son tabac dans une blague en cuir. Il a des doigts dégoûtants, maigres et osseux, comme tout le reste de son corps, mais spatulés à leur extrémité. Ses yeux sont d'un marron-jaune assez ahurissant, comme anormal, malsain, par le contraste qu'ils font avec ses cheveux rouges.

— Vous allez me surveiller longtemps ?
— *Yep.*

Il allume sa pipe et l'épouvantable odeur, très âcre, du prétendu tabac qu'il fume, manque de faire à nouveau vomir Hannah.

— Et me suivre jusqu'où ?

Il secoue la tête, sans desserrer les dents de son brûle-gueule. « Je le tuerais avec joie », pense Hannah.

— Vous allez m'empêcher de prendre le train ?
— *Nope.*
— Vous avez reçu des ordres, à mon sujet ?
— *Yep.*
— A cause du cheval que j'ai pris ?
— *Nope.*
— Des ordres de qui ?

Il lâche une bouffée d'une puanteur innommable et c'est sa seule réponse. Sait-il seulement dire autre chose que « *yep* » et « *nope* », apparemment « oui » et « non » ? Hannah caresse avec volupté des idées de meurtre ; elle serait un homme, elle lui fracasserait le nez et le reste à gros coups de poing, et te lui ferait manger sa pipe tout allumée. « Oh, Mendel pourquoi m'avez-vous abandonnée ? »

— Il faut que je vous précise quelque chose, dit-elle. Vous êtes la raclure la plus puante et la plus pourrie d'Australie. Si je ne vous insulte pas davantage, c'est parce que je ne sais pas comment on dit *shmuck, momzer, putz, shmensh, oysvorf* et trou du *tierich* en anglais. Est-ce que je suis claire ?

— Yep, dit Micah Gunn, l'air ravi.

Incompréhensiblement, là-dessus, Hannah a très envie de rire.

156

« Changeons de tactique, pense-t-elle, sinon je vais avoir cet abruti sur mes talons tout le restant de mes jours. Ce qui, entre autres, permettra aux Hutwill mâle ou femelle de me remettre la main dessus et peut-être de m'envoyer en prison pour vol... Ou pire encore : de me mêler à leurs règlements de comptes conjugaux... »

— Le cheval, pour commencer, dit-elle. Vous l'avez récupéré ?

Yep.

— Et maintenant, parlons affaires. Est-ce que vous cesseriez de me suivre si je vous donnais deux pounds ?

Nope.

— Cinq pounds ?

Nope.

— Dix livres ?

Une hésitation s'est fait jour dans les yeux jaunes. Hannah à vingt-six livres et trois shillings. Le billet de train pour Sydney coûte cinq livres dix. (Il y a vingt shillings dans une livre, quel système imbécile !)

— Vingt, dit Micah Gunn.

— Quinze.

Il secoue la tête. « Je vais tomber, pense Hannah. Je vais tomber les bras en croix au milieu de cette rue du bout du monde et j'aurai fait toute cette cavalcade pour rien. »

— D'accord pour vingt, dit-elle. Mais à une condition : je vais remettre l'argent à l'hôtelier, qui ne vous le donnera qu'après le départ du train. Deux heures après.

Elle se traîne jusqu'à la petite gare, à bout de forces, le sang menstruel coulant au long de ses cuisses. Par moments, elle y voit trouble.

— Cinq livres et seize shillings, dit l'employé du chemin de fer de la Nouvelle-Galles du Sud.

— On m'avait assuré que le prix était de cinq livres dix.

— L'année dernière, oui. Mais pas d'après les nouveaux tarifs.

Elle s'accroche au guichet, reprise par ses vertiges. Elle brûle de fièvre.

— Sûre que vous pouvez voyager, miss ?

— Certaine. Mêlez-vous de ce qui vous regarde.

Elle voit *deux* employés et parfois même trois. Ce qui ne serait pas trop grave si, en plus, elle n'avait pas l'impression d'avoir elle-même quatre mains et deux aumônières. Au point qu'elle est incapable de compter l'argent et que c'est son interlocuteur qui doit faire le tri entre les billets et les pièces.

— Vous devriez rentrer vous coucher et prendre le train un autre jour, miss.

— Allez au diable.

157

Pas d'autre refuge possible que la hargne, dans l'état où elle est. Avec une obstination d'ivrogne, elle compte et recompte les sept shillings qui lui restent, avec lesquels elle va encore devoir payer l'hôtel. L'employé lui établit le billet. Le train partira à cinq heures de l'après-midi, précise-t-il. S'il n'y a pas de retard. Il est à peine huit heures du matin. Elle revient au *Commercial Hotel* enfin vidé de ses bushmen braillards. Charitablement, on l'autorise à occuper sa chambre jusqu'à son départ. Elle se traîne encore, dans l'escalier cette fois, et avant de s'affaler sur son matelas, lave ses cuisses pleines de sang. A peine s'est-elle allongée qu'on frappe et elle doit se relever pour ôter la chaise dont elle a coincé le dossier sous la poignée de la porte. Elle ouvre à une jeune fille aux grosses mains rouges qui lui apporte le petit déjeuner australien : un énorme steak surmonté de trois œufs dégoulinants de graisse. De quoi vomir. Et d'ailleurs elle vomit, quoiqu'elle ait l'estomac vide depuis une bonne trentaine d'heures.

— Dehors !

Elle replace la chaise et se recouche, refusant de s'endormir par peur de manquer son train.

Elle ne le manquera pas. Quelqu'un — dans le brouillard qui l'entoure, elle ne saurait dire s'il s'agit d'un homme ou d'une femme — l'aide à porter son sac jusqu'à la gare, prend les vingt livres qu'elle donne « pour les remettre à Micah Gunn deux heures après le départ du train », et la hisse sur la banquette de bois de l'un des wagons. Elle se retrouve en compagnie de trois ou quatre géants hérissés de barbe qui lui sourient de leurs dents gâtées. Ils sentent tous très fort, au vrai ils puent, ils dégagent une écœurante odeur d'entrejambes. Mais ils lui témoignent une gentillesse maladroite et bourrue, lui font une place, et même comme un lit, à l'aide de leurs vestes et d'autres vêtements. Ils lui jurent qu'elle sera plus en sécurité, avec eux, qu'entre les bras de sa mère. « Comme si ma mère m'avait jamais protégée de quoi que ce soit. Qui, à part Mendel, m'a jamais protégée ou aidée de quelque manière ! » pense-t-elle (à moins qu'elle ne le dise à voix haute) avec, pour la première fois de sa vie, l'envie de s'abandonner aux événements, de ne plus lutter. D'ailleurs elle s'endort à l'instant même où le train démarre, et son dernier souvenir est celui des voix rauques de ces étranges gardes du corps lui chantant *Waltzing Mathida* à la façon d'une berceuse.

A l'arrêt de Mittagong, elle dort profondément. Quand elle rouvre les yeux, elle est à Redfern Station, gare centrale de Sydney. A leurs explications embarrassées elle finit par comprendre que le convoi est déjà à l'arrêt depuis trois bonnes heures, qu'ils sont intervenus auprès de la compagnie pour qu'on la laisse dormir encore, qu'elle peut ranger son rasoir (elle n'a paraît-il pas cessé de le tenir depuis son départ de Yass et ils ont même craint qu'elle ne se tranche elle-même la gorge), qu'ils se sont cotisés pour lui payer son hôtel et même ajouter quelque chose dans son aumônière, où elle a désormais une livre entière.

Elle les embrasse sur leurs joues piquantes et pas trop odorantes non plus. Refuse toute assistance supplémentaire. Dit qu'elle est arrivée et que désormais son oncle qui est si riche prendra soin d'elle.

... Et oui, elle peut porter elle-même son sac, elle se sent tout à fait bien à présent. C'est presque vrai. Du moins y voit-elle clair et a-t-elle recouvré l'entière maîtrise d'elle-même :

— Je suis à Sydney qui était le but de mon voyage, où tout ira bien désormais.

Ils ne se sont pas éloignés depuis plus de trois minutes, elle est à peine sortie de la gare dans les rues de Sydney, qu'elle se sent suivie. Se retournant, elle voit que Micah Gunn est toujours derrière elle, à cent pas au plus.

Elle marche, marche, marche et tous les effets du repos qu'elle a pu prendre lors de son voyage en train s'effacent au fil de ses pérégrinations. L'idée de monter dans un cab lui a paru folle : on ne dilapide pas quand on n'a qu'une livre en tout. Faute de connaître la ville, elle a été contrainte de faire des tours et des détours. Bizarrement, la présence obsédante de Gunn sur ses talons l'a aidée, dans la mesure où elle y a vu un défi, qui l'a poussée à aller une fois de plus au-delà de ses forces : « plutôt mourir que donner à ce *shmuck*, ce fumier rouge et jaune, la joie de me voir abandonner ! » (Elle est décidément redevenue tout à fait elle-même.)

... Et puis elle a eu une idée bien réjouissante : les bras cassés à force de traîner cette saleté de sac, elle s'est soudain résolue à le laisser au beau milieu d'un trottoir. Ça n'a pas manqué : elle a vu Micah Gunn hésiter puis, impassible, se résoudre à ramasser le bagage et à le porter !

Vers cinq heures de l'après-midi, elle entre enfin dans Glenmore road, quartier de Paddington, c'est-à-dire l'adresse donnée par Mendel. La maison est au 173. Elle est de style victorien, à un étage, flanquée côté droit d'un *bow-window*, une fenêtre multiple en saillie. Un jardinet la précède, croulant sous les massifs d'hortensias. Elle est entièrement peinte en blanc, sauf la porte qui est bleu canard. Hannah actionne la clochette une première fois et, dans l'attente d'une réponse, se retourne avec ce qui lui reste de force : le temps de voir Gunn déposer le sac en tapisserie à l'entrée du jardin puis s'éloigner, avec tout l'air de quelqu'un dont la mission est terminée.

Rien ne bouge dans la maison.

... Du fond de son épuisement, la colère remonte, exactement comme deux ans plus tôt devant le double battant de l'hôtel particulier dans la rue Krolewska à Varsovie. « Sauf que tu n'es plus capable de flanquer le moindre coup de pied à quoi que ce soit. Il y aurait un léger souffle de vent, tu serais déjà étalée par terre... »

La porte s'ouvre, finalement, sur une petite fille blond-roux aux grands yeux verts, qui doit avoir neuf ou dix ans, et qui considère Hannah tout en tenant serrée contre sa poitrine une poupée à cheveux d'or.

— Je voudrais parler à M. Schloimele Visoker, dit Hannah.

— Qui ?

— Schloimele Visoker.

Et dans le semi-brouillard où elle recommence de glisser, les deux scènes se confondent, celle-ci et celle de la rue Krolewska quand elle a demandé à voir un certain Taddeuz Nenski.

— Un petit instant, je vous prie, dit très poliment la fillette. Elle laisse la porte ouverte et s'éloigne. Revient avec une femme de haute taille ayant largement passé la quarantaine, carrément rousse, elle, et dont les yeux sont identiquement verts. Pour la troisième fois, Hannah prononce le nom du cousin Schloimele. La femme secoue la tête :

— Le précédent locataire s'appelait à peu près ainsi, me semble-t-il. Mais son prénom était Sam.

— Il a déménagé ?

— Si l'on veut, répond la femme rousse. Il est parti pour l'Amérique.

Depuis déjà plusieurs mois, au moins. Et il n'habitait plus au 173, Glenmore road, de toute façon.

— Un de vos parents ?

— Un ami, dit Hannah luttant pour garder les yeux ouverts et, plus encore, pour simplement demeurer debout. Trop, c'est trop... Parce que, bien sûr, elle se doutait que cet infâme abruti de cousin Schloimele devait avoir une raison de ne pas répondre à son message télégraphique, mais à ce point-là...

— Rien qu'un ami, reprend-elle. Je vous remercie infiniment, madame. Vous avez une très jolie maison.

Elle exécute tant bien que mal un demi-tour, reprend l'allée qui serpente entre les hortensias, en direction du sac posé à l'entrée du jardin. Elle réussit à soulever ses dix ou quinze tonnes.

Et, pouf ! elle s'écroule.

Elle rouvre les yeux et découvre qu'elle est allongée sur un canapé de madapolam du même bleu canard que la porte. Face à elle, sagement assise à l'autre extrémité du siège, tenant tête en bas sa poupée blonde, la petite fille l'examine gravement :

— Tu es réveillée ?

— Il me semble.

— Maman dit que tu as sûrement faim. Tu as faim ?

— Pas du tout.

160

— Je crois, dit la petite fille, que tu es une drôle de menteuse, et que tu as très faim en réalité.

Hannah parvient à lui sourire :

— Pourquoi tiens-tu ta poupée la tête en bas ?

— J'attends qu'elle fasse son rot. Je viens de lui donner la tétée. Elle s'appelle Frankenstein.

— Et toi ?

— Lizzie MacKenna, dit la petite fille.

9

COLLEEN MACKENNA

En 1892 les MacKenna sont depuis onze ans en Australie. Y sont arrivés venant des Indes. Dougal, le père, est né à Bombay en 1843 ; il a conclu ses études par quatre années en Angleterre, où il a obtenu son diplôme d'ingénieur civil, où il s'est marié, convolant avec une Irlandaise de Galway, catholique comme lui, qui a accepté de le suivre quand il est reparti pour construire des ponts sur le Gange et autres fleuves exotiques, en 1865. Et sans doute, quant à lui, serait-il à jamais demeuré dans le pays qui l'a vu naître sans l'obstination de son épouse, qui n'a pas réussi à se faire à l'Inde, à sa touffeur et à ses moustiques, et surtout sans la mort coup sur coup de deux de leurs enfants, à cause des fièvres. De préférence à l'Angleterre et tant qu'à perdre son état de *sahib,* Dougal a trouvé un emploi dans les travaux publics de la colonie australienne du Queensland. Les MacKenna ont passé des années à Toowomba et Brisbane avant que — les lignes de chemin de fer, et donc les ponts, s'allongeant jusqu'à faire jonction avec le réseau de la Nouvelle-Galles du Sud — ils ne changent de territoire et s'installent à Sydney. De tous leurs enfants, Lizzie est la plus jeune et la seule fille. Elle a quatre frères...

... Du moins quatre frères vivant avec elle, et Dougal et Colleen, dans la maison de Glenmore Road. Pour le cinquième, Quentin, Lizzie sait très peu de choses : tout juste qu'il existe et qu'en aucun cas on ne doit prononcer son nom, comme s'il n'avait jamais vécu.

Au reste, Lizzie ne rencontrera jamais Quentin, elle-même, et ce sera le seul et grand chagrin de sa vie...

Toutes ces informations, Hannah les apprendra par la suite mais, pour l'heure, elles ne lui seraient que de peu d'intérêt. Elle est enfin assise à une table, à se nourrir de bœuf bouilli et de légumes cuits de même, sous les regards de sept paires d'yeux, trois vertes et quatre bleues. On lui a présenté tout le monde, à mesure que les hommes

163

rentraient, avec le même naturel mis pour l'inviter à dîner. Elle pense alors avoir tous les MacKenna d'Australie autour d'elle et trouve d'ailleurs que cela fait énormément d'un coup. Dougal et Colleen, les parents, sont chacun à une extrémité de table et puis, dans l'ordre d'âge décroissant : Rod l'aîné qui a vingt-six ans, Owen qui en a vingt-quatre, Patrick vingt et un, Alec dix-neuf et Lizzie presque dix.

Pour Hannah, c'est nouveau et surprenant que cette subite immersion dans une vraie famille, elle qui n'en a jamais connue depuis ses sept ans. Une famille étrangère de surcroît, qui lui paraît vivre dans un luxe inouï, dînant sur une nappe brodée couverte d'argenterie et de porcelaine, avec une inextricable profusion de couteaux, de fourchettes, de cuillers et de verres. Et dont la moyenne de taille est impressionnante : le moins âgé des garçons, sans atteindre la taille de son père, ni a fortiori celle de Rod, est déjà plus grand que Mendel et presque que Taddeuz. Elle se fait l'effet d'un fox-terrier convié à partager le repas d'une congrégation de saint-bernard.

Lizzie, tu m'as souvent dit que je vous avais tous intrigués, ta famille et toi, le jour où vous m'avez reçue pour la première fois dans la maison de Glenmore road. J'étais, moi, plus qu'intriguée : je découvrais un autre monde. Toutes ces choses me sont claires, aujourd'hui, avec le recul du temps et tous les bouleversements des cinquante années suivantes. Mais alors, quoi que j'aie pu entreprendre à Varsovie, j'arrivais tout droit d'un univers confiné, replié sur lui-même, qu'on n'appelait peut-être pas ghetto à l'époque mais c'était bien d'un ghetto qu'il s'agissait. Je n'avais connu que le surpeuplement, l'entassement, la promiscuité... Avec leurs conséquences : un remarquable esprit de solidarité mais beaucoup de mesquinerie, d'étroitesse, le refus des innovations, la fuite dans le passé. Les Juifs de Pologne et de Russie, qui à eux seuls allaient former les trois quarts des Juifs du Nouveau-Monde, étaient accoutumés de vivre ainsi, au fil du temps et des sévices. Les plus intelligents d'entre eux, et certains l'étaient diablement, gaspillaient leurs facultés dans l'étude des Livres. D'où une acuité intellectuelle souvent exceptionnelle, mais qui ne servait à rien, et n'avait pas d'écho hors du petit monde où ils vivaient... Ne servant à rien sinon à tout expliquer, tout justifier...

Je me souviens des rues juives de Varsovie, Lizzie. Il paraît qu'elles étaient poétiques. Ce n'est pas ce souvenir-là que j'en ai. Moi, je me rappelle des gens petits, voûtés, rabougris, tels des prisonniers enfermés à vie, toujours dans l'appréhension d'un coup qui finissait souvent par venir...

... J'appartiens aux premières générations qui sont parties. J'ignore pourquoi, mais j'étais différente. Je suis partie en détestant ce monde que je quittais...

... Et j'arrive chez vous, je découvre tout d'abord une vraie famille... Mais je découvre surtout des gens qui ont une énorme confiance en eux, à qui il ne viendrait même pas l'idée de craindre la société où ils vivent...

Parce qu'ils ont la certitude tranquille que cette société doit s'adapter à eux et non le contraire, qu'elle est à leur service...

J'ai été incroyablement fascinée, Lizzie...

... Fascinée mais sur mes gardes : les dix années vécues depuis la mort de mon père m'avaient appris à me défier de tout le monde...

... Mendel excepté, bien sûr...

— Encore un peu de thé ? propose Colleen MacKenna.

— Merci, non.

— Et de la tarte ?

— Non plus, vraiment. J'ai merveilleusement dîné.

Silence. Et une boule soudaine dans la gorge d'Hannah. Qui pour l'unique fois de sa vie éprouve de la timidité. A n'y pas croire. Heureusement, depuis une demi-heure que le dîner est fini et qu'on est passé dans un salon, Dougal a beaucoup parlé : cela a permis à Hannah de se taire. Dougal s'est étendu à n'en plus finir sur tous ces ponts qu'il a construits, a enfourché son grand cheval de bataille : l'écartement des voies, qui est différent d'une colonie australienne à l'autre. Ce qui n'est pas trop pratique quand il s'agit de raccorder tous ces systèmes, on a été bien plus intelligent aux Indes, de la Khyber Pass en pays afghan jusqu'à la côte de Coromandel. Hannah ignore tout à fait ces noms et ne comprend pas davantage la kyrielle des mots techniques : trolley, étançons, ballast, treillage et autres londrines ; sans parler de ces *sahib, serang, nullah* ou *bhistee* dont elle doute que ce soit de l'anglais.

Voici quelques minutes la conversation a dévié, ne lui laissant pas davantage de chances d'y mettre son grain de sel, à supposer qu'elle en ait eu envie (ce qui n'est pas le cas, elle tombe de sommeil) : Dougal MacKenna n'a pas une très haute idée des colons d'Australasie. Pour la plupart, ce sont, selon lui, des descendants directs des forçats débarqués à Port-Jackson, ici même à Sydney, ou, ce qui ne vaut guère mieux, des pirates de Dampier ; il vitupère les futurs Aussies et, à la surprise ensommeillée d'Hannah qui n'aurait jamais imaginé qu'un fils puisse ouvertement contredire son père, Rod prend leur parti, cite Lawson, Furphy et Paterson, affirme même qu'un jour viendra où l'Australie rompra ses liens avec l'Angleterre...

— Je vais me retirer, à présent, annonce Hannah, mettant à profit une courte accalmie dans la discussion.

Elle se lève et tous les hommes dans le salon font de même, ce qui l'étonne et la gêne encore plus. Il y a un peu plus de trois heures qu'elle est chez les MacKenna et jusque-là elle a réussi à ne pas dire grand-chose sur elle-même. Elle a servi à ses hôtes l'une de ses inventions ordinaires — pas si ordinaires que cela, d'ailleurs : elle est française, habite Paris, s'appelle Anne de Laclos, est venue en Australie en voyage d'agrément, n'est à Sydney que de passage afin d'y rencontrer son ancien précepteur russe, Sam Visoker. Mais puisque ce dernier est parti pour l'Amérique, elle n'a plus qu'à regagner Melbourne dès demain, comme elle est venue, par le train ; Melbourne où ses parents l'attendent...

— Et à quel hôtel êtes-vous descendue ? demande Colleen MacKenna.

— L'*Imperial,* improvise Hannah qui ignore complètement s'il existe ou non un *Imperial Hotel* à Sydney.

Le regard vert de Colleen s'éclaire d'une lueur moqueuse :

— Et vous comptez y aller à pied en portant ce gros sac ? Quel âge avez-vous ?

— Vingt et un ans. J'ai l'habitude de voyager seule.

Collen se met à rire :

— Bien évidemment, vous allez dormir ici. Il y a un très grand lit dans la chambre de Lizzie ; si vous réussissez à la faire taire, vous pourrez sans doute passer une nuit tranquille. J'insiste, mademoiselle. Rod ? Prends son bagage, s'il te plaît.

« Mademoiselle » en français, et « j'insiste » aussi. Rod qui ne fait pas très loin de deux mètres s'il ne les dépasse pas, s'empare du sac en tapisserie et monte vers l'étage. Un tremblement vient à Hannah. C'est tout à fait vrai qu'elle ne sait où aller — et avec une livre, elle n'ira pas loin. Mais son émotion a d'autres causes : en exceptant toujours Mendel Visoker, elle ne se souvient guère qu'on lui ait manifesté de l'amitié, sinon plus... Elle baisse la tête et la relève, fixant tout le clan qui la regarde :

— Je ne me suis jamais appelée Anne de Laclos. Mon vrai prénom est Hannah, je suis une Juive de Varsovie.

Colleen sourit paisiblement :

— Nous avons donc tout le temps de reprendre du thé, à présent. Lizzie, toi, tu files au lit. Tout de suite, s'il te plaît. Tu as école, demain matin. Et l'on se tait.

Clairement, ce « on se tait », s'adresse tout autant à Hannah.

Huit heures et demie du matin, le lendemain. La maison est étonnamment silencieuse, mais ce silence n'a rien d'oppressant, qui puisse inquiéter, c'est la quiétude des demeures où tout est en ordre. Hannah descend l'escalier, vêtue de l'une de ses robes rouge andrinople et noir qui lui restent, mais pieds nus : sa marche de la veille dans Sydney lui a de nouveau mis les talons en sang.

— Je suis ici.

La voix provient d'une pièce sur la gauche, au bas de l'escalier. Hannah franchit le seuil et découvre Colleen assise à la table de la cuisine, tenant à deux mains une chope de thé.

— Tous les matins, dit l'Irlandaise, c'est la même chose : un grand

166

branle-bas de combat et puis, d'un coup, le calme de la baie de Galway ou des lacs du Connemara. Bien dormi ?

— Comme une souche.

— J'ai eu toutes les peines du monde à empêcher Lizzie de jacasser, quand je l'ai tirée du lit ce matin. Elle était excitée comme une puce.

— Je n'ai rien entendu.

— Depuis combien de temps êtes-vous en Australie ?

— Cinq, presque six semaines, répond Hannah, résolue à ne plus mentir du tout.

— Du thé ? Il est très chaud, attention. Servez-vous.

Silence. Le regard vert sur les pieds nus :

— Une coutume varsovienne, je suppose ?

— A Varsovie, nous allons toujours nus pieds le matin quand nous sortons de nos huttes. Juste avant de déguster nos racines, vêtus de peaux de bêtes.

— Quel âge avez-vous vraiment ?

— Dix-sept ans et quatre mois. Je suis d'avril.

— Pas de parents à Melbourne ?

— Aucun.

— En Australie ?

— Personne. Je connais seulement le cousin de Sam Visoker. Il s'appelle Mendel. Il est en Europe.

— De l'argent ?

Hannah hésite. Pas par goût du mensonge, mais pour ne pas avoir l'air de...

— Une livre, dit-elle.

— Une ou deux rôties ?

— Deux, s'il vous plaît.

— Beurre et confiture d'oranges ? A moins que vous ne vouliez un steak avec des œufs ? C'est ce que l'on mange le matin, en Australie.

Leurs regards se rencontrent et elles se sourient.

— Il faudrait soigner ces écorchures que vous avez aux talons. Ça pourrait s'infecter.

— Aspérule odorante, dit mécaniquement Hannah la bouche pleine. Ou mieux encore, du millepertuis. Pour l'aspérule, on écrase la plante fraîche sur les blessures et ça guérit en un clin d'œil. Mais je me demande si on en trouve en Australie.

Colleen MacKenna est vraiment très grande, elle est de ces femmes à très longues jambes, hanches relativement étroites et poitrine forte ; elle n'est pas particulièrement jolie, n'a jamais dû l'être ; les joues en feu, un mélange de gaucherie et d'assurance dans ses gestes, elle semble toujours revenir d'une promenade à grands pas sur la lande irlandaise, avec la détermination d'une femme qui a eu sept ou huit enfants dont deux sont morts, dont les survivants sont des colosses.

167

Mais le teint est un peu trop diaphane, les cernes bleus sous les yeux sont les premiers symptômes de la maladie qui va l'emporter.

— *Lizzie, j'ai aimé ta mère à la minute où je l'ai vue. Parmi tous ceux et celles que j'aie pu rencontrer, elle a été l'une des très rares personnes, sinon la seule, qui m'ont fait croire que j'aurais pu être différente, si je les avais connues plus tôt. Elle m'a appris la tendresse, le peu que j'en ai, et l'indulgence, les brins que j'en possède...*

Colleen demande, nez dans sa chope :

— D'où tenez-vous cette connaissance des plantes ?

— De ma mère. Elle ne m'a rien appris d'autre.

— Elle vit toujours ?

« Ne mens pas, Hannah ! »

— Je ne sais pas, dit Hannah. Je ne l'ai pas revue depuis deux ans au moins.

Pas d'autre bruit dans la cuisine que le tic-tac de l'horloge à balancier de cuivre. Parfum des tranches de pain grillées qui flotte encore dans l'air, bien qu'Hannah ait déjà englouti ses tartines. C'est ce moment privilégié des mères de famille nombreuse, juste après que soit retombée la déferlante du mari et des enfants, et juste avant de s'attaquer au rangement de la maison ; à la façon dont on répare les effets d'un cyclone, dont on sait le retour imminent.

— J'ai bien une heure devant moi, dit doucement Colleen avec juste ce qu'il faut de détachement dans la voix. Vous n'êtes pas obligée de me raconter quoi que ce soit, vous savez.

Elles sont assises chacune à une extrémité de la table ; elles se font face, yeux dans les yeux, sentant l'amitié qui monte irrésistiblement, comme une lente marée.

Hannah se met à raconter.

Elle n'omet rien et fait son récit de cette voix un peu lointaine, presque impersonnelle ou vaguement sarcastique qu'elle aura toujours en parlant des choses qui lui tiennent profondément à cœur. C'est sa façon à elle de se défendre contre l'émotion, de la filtrer, parvenant ainsi à maîtriser le volcan qui est en elle.

Elle dit tout de son père (dont elle n'évoquera le souvenir que devant Colleen et ensuite Lizzie, personne d'autre), du ruisseau et de la grange Temerl, de Mendel Visoker sur le brouski brandissant son timon de charrette, du shtetl, de Taddeuz, du départ pour Varsovie, de Dobbe Klotz, des trois magasins, de Pelte Mazur, du dénouement...

(... Elle constate alors, et elle l'avoue à Colleen, que le plus grand remords qu'elle éprouve concerne Pinchos. Elle ne l'a pas revu mais Maryan Kaden a suivi le retour du cadavre à la rue Goyna : « Hannah, ses yeux restaient grand ouverts et fixes, personne n'a réussi à lui refermer les paupières... » Toute sa vie, bien plus encore que de Taddeuz et de Mendel et de tous les autres qu'elle retrouvera en d'autres lieux, Hannah verra remonter de sa mémoire, chaque fois qu'elle repensera à Varsovie, le souvenir des grands yeux noirs de Pinchos le muet, dilatés par la mort.)

Du long voyage qui l'a conduite en Australie, elle a peu à dire. Mais elle met au compte de ce voyage interminable, du dépaysement, de sa brusque plongée dans l'inconnu cette invraisemblable imprudence qu'elle a commise à Melbourne, en se laissant voler tout son argent. Qui n'était d'ailleurs pas le sien, puisqu'elle n'en avait que la garde, dans l'attente de la réapparition de Mendel.

— Je n'ai donc pas le choix, dit-elle. Il faut que je devienne très riche, et très vite.

— Parce que votre ami Visoker va s'évader de Sibérie et vous rejoindre ?

— Oui, répond simplement Hannah.

— Quelle confiance !

— Totale.

— Je ne parlais pas seulement de votre foi en votre Visoker, mais aussi de votre certitude de devenir « très riche ».

— Et vite, dit Hannah.

— Et vite. Une idée sur la façon dont vous allez vous y prendre ?

— Pas encore.

— Vous allez faire fortune ici à Sydney ?

— J'ai eu trop de mal à y arriver pour en repartir.

Elles se sourient. Achevant son récit, Hannah raconte son séjour à Melbourne, la façon dont elle a réussi à poursuivre son voyage, sa rencontre avec les Hutwill...

... Et Micah Gunn.

Colleen MacKenna repose sa chope :

— Et ce rouquin vous aurait suivie jusqu'ici ?

— Je ne l'ai pas revu depuis mon départ de la gare. Mais dans une ville, il est sûrement plus facile de suivre quelqu'un sans être vu...

L'Irlandaise se lève et sort de la cuisine. Hannah l'entend ouvrir la porte sur Glenmore road, la voit revenir :

— Personne.

— Je l'aurai rêvé.

— Vous ne me semblez vraiment pas du genre à avoir des hallucinations, remarque calmement Colleen.

Son œil vert scrute le visage d'Hannah, doit noter sa pâleur, l'étirement de ses traits, les cernes sous les yeux :

— Seriez-vous malade ?

— Je n'ai jamais été malade de toute ma vie.

— Qui est déjà si longue... Indisposée ?

Le mot anglais n'est pas encore dans le vocabulaire d'Hannah.

— Je vous demande si vous n'auriez pas vos règles, explique Colleen avec à peine d'embarras.

169

— Depuis hier.

— En avance ?

— De plusieurs jours.

— C'est sûrement ce voyage en berline, puis votre cavalcade. Vous n'auriez jamais dû vous lever. Venez. (Sourire :) Et l'on se tait.

« On se tait et on se laisse faire », répète-t-elle une fois qu'elles ont regagné à l'étage la chambre de Lizzie. Elle allonge Hannah et la déshabille : « Cette robe est bien trop vieille pour vous, quoi qu'elle soit jolie, très jolie même. Mais trop vieille, il n'y a donc eu personne pour vous le dire ? » Elle ôte les chemises et les jupons superposés, la lave : « et l'idée ne vous est même pas venue d'aller voir votre mère, avant de vous embarquer ? Non, ne dites rien, je suppose que je dois vous prendre telle que vous êtes. D'ailleurs, je me mêle de ce qui ne me regarde pas... » De temps à autre, il arrive à Colleen de tousser, d'une petite toux qui parfois dégénère en quinte : « Vous allez dormir encore, jeune fille. Vous reposer du moins. On se tait. S'il y a quoi que ce soit que vous vouliez, appelez-moi, je serai forcément dans la maison... » Elle lui touche le front de ses lèvres : « Et vous avez un peu de fièvre, il fallait s'y attendre... »

Il y a une extraordinaire et voluptueuse jouissance à être dans un lit, surtout aussi douillet que celui-là, débordant d'oreillers et de coussins de plume, à ne rien faire d'autre que se laisser dorloter. Pour Hannah, la sensation est neuve, et elle mesure alors la rapidité presque frénétique de sa propre course, depuis le jour où elle a quitté son shtetl sur le brouski de Visoker, au terme de tant d'années passées à attendre que quelque chose arrive enfin. Elle découvre qu'il n'y a pas eu un jour, pas un seul, où elle n'ait été portée par son élan, pas un jour où elle se soit fiée à quelqu'un d'autre qu'elle-même... « Hormis Mendel. Et encore. Mais je ne lui ai jamais rien demandé, sauf de m'emmener à Varsovie. Où je serais allée sans lui, de toute façon... »

Elle reste alitée trois jours pleins. Entend matin et soir les hommes MacKenna partir puis revenir — et réduire leurs grosses voix à des chuchotement, sans doute sur ordre de Colleen, qui règne sur ses géants avec énormément d'autorité tranquille. Hannah, elle, ressent par moment comme de vrais remords. La remarque de l'Irlandaise sur sa mère qu'elle n'a en effet pas eu l'idée d'aller embrasser avant de partir pour Dantzig, l'Angleterre et la suite, cette remarque l'a troublée : « Je lui ai bien écrit mais on ne peut pas dire que ma lettre débordait d'affection. A croire que je suis une sorte de monstre. Prenons Simon : c'est quand même mon frère, quoique ce soit un crétin, et est-ce que je me suis jamais souciée de lui ? Même pas. J'ai oublié jusqu'à son existence, tandis que j'étais à Varsovie chez Dobbe. Un monstre. Leur as-tu seulement donné de tes nouvelles, depuis que tu es en Australie ? Pas davantage. Tu n'as même pas pensé à écrire aux Carruthers, qui t'ont pourtant bien aidée. Ton égoïsme est monstrueux, tu es carrément anormale, Hannah, une sale garce... »

Elle fait ce genre de constatations plutôt mornes quand elle traverse — engourdie par l'atmosphère de la maison, de la chambre et du lit, et par la ferme bienveillance de Colleen qui la prend totalement en charge — quand elle traverse ses grands moments de dépression...

Une fois ou deux, elle va même jusqu'à s'interroger sur son amour pour Taddeuz. Sans aller, certes, aussi loin qu'elle ira plus tard. Mais tout de même, qu'elle se pose seulement la question est un signe. C'est déjà de l'iconoclastie, pour elle qui a fait de son amour pour Taddeuz le pilier de sa vie...

Bref, elle est en train d'éprouver les effets d'une bien trop grande et trop froide lucidité quant à soi-même...

Reste qu'elle avait besoin de ce répit, physiquement mais pas seulement au physique. Elle ne reçoit d'autres visites que celles de Colleen. Qui s'appelle Ryan de son nom de jeune fille, son père tient une grosse auberge à la sortie de Galway, en allant vers les lacs du Connemara. Colleen lui parle de l'Irlande (très peu des Indes, dont elle déteste jusqu'au souvenir), de l'Irlande, de son père et de ses frères, tous partisans convaincus de l'indépendance irlandaise et des *Fenians* dont le mouvement est né aux Etats-Unis... où justement Colleen a trois de ses frères, « et je serais allée les rejoindre si ça n'avait tenu qu'à moi, Hannah. Mais tous comptes faits, l'Australie n'est pas si mal... » Le jour où elle reçoit ces confidences, Hannah en est à sa troisième journée de lit. Elle commence à avoir des fourmis dans les jambes, avec la formidable santé qui sera toujours la sienne. Et elle a entamé avec Lizzie, puisqu'elles dorment ensemble, le plus souvent chuchotant toutes lumières éteintes, le dialogue qu'elles poursuivront durant leurs longues vies, pendant des dizaines et des dizaines d'années. En l'état de son anglais encore hésitant, Hannah se sent plus à l'aise avec une enfant — *et puis tu n'étais pas tout à fait une enfant ordinaire, Lizzie... Tu avais la langue presque aussi bien pendue que la mienne...*

— Pourquoi as-tu appelé ta poupée Frankenstein ?

— Pas moi. C'est son nom. C'était son nom avant qu'on me la donne.

— Et qui te l'a donnée ?

Un certain Santa Claus, au Noël précédent.

— C'est quand même un drôle de nom, pour une poupée, remarque Hannah (qui n'a pas lu le roman de Mary Sheley, à cette époque).

— Est-ce que les petites filles jouent aussi à la poupée, en Pologne ?

— Moi non, je n'y jouais pas, répond Hannah.

Elle fait le lendemain sa première sortie en quatre jours. Pour ses déplacements, Colleen s'est vu attribuer par son époux une voiture légère, en l'espèce un tilbury stanhope, à deux roues et un seul cheval. C'est de là, tenant les guides avec les gestes appris de Mendel, qu'Hannah découvre Sydney. La ville elle-même ne l'ébouit pas et si le décor lui semble magnifique, ponctué d'une multitude de baies et de criques, les paysages la touchent peu ; tout au plus note-t-elle que les rues sont ici plus étroites, un peu plus anciennes aussi, qu'à Melbourne ; ont moins de rigueur géométrique...

— Ce sont surtout les boutiques que je voudrais voir...

Dans un premier temps le tilbury est descendu jusqu'au grand Quai circulaire, prolongé de ses innombrables appontements et wharfs, où sont notamment amarrés les gros vapeurs de l'Orient Line et de la Peninsular & Oriental, accotés à des voiliers de toutes tailles, quelques-uns luxueux, de vrais navires de plaisance, d'autres plus galvaudeux et sentant l'aventure, chargés de denrées exotiques. Hannah a dirigé la voiture au long des pittoresques ruelles de Miller's Point aux allures comme baltiques — c'est presque Dantzig —, avec leurs tavernes de marins et leurs magasins de shipchandlers aux senteurs de goudron pour calfatage.

— Vous voulez vraiment travailler, Hannah ?

— Je ne peux pas rester chez vous éternellement.

— Rien ne presse.

Tout un groupe d'enfants dépenaillés, mais gais, vient d'encercler la voiture, ayant reconnu l'Irlandaise, lui tendant la main. Par-dessus leurs têtes généralement blondes, Hannah apperçoit la pointe de Darling Harbour et le pont de Pyrmont. Colleen a pris derrière elle un panier d'osier recouvert d'un napperon à carreaux rouges et blancs, et commence à distribuer des *muffins* et des *scones* qu'elle a préparés tout exprès.

— J'oubliais, dit-elle, il faut que vous fassiez fortune...

— Et très vite, répond Hannah lui rendant son sourire.

Elle a beau guetter autour d'elle, pivotant même brusquement pour le prendre éventuellement par surprise, nulle part elle n'a aperçu Micah Gunn.

Les dernières pâtisseries sont happées : « je n'ai plus rien », explique Colleen aux gosses. Hannah sourit à un minuscule gamin de cinq ou six ans dont l'œil vif l'amuse. Elle demande :

— Quel est l'équivalent de Bourke street, à Sydney ?

— Je ne sais même pas où est Bourke street.

— A Melbourne. C'est la rue la plus élégante, où sont les plus belles boutiques.

— George street, alors...

Hannah remet le cheval en route, d'un claquement de langue, tout comme l'eût fait Mendel : « Je ne m'y prends pas si mal, après tout... » Le tilbury défile devant des jardins. Un temps, les jeunes dévoreurs de *muffins* et de *scones* lui ont fait un joyeux cortège, mais ils ont fini par se lasser et la voiture progresse maintenant au pas, entrant dans le grand charroi du centre de la ville.

La question est venue presque inconsciemment sur les lèvres d'Hannah, elle l'a posée sans y penser vraiment et à présent, notant le changement sur le visage jusque-là tranquille de l'Irlandaise, elle comprend qu'elle aurait dû la garder pour elle.

— Qui vous a parlé de Quentin ? demande Colleen.

— Lizzie.

— Que vous a-t-elle dit exactement ?

— Qu'elle a un autre frère, un cinquième, en plus de Rod, d'Owen, de Patrick et d'Alec.

— Et quoi d'autre ?

Dans le ton de l'Irlandaise, une sorte de dureté douloureuse et amère : « Hannah, tu viens vraiment de toucher au Grand Secret de la famille MacKenna. Pourquoi n'as-tu pas su la fermer ? »

— Rien d'autre, dit Hannah. Colleen ? Faisons comme si je n'avais rien dit...

Lors des secondes qui suivent, de longues secondes, elle a l'intuition que Colleen est très près de se mettre à parler, de se confier. Mais elle se tait, en fin de compte. Quand le tilbury entre dans George street, le sifflement d'une locomotive abordant les quais de la gare de Redfern souligne le silence. Sur les trottoirs, des bushmen coiffés de leurs chapeaux bizarres croisent des banquiers en redingote et hauts-de-forme, tandis que sur la chaussée des omnibus à vapeur arborent sur leurs flancs des noms étranges de banlieues, Woollahra ou Paramatta.

Hannah stoppe le cheval. Elle et Colleen mettent pied à terre, commencent à longer les vitrines. Et peu à peu, le souvenir du nom de Quentin et du secret effleuré, s'efface entre elles. Revient s'installer le climat de camaraderie, déjà si forte après seulement quatre jours d'accointance. Elles recommencent de bavarder, d'abord avec un peu de gêne, puis très familièrement, toute ombre dissipée. L'air est léger et tiède dans les rues de Sydney, nombre de femmes qui déambulent comme elles sont élégantes, mises avec soin, chapeautées et corsetées comme on doit certainement l'être à Londres, robes gonflées par les tournures, visages protégés par des voilettes.

— Toujours pas d'idée, sur la façon dont vous allez faire fortune ?

— Pas encore, répond Hannah.

Quoique...

En vérité, si elle est encore bien indistincte, l'idée se fait lentement jour.

Elle se met en chasse, seule, dès le surlendemain, qui est un lundi.

La veille, elle a accompagné le clan MacKenna à l'office de l'église Saint-Michael dans Cumberland street. Colleen l'a interrogée au sujet de la religion. Elle a voulu savoir si Hannah s'en préoccupait, observait des rites. Elle-même catholique et pratiquante, elle ignore tout du judaïsme et ne serait sans doute pas étonnée d'apprendre que celui-ci préconise la sorcellerie, des espèces de messes noires, voire des sacrifices humains. « Ce ne sont pas là des problèmes qui m'ont jamais beaucoup intéressée », a d'abord répondu Hannah avec prudence, ne voulant pas heurter dans ses convictions et sa foi de charbonnier une femme qu'elle respecte au plus haut point. Colleen a insisté : les Juifs n'ont-ils pas des prêtres, qu'ils appellent des rabbins, et des temples ? (Etrange conversation que celle-là, tenue un samedi après-midi, en la seule présence de Lizzie qui s'efforce d'apprendre la broderie, tous les hommes étant partis assister à une manifestation nommée *sport,* qu'Hannah aurait été curieuse de connaître mais qui ne la concerne pas, paraît-il, puisqu'elle est une femme.

— Nous avons tout plein de rabbins, aucun doute, à ne savoir qu'en faire... a expliqué Hannah.

Et des temples aussi, dénommés synagogues. Mais...

— Mais vous ne vous y intéressez pas beaucoup...

Et c'est à ce moment-là qu'Hannah a laissé aller sa langue si pointue, presque malgré elle :

— Je ne m'y intéresse pas du tout. C'est une religion d'hommes. Comme toutes les autres d'ailleurs. J'y prendrai de l'intérêt le jour où j'aurai une chance de devenir moi-même rabbin, imam ou pape, ce qui n'est pas pour demain... Et puis je n'ai pas besoin de canne, pour marcher dans la vie...

Le dernier mot prononcé, elle s'est aussitôt reproché sa franchise, voire sa brutalité. — *J'ai bien vu que je choquais ta mère, Lizzie. Pire encore : que je lui faisais de la peine. Je m'en suis voulu, terriblement ; dans le même temps que je m'étonnais moi-même, n'ayant jusque-là jamais trop réfléchi à la religion et ignorant que j'avais une opinion aussi ferme sur le sujet... Toi, tu n'écoutais ou plus exactement, tu faisais semblant de ne pas écouter ; tu t'escrimais avec tes aiguilles et tu commençais cette tapisserie que, si je ne me trompe pas, tu n'as toujours pas finie, cinquante ans après... Mais, pour me faire pardonner mon irréligion, j'ai demandé à ta mère si je pouvais vous accompagner à la messe, le lendemain. J'étais curieuse. Tout en regrettant de n'être pas allée au match de football : tous ces jeunes gens en petite culotte, ça m'intéressait fichtrement... Et tu ris !*

Elle se met donc en chasse le lundi matin. Les boutiques de George street et des rues avoisinantes apparaissent à Hannah (qui aura toujours un œil acéré pour ce genre de choses) plus intéressantes que celles de Melbourne. En premier lieu, les bâtiments où elles sont

174

installées ont de la patine — évidemment pas comparable à celles de leurs homologues de Varsovie mais avec cent et quelques années d'existence, on commence de n'être plus tout à fait neuf — quoique, à Sydney, on détruise déjà beaucoup pour reconstruire. En somme, il y a partout comme un air d'Europe assez réconfortant. Et puis les gens eux-mêmes lui semblent différents ; ils sont un peu plus nonchalants, plus chaleureux, peut-être moins préoccupés d'argent en raison de fortunes plus anciennement acquises. Avec une nette propension à s'intéresser aux colifichets : il suffit d'examiner les vitrines, on vend ici plus d'articles féminins qu'à Melbourne. Et surtout, il semble qu'on soit prêt à les payer plus cher... « Voilà qui devrait t'intéresser, Hannah... »

Autre chose qu'elle remarque : la grande spécialisation de nombreux commerces. Elle qui est accoutumée pour l'essentiel aux échoppes varsoviennes, surtout celles du quartier juif, où tout commerçant vend n'importe quoi et le reste, elle s'étonne de découvrir des boutiques où l'on ne met en vente qu'un seul et unique produit — cette exclusivité étant compensée par des prix plus élevés. Ainsi, elle trouve un magasin où l'on ne vend que des chapeaux de dame, un autre se consacre aux seuls corsets, un troisième n'offre que du tabac pour la pipe mais pas de cigares), un quatrième s'est voué au papier à lettres et rien qu'à cela...

Je n'étais pas encore allée à Londres, Paris ou Vienne, en ce temps-là ; et même à Varsovie, je n'avais guère poussé que des reconnaissances dans les beaux quartiers. J'étais sans expérience. Mais je découvrais pourtant les vertus commerciales du snobisme, et les deux seules façons qu'il y a de réussir dans le négoce : soit en vendant beaucoup et peu cher des choses dont tout le monde a besoin, soit en déterminant avec le plus grand soin sa clientèle et en persuadant à celle-ci d'acheter, hors de prix, des choses dont elle n'a strictement aucun besoin...

Sitôt qu'elle a expressément déclaré aux MacKenna sa ferme intention de travailler, de subvenir à ses propres besoins — et, sous-entendu parfaitement clair : d'obtenir son indépendance, si hospitaliers qu'ils puissent être —, Dougal et Colleen lui ont offert leur aide. Ils peuvent, lui ont-ils dit, lui trouver tous les emplois souhaitables. Dougal est membre d'au moins deux ou trois clubs ; l'un qui rassemble les cadres dirigeants des travaux publics et des chemins de fer australiens ; un autre qui réunit les anciens des Indes ; sans parler d'une amicale des Irlandais, de la congrégation catholique, de la société de cricket (ou de football) dont il s'occupe les fins de semaine. Colleen de son côté peut pareillement mettre en batterie un dispositif constitué notamment d'organisations charitables (les bonnes œuvres étant, avec une sorte de jeu de boules fort farfelu, le hobby principal des dames australiennes)...

... Et puis il y a Rod, l'aîné, qui vient d'entrer dans l'administration, au cabinet du Secrétaire colonial, ses études de droit terminées à l'université de Sydney (la plus ancienne d'Australie : elle est vieille de quarante ans). Rod pourrait sûrement faire quelque chose pour Hannah ; et avant tout lui permettre d'établir son séjour en Australasie sur des bases un peu plus solides que celles du passeport fourni par les Carruthers à Varsovie — faire d'elle une vraie Australienne, en somme.

Avec tant d'appuis et d'opportunités, ce serait honteux si on ne lui obtenait pas très vite quelque fonction de gouvernante, de bibliothécaire, de demoiselle de compagnie, de préceptrice, de secrétaire de n'importe quoi, par exemple du club de boules pour *ladies*...

Difficile de résister à un tel déferlement de bienveillance. Hannah y a résisté, avec une douceur patiente qui est vraiment peu dans son caractère...

Elle fait une à une toutes les boutiques du centre de Sydney. En dresse la liste exhaustive. Raye et élimine de cette liste, trois jours durant, tout ce qui est trop grand, trop démodé et sans avenir selon elle, tout ce qui touche à l'alimentation (elle en a plus qu'assez des fromages !), au commerce de gros, à la quincaillerie, tout ce qui n'est qu'affaire d'homme (et où le fait d'être femme la desservirait), tout ce qui...

... Et voilà que quelque chose commence en effet à poindre, qu'elle n'avait jusque-là que pressenti confusément : si elle ignore encore ce qu'elle va vendre, du moins sait-elle à qui elle le vendra : aux femmes. A ces grandes Australiennes aux pieds de Patagon et à grosses joues rouges, qui la dépassent toutes d'une tête ou peu s'en faut, qui sont venues dans ce pays du bout du monde fait par et pour des hommes, et n'y retrouvent pas les douces facilités de leur Europe natale.

Le troisième jour, à force de barrer des noms, il ne subsiste plus sur sa liste que huit magasins à clientèle féminine. Dont un qui vend pour l'essentiel des ombrelles et qu'elle écarte aussi : réflexion faite, elle ne croit pas énormément en l'avenir des ombrelles, ce n'est sûrement pas ainsi qu'elle réunira les *cent mille* livres sterling qu'elle s'est fixées comme — modeste — objectif... « D'ici, disons deux ans, ne sois quand même pas trop optimiste... Et puis il sera toujours temps de réviser ton objectif à la hausse... »

Un ôté de huit, reste sept. Et bientôt quatre : la chaussure non plus ne l'inspire pas outre mesure. A moins de se lancer en personne dans le dessin des modèles et leur fabrication... « mais outre que tu dessines comme une soupière, comment pourrais-tu rivaliser avec ce qui vient de Londres et de Paris ? »

Parmi les quatre magasins qu'elle retient pour finir (tous consacrés à la mode féminine, à l'image de l'affaire qu'elle a créée rue du Faubourg-de-Cracovie), elle en choisit finalement un, tenu par deux sœurs nées en Australie mais d'ascendance glorieusement galloise : Harriett et Edith. L'une est mariée, l'autre veuve, mais toutes deux sont rabougries comme des raisins de plum-pudding et nanties d'une timidité d'outarde. Deux jours encore sont nécessaires à Hannah pour les convaincre de l'embaucher. Elles font commerce de dentelles, de broderies et de boutons. Tout cela vieillot. Il n'y a pas la plus petite chance de réellement développer un tel négoce, et donc de répéter l'opération qu'elle a déjà conduite à Varsovie avec Dobbe Klotz, quand elle a obtenu une part sur les bénéfices à venir en supplément du chiffre d'affaires ordinaire. Les dix-sept shillings qu'Hannah obtient en salaire hebdomadaire (elle parviendra à vingt un mois plus tard) sont le maximum de ce qu'elle peut attendre de cet emploi. (Et encore, pour décrocher celui-ci, a-t-elle dû faire les plus gros mensonges du monde...)

Elle le sait. C'est pour de tout autres raisons qu'elle a porté son choix sur cette mercerie assez triste, sise au rez-de-chaussée d'une maison à deux étages tournant curieusement le dos à George street, à laquelle on accède principalement par une cour intérieure pavée et fermée (sauf une grosse porte cochère) par des murs de brique. Tout l'ensemble, y compris les édifices latéraux constitués d'un double niveau de grandes salles voûtées, a longtemps servi d'entrepôt pour la laine. Au temps où les conducteurs de chariots venus du *bush* amenaient jusqu'en plein centre-ville leurs énormes fardiers attelés de six ou huit chevaux, à grands cris rauques et dans le claquement des *stockwhips,* ces fouets de six ou sept mètres de long avec lesquels, a raconté à Hannah Rod MacKenna, un homme pouvait à distance crever l'œil d'un adversaire, presque à tout coup.

La date à laquelle Hannah arrache l'accord des sœurs Williams est celle du 16 septembre 1892. Il y a deux mois qu'elle est en Australie. Cent trente jours à peu près se sont écoulés depuis qu'elle a quitté Dantzig et la Pologne.

Et, plus de doute, l'idée est là, flamboyante. De quoi très largement faire fortune.

« C'est comme si c'était fait, Hannah. »

10

LA MAISON DE BOTANY BAY

— J'oubliais, dit Hannah, j'ai dû raconter aux sœurs Williams que j'étais un tout petit peu galloise, par ma mère...

— Et vous voudriez que je n'aille pas vous contredire...

— C'est un petit mensonge qui ne fait de mal à personne. Elles ne m'auraient sans doute pas engagée, sans cela.

— Et comment avez-vous expliqué qu'avec une mère galloise, vous ne sachiez pas encore tout à fait bien l'anglais?

— J'ai été élevée en France.

— Je vois. Par qui?

— Une gouvernante russe qui vivait à Florence — les sœurs Williams adorent l'Italie bien qu'elles n'y soient jamais allées — et m'a recueillie après que mon père, un comte français, nous ait abandonnées, ma mère et moi. Et ma pauvre maman est morte de faim à Paris. Les sœurs Williams adorent Paris, aussi. Elle n'y sont jamais allées non plus, puisqu'elles n'ont jamais quitté l'Australie.

— Tout cela est fort clair, remarque Colleen.

— N'est-ce pas?

Hannah est en train de ranger ses effets dans le sac en tapisserie. Colleen MacKenna est derrière elle, pas loin du chambranle de la porte, dans la chambre de Lizzie. Laquelle est à l'école. Silence. Colleen tousse à nouveau, prise d'une petite quinte sèche.

— Vous devriez soigner cette toux.

En dernier, Hannah dispose dans le sac la robe aux trente-neuf boutons. Mais cette tentative qu'elle vient de faire pour changer de conversation se révèle vaine. Colleen demande :

— Et quoi d'autre?

— Quels autres de mes mensonges vous aurez à couvrir? Presque aucun.

— Presque...

— Je leur ai dit que vous répondriez de moi. Pour cette raison que... (Hannah tient toujours dans ses bras la robe noire et rouge

179

andrinople qu'elle a très soigneusement pliée ; elle sourit à la fenêtre, puisqu'elle tourne le dos à l'Irlandaise)... que vous êtes ma tante.

— Oh Seigneur, s'exclama Colleen.

Hannah pose enfin la robe, pivote et dit très doucement :

— Ce n'était pas un mensonge, ça. C'était un souhait. Et encore... Le regard vert sur elle : Oui ?

— J'aurais bien aimé dire que vous étiez ma mère. Et surtout j'aurais aimé que ce soit vrai.

... Et dans le silence qui suit elle pense : « Voilà ce qu'il y a de terrible chez toi, Hannah : tu crois vraiment ce que tu viens de dire, tu aurais vraiment envie d'une mère comme elle... Mais, en même temps, tu sais très bien quel effet ça va lui faire, combien tu vas l'émouvoir. Au point qu'elle va accepter de couvrir tes mensonges... A vrai dire, tu l'as prévu. Tout en étant sincère, tu calcules. Tu te sers de ta sincérité comme d'une arme... et tu recommences à manipuler les gens, alors que ça t'a coûté si cher à Varsovie... »

— Une tante éloignée, bien sûr, dit-elle. Et seulement par alliance. Puisque vous êtes irlandaise et que ma pauvre maman était galloise.

Ce matin-là, quand cette discussion prend place, il y a douze jours qu'Hannah est arrivée chez les MacKenna. Elles ont, Colleen et elle, parlé d'innombrables heures. Les quatre premiers jours surtout, lorsqu'elles se trouvaient seules, Hannah alitée, dans la maison de Glenmore road, Lizzie étant à l'école et les hommes absents. Il n'en a pas fallu davantage pour bien connaître Colleen, en prendre la mesure — « quelle vilaine et cynique façon de dire les choses, Hannah ! » —, deviner quelle sorte d'amour machinal et résigné elle porte à son mari Dougal, et à ses fils géants (sauf Quentin dont elle n'a pas encore dit un seul mot). Pour deviner aussi qu'elle est très seule, et à un âge où l'on n'a plus grand-chose à espérer, sinon refaire chaque jour les mêmes gestes, le même porridge le matin et le ragoût irlandais une fois par semaine, entre d'énormes piles de caleçons à laver...

Elle fixe Colleen et, comme elle s'y attendait, aperçoit des larmes dans ses yeux :

— Ce n'est pas un vrai départ, Colleen. Je reste à Sydney, après tout.

... Et tout de même, un peu d'émotion lui vient, à elle aussi. Elle marche vers l'Irlandaise, se hisse sur la pointe des pieds, l'embrasse, se plaque contre elle. Découvrant du même coup qu'aussi loin qu'elle se souvienne, elle n'a jamais eu un tel mouvement de tendresse — surtout sincère ! — à l'égard de qui que ce soit. Jamais. Même pas avec Shiffrah, sa vraie mère.

Elle expédie la lettre le lendemain, 18 septembre. En guise d'adresse, elle se contente de : *Mr Lothar Hutwill — Gundagaï — Nouvelle-Galles du Sud.* De toute façon, elle ignore le nom de la

180

propriété sur les bords de la rivière Murrumbidgee, et puis cela devrait suffire : on ne doit connaître que les Hutwill, là-bas...

Se trouver un logement lui prend une semaine entière. Non qu'il soit si difficile de se loger à Sydney. Mais elle a, comme en toutes choses, une idée fort précise de ce qu'elle recherche. En aucun cas une chambre dans une famille, ou dans une *boarding-house* comme à Melbourne. Elle tient à être totalement libre de ses mouvements. Et elle ne veut pas davantage renouveler son autre erreur de Varsovie, où elle devait chaque jour s'épuiser à des allées et venues entre la rue Goyna, l'Arsenal et la rue du Faubourg-de-Cracovie. La chance la favorise (si on peut dire car elle a quand même, dix heures d'affilée et six jours de rang, frappé à plus d'une centaine de portes) : deux petites pièces à un premier étage, qui ont l'avantage d'être desservies par une entrée particulière, tout en haut d'un escalier de bois. Le bâtiment qui les englobe a été construit au moment de la ruée vers l'or dans les années cinquante ; son rez-de-chaussée, très vaste, est occupé par les magasins et les bureaux d'une société d'exportation et d'importation.

... Dont le directeur-propriétaire est un certain Ogilvie, qui a lui-même vécu des années dans les deux pièces qu'il loue à Hannah avant d'aller s'installer, enrichi et marié, dans l'élégant quartier de Woolahra. Au premier abord, Ogilvie a refusé tout net. Il ne pouvait être question de louer à qui que ce soit un appartement dont il se sert lui-même encore, de temps à autre, et ensuite de le louer à une jeune fille seule. Serait-elle apparentée aux MacKenna. Mais elle l'a bien senti faiblir un peu, lorsqu'elle a avancé cette première référence. Il a faibli plus encore quand, jouant l'indignation à merveille, elle lui a déclaré qu'il devrait éprouver de la honte, d'avoir des idées pareilles, de penser une seule seconde qu'elle envisage de s'installer chez lui pour y faire commerce de ses charmes, que jamais de sa vie elle n'a été aussi humiliée... elle en pleurerait, d'ailleurs elle en pleure, elle est au bord de l'évanouissement, elle défaille...

Il a carrément craqué quand, simulant la colère après l'indignation et faisant flamboyer ses yeux gris, elle lui a demandé — et puis non elle ne se posait même plus la question, elle voyait clair dans son jeu ignoble — s'il n'était pas en train de lui faire des propositions malhonnêtes ; lui, un homme marié apparemment si respectacle à en croire la rumeur publique, pour qui la prenait-il ? et est-ce qu'il n'essayait pas de dévoyer une pure jeune fille sans défense, qui ne serait pas étonnée, après toutes les ignominies qu'elle venait d'entendre, s'il se jetait sur elle lubriquement, pour lui faire subir les derniers outrages et d'ailleurs quel était le montant du loyer ?

Douze shillings par semaine ?

Elle a ricané. C'était bien là un prix digne d'un satyre potentiel, joignant l'avarice usurière à la lubricité !

Elle lui en a proposé huit. Et une sorte d'échéancier : huit shillings pour les six premières semaines, dix pour les six suivantes, quinze à partir de la treizième...

— Faites le compte, monsieur Ogilvie : en six mois, de cette façon, vous percevrez trois cent dix-huit shillings, soit quinze livres et dix-huit shillings. Au lieu de trois cent douze. Vous gagnez six shillings dans l'affaire, vous n'avez vraiment pas à vous plaindre. Non, non, ne me remerciez pas, surtout, *business is business*. Bien entendu, en échange de ce bénéfice supplémentaire que je vous fais faire, il est normal que je réclame un petit avantage : je ne vous réglerai pas la première semaine d'avance ; comment le pourrais-je ? je viens à peine de commencer à travailler et n'ai pas encore reçu mon premier salaire. Allons, c'est dit : je vous paierai à terme échu, merci de votre compréhension, nous sommes faits pour nous entendre, la chose est claire. Et je suis prête à m'engager à rester chez vous pendant au moins six mois, il suffira de le préciser dans le bail. C'est bien comme cela qu'on dit en anglais, n'est-ce pas ? Un bail ? Il me semblait bien...

Cela fait trois ou quatre minutes qu'Ogilvie n'a pas réussi à placer un mot. Il ouvre la bouche comme un poisson pêché de la veille.

— Autre chose, dit Hannah. Quand j'ai traversé vos entrepôts, tout à l'heure, j'ai remarqué que vous faisiez pas mal de commerce avec la France et l'Allemagne. Vous parlez français et allemand ? Je suis sûre que non. Faites oui ou non de la tête, ça suffira. Non ? Vous voyez bien. Et il y a quelqu'un chez vous qui sache l'allemand ou le français ? Non plus ? Moi si : je connais ces deux langues, je peux les parler et les écrire. Vous aurez sûrement des lettres à écrire, ne cherchez plus, je m'en charge. Dix pennies la lettre. Pas plus, en raison de l'amitié qui nous lie déjà. Non ? C'est trop cher, dix pennies ? Disons huit et n'en parlons plus. Je sais aussi le russe, soit dit en passant. Et le polonais. A propos, pourriez-vous laisser dans la chambre le lit qui s'y trouve déjà, ainsi que la table, la chaise et l'armoire ? Je n'ai pas de meubles, pour l'instant. Et puis cela vous évitera des frais de déménagement...

« Allons, souriez-moi, monsieur Ogilvie, vous venez de trouver la meilleure locataire dont vous puissiez rêver...

C'était le bon temps, Lizzie, je m'amusais comme une folle. Nous étions à la fin du dix-neuvième siècle, sous la reine Victoria. Les hommes de ce temps-là — je ne suis pas si sûre qu'ils aient tellement changé en soixante et quelques années, soit dit en passant — étaient sidérés et même affolés en découvrant qu'une femme pouvait savoir compter aussi bien qu'eux, parfois même mieux et plus vite. Plus ils avaient d'argent, plus ils étaient haut placés dans l'échelle sociale et plus c'était facile... Ils ne connaissaient que deux sortes de femmes : leurs épouses, dont ils trouvaient normal et souhaitable qu'elles soient ignorantes en matière d'argent et disposées à s'évanouir à la moindre occasion... et les prostituées, avec lesquelles ils allaient fumer le cigare, ou plus... Entre les deux, rien. Les Anglo-Saxons

182

surtout. Ceux-là, c'étaient la crème. On pouvait les retourner comme des crêpes. Il y avait deux types : les pionniers, d'Australie ou d'Amérique, qui avaient terriblement manqué de femmes — est-ce que tu sais que dans ton Australie natale, dans les débuts, ils pratiquaient la polyandrie, se partageant la même femme à cinq ou six ? Ne ris pas bêtement, c'est la vérité pure —; et le type British empire, tout droit sorti de son collège et ne connaissant, comme « femelles », comme ils disent, que sa mère ou ses sœurs, quand il en avait. Les Anglo-Saxons de cette époque n'arrivaient pas à se remettre du fait qu'ils avaient forcément été conçus dans un lit, avec une femme. En plus, ils se mariaient souvent tard, avec des jeunes filles particulièrement vierges. Tiens, ce pauvre Ogilvie par exemple — tu l'as connu mais tu ne peux pas t'en souvenir, tu étais trop jeune —, il avait travaillé comme un damné pour faire fortune et seulement une fois sa situation assise, à quarante-cinq ans, il avait fait venir dans ses Highlands natales une pucelle calédonienne. A qui je suis certaine qu'il devait faire respectueusement l'amour, sans seulement lui ôter sa chemise. Il n'a jamais dû lui voir le nombril. Alors forcément, quand ce pauvre diable est tombé sur moi, je l'ai renversé, rien qu'avec ma langue pointue...

Les magasins Ogilvie sont à moins d'une minute, à pied, de la mercerie. Quand elle prend possession de son appartement, avec tout l'orgueil de celle qui est chez elle pour la première fois de sa vie, Hannah a trois shillings et quatre pennies en poche. De la livre qu'elle possédait à son arrivée à Sydney, elle a dilapidé l'essentiel pour s'acheter une robe d'apprentie mercière et des chaussures neuves (outre deux pennies consacrés au timbrage de sa lettre à Lothar Hutwill). Colleen lui a offert de lui prêter un peu d'argent. Elle a refusé. Elle a déjà, aura toujours, sauf circonstances exceptionnelles, horreur des emprunts. A raison d'un repas par jour (il y a en ce temps-là des restaurants où l'on peut manger pour un demi-shilling, c'est-à-dire six pence), elle tient une semaine.

Dans l'attente de son premier salaire.

Son travail à la mercerie, ainsi qu'elle l'a calculé, ne la tient guère que dix heures par jour, cinq jours et demi par semaine. Elle découvre les vertus naissantes de la semaine anglaise. Par comparaison avec les horaires exigés par la Meule de Foin à Varsovie, le changement est spectaculaire. Et lui laisse tout le temps libre dont elle souhaitait disposer.

Pour travailler vraiment.

Le jour même où elle poste sa lettre à Lothar Hutwill, elle se rend à l'université de Sydney. On l'y regarde comme si elle était tout à fait folle, lui expliquant qu'on ne peut en aucun cas la recevoir comme étudiante, faute du moindre diplôme préalable. Elle se renseigne et va ensuite à la *National Model and Training School* dans Spring street.

— Je voudrais suivre des cours d'anglais commercial, de médecine, de botanique, de pharmacie et de comptabilité.

Le secrétaire est chauve, porte lorgnon, faux-col et manches de lustrine ; il ressemble à un vieil aigle déplumé, revenu de tout, complètement désabusé. Son flegme est celui d'un dolmen. Il demande :

— Rien d'autre, vous êtes sûre ?

— Pour l'instant, non, répond Hannah. Je reviendrai vous voir, si besoin est. Et je n'ai pas d'argent. J'espère que les cours sont gratuits.

Ils le sont depuis l'*Education Act* passé quinze ans auparavant :

— A quinze ans près, vous veniez trop tôt.

Une presque imperceptible lueur d'humour dans les prunelles du vieil aigle déplumé. « Je suis en train de me faire un ami », pense Hannah dans la seconde.

— J'ai également un autre petit problème, dit-elle. Je ne suis pas libre dans la journée. Est-ce qu'il existe des cours du soir ?

— Il en existe. Pour apprendre à lire et à écrire, et aussi pour enseigner l'anglais aux misérables qui l'ignorent.

— Je sais déjà lire et écrire — soit dit en passant, vous ressemblez beaucoup au personnage de Dickens dans *Monsieur Pickwick,* Alfred Jingle. Et quant à l'anglais, il me semble bien que nous parlons anglais, en ce moment même.

— Très juste, dit le secrétaire. Par-dessus ses lorgnons, il examine Hannah comme s'il la soupçonnait d'un vol : Auriez-vous lu Charles Dickens, mademoiselle ?

— Je n'ai fait que cela toute ma vie. Je le vénère. Il ne se passe pas de mois sans que je relise l'un ou l'autre de ses ouvrages également admirables. C'est en fait dans ce maître que j'ai appris le peu d'anglais que je sais.

Et elle pense : « Je parierais mon troisième jupon de dentelle, celui qui est reprisé, que ce bonhomme tient Dickens pour le plus grand écrivain du monde. Pourquoi ne pas lui faire plaisir ? » En réalité, elle a bel et bien lu Dickens, presque en entier. La bibliothèque du *China,* à bord duquel elle est arrivée en Australie, ne contenait guère autre chose.

— C'est votre père spirituel, en quelque sorte ? dit enfin le secrétaire.

— Le mot est faible, dit Hannah.

— Qui est Barkis ?

— Le voiturier dans *David Copperfield.*

— Et miss Squeers ?

— La fille de Watford Squeers, maître de pension du Yorkshire, dans *Nicolas Nickleby.*

— Incroyable ! dit le secrétaire.

— Je ne vous le fais pas dire, riposte Hannah.

L'homme se dresse, avec des allures d'échelle pliante en train de se déployer. Hannah s'attend presque à l'entendre grincer. Il referme l'imposte grillagée de son guichet, ôte ses manchettes de lustrine, ouvre la porte de son bureau :

— Entrez et veuillez vous asseoir, je vous prie. Vous vous souvenez certainement du nom des trois amis de monsieur Pickwick... La question est vraiment élémentaire...

— Tracy Tupman, Auguste Snodgrass et Nathanaël Winkle. J'adore Sam Weller, aussi.

— Incroyable ! répète le secrétaire. Qui ajoute, visiblement rongé par le regret : Il n'existe aucun cours du soir pour la médecine, la pharmacie, la chimie ni la botanique. En revanche, pour la comptabilité, je pourrai vous trouver quelqu'un...

— Je peux enseigner moi-même, en échange, l'allemand, le français, le polonais et le russe. Plus le yiddish et l'hébreu, si ça lui chante.

— Incroyable... En matière de botanique, il y a bien M. James Barnaby Soames, on dit qu'il a le plus bel herbier d'Australasie. Il a fait partie de ses études ici, avant d'aller à Londres. Il m'honore de son amitié et accepterait peut-être de vous recevoir une fois par semaine, le soir vers six heures...

— Je suis une vraie jeune fille, remarque Hannah avec énormément de suavité.

— Je mourrais plutôt que d'en douter une seconde, affirme le secrétaire.

Du coup, il révèle qu'il se nomme Ezekiel Rudge — « comme l'un des personnages du Maître, n'est-ce pas une extraordinaire coïncidence ? ». Hannah confirme qu'elle en est elle-même proprement bouleversée. Rudge se met alors à chuchoter et assène la nouvelle : au cours d'un voyage qu'il a effectué en Angleterre en 1868, il a eu l'incommensurable honneur d'assister à une lecture publique donnée par l'écrivain.

— Je l'ai vu comme je vous vois.

— Incroyable, dit Hannah.

— En tout cas, M. James Soames est un gentleman, âgé de plus de soixante-dix ans. Vous pouvez vous fier à lui comme à moi-même.

Nouvel éclair d'humour au travers des verres :

— Pas de commentaire ?

— Aucun, dit Hannah souriante.

— Pour la médecine, j'y réfléchirai, je vous trouverai quelqu'un là aussi. C'est la chimie qui me préoccupe...

Il pointe en direction d'Hannah un index d'une longueur angoissante :

— Le titre du roman qu'il était en train d'écrire au moment de sa mort ?

— Je n'en ai pas la moindre idée, le désespoir m'étreint.

— *Le mystère d'Edwin Drood !*

Ezekiel Rudge est triomphant. Mais pas dupe, ni de lui-même, ni de la comédie qu'ils se sont tous les deux jouée. D'ailleurs, il rajuste ses lorgnons, scrute son interlocutrice, demande s'il peut se hasarder à poser une question indiscrète. Oui, répond Hannah. Il l'interroge sur les raisons qui la conduisent, si jeune, à s'intéresser à tant de sciences différentes en même temps.

Elle le lui dit. Dans le plus grand détail. Elle lui explique comment elle va gagner cent mille livres au moins en deux ans.

Silence.

— Incroyable, dit Ezekiel Rudge. Absolument incroyable.

James Barnaby Soames est un vieux petit gentleman tout rose qui, dans sa villa de Pott's Point, a en effet réuni une merveilleuse collection de plantes. Pas seulement sous verre : les deux hectares de sa propriété sont un jardin de rêve. Et cet inoffensif et doux bonhomme replet aux yeux de myope a, dit-il, parcouru mille lieues à travers l'Australie. Il est allé au nord, jusqu'au détroit de Torrès, il a vu la mer de Corail, le golfe de Carpentarie aussi bien que la Grande Barrière ; il a navigué au sud jusqu'en Tasmanie, a poussé à la frontière du terrifiant désert de Simpson, connaît bien sûr Brisbane, Melbourne, Adelaïde et Perth, a parcouru à pied, avec seulement deux pisteurs aborigènes — « qui ne sont pas plus anthropophages que vous ou moi, à moins que vous ne soyez vous-même cannibale » — la Cordillère australienne et ses Montagnes Bleues.

Lui et Hannah vont se voir trois ou quatre fois par mois, tout le temps qu'elle sera en Australie. Il l'initiera à tout son savoir botanique. Qui n'est pas mince, mais insuffisant, de son point de vue à elle.

Le médecin qui lui est trouvé par Rudge est d'origine allemande et d'immigration récente, comme beaucoup d'Australiens de cette époque. Il a fait ses études à Vienne et ce qu'il lui apprendra de médecine se mêlera à toutes les informations qu'il lui communique sur une ville qu'elle jure bien connaître depuis qu'elle est en Australie. Faute de pouvoir répondre à toutes les questions qu'elle lui pose, il lui conseille, « quand elle se rendra elle-même en Europe », d'y rencontrer le Français Berthelot...

— Et si je lui écrivais ?

— Je doute qu'il vous réponde. Mais peut-être vous conseillera-t-il quelques livres...

Hannah écrit la lettre, faisant en effet mention de livres à lire dans le domaine précis qui l'intéresse et, pour assurer sa syntaxe, recopie allègrement des corps de phrase entiers, ou des locutions, empruntés à ses chères *Liaisons dangereuses*.

Pas de chimiste, a prévu Ezekiel Rudge. Mais un pharmacien, oui, annonce-t-il dix jours après leur rencontre de Spring street. L'apothicaire est allemand aussi, de Bavière, et tout à fait authentique avec son visage rouge, ses favoris, sa bedaine régulièrement approvisionnée en bière. Sitôt qu'il a acquis la certitude que : un, elle ne dormira pas avec lui quoi qu'il fasse ; deux, elle n'a pas l'intention d'aller livrer ses secrets de fabrication à quiconque ; trois, elle n'ira pas sur ses brisées en confectionnant les mêmes remèdes et liniments que lui..., il l'initie à tout ce qu'il a lui-même appris des médicaments galéniques — à base de végétaux — et lui montre comment on se sert d'un mortier, d'un pilon, d'une fiole, d'un pilulier, de spatules et de cornues ; il lui apprend le nom des huiles, lui enseigne leur confection, s'étonne de tout ce qu'elle sait déjà, en matière de baumes et d'onguents... Et c'est lui aussi, entre deux potées de saucisses aux choux, qui commence de lui indiquer quelques correspondances utiles entre la flore d'Europe et celle d'Australie.

La comptabilité enfin n'a posé nul problème. Le propre frère d'Ezekiel, son jumeau, se trouve être comptable à la Peninsular and Oriental Line, la P & O. Il se prénomme Benjamin...

— Ce qui en hébreu signifie : Fils de la main droite, c'est-à-dire de la chance, explique Hannah. Alors qu'Ezekiel signifie : Que le Seigneur renforcera.

Célibataires tous les deux, les vieux garçons l'ont invitée à dîner chez eux, dans une maison de bois datant des premiers âges de la colonie, au cœur du quartier de Petersham. Une maison dont chaque pièce est un musée, empli des livres en éditions multiples, voire de quelques manuscrits, de Charles Dickens pour qui les frères Rudge nourrissent une même vénération.

On est à la mi-octobre ce soir-là, les jours commencent à allonger avec le printemps austral qui vient. Vers huit heures, huit heures trente, Ezekiel et Benjamin, avec leur visage similaire de vautour lugubre, l'ont raccompagnée jusque chez elle à bord du cab retenu à cette fin. Ils la remercient une fois encore de sa visite, avec une identique timidité. Elle gravit aux trois quarts l'escalier, se retourne pour leur dire au revoir.

C'est en suivant des yeux leur voiture qui s'éloigne dans la nuit tombée, sur fond de clop-clop du cheval, qu'elle *le* voit.

Micah Gunn, avec ses cheveux rouges. Jusque-là dans l'ombre, il entre en s'avançant de deux pas dans le halo rétréci par le brouillard léger d'un réverbère à gaz, de l'autre côté de la chaussée. Il lève le bras et lui montre la lettre qu'il tient.

Elle hésite.

— Pas de problème, dit-il. Je ne vous approche pas, miss. *Ain't gonna to hurt you,* je ne vous ferai aucun mal...

Constatant qu'elle reste immobile, il traverse la rue, vient jusqu'au pied de l'escalier, dépose la lettre sur la deuxième marche et repart à huit ou dix mètres de là. Et bien entendu, elle redescend, déplie le papier. Lit. Relève les yeux et du regard interroge Gunn. En guise de réponse il s'éloigne, disparaissant un instant du champ de vision d'Hannah. Elle perçoit le pas de chevaux. Du brouillard, sans autre bruit, quasi fantomatique, émerge une luxueuse barouche à deux chevaux et capote de cuir noir.

La voiture vient se garer à peu près exactement au pied de l'escalier. Elle est menée par Micah Gunn qui en est l'unique cocher. De l'homme assis à l'arrière, Hannah voit d'abord et seulement les mains — longues et belles, et très calmement posées l'une sur les genoux et l'autre sur le rebord de la portière. Le reste du corps est dans l'ombre.

Une bonne demi-minute, Hannah ne bouge pas, incertaine. Elle se décide enfin.

— Vingt-sept livres et sept shillings pour le voyage en train, en première classe, de Melbourne à Wodonga. Eloïse et moi, ou plus exactement, dans l'ordre, moi et Eloïse, avons décidé de ne pas mettre à votre charge la partie du voyage entre Wodonga et Gundagaï, puisque vous avez utilisé une berline privée, qui aurait de toute façon effectué le parcours sans vous. En revanche, s'agissant des cinq livres versées en avance sur vos gages et des frais engendrés par votre présence au côté de ma femme, il nous a paru normal de vous compter cinq livres et dix-huit shillings.

— Trente-trois livres cinq shillings...

— Vous comptez toujours aussi vite. Restait le dédommagement, qu'il soit moral ou qu'il tienne au fait que Mme Hutwill s'est par votre faute retrouvée sans femme de chambre, privée de toute assistance, en plein bush, loin de toute civilisation...

— ... Et son mari sans personne du sexe à trousser pour assouvir ses instincts.

— Le pauvre homme.

— Dix livres? propose Hannah.

— En dommages et intérêts? Cent sont un minimum. Songez qu'Eloïse voulait déposer une plainte et lancer à vos trousses toutes les polices d'Australie. Pendant deux ou trois semaines après votre fuite, elle était fermement convaincue que vous lui aviez volé des bijoux, plus de l'argent liquide. Elle a même dressé une liste de ce que vous lui avez pris. Sa parole contre la vôtre. Vous vous retrouviez les chaînes aux pieds.

La barouche, au trot de ses deux beaux chevaux, progresse rapidement en direction du sud, sur une route qui longe par endroits le Pacifique. « Ne prends même pas la peine de protester, Hannah. Il est tout simplement en train de s'amuser à tes frais. A moins qu'il ne te menace... »

— Toutefois, reprend Lothar, Mme Hutwill a été tout à fait furieuse en apprenant que, sitôt arrivée à Sydney, vous vous étiez embarquée pour la Nouvelle-Calédonie où sont ces diables de Français, et de là pour la Chine, échappant ainsi à sa vengeance.

— Je suis donc en Chine, en ce moment.

— Allez savoir. Vous voyagez comme l'éclair. Vous êtes peut-être déjà chez les Russes ou aux pieds d'un maharadjah de l'Inde. Puis-je vous appeler Hannah ?

Le pouls d'Hannah s'accélère un peu plus :

— Oui.

— Hannah, ne vous y trompez pas. Elle, je veux dire Eloïse, pratique assidûment la haine, et sa vengeance est tenace. J'ai vraiment dû faire effectuer l'enquête sur vous qu'elle exigeait. J'ai pu en atténuer les effets, surtout ici à Sydney, mieux qu'à Melbourne ; mais sans les réduire tout à fait. Elle a par exemple appris que vous étiez juive, et elle déteste les Juifs.

— Mais pas vous.

Le sourire se dessine lentement, gagne les yeux :

— Je fais moi aussi partie des minorités opprimées, dans la catégorie des princes consorts. C'est Eloïse qui tient l'argent, tout l'argent. Notre contrat de mariage était fort clair sur ce point. Vous avez été extrêmement ingénieuse en m'écrivant cette lettre sur du papier à en-tête des chemins de fer de la Nouvelle-Galles du Sud, et en la signant D. MacKenna. Sans cette précaution, j'aurais eu un peu de mal à expliquer pourquoi vous m'écriviez, et pourquoi vous vous trouviez toujours à Sydney, contrairement au rapport que le détective a fait sur vous.

— Vous avez payé cet homme pour qu'il mente et prétende que je me trouvais en Chine ou chez le roi de Siam ?

— La solidarité masculine a également joué.

Le regard d'Hannah s'élève jusqu'à Micah Gunn, qui les domine et leur tourne le dos de son siège de cocher, en apparence parfaitement sourd à la conversation qui se déroule derrière lui. Depuis deux ou trois minutes, il s'est mis à pleuvoir, d'une pluie fine et tiède de printemps. Hannah demande, indiquant l'homme aux cheveux rouges :

— Vous lui aviez ordonné de me suivre ?

— Oui. Micah fait tout ce que je lui demande.

— Absolument tout ?

— Absolument.

— Vous saviez que j'allais m'enfuir de Gundagaï ?

— Je ne le savais pas. Mais vous étiez tout sauf une vraie femme de chambre. Même en Australie, une femme de chambre ne compte pas comme vous, aucune n'est à ce point passionnée par les revenus exacts d'une mine, d'une exploitation agricole, par le montant des droits de douane de la colonie de Victoria, par les implantations bancaires, les conditions de crédit proposées par les banques, les possibilités comparées de développement de Melbourne et Sydney. A vrai dire, je n'ai jamais rencontré une femme capable de comprendre un traître mot de toutes ces choses, qui sont le domaine des hommes. Tout aussi franchement, j'ai connu peu d'hommes aussi avides d'informations en ces domaines, aussi aptes à les enregistrer à une telle vitesse et avec autant de clarté. Et ceux que j'ai connus ne mesuraient pas cinq pieds au plus, ils ne pesaient pas quatre-vingt-dix livres à peine, ils n'avaient pas une robe moulante enveloppant le plus beau corps que l'on puisse imaginer, et surtout pas des yeux gris immenses dont le souvenir vous hante des semaines et des mois après qu'on ait croisé leur regard...

Silence. Et la petite mécanique dans la tête d'Hannah enregistre : « Ceci est le premier vrai compliment qu'un homme t'ait jamais fait. Ce n'est pas désagréable du tout. Dans la mesure où le compliment est sincère — il doit l'être puisqu'il n'a pas été jusqu'à dire que tu étais jolie. Dans la mesure aussi où il n'a pas simplement pour but de t'amener dans un lit, toute nue, pour t'y labourer comme un champ de patates. »

... Mais l'autre Hannah, bien plus instinctive, a le souffle court, d'un coup ; le corsage de sa robe serre soudain ses seins, devenus presque douloureux.

La barouche ralentit.

— A notre arrivée à Gundagaï, avant de partir moi-même pour Adelong, j'ai donné ordre à Micah de s'assurer que vous n'en aviez pas après les bijoux d'Eloïse, que vous n'étiez pas l'éclaireur d'une bande de *larrikins*. Dans le cas où vous vous enfuiriez de la propriété, à condition que vous n'emportiez rien, il devait vous suivre et ne rien faire d'autre, ne pas intervenir.

— Je n'ai rien emporté.

— Sauf le cheval. Micah a failli mourir de rire, à vous regarder le seller et grimper dessus.

— C'est malin.

— Il ne pouvait tout de même pas vous aider, en plus. Il vous a suivie jusque chez les MacKenna dans Glenmore road. Vous les connaissiez donc ?

Elle explique l'affaire du cousin Schloimele « Sam » Visoker.

— Tout s'éclaire, dit Lothar.

La barouche s'arrête.

— Hannah, dit Lothar. Je n'ai pas voulu courir le risque d'aller vous attendre chez vous, dans cet appartement que vous avez loué — à de bien curieuses conditions —, à Tom Ogilvie, qui est de mes relations d'affaires. Je n'ai pas davantage voulu vous prier à un rendez-vous dans un hôtel, où l'on nous aurait vus ensemble. Eloïse admet mes incartades avec ses femmes de chambre ; elle les encourage, d'une certaine façon, vous l'avez compris, dès lors qu'elle choisit mes maîtresses. Du moins sait-elle avec qui je la trompe, et je suppose qu'elle ne s'en sent pas atteinte, puisqu'il ne s'agit que de domestiques.

Elle réussit à stopper les mots à la seconde où ils allaient franchir ses lèvres. Elle a failli dire : « Ce qui n'est pas mon cas. » Mais elle voit bien où une telle conversation finirait par conduire, « et tu ne sais pas encore jusqu'où tu veux aller cette nuit »...

— Officiellement, c'est-à-dire aux yeux si soupçonneux d'Eloïse, je suis à Sydney pour affaires, bien que nous soyons un samedi. J'y suis arrivé ce matin, j'ai eu deux entretiens parfaitement professionnels. Ce soir, à mon club de George street, j'ai dîné avec le propriétaire d'un schooner — vous ne le savez peut-être pas, c'est un bateau à voiles. Celui-ci est de toute beauté, il a été construit aux Etats-Unis, j'y pense depuis que je l'ai vu il y a des mois, doubler voiles au vent les deux phares de Queenscliff à Melbourne. C'est le plus merveilleux navire dont on puisse rêver, même quand on est Suisse, et j'en rêve... Eloïse a fini par me dire oui, à la façon dont un homme accède au désir de sa femme pour des fourrures ou des diamants ; elle m'a autorisé à l'acheter. Ce soir, l'affaire s'est faite. Demain, je partirai pour Brisbane où le schooner est ancré...

Hannah le considère non sans surprise. Si elle le connaît peu encore, elle n'a jamais vu Lothar Hutwill qu'enveloppé dans une courtoise et calme ironie. Parlant de ce bateau, sa voix a changé, son regard aussi, dans lequel est apparue comme la marque de l'enfance.

— *Les hommes sont si surprenants parfois, Lizzie. Nous apprécions leurs qualités mais les aimons le plus souvent pour leurs défauts. Ou leurs faiblesses. Et cette faiblesse qu'il me démontre cette nuit d'octobre, en me révélant ses mensonges à sa femme, alors que je le croyais si sûr de lui, me touche plus encore que toute la force que je lui prêtais...*

Il sourit, rendu à lui-même :

— Je ne vous parle pas de ce bateau par hasard. Eloïse m'a ouvert les crédits nécessaires. J'ai obtenu de mon vendeur un peu moins que le prix convenu. Je ne suppose pas que vous n'attendiez que mes conseils, pour cette entreprise dont il est question dans votre lettre signée D. MacKenna. De combien avez-vous besoin ?

— Mille cinq cents livres, dit Hannah.

La pluie redouble et ses grasses et grosses gouttes claquent sur la capote de cuir. Hannah croise et suit le regard d'Hutwill. A quelques pas de là, dans la pénombre et au travers du rideau de pluie, se dresse la véranda d'une maison blanche. Lothar Hutwill, de sa voix redevenue paisible et douce, un peu moqueuse :

— Cette maison ne m'appartient pas, j'entends qu'elle n'est pas à Eloïse. Elle est à l'un de mes amis de Sydney, que j'ai rencontré ce

191

matin. Il m'avait déjà proposé de me la prêter. Je n'avais jamais accepté, je l'ai fait.

Ses grandes mains bougent enfin, s'allongent, doigts écartés :

— Vous n'êtes nullement obligée d'y entrer, Hannah. Il ne tient qu'à vous de regagner votre appartement. Micah vous raccompagnera et lundi matin, il vous apportera les quinze cents livres en liquide.

— Nous ferons un contrat.

Il rit : — Si vous voulez.

Elle ferme les yeux mais les rouvre aussitôt. Tout en s'en voulant de l'émotion qui la saisit, elle y prend un plaisir irrésistible : « C'est décidément pour cette nuit, Hannah... »

— Nous ferons un contrat, dit-elle. Sous seing privé, si c'est bien ainsi que l'on dit. En sorte que votre femme ignorera notre association.

— Parce que nous allons nous associer ?

Il sourit, plus moqueur que jamais. Il est assis et elle marche de long en large. La maison l'a stupéfiée d'emblée. Elle comporte une véranda comme elle en a déjà vu, par exemple dans le quartier de Saint-Kilda à Melbourne, chez cette jeune femme à qui elle a vendu de ses robes. Mais sitôt la véranda traversée et la vraie porte franchie, Hannah est entrée dans un autre monde. Très déconcertant : tout le rez-de-chaussée consiste en une pièce unique, carrée, qui fait bien quinze mètres sur quinze, basse de plafond et plantée de huit ou dix piliers très fins, graciles, presque invisibles tant ils se fondent dans l'ensemble. Car tout est blanc ou noir, dans cette immensité. Noir, le plancher aux lames laquées... noirs, les dormants des portes et des fenêtres, les poutres, l'escalier qui va à l'étage. Le reste est blanc, uniformément : tous les murs et les meubles, les piliers, le lattis des voliges entre les poutres, la boiserie mobile des fenêtres et le battant des portes, et jusqu'à la fantaisie d'un bow-window dans l'angle gauche, tout au fond.

Jusqu'à cet instant, aux yeux d'Hannah, le luxe, la richesse en matière d'ameublement et de décoration n'ont jamais eu d'autre expression possible que le foisonnement, la luxuriance, la profusion des meubles, des tapis, des tentures, et tout cela croulant sous les passementeries, surajoutées de bouffettes et de pampilles. Un tel dépouillement la sidère, et pour un peu l'inquiéterait. Les seuls (petites) taches de couleurs autres que le noir ou le blanc pointent sur des tableaux qui ne sont pour la plupart qu'esquissés au fusain. Plus rarement, il s'agit de peinture, mais celle-ci bizarre, tourmentée, à croire que leurs auteurs ne savaient pas trop dessiner et ont piqueté un peu au hasard leurs toiles.

— Impressionnisme, a expliqué Lothar Hutwill. J'aurais dû vous prévenir que cette maison appartient à un peintre des plus originaux.

Il a fait le portrait d'Eloïse mais quand elle a découvert le résultat, elle a eu des vapeurs et a refusé de le payer. Vous avez entendu parler de l'école impressionniste ?

Elle a secoué la tête : évidemment non. (Elle a même cru comprendre qu'il parlait d'une école pour de vrai, avec des murs, des pupitres et un tableau noir.)

Et autre chose a avivé le trouble que l'aspect des lieux lui fait ressentir — sans compter qu'elle a déjà assez de mal à se maîtriser, sachant ce qu'elle s'apprête à faire : il n'y a pas de rideaux aux fenêtres.

Dieu sait pourtant qu'elles sont grandes, et nombreuses ! Elles s'alignent sur tout le mur de gauche et sur celui du fond, à se toucher. Elles n'ont ni rideaux ni volets, on voit la pluie tomber au travers des vitres. « Autant dire que, de l'extérieur, en pleine nuit, on doit nous voir comme en plein jour, dans cette pièce si éclairée ! » C'est cette pensée qui l'affole le plus, elle qui n'avait pas besoin de ça...

A leur entrée, elle s'est assise sur son invitation. Il lui a offert du vin, qu'elle a refusé ; elle n'en a jamais bu et le moment lui a paru mal choisi pour faire, en plus, ce genre d'expérience. A refusé de même du thé. Il a ri : « Tant mieux. Je ne sais pas le préparer, de toute façon. » Après quoi, assis (mais pas à côté d'elle, ce qui a déjoué toutes les prévisions qu'elle avait pu faire), il n'a plus bougé du tout, à croire qu'il est en visite, mains allongées à plat sur les genoux, son chapeau, sa canne et ses gants posés à côté de lui. Sans rien tenter et la regardant simplement, très calme. Si bien qu'elle s'est réfugiée dans le seul sujet de conversation qui lui paraisse inoffensif : cet argent qu'il veut bien lui prêter...

Elle le fixe et pendant quelques secondes oublie ses émois de jeune fille à un premier rendez-vous :

— Que voulez-vous dire ? Que vous ne voulez pas d'une association ?

— Je n'y ai même pas pensé. Je vous prête cet argent et vous me le rembourserez quand bon vous semblera.

— Sans papier ?

La lueur de moquerie s'accentue :

— J'ai la plus grande confiance en vous, Hannah.

Il a croisé ses jambes comme font les hommes, en prenant grand soin du pli de son pantalon. A son habitude, il est mis avec une suprême élégance. Visage encore plus hâlé qu'il ne l'était à Gundagaï. Constraste avec les tempes argentées. Beauté des mains. Et il ne fait rien, pense Hannah avec presque de la fureur montante. « Il ne fait rien et il attend. Il m'énerve. Parce qu'il n'a pas, lui, l'inexpérience de Taddeuz. C'est autre chose... » Elle dit :

— Vous ne m'avez même pas posé de questions sur mon projet, cherché à savoir à quoi vont servir les mille cinq cents livres. Toujours parce que vous avez confiance ?

— Je vous pose la question.

— Salons de beauté, dit-elle.

— Pour femmes ?

— Pour des kangourous.

— *Touché*, dit-il en français. A question idiote, réponse idiote. Et cela se passera comment ?

— Je fabrique des crèmes... une crème pour commencer. Qui évite les rides ou les efface.

— Ça a vraiment cet effet ?

— Je n'en sais fichtre rien. Ma mère le prétendait. Elle en confectionnait à pommader toute la Pologne, tout notre shtetl en tout cas...

— Votre quoi ?

— Shtetl. Ça veut dire village, en yiddish. Ma mère disait que sa pommade était très bonne contre le froid, l'hiver, et c'était vrai. On s'en passait un peu sur les lèvres et les joues et on n'avait jamais de gerçures. Et ça sentait bon.

— Il ne fait pas très froid, ici en Australie.

— Mais il y a énormément de poussière, et l'air salé de la mer.

— Madame votre mère est ici ?

— J'en serais très surprise. Mais je connais sa recette. Il faut des plantes et des fruits. Et d'autres petites choses.

Sous ses airs de nonchalance moqueuse, il a l'esprit diablement vif :

— Vous comptez les fabriquer vous-même ?

— Mmmmm.

— En créant une usine ?

— Mmmmmmm.

— Avec quinze cents livres ?

— Je n'ai pas besoin d'une grande usine.

— Déjà tout calculé ?

— Tout.

— Vous allez engager des gens ?

— Oui.

— Et où trouver en Australie des plantes polonaises ?

— Vous connaissez quelqu'un du nom de James Barnaby Soames ?

— De nom. C'est une sorte d'explorateur un peu fou. Et âgé.

— C'est aussi un botaniste. Ce qu'il y a de mieux et de plus gentil à Sydney et en Australie. Je lui ai donné la liste des fleurs, des fruits et des plantes dont j'avais besoin et il a recherché les équivalents australiens. Il en a trouvé. Pas pour tout mais suffisamment. Assez pour que je puisse fabriquer une crème proche de celle de ma mère et qui...

Elle s'interrompt. Lothar Hutwill n'a pas le regard d'un homme qui suit une discussion d'affaires. Il ne l'écoute plus, ou à peine. Elle a mis sa robe rouge andrinople et noir (non, pas celle aux trente-neuf

194

boutons, bien sûr, mais l'autre, celle au petit décolleté carré) en l'honneur des frères Rudge, elle va et vient devant lui, glissant sur le parquet laqué de noir, elle parle encore, pur plaisir de l'attente. Et Lothar Hutwill la suit du regard, intensément. « Ce ne sont pas tes yeux qu'il fixe, Hannah, il n'est pas non plus fasciné par ta conversation — ou s'il l'a été c'est bien fini maintenant. Derrière son masque d'impassibilité, tu sais bien que désormais, ce sont tes seins et tes hanches qu'il veut, ton corps entier qu'il imagine, détaille et déshabille et c'est pour toi une sensation curieuse, nouvelle, forte, comme une fièvre qui monte. Une fièvre brûlante, agréable, et tu es prête à tout pour la faire monter encore... » Pendant tout ce temps, elle s'est réfugiée dans son exposé technique :

— Je n'ai pas seulement étudié la botanique, j'ai également consulté un médecin, et ses livres. J'ai appris quantité de choses sur la peau, la façon dont elle est faite, pourquoi et quand elle est malade et ce qu'il est possible de faire pour qu'elle soit dans le meilleur état possible. Les médecins — celui que j'ai vu en tout cas — n'ont pas tellement de connaissances dans ce domaine qu'ils appellent la dermatologie. Il me faudrait aller en Europe, en France. J'ai pourtant beaucoup appris, déjà. Je me suis également intéressée aux cheveux et aux ongles, et aux dents, aux raisons qui font qu'elles tombent ou qu'elles deviennent jaunes comme celles des chevaux. Et pourquoi certaines personnes ont une haleine à tuer un moustique en plein vol. Je ne sais pas encore tout ce qu'il est possible de savoir... il n'y a qu'un mois que j'ai commencé d'apprendre. J'ai également travaillé avec un apothicaire, qui m'enseigne ce qu'il peut. Ce n'est pas énorme. Et pour la comptabilité, pareil. Deux soirs par semaine. Ensuite, je verrai du côté de la banque, la façon dont ça fonctionne, les services que ça peut rendre et à qui... *et il n'y a pas de rideaux aux fenêtres.*

Elle a dit ce dernier corps de phrase sur le même ton que les précédents, de sa voix claire et nette, au débit un peu crépitant mais toujours contrôlé, qui rend exactement le fonctionnement très sûr et très logique de son cerveau, de cette machine qu'elle a dans la tête. Et il faut à Lothar Hutwill une seconde, peut-être deux, pour réagir. Plutôt satisfaite d'elle-même, elle constate qu'elle a pris par surprise cet homme si sûr de lui.

— Et alors ? dit-il.

Elle le scrute... Son rythme cardiaque s'accélère encore :

— Je suppose, remarque-t-elle calmement, qu'il se trouve derrière toutes ces fenêtres un tas de vos amis de Sydney venus regarder le spectacle ?

— Et j'aurais fait payer les places...

— Ou simplement Micah Gunn.

Silence. Et toujours, chez lui, cette immobilité totale, de plus en plus troublante. « Mais c'est bien cela que tu recherchais, Hannah, non ? Tu le savais en venant et tu le savais tout le temps que tu parlais, tu le savais avant de l'avoir vu, quand il t'a observée, la première fois... Tu attends de lui qu'il t'apprenne l'amour, une matière un peu plus difficile que la comptabilité et la botanique. Alors, de deux choses l'une : ou tu t'en vas tout de suite... ou tu le laisses faire... »

— Est-ce que vous avez envie de moi, Lothar Hutwill ?

— Terriblement. Et vous de moi ?

« De deux choses l'une : ou... » Lothar Hutwill n'a toujours pas bougé. C'est comme le reste, pense Hannah : je connais les réponses avant d'avoir posé les questions, mais c'est si bon de demander, de faire craindre...

— Est-ce que vous faites l'amour aussi bien que Mendel Visoker ? demande-t-elle finalement.

La surprise ne fait même pas ciller Lothar Hutwill, qui tremble légèrement, pourtant.

— Je ne connais pas Mendel Visoker.

— C'est... commence Hannah. Je vais dormir avec vous, dit-elle. Mais sûrement pas à cause des quinze cents livres.

— Je jouerais ma vie sur ce point, Hannah, répond-il très doucement.

Elle le sait. Elle sait aussi que, sous son impassibilité, il est troublé comme elle. Quoiqu'il ait quarante ans et des poussières, malgré son expérience. Et c'est bon de le regarder et de savoir tout ça. Elle demande encore :

— Attendez-vous ainsi avec toutes les femmes ?

Il secoue la tête : — Non. Non, sûrement pas.

— Pourquoi moi ?

Court silence. Il dit, la voix un peu rauque :

— Vous êtes extraordinairement directe.

— Pourquoi moi ?

Un autre silence. Ses mains se crispent un peu plus. Ils sont à trois ou quatre mètres l'un de l'autre, lui toujours assis et elle debout, presque au centre de cette pièce gigantesque, symphonie de noir et de blanc.

— Il y a des chambres au premier étage, dit-il enfin. Une autre femme que vous y serait déjà, nue, et j'y serais près d'elle. Ce qui se passe cette nuit n'est jamais arrivé... Je veux dire que je n'ai jamais pensé à jouer un jeu semblable. Si c'est bien un jeu. Vous êtes très étrange.

— Qu'attendez-vous que je fasse ?

Elle soutient son regard et comprend :

— Que je me déshabille ?

— Seulement si vous le voulez.

— Que je me déshabille devant toutes ces fenêtres sans rideaux ?

Elle n'attend pas de réponse. Il n'y en aura pas. Elle pense :

« Première leçon, Hannah : ce qui se passe avant est agréable. Délicieux. Il ne m'a pas encore touchée et c'est... Ne pas se presser, voilà la première leçon du professeur Hutwill. Et c'est une bonne leçon parce qu'il ne sait pas qu'il la donne... »

Elle a d'abord retiré la longue épingle qui maintenait sa capeline, qu'elle a jetée au loin. C'est un plaisir nouveau, ce désordre. « Moi qui suis si soigneuse... Hannah, je ne te reconnais pas... »

Elle renverse le visage en arrière et écarquille les yeux. « Et tu as un peu peur, juste ce qu'il faut. Il n'y a probablement personne, derrière ces fenêtres, mais c'est bon de penser qu'il *pourrait* y avoir quelqu'un... » Un à un ses doigts se délient, entreprennent de défaire les boutons de son corsage. Lothar Hutwill n'a toujours pas bougé. Dans le regard qu'elle croise, Hannah lit tout ce qu'une femme peut aimer : du désir et du respect, de l'assurance et de l'effroi. « Non seulement tu n'as pas honte, pense-t-elle, mais en plus on dirait que tu sais naturellement tous les gestes qu'il faut faire, tu y prends plaisir et plus encore... Tu es belle, Hannah... »

Elle s'arrête alors qu'elle est déjà parvenue à la taille. Les yeux plongés dans ceux de Lothar Hutwill, elle s'assied de côté pour délacer et enlever ses bottines (ses chaussures varsoviennes commencent à être usées, s'en souvenir ; il va falloir en acheter d'autres, beaucoup d'autres quand elle sera riche ; est-ce bien le moment de penser à ça, idiote ?).

Elle se redresse, bien plus petite à présent qu'elle est nu-pieds. Elle achève de déboutonner sa robe, la fait glisser de ses épaules, et d'un mouvement de hanches, sur le parquet laqué.

Elle enlève un, deux, trois, quatre jupons... Puis la première des chemises « rien ne presse, non, rien ne presse... » et la deuxième enfin. Les seins nus, elle s'immobilise, forcée de sentir que les pointes en sont dressées.

Elle défait le nœud à la taille de son pantalon de dentelle et fait descendre celui-ci.

Restent les bas, qu'elle roule sans hâte, après avoir dégrafé les deux jarretières ornées de roses rouge andrinople.

Elle projette au loin ce qui lui restait de vêtements.

Elle défait enfin ses cheveux, qui lui descendent jusqu'au creux des reins, dans ce sillon si profond.

Elle ne peut pas être plus nue. Elle attend.

Pas longtemps. Elle n'a que le temps de lancer un coup d'œil vers ies fenêtres, dont les vitres sombres sont autant de miroirs. Elle ne l'a pas vu se lever mais Lothar Hutwill est déjà tout près d'elle. Il la prend dans ses bras et monte l'escalier.

« Délicieux, Hannah. Délicieux », pense-t-elle.

Elle crie, elle gémit. Bien sûr, il lui arrive encore de tenir cette promesse qu'elle s'était faite : tout noter, tout analyser, tout apprendre.

Lothar Hutwill a passé le seuil de la chambre avec Hannah dans ses bras. Lentement il l'a posée sur le lit déjà ouvert. Puis il s'est relevé, la laissant seule quelques instants, juste assez longtemps pour qu'elle ait peur, vraiment peur dans cette chambre sombre, femme et petite fille, avec au bord des lèvres des mots tendres lui demandant de venir, de ne pas la laisser seule. Elle n'a rien dit. Il est venu.

Sa bouche s'est promenée tout le long de son corps. Elle sent son souffle encore régulier mais dans lequel, de temps à autre, un soupir plus rauque vient se mêler. Elle-même écoute sa propre respiration, les halètements qui la soulèvent lorsqu'une caresse inattendue des lèvres la surprend. Après la bouche de Lothar, c'est sa poitrine qui doucement vient se presser contre la sienne. Elle se sent... Juste. Exactement à la place nécessaire. Parfaite. La peur s'est envolée.

Dans ses caresses, il a un rythme naturel, lent et qui pourtant ne la laisse jamais au repos ; une chaleur en elle, encore une autre, des vagues qui se succèdent. Soudain, il est en elle et la brûle mais ce n'est pas comme... comme avec... Elle rejette le nom dans sa mémoire et se laisse entraîner, l'accompagnant violemment, le précédant même. « C'est donc cela », se met-elle à penser, c'est donc cela... et tout le temps qu'il est en elle, elle se le répète, jusqu'à ce que les mots deviennent absurdes, jusqu'à ce que son corps et son esprit forment une boule de feu qui éclate, s'éparpille en mille étincelles qui n'en finissent pas de retomber ; à peine se croit-elle calme que sur un mouvement de lui plus profond cela éclate encore, la bouleversant plus que tout ce qu'elle avait imaginé, l'abandonnant aux cris, aux gémissements, à ce bonheur incroyable, qu'elle a attendu si longtemps de découvrir.

Et tandis que lentement la conscience lui revient (« tu es ici, Hannah, dans cette chambre sombre, avec cet homme qui vient de... ») il lui murmure qu'il veut encore, et de sa voix nouvelle, elle lui dit oui, oui, et à nouveau il va en elle et à nouveau elle sait, elle n'oubliera pas.

Alanguie. Merveilleusement lasse et apaisée. « Ne te le cache pas, Hannah. Tu es très bien, maintenant. Et tu dois à l'honnêteté d'admettre que pendant quelques secondes, et même plusieurs fois quelques secondes, il s'est passé un événement extraordinaire. Lothar Hutwill y est-il pour quelque chose ? Malgré son grand âge, je vais être obligée d'admettre qu'il n'y est pas étranger... » Elle sourit, protégée par l'obscurité.

Il ne bouge plus, lui non plus. Maintenant étendu sur le dos à côté d'elle, dans cette senteur salée, marine, de l'amour qu'elle a déjà identifiée, mais si brièvement, dans la chambre de Praga. Il finit par l'attirer à lui et elle se plaque au creux de son ventre, contre sa hanche. Elle pose sa joue contre sa poitrine. Il dit :

— Bien entendu, il n'y avait pas âme qui vive derrière les fenêtres.

— Même pas Micah Gunn ?

— Certainement pas. Mais si j'apprenais qu'il s'y trouvait, je le tuerais.

— Je m'en fiche.

— Pas moi. Il n'y était pas. Je t'aime.

— Non, dit-elle fort nettement.

Pause. Elle l'a senti se raidir dans tout son corps. Après plusieurs secondes, il demande :

— Je peux rallumer la lampe ?

— Non.

« Pourquoi as-tu dit non, d'ailleurs ? Qu'est-ce que ça peut te faire que cette saleté de lampe soit allumée ou éteinte ? »

— Et poser une question ?

Elle sourit dans l'ombre, malicieuse, s'amusant à lécher la peau de sa poitrine, de la pointe de sa langue si aiguë :

— Je sais très bien quelle question vous allez me poser, Lothar Hutwill. Et la réponse est toujours non. Pas d'amour entre nous. Jamais.

— Un autre homme ?

— Mmmmmmm.

— Définitivement ?

— Oui.

— En Australie ?

— Non.

« Et ainsi va la vie, pense-t-elle avec la plus sereine des philosophies ; voilà qu'il va bouder comme un gamin, à présent, malgré son âge. Ce sont bien là les hommes. » Elle se sent d'une gaîté inouïe, et quasiment inextinguible tout à coup.

... Sans compter les quinze cents livres, qui sont très réjouissantes aussi. Bien que ça n'ait aucun rapport, aucun, elle en est tout à fait certaine. Elle a dormi avec lui — c'est une façon de dire, il ne s'agissait pas de fermer l'œil, sauf au moment où... bon, passons ! —, elle a dormi avec lui parce que Mendel l'a refusée, dans le temps. Parce que Lothar, lui, a quelque chose de Mendel en lui ; pas énormément mais un petit peu tout de même, ne serait-ce que son sourire sous sa moustache, son œil qui rit et son assurance de grand gros mâle au fond très doux.

... Mais à tous nos actes, même les plus inconscients, il y a toujours des tas de causes, tout comme il y a des tas de solutions à toute espèce de problème. Il vaut peut-être mieux éviter de trop approfondir, Hannah. Est-ce que tu serais allée avec lui s'il n'avait pas été en position de te prêter quinze cents livres ? Réponds franchement.

Oui. (Qu'est-ce que tu risques de répondre oui ? Qui ira te contredire ?)

Le crépitement de la pluie commence à se ralentir dehors. C'est un bruit très doux et lénifiant qui, de quelque façon, conforte le silence établi entre Lothar et elle. Sa respiration à lui s'est calmée peu à peu, après la précipitation qu'elle a notée, quand elle lui a dit qu'il ne serait jamais question d'amour entre eux. Elle s'enfonce dans le sommeil, déjà bien somnolente pour répondre à la dernière question qu'il lui fait : mais oui, bien sûr, ils se reverront, dans cette maison ou une autre, lorsqu'elle en aura le temps et que lui se sera momentanément libéré d'Eloïse. Ils se reverront au moins pour qu'elle lui rende ses comptes d'associé...

Au matin, quand elle s'éveille, il n'est plus à son côté. Enveloppée d'un drap, elle explore. Pour découvrir que non seulement elle est seule, mais que toutes les fenêtres donnent exclusivement sur le Pacifique qu'elle surplombe en un à-pic vertigineux : la maison blanche et noire est perchée sur une falaise rocheuse de plus de cent pieds.

Aucun être humain, donc, n'aurait pu la lorgner, la veille, tandis qu'elle se mettait nue comme une hétaïre. « C'est déjà ça. On n'en parlera pas dans les gazettes ! »

Elle se souvient que ce lendemain est un dimanche et que rien ne la presse. De quelque côté qu'elle regarde, pas d'autre habitation en vue : à gauche, en face, le Pacifique, sans un seul bateau à l'horizon. De la véranda elle jette un coup d'œil des deux côtés de la route : le vide. Du coup, elle laisse tomber son drap et déambule en l'état de nature, presque grisée par sa liberté, ce sentiment d'avoir une maison pour elle seule. Et quelle maison !

Quant à savoir comment elle va rentrer à Sydney, elle verra bien. A un problème, il y a toujours...

... C'est vrai que c'est la première fois qu'elle se trouve ainsi vraiment seule, à l'écart de tout. (Mais on n'en finirait plus de compter les premières fois. Car c'est aussi la première fois qu'elle a un amant, ou plus exactement qu'elle a fait l'amour avec un homme qu'elle n'aime pas vraiment, la première fois qu'elle en a retiré un plaisir extrême, la première fois qu'elle s'est conduite comme... « C'est aussi la première fois que tu es sur terre, imbécile ! Tu es la première Hannah, semble-t-il. Et ça t'étonnerait bien qu'il en existe une autre. Tu es unique, pas de doute. Dieu merci pour les autres ! »)

Elle se prépare un breakfast fastueux : du thé, des biscuits trouvés dans un placard et tartinés de confiture. Regardant l'océan. Ensuite elle emplit d'eau chaude le tub on ne peut plus britannique, large cuvette dans quoi elle réussit presque à s'allonger en repliant un peu les jambes (ça sert de n'être pas une géante).

Elle savoure chaque minute de cette fin de matinée-là, et sa solitude et l'exaltante impression que le monde lui appartient déjà un peu et va lui appartenir plus encore, grâce aux mille cinq cents livres.

Si bien qu'elle est presque désappointée quand elle entend revenir la barouche. De la fenêtre, elle découvre Micah Gunn immobile. Il l'attend très patiemment, fouet dressé. Lorsqu'elle se déclare enfin prête — elle l'a fait lanterner pour le seul plaisir —, il la ramène à Sydney. Il dit qu'il a conduit Lothar Hutwill au train de Brisbane et que, dès le lendemain, il lui portera l'argent comme convenu.

Ce qu'il fait, le lundi matin.

Hannah est tout à fait prête à faire fortune, dès lors.

11

QUENTIN MACKENNA

Dans la dernière semaine d'octobre 1892, elle écrit une troisième lettre à Mendel Visoker. Sans grand espoir qu'il la reçoive jamais, pas plus que les deux premières. Celles-là, elle les avait écrites, l'une à Melbourne après le vol, pour lui annoncer ce vol, parce qu'elle estimait qu'il devait être mis au courant, qu'il ne serait pas loyal de le laisser dans l'ignorance ; et l'autre le jour où elle a enfin réussi à résoudre le problème du trajet Melbourne-Sydney, grâce aux Hutwill *(je serai à Sydney dans trois ou quatre jours, Mendel. J'y retrouverai votre cousin Schloimele, lui dirai qu'il a intérêt à me fournir une bonne excuse pour n'avoir pas répondu à mon télégramme. Et, avec son aide, je découvrirai bien un moyen de vous regagner tout ou partie — tout serait préférable, et les intérêts avec — de cet argent que vous m'avez confié et que ma stupidité m'a fait perdre...)*

Elle a expédié les deux premières lettres à l'administration du bagne sibérien, dans un endroit perdu du nom d'Irkoutsk. Le nom lui est familier à cause du *Michel Strogoff* de Jules Verne et de plus elle a cherché sur son atlas : « fichtrement loin ! » L'adresse, elle l'a obtenue avant son départ de Varsovie. Il faudra, selon elle, trois ou quatre mois au mieux avant que ses lettres parviennent au lac Baïkal. Quant à atteindre vraiment Mendel, c'est une autre affaire. Elle est pourtant sûre qu'il n'est pas mort. Sûre comme elle croit au soleil. Elle imaginerait plus aisément Taddeuz ne voulant pas d'elle. Quoique...

Dans sa troisième lettre, elle écrit : *Je suis à Sydney. Tout va à merveille. Sauf que le cousin Schloimele est parti pour les Amériques, ce crétin. Mais je me suis arrangée autrement : dans six, douze mois au plus, je commencerai à faire fortune et je pourrai vous rembourser de tout votre argent. Pour quand vous vous serez évadé. Ce que vous avez peut-être déjà fait, après tout. Je vous embrasse de tout mon cœur, Hannah.*

— Et voilà tout, dit-elle aux Outardes, en l'espèce Harriett et Edith, autrement dit les sœurs Williams (« pourquoi s'appellent-elles toutes les deux Williams, d'ailleurs, puisqu'elles ont été mariées, et probablement pas avec le même homme ? C'est une énigme à éclaircir. ») Elle leur sourit :

— Ai-je été claire ?

Les deux mercières à très long cou et grosses jambes balancent la tête et roulent les yeux : elles n'ont rien compris, affirment-elles. Hannah a pour elles de la sympathie, presque de l'affection. Le sobriquet qu'elle leur a donné est amical à son avis. Comme l'était « Meule de Foin » pour Dobbe.

— Très bien, dit-elle, je recommence. Un peu moins vite, peut-être. Cet immeuble où nous sommes et qui vous a été légué par M. votre père, sera tôt ou tard détruit. Il est frappé d'alignement — certaines informations que j'aie eues du Secrétariat colonial m'ont permis de l'apprendre. La ville de Sydney vous le rachètera. Vous serez indemnisées. Mais qu'importe : on vous chassera de chez vous, on vous reléguera dans un faubourg lointain, sur la rive Nord, voire à Saint-Leonards au milieu d'un tas d'immigrants pouilleux, peut-être même de Juifs et de Chinois. Une infamie... J'ai une solution. Je vous loue, grâce à cet héritage de ma grand-mère galloise Ethelind Llewelyn, tout ce qui est à droite et à gauche de la porte cochère, dans la cour : étages et rez-de-chaussée, plus les arcades et la cour. Rien de changé en ce qui vous concerne. Vous continuez d'habiter où vous avez toujours vécu. Ce que je vais faire de ces bâtiments que je vous loue ? Les rénover, les repeindre, les remettre à neuf. Faire de votre cour le plus beau jardin de Sydney. J'habiterai le flanc gauche. Le flanc droit abritera mon salon de beauté. A l'étage : mon laboratoire. Les arcades et le jardin deviendront un salon de thé. Vous confectionnez les meilleurs *scones* et *muffins* d'Australie. S'il vous plaisait de tenir ce salon de thé, de veiller à la respectabilité de l'ensemble, vous me combleriez. Vous seriez mes directrices pour le *high tea*. Et c'est moi qui vous paierais, alors que c'est actuellement le contraire.

Silence.

« Et encore une fois, tu manipules, petite peste ! Pourtant, tu n'as pas menti aux charmantes Outardes : c'est vrai — ou alors Rod Mac-Kenna t'aura raconté des histoires, ce qui serait surprenant, il a autant d'humour qu'un œuf à la coque — tout à fait vrai qu'on envisage de détruire ce pâté d'immeubles pour construire du neuf. C'est vrai aussi que ça n'arrivera que dans quinze ans, et encore... Je suis en avance sur l'Histoire, où est le mal ? »

Elle sourit à Harriett et Edith :

— Vous allez être riches, et sans abandonner l'endroit où vous avez toujours vécu. L'année prochaine, je vous assure que vous aurez les moyens d'effectuer en Europe le voyage dont vous avez toujours rêvé, en Grande-Bretagne, au Pays de Galles, sur la terre de vos... de nos ancêtres, en chantant le *Auld Land Syne...*

Lundi 17 octobre 1892 : trois heures plus tôt, Micah Gunn aux cheveux rouges a apporté les mille cinq cents livres à Hannah. Très discrètement : au cœur d'un bouquet de vingt et une roses rouges. Sous son escorte à distance, et pour ne pas renouveler son erreur de Melbourne, elle s'est empressée d'aller confier l'argent à une banque. Pas n'importe quelle banque : elle a choisi la plus ancienne, fondée en 1816, et la plus sûre, du double avis de Rod MacKenna et de Tom Ogilvie, en l'occurrence la Bank of New South Wales. Sur la recommandation du même Rod, on lui y a ouvert un compte, quoiqu'elle ait les yeux à la hauteur du guichet... Ce qui n'est pas bien pratique pour compter les liasses en même temps que le caissier.

A l'adresse de ses interlocutrices, elle penche la tête très gentiment, fait tout pour que ses immenses prunelles grises expriment toute la conviction, la persuasion, tout le charme et toute l'amitié du monde...

Et quand les Outardes disent oui, du tréfonds de leur effarouchement, elle les interroge enfin sur ce nom de Williams qu'elles portent toutes les deux.

— C'est parce que nous avons épousé deux frères, expliquent-elles.

— J'aurais dû y penser, je n'ai vraiment pas de tête, concède Hannah.

Elle fait établir des devis par demi-douzaines et les épluche mieux que des artichauts. Sachant très exactement ce qu'elle veut, dans le moindre détail, elle donne la priorité totale à ce qu'elle nomme le flanc droit, où seront installés le salon de thé, et d'autres pièces qui feront comme un club (celui-ci sera très fermé, en principe strictement interdit aux hommes — seraient-ils d'Eglise ou en bas âge ; on n'y recevra de mâles que sur invitation particulière et sous réserve d'une tenue élégante, « raffinée » ; une menace de proscription subsistera en permanence sur la tête de ces quelques élus).

A l'étage de ce même flanc droit, très délibérément fermé comme une forteresse par une porte massive, elle veut l'institut de beauté... sur lequel, comme sur tout le reste, elle a les idées les plus nettes. Tom Ogilvie lui a recommandé un maître d'œuvre qui, comme elle l'a souhaité, n'est pas très jeune et est marié. C'est bien sûr un Ecossais d'origine, du nom de Watts. Il a la soixantaine robuste, la passion du travail bien fait ; ancien maître charpentier de marine, il aime le bois d'un amour presque mystique ; son épouse est une petite femme effacée d'apparence mais de caractère bien trempé, qui peint des aquarelles et ne hausse même pas un sourcil en entendant Hannah lui parler d'un rouge andrinople.

Robbie et Dinah Watts vont veiller aux travaux. Chacun dans sa partie : lui prenant en charge tout le gros œuvre et elle ayant l'œil aux détails, à la décoration légère, en un mot apportant la touche féminine à laquelle Hannah tient par-dessus tout. Avec eux elle commettra la seule erreur de ses débuts, emportée par une frénésie d'entreprendre et une ardeur comme féroces :

— Nous sommes le vingt octobre. Je veux que tout soit terminé dans six semaines. Je paierai deux livres par jour d'avance.

Dans la seconde, considérant leurs deux visages, elle mesure sa stupidité. Elle baisse la tête puis la relève, souriante :

— Je vous prie de m'excuser, madame Watts, et vous aussi, monsieur. Je sais que vous ferez tout ce qu'il est humainement possible de faire, et que vous le ferez au mieux. J'aurais dû le savoir d'emblée. Puis-je vous appeler Dinah et Robbie ?

... Et dans ces instants-là, d'autant mieux qu'elle est profondément sincère, son regard est comme hypnotique. Les Watts sont à peine plus grands qu'elle — *il est vrai qu'à part des Aborigènes et des enfants emmaillotés, je n'ai jamais rencontré en Australie quelqu'un de plus petit que moi, Lizzie. Mais j'oubliais que tu as connu les Watts... J'ai eu énormément de chance de les avoir avec moi. Réussit-on jamais sans la chance, d'ailleurs ? Surtout quand on la force ?* — ... les Watts lui sourient. Surtout Dinah qui pourrait être sa grand-mère, par l'âge. Ils pensent que le projet est à la fois original et vaste, surtout conçu par quelqu'un d'aussi jeune, mais qu'il est réalisable. Et ils seraient heureux de l'avoir à déjeuner, un jour ; ils ont une jolie petite maison sur les hauteurs de Willoughby, avec une vue admirable et, disent-ils, un jardin qui n'est pas trop mal. Et, bien sûr, ils feront tout ce qu'il est possible de faire. Pour autant qu'elle leur précise ce qu'elle souhaite...

Sous les arcades et aussi dans le jardinet à créer dans la cour pavée, elle veut une terrasse de café comme à Varsovie dans les jardins de Saxe. Ce sera la première du genre en Australie, si l'on excepte les hôtels et encore... Cette terrasse, ce café, seront privés, fermés au public ordinaire et invisibles depuis la rue, à l'abri de la porte cochère.

— Ce doit être le plus beau jardin de Sydney, avec des fleurs à longueur d'année et de l'eau jaillissant en permanence, de petites fontaines, de la mousse, une ou plusieurs volières avec des oiseaux — à condition que ces oiseaux ne crient pas trop fort et ne couvrent pas les conversations. Il faudra que tout cela sente bon, soit frais et délicat. Il y aura des tonnelles, des pannes ou des dais, de petits coins charmants dans la verdure. Penser à des coussins pour les sièges...

La terrasse se prolongera sous les arcades des flancs droit et gauche. On s'y réfugiera en cas de pluie. Et ces mêmes arcades ouvriront à droite sur des salons, quand il fera trop frais dehors.

— Pour toutes les pièces d'intérieur, du blanc, rien que du blanc, avec un plancher rouge andrinople, le même rouge que ma robe, Dinah, si vous pouvez en retrouver la teinte exacte. Et une plinthe noire...

A cet endroit, Robbie Watts avance que du cœur d'ébène, naturellement noir, conviendrait bien. L'idée qu'on puisse peindre du bois le révulse. Hannah se rallie à sa proposition.

— Et sur les murs, Dinah, des aquarelles délicates, représentant Londres et Paris, ou Vienne, tout ce que ces villes ont de plus raffiné.

Elle tient beaucoup au raffinement, répète inlassablement le mot, au point que ses interlocuteurs en sourient (et elle finit par rire avec eux de sa propre obsession).

— Pour la porte du premier étage, qui ouvrira sur l'institut de beauté, le même... comment dites-vous ? Le même cœur d'ébène. Est-ce qu'on peut lambrisser les pièces du haut, Robbie ?

On peut, répond-il. Peut-être pas totalement, à son avis, mais à hauteur d'appui, et en complétant le lambris par une cimaise elle-même en amarante ; c'est une sorte d'acajou dont il sait où trouver quelques grumes, et qui ne sera pas si loin de l'andrinople quant à la teinte. Hannah :

— Et tout le reste blanc, plafond compris. Lampes de cuivre roux. Et tous les meubles doux, féminins, fragiles mais assez profonds pour s'y ensevelir dans la mollesse. On n'en peut plus partir quand on s'y est assise, on y est bien, on y passerait sa vie... Je veux aussi des boîtes à musique, plus délicates encore que les aquarelles, argentines, s'égrenant dans un silence feutré. Dinah, à l'étage plus encore qu'au rez-de-chaussée, n'entreront jamais que des femmes, pas un seul homme. A part peut-être les pompiers si le feu y prenait un jour. Et encore ! Je veux, comment dire, une atmosphère sensuelle de harem. Est-ce que je vous choque, Dinah ?

— Vous êtes un tout petit peu étonnante, c'est vrai...

— Robbie, reprend Hannah après avoir rendu son sourire à l'Ecossaise (qui la comprend apparemment bien mieux qu'elle ne l'eût espéré), Robbie, pour les trois pièces du fond, où l'on rangeait jadis la laine, je veux qu'elles soient isolées de l'institut par une autre grosse porte, peut-être encore plus massive que la première. Mystérieuse, intrigante, comme secrète et un peu maléfique. Dont toutes les femmes de Sydney, d'Australie et du reste du monde se demanderont ce qu'elle cache. Sur le bois noir de cette porte, en lettres d'or : *LABORATOIRE.* Ce sera ma cuisine.

Elle éclate de rire devant la tête de l'Ecossais, ravie de sa propre trouvaille, enchantée et exaltée par la mise à jour de ses propres rêves et les voyant déjà réalisés. Pour un peu, fermant les yeux, elle percevrait le quiet brouhaha de toutes ces femmes qui ne manqueront pas d'accourir chez elle et de s'y trouver bien. Puisqu'elle les fera belles, et heureuses.

Elle explique que par « cuisine », elle entend l'endroit où seront fabriquées ses crèmes... Où du moins ses clientes penseront que ses crèmes sont fabriquées. Car si, dans les débuts, elle compte confectionner ses produits derrière la porte mystérieuse, un moment viendra très vite, inéluctablement, où le succès la contraindra d'établir ailleurs son usine. Dans laquelle travailleront vingt ou trente jeunes filles ayant toutes prêté serment de ne rien dévoiler de leur travail ; par précaution pour n'être pas copiée mais aussi et surtout pour entretenir un mystère qu'elle juge essentiel à sa propagande.

— En attendant, Robbie, il vous faudra prévoir un accès direct à la cuisine depuis la rue. En sorte qu'on puisse y faire entrer les produits de base sans les faire passer par la cour. Que diriez-vous de ce machin qu'on hisse avec une corde... c'est cela même, un monte-charge, je ne savais pas le mot en anglais...

Elle accumule les détails, les précisions, les demandes avec ce débit quasi torrentiel qu'elle a quand elle dévide le fil, libère le flot de toutes les images qu'elle crée dans sa tête.

Ceci se passait le 20 octobre. Deux jours plus tard, ayant acquis la conviction — autant qu'elle puisse se fier à quelqu'un — qu'elle a trouvé dans les Watts les meilleurs agents possible pour commencer de donner forme à son entreprise, elle se lance dans son expédition à l'Ouest.

Là aussi avec une idée fort précise. Mais sans s'attendre, bien sûr, à la rencontre qu'elle va faire et qui pourtant résoudra l'un de ses problèmes essentiels.

— Quentin MacKenna.

Elle regardait défiler le paysage. Elle tourne la tête et le découvre, surgi d'elle ne sait où, dans le wagon de bois de la Great Western Railway.

Il est (un peu) plus petit que ses quatre frères. Bien moins massif aussi : au vrai, il est tout maigre et même efflanqué. Il a les yeux verts de Colleen, un vague air de famille. La ressemblance s'arrête là, il est unique, surtout par cette façon de plisser les paupières en filtrant son regard, et par cette expression de très cynique et très agressive insolence. La toilette n'est visiblement pas son obsession, à l'opposé de tous les autres MacKenna : la barbe blonde est broussailleuse, il porte pantalon et chemise de toile délavée comme en ont les bushmen, et un chapeau semblable aux leurs, maculé par des mois ou des années de transpiration. Une fine cicatrice blanchit son visage émacié, tanné par le soleil ; elle descend du front, fend l'arcade sourcilière gauche, se poursuit jusqu'à la joue et la commissure des lèvres. Cette bouche légèrement déformée par un retroussis bizarre semble le faire ricaner en permanence. Le regard vert est aigu, froid et dur.

— Et que dois-je faire ? demande Hannah. M'extasier ?

— Vous le devriez, j'en vaux la peine.

Il étrécit un peu plus les yeux :

— De la défense, hein ? On m'avait prévenu.

— De la défense à un point que vous ne pouvez même pas imaginer. Qui ça, « on » ?

Le train a quitté Sydney depuis peu et vient à l'instant de laisser derrière lui la petite ville de Penrith ; il est en train de passer une rivière d'une quarantaine de mètres de large grâce à un très beau pont métallique.

— La Nepean, indique Quentin MacKenna. Sa vallée et celle de la Hawskesbury ressemblent assez à l'Europe. Vous pourrez y trouvez pas mal de ces plantes que vous cherchez.

« Il sait déjà la raison de mon voyage. L'une des raisons... » Elle redemande :

— Qui ça, « on » ?

— Ce n'est pas Rod, ni aucun de mes frères. Mon père moins encore : il y a plus de dix ans qu'il ne m'adresse plus la parole et interdit à tous les MacKenna vivants de se souvenir de mon existence. Je suis la honte de ma famille, son remords... Il est vrai que j'ai le diable au corps. J'ai quitté l'école et accessoirement le clan, lorsque j'avais douze ans. Je me suis embarqué comme mousse. Toute la suite n'a été qu'une longue série d'ignominies. On a conçu quelques espoirs à mon sujet quand je me suis engagé à seize ans pour aller combattre le Mahdi Fou au Soudan en compagnie de Kitchener — le Soudan est en Afrique. Mais j'ai déserté, enfin presque. A mon retour en Australie, on m'a mis en prison. Pas tellement pour avoir tué deux ou trois hommes, mais en raison d'autres espiègleries. J'ai bénéficié du doute — de toute façon, il n'y avait pas d'autre survivant que moi —, et suis parti chercher de l'or. Sans en trouver. Fin de l'histoire. Avant-hier, pour la première fois depuis trois ans, j'ai revu ma mère. Qui vous aime à un point incroyable. J'espère que vous l'aimez aussi, un tout petit peu au moins. Elle et ma sœur sont tout ce pour quoi, dans ce monde, je puisse avoir de l'affection ou quelque chose qui y ressemble. Ma mère m'a dit que vous étiez folle de partir ainsi que vous le faites. Je le pense aussi et voulais vous connaître. Je peux m'asseoir ?

Il n'attend pas sa réponse, prend place à côté d'elle... et dit très tranquillement :

— Un centième de pouce de plus et vous allez fendre mon pantalon, avec votre rasoir. Et je n'en ai qu'un.

« Qu'est-ce que c'est que ce phénomène ? » pense Hannah tout éberluée. Elle le scrute :

— Vous êtes vraiment le fils de Colleen ?

— Et donc votre cousin, puisqu'elle est récemment devenue votre tante, à ce qu'il paraît. Ma mère m'a montré où vous avez dormi, avec ma sœur Lizzie que je n'ai jamais vue qu'à distance — on ne me permet pas de l'approcher. (Sourire narquois, que le retroussis des lèvres rend plus sauvage encore :) Mais oui, bien sûr, j'en souffre comme un damné, en douteriez-vous ? D'autres preuves de ce que je suis bien Quentin ? Voyons un peu... Vous avez une certaine robe rouge et noire, à quarante ou cinquante boutons, dont ma mère vous a dit qu'elle est très belle mais trop vieille pour vous... Autre chose : hier matin, dans sa tapisserie, Lizzie en était à mettre du fil, ou de la laine jaune dans la crinière de ce qu'elle croit être un lion... Et sa poupée aux cheveux blonds s'appelle Frankenstein. En souvenir de moi. C'est moi qui la lui ai achetée il y a six ans, à ma sortie de prison, quand j'ai appris que j'avais une sœur. Le nom est également de moi, c'est ce que j'ai trouvé de mieux pour exprimer l'essentiel de moi-même. Convaincue ?

C'est à peine s'il paraît remarquer qu'elle replie son rasoir et le range dans son aumônière. « Tu as vraiment l'air fin, Hannah, avec cet ustensile... »

— Encore une chose à propos du romantique Quentin MacKenna, dit-il de sa voix traînante. Je ne suis plus tout à fait un homme. Depuis un certain coup de couteau, dans un endroit précis de mon corps... Je ne pourrais toucher une femme, même si j'étais fou amoureux d'elle. Vous comprenez de quoi je parle ou êtes-vous de ces pucelles veillant sur ce prétendu trésor qu'elles ont entre les cuisses comme on garde les bijoux de la Couronne ?

Comme elle ne lui répond pas, il est contraint de tourner la tête. Il croise le regard gris, le soutient longuement, hoche la tête :

— D'accord, vous n'êtes pas n'importe qui, je m'en doutais un peu. Ma mère n'est pas femme à aimer n'importe qui. Je serais entier, j'aurais envie de vous, malgré que vous soyez vraiment belle. A présent, expliquez-moi quelles sortes de plantes vous recherchez.

C'est tellement étrange, Lizzie, que ce soit moi qui t'explique et te raconte ce frère que tu n'as jamais connu. Il était un peu fou, c'est vrai. Mais moins que les gens ne le pensaient. Il pouvait inquiéter. Il m'a inquiétée, au début — pas trop : l'homme capable de m'épouvanter n'a pas dû naître encore. J'en ai pourtant rencontrés et connus. Pour m'intéresser, il leur fallait vraiment sortir de l'ordinaire. C'était, ô combien, le cas de Quentin... Et dire que, pendant deux ans, je l'ai utilisé à cueillir des fleurs !

Vergers et fermes se succèdent sur le passage du convoi. Le paysage est en train de se modifier. Jusque-là, il présentait en effet des ressemblances avec l'Europe — l'Europe qu'Hannah imagine, celle de l'Ouest, par le truchement des gravures et de toutes les représentations qu'elle a pu en voir. Mais au-delà du seuil d'Emu Plains, le caractère du décor se transforme, il se fait accidenté. La voie ferrée unique, bordée de petits murets coniques, escalade les pentes par des sinuosités incessantes, souvent perchée sur des viaducs.

A la gauche d'Hannah, Quentin MacKenna feuillette les dessins à la plume de James B. Soames. De temps à autre, il remarque :

— Celle-ci, je l'ai vue... Et celle-là, et cette autre. Dans les Montagnes Bleues...

Il en vient à toutes ces fiches qu'elle a patiemment constituées, au long de soirées successives. Abasourdi durant quelques secondes, il se met à lire à voix haute :

— Amande douce, germes de blé, sureau, aubépine, riz, gentiane, soja, concombre, houblon, maïs, camomille, sésame, mauve, bardane, marjolaine, hysope, hamamélis, liquidambar...

... Il s'interrompt : « Liquidambar, bordel de Dieu ! » Il reprend :

— ... Absinthe, basilic, véronique, mélisse, fraisiers, eucalyptus, pervenche, armoise, chélidoine, pissenlit, saponaire, pamplemousse, pensées sauvages, guimauve, rose, arnica, citronnelle, lavandula...

— De la simple lavande, dit Hannah vaguement prise de l'envie de rire.

— ... Carottes — des carottes ! —, fumeterre, thym et menthe, tussilage, citron, euphrasie, coquelicot, capucine, pâquerette, myrtille, bouillon-blanc...

— Pour les tisanes, celui-là.

— ... Bouleau, romarin, genévrier, alchémille, sarriette, verveine, cresson, bourrache, artichaut, ortie, millepertuis, chicorée, anis, tilleul, sésame, calendula...

— Le souci.

— ... Chiendent, fenugrec...

— C'est de la simple trigonelle.

— Tout s'éclaire... Sauge, petite centaurée...

— Autrement dit : le bleuet.

— ... Epervière, fenouil, feuilles de noyer, origan, gaillet, tormentille...

— Une sorte de potentilla. Votre mère en a une espèce dans son jardin.

— ... Et des huiles. Huile de noyau d'abricot, d'amandes douces, de sésame, de germes de blé, de noix de coco... Il vous faut de l'huile de palme ?

— Le lait de coco aussi. C'est très bon pour la peau.

— ... Huile de noisette, de maïs, de pistache, de ricin, de cyprès. Vous auriez dû vous arrêter dans les vallées de la Nepean et de la Hawkesbury, c'est plein de fleurs et de plantes.

— Au retour.

— Parce que vous allez où ?

— Cobar.

— Pour ?

— Voir les mines.

— En acheter une ?

— Pourquoi pas ? Pas tout de suite, évidemment.

— Il paraît que vous voulez faire fortune.

— Pas : il paraît. Je *vais* faire fortune.

— Aucune discussion possible, hein ?

— Aucune. C'est comme si c'était fait.

Il l'examine et dit :

— Va pour Cobar. Mais vous serez déçue.

— Mon problème.

— Exact.

Il l'intrigue par son indifférence. Dont elle sent bien qu'elle n'est absolument pas feinte. Il ne rit ni ne sourit jamais — au plus a-t-il cette espèce de ricanement sardonique... ou désespéré ? A le considérer de profil, par en dessous forcément, puisqu'il culmine à quarante centimètres au-dessus d'elle, elle trouve en effet d'autres ressemblances avec Colleen. Dans la ligne ferme du menton, dans cette autorité calme. « Après tout, Mendel aussi a fait de la prison et a bien dû tuer trois ou quatre hommes. Un loup est un loup, qu'il soit de Pologne ou d'Australie. Et lorsqu'il est solitaire, ça se voit doublement... »

Il a repris sa lecture :

— Et des algues marines et de l'argile, des pommes, du lait de vache, de la... *vaseline ?*

— Ça se fabrique à partir d'une huile du sol appelée le pétrole.

— Où diable avez-vous appris tout ça ? Si vous avez seize ans, c'est bien le diable. Pour vous tirer du lait, il faudrait vous pincer les narines plutôt que les seins.

— Je ne vous conseille pas de toucher ni aux unes ni aux autres. Pour la vaseline, chez un médecin.

— Et la... *lanoline ?*

— On l'obtient du suint de la laine des moutons. Et ne me dites pas qu'il n'y a pas de moutons en Australie.

Le train a dépassé, en haltes successives, les petites agglomérations de Woodburn, Lawson et Mount Victoria, où l'on ne voit que des bergers. Enchaînant une impressionnante série de nouveaux lacets, de viaducs et même un tunnel, il franchit les Montagnes Bleues.

... Redescend dans la plaine de Lithgow.

— Et vous allez flanquer toutes ces saloperies sur la figure des pauvres femmes ?

— Je ferai divers mélanges. Mais elles paieront, et très cher, pour en être tartinées.

« Et j'espère qu'elles n'en mourront pas trop », pense *in petto* Hannah avec un humour nuancé d'une certaine inquiétude.

Déjà, dans le lointain, apparaissent les plaines céréalières de Bathurst et d'Orange.

Quentin tire une nouvelle fiche, qui ne porte que deux noms :

— Pourquoi « millefeuilles » avec un point d'interrogation ?

— De l'eau de millefeuilles. C'est assez spécial.

« Je le lui dis ou pas ? » Elle le considère et se décide :

— Je voudrais votre parole que cela restera entre nous.

— Ma parole ne vaut vraiment pas grand-chose.

— Je suis sûre qu'elle vaut beaucoup, au contraire. Plus que celle de la plupart des hommes, ou des femmes. L'eau de millefeuilles est obtenue avec de l'urine ou à la rigueur de la bouse de vache. Pas de n'importe quelle vache. Le mieux est de la connaître personnellement et ce doit être seulement une vache nourrie en plein air dans de jolies prairies bien propres et bien vertes.

— Bordel de Dieu! s'exclame Quentin MacKenna. Et ce *schmuckbez?*

— C'est du yiddish. Un *schmuckbez* est un *schmuckbez,* je ne reviendrai pas là-dessus. Ma mère disait ainsi et je n'ai pas réussi à traduire.

Et l'amitié bizarre, fugitive et presque amoureuse qui va les unir prend sans aucun doute naissance à cet instant, dans ce rire des yeux, regards noués, qu'ils échangent en s'enfonçant au cœur de l'Australie.

Jamais elle ne comprendra vraiment pourquoi elle s'est rendue à Cobar.

Peut-être parce que Lothar Hutwill lui en a parlé. Elle se sera imaginé de l'or affleurant le sol, préalablement découpé en lingots pour être plus maniable.

... Mais il n'y avait pas d'or à Cobar; il n'y en avait jamais eu, rien que du cuivre. Les vraies mines d'or, ou ce qu'il en reste en ce temps-là, elle est passée devant sans les voir, occupée à parler à *Man-Eater* MacKenna, MacKenna le Mangeur d'Homme : près de Bathurst et d'Ironbark.

Peut-être la raison de son voyage a-t-elle été la certitude que, dès son retour à Sydney, elle allait devoir travailler comme une bête... ou, plus sûrement, son besoin instinctif d'inconnu. C'était comme de s'avancer jusqu'à l'extrême bord d'un précipice, que d'aller jusqu'aux bords des grands déserts de Sturt et de Simpson, et du Désert de Pierres.

Ils ont passé des heures, Quentin et elle, à découvrir tous ces immenses projets qu'elle a formés. C'est-à-dire qu'elle a d'abord parlé et qu'il l'a écoutée, regard réduit à une simple fente. Non que les ambitions d'Hannah l'intéressent, il est clair qu'il s'en fiche totalement. C'est elle qui l'intéresse. Pas comme un homme normal s'intéresse à une jeune femme si parfaitement galbée. Ou alors avec d'autres attitudes. Au début, elle a plutôt douté de son infirmité, croyant à quelque ruse pour la trousser plus facilement, animée par sa méfiance ordinaire. Mais non. Avec une absence totale de vergogne, ou plus justement avec franchise, elle a regardé où il fallait, à cet endroit qui fait la différence entre les hommes et les femmes. (C'est vrai qu'il semblait manquer quelque chose — « plat comme tous les gâteaux que j'ai essayé de faire, en les ratant toujours ».) Elle a éprouvé de la pitié mais s'est bien gardée de la manifester si peu que ce soit, devinant qu'il la recevrait très mal. Elle n'a guère de références, en ce temps-là de sa vie, en matière d'hommes. Si bien que c'est une fois de plus à Mendel Visoker qu'elle se réfère comme étalon de virilité (elle ne compare jamais qui que ce soit à Taddeuz, absolument hors d'atteinte), alors même que Quentin est si cruellement infirme de ce point de vue.

Curieusement, l'idée de l'employer comme Cueilleur en Chef des Herbes (idée qui n'est pas d'elle mais apparemment de Colleen) ne l'a pas séduite d'emblée. Elle qui d'habitude, sitôt qu'elle rencontre quelqu'un, s'interroge illico sur l'usage qu'elle peut en faire. Mais de là à imaginer Quentin en moissonneur arpentant l'Australie, il y a une marge. D'autant qu'il va lui raconter sa vie, à sa manière sardonique, cherchant délibérément à choquer par défi...

... Donc, s'étant fait mousse, à douze ans, il a navigué en Nouvelle-Zélande. Puis à travers tout le Pacifique, du détroit de la Sonde à celui de Malacca ; ensuite, cap à l'ouest, à plusieurs reprises, faisant terre à Valparaiso, San Francisco, Sitka en Alaska où quelque temps il s'est fait chercheur d'or, comme tout le monde, sans en trouver beaucoup ; assez tout de même pour traverser l'Amérique, gagner New York où il a passé un an ou deux à apprendre le poker aux indigènes, perdant ses gains avec des dames ; de là, en Europe — de quoi il a vécu ? de vols, carrément, pour quoi il n'est pas besoin de permis de travail — ; se trouvant par hasard au Caire en compagnie de quelques danseuses et menacé d'être pendu pour une assez obscure affaire, il a rejoint à Aden le corps expéditionnaire envoyé des Indes pour combattre le Mahdi Fou au Soudan ; il y a été blessé, a plus ou moins quitté l'armée, à moins que ce ne soit le contraire (même à ses yeux, l'histoire n'est pas très évidente) ; il a rembarqué à Djibouti pour la Côte des Pirates du golfe Persique ; a fini par rallier les Indes, y constatant avec surprise qu'entre-temps ses parents s'en étaient allés pour émigrer en Australie ; tenant à revoir sa mère — « les autres pouvaient crever mais j'ignorais que j'allais avoir une sœur » — ; il séjourne en Malaisie et à Sumatra, à moins que ce ne soit Bornéo, ses souvenirs sont imprécis sur ce point-là aussi, il a affrété avec quatre autres hommes une goélette pour faire le coprah dans les îles ; ça a marché à peu près bien quelque temps, de beuverie en beuverie et d'escale en escale, et puis quelque part dans un archipel dont il n'a jamais su le nom... une bagarre à bord, peut-être à cause de dames canaques (mais cette affaire est aussi obscure que les précédentes), au cours de laquelle on a beaucoup bu, la chose est sûre.

... Une tombée de nuit, les pêcheurs de Cairns, dans la colonie du Queensland, ont vu surgir sous simple foc un navire pour ainsi dire fantôme, cambuse vide depuis des semaines, ayant à sa barre un seul survivant, lui, Quentin MacKenna, le ventre ouvert et émasculé, le visage entaillé, couvert de mouches bleues, aux trois quarts mort, inconscient et en plein délire...

... Pour seuls compagnons de voyage, neuf cadavres d'hommes et de femmes. Dont deux ou trois (des femmes uniquement) bien découpés par la lame d'un couteau, proprement équarris comme des bêtes à l'étal, avec des morceaux manquants.

En sorte qu'on a conçu quelques soupçons sur sa moralité.

Il n'a pas lésiné sur les détails, à propos de la boucherie sur la goélette. Hannah l'a suspecté d'en rajouter, d'ailleurs, par une sorte de plaisir morbide et une envie de se rabaisser encore. L'endroit même qu'il a choisi pour livrer son récit contribue à en augmenter l'horreur sombre : l'oppressante solitude des alentours de Cobar, tandis qu'Hannah et lui chevauchent. La carte qu'elle a acquise n'indique rien, elle est toute blanche, sans relief ni rivière marqués. Sans rien d'autre que cette petite ville qui ne ressemble pas à grand-chose, sorte de mirage dans le désert piqueté de quelques *gunyah* (huttes) aborigènes.

Cela parce qu'Hannah en a eu rapidement assez des mines ; elle a voulu pousser un peu plus encore à l'ouest. Elle a loué deux montures au *Shear-legs Hotel* de Cobar et ils ont progressé à cheval pendant à peu près quatre heures, immédiatement écrasés par un incroyable silence. Si bien qu'elle a retrouvé le même sentiment qui l'avait prise autrefois, le jour où elle s'est aventurée loin de la berge du ruisseau avec Taddeuz, dans l'océan des champs de blé et de seigle. Même impression de vastitude infinie. Elle a fini par stopper, bien que très tentée d'aller un peu plus loin, pas trop sûre de comprendre ce qui se passait en elle et ce qui l'attirait dans cet inconnu, « comme si tu n'avais pas mieux à faire ! »

C'est alors qu'ils étaient l'un et l'autre immobiles sur leurs selles, face à cet horizon sans limite, que Quentin s'est mis à tout lui raconter. Pourquoi on l'appelait MacKenna le Mangeur d'Homme dans toute l'Australie et jusqu'en Nouvelle-Zélande.

— Quoique le terme soit impropre, Hannah : je n'ai jamais mangé que des femmes...

« Il a vraiment mangé des gens ! Il a coupé avec son couteau des morceaux de bras et de jambes, de ventre peut-être — ou des seins, pourquoi pas ? et il les a mangés crus. Voilà pourquoi Dougal MacKenna a effacé jusqu'au souvenir de son nom... »

— Hannah ?

Elle a un tout petit peu peur de lui et surtout de la répugnance.

— Hannah ? Savez-vous que personne n'a jamais traversé l'Australie d'est en ouest ?

« Qu'est-ce qu'il raconte ? » Pour elle qui en est encore à l'imaginer, un peu trop précisément, en train de s'empiffrer de chair humaine bien sanguinolente, la transition est trop rapide. Quentin est descendu de son cheval et lui tourne le dos, ses longs cheveux blonds tombant au-delà de ses épaules. Il regarde droit devant lui, apparemment. Elle le dévisage avec étonnement.

— Traverser l'Australie ? Pour quoi faire ?

— Ni d'est en ouest ni du nord au sud, dit-il, comme si elle n'était pas intervenue. Il y a à peu près trente ans, un Irlandais du nom de Robert O'Hara Burke l'a tenté. Avec notamment des Cipayes des Indes et des chameaux. Il en est mort. Ce qui ne serait rien, s'il n'avait pas échoué. Toutes les autres expéditions ont échoué de même.

— Et vous voudriez essayer ?

Il baisse la tête puis la relève :

— Je ne vais pas essayer. Je *VAIS* le faire. Tout comme vous allez faire fortune.

Elle consulte sa carte. Environ cent miles plus loin que l'endroit où ils ont fait halte, et qui était déjà à trente miles de Cobar, est indiqué le cours incertain d'un fleuve, la Darling. Mais au-delà...

Quentin a dû reconnaître le bruit du papier déployé car il ajoute :

— Je ne partirai pas d'ici mais de Brisbane. J'irai tout droit. A pied. Sans dévier, en suivant exactement le vingt-sixième parallèle... Vous le voyez sur votre carte ?... Désert de Sturt, désert de Simpson, Grand désert de Victoria et désert de Gibson. Je ne m'arrêterai de marcher que lorsque je pourrai tremper mes pieds dans l'océan Indien... Regardez votre carte : très au nord de Freemantle et de Perth... Cette grosse échancrure de la côte appelée Shark Bay, vous la voyez ?

— Oui.

— J'arriverai là. Je construirai une étoile avec des pierres, pour marquer l'endroit. Quand j'y serai.

Mentalement, elle s'emploie à calculer combien de lieues, de miles, de kilomètres cela peut bien faire, en tout... Au moins mille lieues, deux mille cinq cents miles, quatre mille kilomètres. A condition d'aller tout droit et de ne contourner aucune montagne. Ce n'est pas beaucoup plus fou, ça l'est peut-être moins, que de prétendre devenir extraordinairement riche sitôt qu'on est monté sur le brouski de Mendel Visoker à la sortie de son shtetl... Surtout quand on est un Quentin MacKenna, qu'on a mangé de la chair humaine et que, sans doute, chaque fois qu'on croise le regard de quelqu'un qui sait ce que vous avez fait — « et je devais bien être la seule, avec Lizzie, à l'ignorer » —, on lit dans ce regard une répugnance horrifiée, et peut-être la question « Quel goût ça a ? » que pour un peu elle aurait posée, elle aussi :

Elle demande :

— Et vous comptez partir quand ?

— A la fin de l'été, ou de l'été suivant. Vous voulez que je m'occupe de vos putains de plantes, oui ou non ?

« Je pourrais peut-être faire fabriquer un grand écriteau, pense Hannah avec un humour devenant grinçant ; un écriteau que je mettrais à la porte de mon institut et où l'on pourrait lire : *Toutes les crèmes qu'on va vous flanquer sur la figure ont été fabriquées à partir des plantes cueillies par Quentin MacKenna, le célèbre mangeur de chair humaine.* On se battrait pour entrer. Ou au contraire on fuirait dans l'épouvante et je n'aurais plus qu'à m'exiler chez les Papous. Allez savoir ! »

— Oui, dit-elle, j'aimerais beaucoup que vous vous occupiez de mes putains de plantes.

— Une dame ne dit pas « putains de plantes ».

— Tout ce qu'un homme peut faire, je peux le faire et le dire aussi. D'ailleurs, je ne tiens pas à être une dame. Je veux seulement être Hannah.

— Orgueil suprême.

— Ouais.

— Il me faudra des planches, je veux dire ces dessins de Soames. Et ce que vous appelez la liste des équivalences. On ne trouve sûrement pas en Australie toutes les plantes dont j'ai lu les noms. Evidemment, je peux aller voir le vieux Soames lui-même. Quoique...

— Oui ?

— Quoique ce ne soit pas très bon qu'on sache que je travaille avec vous, ça vous ferait du tort. Non, ne dites rien. Vous y avez sûrement déjà pensé. Ma mère dit que vous avez un cerveau du diable. Je peux au moins aller voir le vieux Soames ? Pas tellement pour ses dessins que pour les endroits où j'aurais des chances de trouver vos saloperies. Il connaît l'Australie comme personne.

— Allez-y.

Il acquiesce.

— Il me faudra aussi les quantités, pour chaque sorte, et savoir si vous les voulez fraîches cueillies ou seulement séchées. Et où je devrai les faire livrer.

— Chez Ogilvie. A son entrepôt. Il est d'accord. Pas heureux, mais d'accord.

— Je ferai les envois par les trains de la Great Western. Il faudra quelqu'un pour les réceptionner. Je n'apparaîtrai pas.

— Je n'ai pas honte de vous, réussit-elle tout de même à articuler.

— C'est gentil de le dire mais je m'en fous complètement. Je vais me servir de deux ou trois bandes d'Abos avec qui j'ai vécu, ces derniers temps. Je parle leur charabia et ils sont bien moins bêtes qu'on le croit. J'aurais besoin d'un peu d'argent.

— Je comptais vous donner soixante livres, pour commencer. Et ensuite je vous paierai...

— Jeune fille, s'il y avait une chose qui m'intéresse moins que l'argent, ça serait foutrement intéressant de la connaître. Je n'ai pas besoin de votre putain d'argent pour moi-même. C'est juste pour payer du tafia aux Abos et régler les expéditions.

— En port dû, ça ira très bien. La Great Western est d'accord, elle aussi. Et de même les diligences de la compagnie Cobb.

— Vous pensez à tout, hein ?

— Oui.

Ricanement : — Ecoutez-la, dit-il : elle ne dit même pas : « j'essaie de penser à tout », elle dit : « oui, je pense à tout. » D'après ma mère, vous êtes d'une intelligence infernale.

— Mais elle m'aime.

— Elle vous aime. Hannah ?

Silence.

— Hannah, j'ai bien vu le visage de ma mère et je l'ai entendue tousser. Elle n'en a plus pour longtemps. *Taisez-vous !* Ce n'est pas à elle que je pense mais à la petite Lizzie. Je crèverai de rage, si je n'ai pas déjà crevé d'autre chose à ce moment-là, si, ma mère morte, j'apprends que ce sont mon foutu con de père et mes foutus cons de frères, surtout Rod, qui s'occupent d'elle. Elle est intelligente ?

— Elle est merveilleuse. Je l'aime comme ma sœur.

Et c'était ce que je pensais déjà de toi, Lizzie. Dès cette époque.

— Parlez-moi d'elle. N'importe quoi. Tout ce qui vous passe par la tête.

Hannah raconte comment, partageant onze nuits durant le même lit, elles ont bavardé. Les énormes fous rires qu'elles ont souvent pris. Déjà. Elle rapporte quelques-uns des mots dits d'enfant, de Lizzie.

... Et elle est soudain bouleversée, non par les réactions visibles de Quentin à son récit (il n'en a aucune), mais par le si étrange et si violent amour qu'il porte à sa jeune sœur. Que pourtant il n'a jamais vue, sinon de loin, à distance, en se cachant. A qui il a offert une poupée baptisée Frankestein « en souvenir de moi »...

Ne pleure pas, Lizzie, tout cela est si vieux, d'un autre temps et d'une autre vie... Quentin est mort depuis plus de trente ans et je ne suis pas sûre que j'aurais dû te parler de lui... Ne pleure pas, Lizzie...

Il demande, de sa voix indifférente :

— Vous vous occuperez d'elle ?

— Parole d'homme, dit Hannah, la gorge nouée.

Il remonte sur son cheval, son regard vert plus filtré que jamais, presque invisible sous les paupières plissées :

— Je les commence quand, ces putains de livraisons de putains de plantes ?

C'est et se sera toujours plus fort qu'elle : impossible d'arrêter la mécanique dans sa tête. Bien entendu, elle a déjà fait, et refait, tous les calculs :

— A partir du dix novembre, je serai prête à fabriquer les premiers pots de crème.

— De la putain de crème.

— C'est cela même, dit Hannah.

Cobar ne lui laisse donc pas un souvenir impérissable. En dehors du fait que c'est l'endroit où elle passe son accord avec Quentin MacKenna — accord qui, à ses yeux, donne le départ de l'aventure — c'est une ville au cœur d'une plaine sans arbres ; trois ou quatre mille hommes y vivent aux pieds de deux douzaines de hauts fourneaux ; deux choses seulement y frapperont Hannah : la course de chevaux — la première qu'elle voit — organisée juste devant le *Shear-legs Hotel,* lequel n'est qu'une auberge, et la bizarre cage d'acier dans quoi les mineurs s'alignent avec leurs yeux fixes d'enterrés vivants, au moment de descendre. (Elle n'avait jamais non plus vu d'ascenseur, jusque-là.)

Elle rentre à Sydney en faisant deux étapes. L'une à Bathurst, l'autre dans la vallée de la Nepean. Quentin ne se tient pas auprès d'elle lors de ce retour, même s'il continue de l'accompagner. A l'évidence, il a choisi de reprendre ses distances, par souci de ne pas la compromettre davantage ou par l'effet de son goût pour la solitude. A l'un et l'autre de ses arrêts, elle loue une voiture à cheval (discussions féroces sur les tarifs à chaque fois) et parcourt la campagne, négligeant les mines d'or qu'elle aurait pu aller voir, de Bathurst.

Du coup, à se retrouver en pleine nature, c'est tout un passé, si proche et déjà si loin, qui lui revient en mémoire : près de dix années, à partir du moment où elle a su marcher, pendant lesquelles elle a déambulé, toujours seule, d'abord dans le jardin de reb Nathan puis sur les arrières de la maison, au bord du ruisseau enfin, ramenant à sa mère des tonnes de simples.

Elle s'est munie de sacs de jute et les emplit au hasard de ses trouvailles, au point de pouvoir à peine les traîner, de retour à la gare. Elle y a entassé pêle-mêle un peu de tout, et bien souvent n'importe quoi. Les pommes, fraises, carottes, les germes de maïs et de blé, les concombres et autres plantes cultivées ne lui ont posé aucun problème ; dans les jardins particuliers des fermes et des maisons, elle a trouvé quantité de fleurs et notamment des sauges, pervenches, bleuets, capucines, soucis et des milliers de roses, constatant la passion frénétique des Anglo-Saxons pour le jardinage. Pas de difficulté non plus pour le lait de vache, les amandes, le pissenlit, les bourgeons de pin ; voire du fenouil, du persil, du cresson, de la bourrache... Mais des bouleaux ? et de la lavande ?

Les eucalyptus surabondent, quant au tilleul, elle en a découvert un... Transplanté de sa Normandie natale par une famille de colons français, dont c'est l'orgueil.

... Et le fou rire la gagne, tandis qu'elle s'en revient à Sydney. D'imaginer Quentin MacKenna à la tête d'une horde d'Aborigènes, tous plus cannibales les uns que les autres, en train de dévaster la flore australienne. Et de s'imaginer, elle, avec son mortier et son pilon, mélangeant tout à fait au hasard tout ce qu'elle aura pu trouver et confectionnant ainsi quelques crèmes qui pourraient aussi bien défigurer complètement les dames sydnéennes, à moins qu'elles ne les exterminent.

Les deux monumentales fermières au visage rougi assises près d'elle la dévisagent ahuries, tandis qu'elle pouffe, incapable de se contenir : « Tu finiras pendue, Hannah, pour homicide par emplâtrage ! »

Quentin a voyagé constamment avec elle, la protégeant de loin. Ce n'est qu'en vue des pointes de Port Jackson, de la tour de l'observatoire et de la villa Holtermann, qu'il met fin à sa surveillance.

Elle ne le voit plus nulle part quand elle fait hisser ses deux énormes sacs à bord d'un cab.

Au total, elle est restée absente onze jours. Maintenant, ça y est : ça commence.

12

LES COFFRETS DE SANTAL

Les travaux ont avancé à une vitesse qui la ravit. Sa « cuisine » notamment est prête ; il suffisait il est vrai de blanchir les murs et d'y aménager un accès particulier. Ce qui a été fait : un escalier droit, d'une seule volée, à flanc de mur, permet d'y monter depuis une rue voisine. Une porte a été ouverte dans le mur, à côté d'une deuxième ouverture où débouche le monte-charge en cours d'installation. Qui lui-même sera prêt à fonctionner d'ici deux jours. Quant aux trois pièces du laboratoire, elles sont d'ores et déjà équipées. Notamment de longues tables, de casiers multiples, de deux des six éviers prévus.

Elle peut donc se mettre au travail.

Mais les autres pièces sont également en bonne voie d'achèvement. Robbie Watts a doublé ses équipes. On travaille normalement douze heures de rang en ce temps-là, six jours sur sept. En employant comme il le fait — il l'a vu faire sur les chantiers navals — deux équipes en succession, l'Ecossais tient le chantier actif vingt-quatre heures sur vingt-quatre : la nuit à la lumière des lampes à gaz, voire de simples torches.

La cour a été dépavée, on y a posé les canalisations qui vont alimenter la fontaine centrale et les huit ou dix petits jets d'eau des rocailles. Les allées ont été tracées et parées de pierres plates. On distingue déjà comment elles s'entrelacent pour desservir les tonnelles. Tracés aussi les massifs, que Dinah a dessinés ; et dans la terre neuve déchargée de tombereaux, les premiers bosquets nains ont pris place ; des arbustes commencent à se dresser ; le plan général apparaît et il enchante Hannah.

En plusieurs endroits des bâtiments eux-mêmes, on décrépit les pierres du vieux plâtre puant le mouton, on les met à nu. Ainsi des arcades et de leurs archivoltes, qui en prennent du coup une surprenante élégance. Quelques pièces, tant du rez-de-chaussée qu'à l'étage, ont été livrées aux peintres. Pour deux ou trois, plus avancées encore, le lambrissage et la marqueterie sont entamés...

— Robbie, c'est incroyable ! Vous en aurez terminé avant le vingt décembre, largement !

Il grognonne, fatigué. Il a horreur des compliments et par-dessus tout abomine quiconque, même un commanditaire, se perche sur son épaule pour surveiller ce qu'il fait.

Hannah, elle, s'enferme dans sa cuisine moins de deux heures après avoir débarqué du train. Elle étale et trie sur les tables laquées de rouge le contenu des deux gros sacs emplis à Bathurst et dans la vallée de la Nepean. De trente heures, elle ne sort plus. Signalant qu'elle est encore vivante en deux occasions seulement : quand elle réclame un coursier, expédié chez l'apothicaire bavarois avec une liste longue comme un almanach ; et, lorsque le coursier revient titubant sous la charge, quand elle réceptionne les divers produits qu'elle a exigés.

Dinah qui s'aventure à lui porter du thé et deux ou trois gâteaux, ne reçoit pour toute réponse que des grognements indistincts et presque féroces, dignes d'un ours des Carpathes dérangé durant son sommeil hivernal. Et le regard gris passe sur elle sans la voir, l'air de ne même pas la reconnaître.

Ce n'est qu'en fin de matinée, le 5 novembre, que Colleen MacKenna elle-même se décide à forcer l'entrée, avec prudence, tout comme on se hasarde dans la caverne de l'ours susdit. Sur le plateau qu'elle tient, les œufs au bacon, les rôties, le thé préparés sur sa demande par Harriett Williams. Elle trouve Hannah assise par terre, à même les moellons de pierre ocre, jupes retroussées largement jusqu'à mi-cuisses, jambes écartées et à plat, les cheveux en bataille — et une caquerolle de cuivre coincée entre ses genoux.

L'air sinistre.

— Arrivée de la cantinière en première ligne, dit Colleen.

— Pas faim. Mais merci quand même.

Les immenses prunelles couleur de brume se font tout à coup acérées, on y lit presque de la férocité ; elles semblent découvrir la grande Irlandaise, dont elles scrutent la face :

— Vous avez déjà mis de la crème, n'importe quelle crème, une seule fois, sur votre visage ?

— Grands dieux, non, répond Colleen. Je ne suis pas une Indienne des Amériques, pour me peinturlurer. Seulement de l'eau et du savon.

Hannah ricane lugubrement, avec la mine de quelqu'un dont les pires pressentiments se confirment. Sur les tables, alignés, il n'y a pas moins de vingt-sept récipients divers, tous plus ou moins maculés de traces inquiétantes, de la casserole à la bassine, en passant par des caquelons, des saucières, des cuvettes et jusqu'à de simples assiettes de faïence. Et la preuve qu'il y en a vingt-sept, c'est qu'ils sont tous numérotés. D'évidence, ils marquent les étapes successives de la recherche. Hannah indique la caquerolle entre ses genoux :

— Et ça, c'est le numéro vingt-huit. Il sent encore plus mauvais que les autres. La folle qui se flanquerait ça sur la figure viderait George street sur son passage mieux qu'un lépreux avec sa clochette, remarque Hannah, la voix tremblante de rage.

Elle se laisse soudain aller sur le dos et s'allonge, genoux remontés, montrant toutes ses dentelles ; un bras retombe le long du corps, l'autre replié lui cache le visage :

— Oh, merde !

— Une jeune fille bien élevée ne jure pas, observe Colleen.

— Une jeune fille intelligente ne passe pas deux jours à écraser des herbes dans un mortier. Elle ne broute pas la campagne comme un lapin. D'ailleurs elle ne part pas pour l'Australie non plus. Elle cherche et trouve un homme riche, très riche, et se fait offrir des rivières de diamants. Si elle est vraiment intelligente.

Colleen se penche sur la caquerolle et hume avec circonspection :

— Je dois reconnaître que ça semble assez infect.

— C'est exactement la recette de ma mère : lait de vache, écales de noix, feuilles de menthe fraîche, racines de tormentille et bourgeons de sapin broyés dans de l'huile de germes de blé.

— On devrait pouvoir faire un bon pudding, avec. A condition de le flamber d'abord au whisky pour tuer les miasmes.

— ... C'est la recette de ma mère sauf que je n'ai pas de menthe fraîche, que j'ai mis du potentilla à la place de la tormentille et du pin colonial au lieu de sapin. Quant aux écales de noix, elles avaient mal supporté le voyage ; ou alors ce sont des noix russes qui détestent les Polonaises. Et j'ai dû mettre un peu trop de suint de mouton, faute d'huile.

Elle écarte l'avant-bras posé sur son visage et fixe le plafond blanc à grands yeux écarquillés :

— J'ai un petit peu envie de pleurer, Colleen, pour être franche...

Colleen MacKenna marche jusqu'à l'une des tables, y dépose enfin son plateau. Elle tire une chaise et la met en place :

— On se lève, on s'assied, on mange.

— Et l'on se tait.

— Et l'on se tait.

Silence. Hannah s'est mise à manger après avoir considéré le plat comme s'il pouvait être empoisonné. Colleen demande, voix basse et un peu sourde :

— Vous l'avez vu ?

— Je l'ai vu. Il est très beau, à sa façon.

— Vous avez pu... vous entendre ?

— Il va travailler avec moi au moins jusqu'à l'été prochain. Peut-être plus longtemps. Il me collectera tout ce dont j'ai besoin dans la campagne. C'était bien ce que vous vouliez ?

Acquiescement de l'Irlandaise. Qui dit très doucement, avec infiniment de tristesse :

— Il est comme quelqu'un qui tombe dans un puits très profond et très sombre. Que rien ne retient plus. J'ai espéré qu'à vous rencontrer, vous qui avez tant de vie...

— Il vous aime. Vous et Lizzie. Il vous aime sans le moindre doute.

— Mais pas au point de tenir à vivre pour nous. Il vous a dit ce qu'il ferait, quand il en aura assez de travailler pour vous ?

Hannah hésite. Pourquoi parler de ces choses ?

— *Hannah.*

— Il traversera l'Australie, à pied. Et sans doute seul. De Brisbane à Perth.

Colleen s'asseoit à son tour.

— Il veut mourir, Hannah, n'est-ce pas ?

— Il peut réussir. Seuls les fous réussissent. Les autres ne tentent rien.

— Il va mourir.

« Il est déjà mort, pense Hannah, et le pire est qu'il le sait. » Elle a très faim, finalement. Elle croque son bacon avec un appétit dont elle a presque honte. Tout comme elle est gênée de ne pouvoir se détacher de ces saletés de crèmes. Elle a beau être touchée, sincèrement, douloureusement, par le désespoir si calme de Colleen, la mécanique dans sa tête n'en continue pas moins de tourner...

« Et si j'ajoutais de l'origan ? »

Elle ajoute de l'origan mais ça ne va pas encore. Quatre jours s'écoulent avant qu'elle parvienne à un premier résultat acceptable. Dans l'intervalle, Colleen et les Watts ont dû littéralement l'arracher à sa cuisine et la contraindre de dormir un peu : deux ou trois heures au moins, voilà six jours qu'elle est sur la brèche... Elle se traîne jusqu'à son petit appartement chez Ogilvie. A l'occasion de ce très court trajet, elle aperçoit Micah Gunn. Selon le code convenu entre Lothar Hutwill et elle, Micah le Rouge a rangé la barouche un peu à l'écart. Il attend sur son siège de cocher, fouet pointé vers le ciel, impassible. Sans chercher le regard d'Hannah, en vérité avec l'air de quelqu'un qui ne l'a jamais vue. A elle de choisir si elle monte ou ne monte pas. Bien entendu, que Gunn s'aposte ainsi signifie que Lothar est à Sydney et l'attend quelque part, secrètement, peut-être dans la maison blanche et noire. « Comme si je n'avais que ça à faire... »

Elle passe donc à côté de la voiture sans s'arrêter. Quelques instants plus tard, sa lumière déjà éteinte, sombrant dans un sommeil peuplé de cornues et de mortiers en farandole, elle entend la barouche qui s'éloigne enfin. Avec ce bruit clair des chevaux s'en allant dans la nuit.

Moins de quatre heures plus tard, elle ressurgit dans la cour illuminée a giorno par des torches, où ouvriers maçons, charpentiers et jardiniers se marchent presque les uns sur les autres. Elle se renferme dans son laboratoire. Accumule d'autres heures et journées de recherches. Le premier résultat qu'elle obtient est à base de tilleul et de bleuet. Le mélange est parfumé par des roses et de la menthe que Dinah a réussi à lui trouver ; il est lié grâce à un support de pulpe de pommes crues et de lanoline affinée. Il porte le numéro soixante-dix-neuf.

Hannah l'essaie sur elle-même. S'oblige à le conserver six heures de rang (tête de Robbie quand il la découvre avec son masque blanchâtre !) et, quand elle l'enlève, se découvre non seulement survivante, mais apparemment intacte, nullement défigurée (elle s'attendait à tout, y compris à des pustules) et même, à force de se scruter très attentivement dans un miroir avec une loupe géante empruntée à James Barnaby Soames, d'un teint de peau plutôt plus doux qu'à l'ordinaire. Plus clair, un peu plus lumineux. Malgré les cernes bleus sous ses yeux, qui ne sont jamais dûs qu'à son épuisement.

Elle se nettoie avec une eau de toilette de sa composition, faite d'eau de source et d'alcool d'apothicaire, dans quoi elle a fait macérer deux jours et deux nuits (ce qui est trop, elle le découvrira par la suite) quelques fleurs de souci, de rose et de verveine, le tout relevé d'un filet de citron vert. (« Tu ajouterais du sel et du poivre, ça te ferait une salade ! »)

La conclusion du nouvel examen auquel elle se livre est des plus réconfortantes : la peau de son visage est lisse et douce, sa pâleur ordinaire en a été accentuée, sans pour autant tomber dans le livide. « Encore cent cinquante ans de soins intensifs et tu verras que tu deviendras presque jolie. Bien qu'il te reste pas mal de chemin à faire, espèce de hibou... »

A quoi bon attendre davantage ?

Elle met le 79 en fabrication.

Dinah la Douce lui trouve trois petites jeunes filles recrutées dans un orphelinat, dont une, Meggie MacGregor, à l'intelligence taciturne mais solide. Ce seront ses premières ouvrières. Et parce qu'elle sait d'expérience que ces choses comptent, elle investit dans la location à l'heure d'une voiture à un cheval, chargée matin et soir d'assurer le transport des adolescentes en toute sécurité, entre le laboratoire et le quartier de Saint-Leonard où est l'orphelinat. De même, avec son goût et son ambition de veiller à tous les détails, elle se préoccupe de l'endroit où elles pourront déjeuner. Elle passe un accord avec une pension de famille voisine, grâce à quoi elle obtient un prix de gros, quatre pennies par personne au lieu de six, pour les repas de midi. Qu'elle partagera avec ses adjointes.

A la question des contenants dans lesquels vendre le 79, elle met un peu plus de temps à trouver la réponse. Ogilvie lui a bien proposé des pots de marmelade, vides bien sûr, dont il a tout un stock. Ils sont trop grands. Pas question de vendre sa crème à la livre ou au kilo. Moins il y en aura dans chaque pot et plus le contenu en sera cher, aux deux sens du terme. Elle traite en fin de compte avec un négociant chinois et lui achète — à peine cinq heures de négociation —, tout un lot de ces minuscules vases de terre cuite ayant contenu à l'origine un certain Baume du Tigre, qui est un onguent céleste, fabriqué alors à Singapour. Une fois plongés dans l'eau bouillante additionnée d'alcool pour effacer tout résidu d'odeur, débarrassés de leur inscription chinoise, et recouverts d'un mignon couvercle de moire paraffinée à l'intérieur et elle-même nouée par un ruban rouge andrinople, ils ne sont pas sans élégance...

... Et selon elle valent les cinq guinées pièce, prix auquel elle a décidé de les vendre, tous calculs faits. C'est qu'elle en a diablement fait, des comptes, plutôt cent fois qu'une !

Elle a pris pour hypothèse de travail une vente de vingt-cinq pots de crème par semaine, sitôt que l'entreprise aura pris son régime de croisière, vers janvier 93 selon elle. Voilà pour les six premiers mois, car ensuite la production et la vente devraient doubler, sinon tripler et quadrupler, en raison de toutes les idées qu'elle a.

En alignant dans la colonne des débours les dépenses imputables aux ouvrières (salaire, nourriture, transport, les blouses rouges et noires et la petite coiffe à bavolet de dentelle dont elle va les vêtir en une espèce d'uniforme très coquet)... plus les frais créés par le collationnement des plantes, des fleurs, des fruits et autres produits de base, par l'achat et le conditionnement des pots, par le loyer versé aux sœurs Williams, le coût de l'entretien de la cuisine (lampes, produits et matériel à renouveler), par le montant enfin de sa propre rétribution (elle s'est généreusement alloué une livre par semaine)...

... En additionnant tout cela entre deux crises de rage et de fous rires nerveux, elle a découvert que chaque pot allait lui revenir à plus de quatre livres pièce.

Soit, pour vingt-cinq pots, un bénéfice hebdomadaire d'à peu près vingt-deux livres.

Mais il lui faut rembourser Lothar Hutwill de ses quinze cents livres, augmentées d'un intérêt raisonnable. Il n'a rien réclamé bien sûr, surtout pas des intérêts — ni même le remboursement en fait — mais pour cet unique emprunt de son existence, elle tient à toute force à une transaction en règle. Ce qui est dû est dû, qu'elle soit débitrice ou créancière, elle ne transigera jamais sur ce point. Et puis s'acquitter de sa dette vis-à-vis de Lothar permettra de dissocier ce double aspect de leurs relations : qu'il lui a prêté de l'argent, et qu'elle l'a voulu comme amant. On ne mélange pas ces choses, elle veut donc les séparer au plus vite.

Au rythme de vingt-deux livres de rentrées hebdomadaires, le remboursement intérêts compris (elle lui versera mille six cent quatre-vingts livres) lui prendra soixante-seize semaines. Un an et demi.

C'est trop. Beaucoup trop. Elle ne se sentira pas libre avant d'être débarrassée de cette obligation : « Je veux pouvoir rompre avec lui si ça me chante, ou si je décide de repartir pour l'Europe... »

... Bien entendu, il existe toujours la possibilité qu'elle vende *plus* de vingt-cinq pots par semaine... « Mais tu peux aussi en vendre *moins*, triple buse ! » Reste que si ventes et production augmentent, le prix de revient diminuera, et les bénéfices seront plus grands. Logique... Hannah. (Mendel se serait déjà évadé, aurait déjà gagné l'Australie, il serait devant à elle à l'écouter ratiociner, il en crèverait de rire.)

La solution qui s'impose est de vendre autre chose. De l'eau de toilette par exemple. Elle décide de la mettre en fabrication. Se retrouve une nouvelle fois devant le problème des contenants. Faute de flacons « raffinés » qu'elle ne voit pas où trouver en Australie, elle a cette idée qui l'enchante : utiliser des flasques de bois. Pas n'importe quel bois : du santal, dont Robbie Watts a failli se servir pour les cimaises couronnant les lambris, et qu'il pense pouvoir façonner au tour. De manière à obtenir des flacons rectangulaires, hauts, qu'on fermera avec un bouchon à pas-de-vis également de bois.

... Et voilà que le santal se révèle odorant ; son parfum se mêle à celui de l'eau de toilette qu'il enferme, et, ô merveille, donne naissance à un produit différent, supérieur à celui conçu au départ par Hannah... Et même différent selon la sorte de santal utilisé : blanc, citrin, ou rouge.

Elle se retrouve avec trois eaux au lieu d'une. Choisit bien sûr de les vendre comme diverses, à des prix variant en fonction de leur couleur : d'une guinée (une livre et un shilling) pour la blanche à deux guinées pour la rouge. Pariant que celle-ci se vendra mieux que les autres, pour l'unique raison qu'elle est plus chère, alors que la composition est très sensiblement la même (elle a juste ajouté de la fleur d'oranger pour la singulariser, et se mettre en paix avec sa conscience — assez élastique, en demeurant).

Nouveaux calculs : elle se croit autorisée à tabler sur un bénéfice de seize livres par semaine.

« Plus vingt-deux provenant de la crème : trente-huit. Il me faudra cent ans pour être riche. Je dois trouver autre chose... »

La première des livraisons de Quentin MacKenna lui parvient à la mi-novembre. Monstrueuse : il n'a pas fait le détail. Et le diable seul sait comment, il a réussi à lui trouver de la lavande, une espèce de lavande, « votre bordel de Dieu de lavande ! » écrit-il. Il lui expédie aussi des algues marines encore ruisselantes d'eau de mer et pas mal d'autres choses, comme des fleurs d'arnica et de millepertuis.

Grâce à quoi elle entreprend de confectionner une deuxième crème pour le visage. Elle décide, sans raisons particulières, qu'elle effacera

227

les rides du visage — elle y croit presque, elle-même. Pour cette troisième arme de son arsenal, elle compose une décoction où se mêlent arnica, sauge, mauve, carotte, concombre et, toujours à l'image de ce que faisait sa mère, de la pulpe de pomme, du miel et de l'huile d'amandes douces. C'est la préparation numéro 91. Pas plus qu'à la précédente, le 79, elle ne lui donne de nom, parce qu'elle n'en a trouvé aucun qui la satisfasse et exprime exactement l'idée qu'elle a, de raffinement et de féminité secrète, avec un zeste de snobisme.

Six guinées pour les pots de 91. Qui seront extérieurement laqués de noir, alors que le rouge andrinople, à grand-peine obtenu par Dinah, caractérise ceux de la 79.

... Et vingt-six livres de profit hebdomadaire escomptés. « Plus trente-huit, égale soixante-quatre. Je serai riche en soixante-quinze ans à peine... »

Elle a envisagé un instant de mettre au point une troisième crème, voire une quatrième eau de toilette. Elle s'est posé la question du type de produit pouvant compléter sa gamme. Où aller ? Vers le haut ou vers le bas ? Faire plus luxueux et plus cher encore ? Ou au contraire flanquer carrément cette saleté de crème dans de vieux pots à moutarde ou les pots de confiture d'Ogilvie, tandis que l'eau de toilette serait vendue dans de simples flacons de verre très ordinaire — à la rigueur avec un ruban ? Dans la seconde hypothèse, cela lui permettrait de viser une clientèle moins prodigue de son argent.

Elle y a renoncé. On verra plus tard. Pour l'heure, l'essentiel est de gagner enfin de l'argent, et surtout d'imposer une image de marque.

« C'est essentiel, ça, Hannah : l'image de marque... Ne l'oublie jamais. Quitte à y perdre momentanément. »

Vers le 20 novembre, elle est prête. Dinah a vraiment eu la main heureuse, en lui amenant Meggie MacGregor : cette grosse fille fadasse a un sens inné de l'organisation, de la méthode, un tempérament de chef, bien que n'ouvrant pratiquement la bouche que pour manger. Quelques jours lui ont suffi pour identifier les fleurs, les fruits, les feuilles et les branches ; elle vous manie pilon et mortier mieux qu'Hannah elle-même (« ne sachant même pas faire une soupe, ça n'a rien de surprenant... ») Bientôt, cent pots de chaque sorte de crème, cent vingt flacons de chaque eau de toilette s'entassent dans la réserve.

Les derniers jours, Hannah n'a pris que peu de part à la fabrication. Elle est en train de mettre en œuvre l'une des toutes premières idées qu'elle ait eues et sans doute la meilleure. Parce que ce n'est pas tout de fabriquer, pas tout de créer des salons, et des produits, ni même de les mettre en vente. Encore faut-il que ça se sache. Et justement...

Elle a fait fabriquer par un ébéniste indiqué par Robbie Watts de très beaux coffrets en santal marqueté de bois de rose, garnis à l'intérieur de velours noir, avec des logements pour recevoir un pot de chacune des crèmes et les trois flacons d'eau de toilette. Cinquante coffrets en tout. Et sur le dessus, dans le coin supérieur gauche, gravée à l'or fin, sa signature : les quatre traits verticaux penchés un peu à droite et vigoureusement barrés d'une ligne ascendante de gauche à droite, dont le trait s'épaissit sur la fin, avec quelque chose d'un caractère chinois...

Le double H de son prénom.

Prix de vente de chaque coffret : cent guinées.

— C'est de la pure démence, remarque Colleen. Vous ne le vendrez jamais. Quelle femme en Australie dépenserait une somme pareille ?

— Probablement aucune. Mais les maris, oui. Comme cadeau de Noël ou d'anniversaire de mariage. Et pour une autre raison bien plus péremptoire. Vous voulez parier avec moi, Colleen ?

Elle va voir Rod MacKenna, l'aîné des fils de Colleen, à son bureau du Conseil colonial, et ceci bien qu'elle ne l'apprécie guère. Elle ne s'imagine absolument pas dans un lit avec lui. Ce n'est pas qu'il soit repoussant, ni trop grand malgré son bon mètre quatre-vingt-dix. C'est plutôt cette imbécillité particulière à beaucoup d'hommes, fort capables et même intelligents dans leur activité professionnelle, mais parfaitement stupides le reste du temps. Avec les femmes notamment *— excuse-moi, Lizzie, mais tu sais bien que ton frère était ainsi. Ne me dis pas que tu l'adorais. Et puis il est mort. Il y a prescription...*

Car Rod peut être utile. Pour l'instant il pince les lèvres et lisse sa moustache, hausse le sourcil quand elle lui explique ce qui l'amène :

— C'est pourtant simple, dit Hannah debout face à lui (elle a son nez à hauteur de sa montre de gilet, « j'ai l'air d'un petit garçon faisant pipi contre un platane »). Je vous demande de me dresser la liste des douze hommes mariés les plus riches de Sydney... non, attendez, les vingt plus riches, pourvu qu'ils soient mariés. Ceux dont les épouses font la pluie et le beau temps dans la haute société de cette ville... Non, je me fiche de savoir s'ils aiment leur femme ou non... Vous connaissez tout le monde, non ? Avec les hautes fonctions que vous avez, l'ambition qui est à juste titre la vôtre, et votre discernement exceptionnel...

Rod convient qu'il a toutes ces qualités, plus quelques autres. « Encore plus crétin que je l'espérais. » D'accord, il établira cette liste. Mais l'autre demande d'Hannah l'embarrasse davantage. Quand on est comme lui dans la politique, demander un service à des journalistes est toujours délicat et...

— Rod, dit-elle, Rod, voyons... C'est vous au contraire qui leur rendrez service en leur signalant qu'à Sidney, mieux qu'à Londres et Paris, une chose aussi exceptionnelle qu'un salon de beauté réservé à la seule élite est sur le point de s'ouvrir, offrant des crèmes fabriquées en Australie même, mais selon les recettes secrètes et millénaires des Tziganes de Hongrie. Pour des journalistes, c'est une information qui vaut de l'or.

« Pour toi aussi, Hannah ! »

Le mécanisme fonctionne. A peu de temps de là, elle reçoit, confuse et étonnée, la visite successive des deux chroniqueurs mondains du *Bulletin* et du *Sydney Morning Herald*. Enveloppée dans sa robe des grandes circonstances, celle aux trente-neuf boutons, jouant de ses prunelles grises au point de presque hypnotiser les deux pauvres diables, jouant du galbe de sa taille et même de ce léger accent qu'elle a encore en parlant anglais, elle leur fait les mensonges les plus éhontés, ne reculant devant aucun : qu'elle est autrichienne, mieux, viennoise, fille d'un comte accousiné avec l'archiduc Rodolphe...

— Hélas oui, celui-là même qui a tragiquement péri à Mayerling. J'ai un peu connu le pauvre garçon mais c'est Marie Vetsera qui était mon amie d'enfance. Quelle tragédie. J'en pleure encore, trois ans après, excusez une émotion bien légitime, ce sont des souvenirs si douloureux...

... Elle leur raconte aussi qu'elle a vingt-sept ans — « je ne les parais pas ? Ne cherchez pas : ce sont ces crèmes ! » — et qu'elle détient la formule secrète d'une reine tzigane venue mourir dans le château de ses parents :

— Le croiriez-vous : elle paraissait trente ou trente-cinq ans mais en avait au moins soixante-quinze ou quatre-vingts, et elle avait connu l'empereur Napoléon Ier...

... Si ses crèmes peuvent rajeunir les femmes ? Elle rit et minaude :

— Pas au point de les faire retomber en enfance. Mais effacer dix ou quinze ans, sûrement.

Elle leur fait visiter sa cuisine, leur présente ce qu'elle appelle « ses petits mitrons », en l'espèce trois ou quatre fausses ouvrières mignonnes comme des cœurs et attendrissantes avec leur col à bavolet de dentelle, moulées hypocritement dans des blouses rouge andrinople et noir. (Les chroniqueurs sont des hommes, après tout ; il sera toujours temps de faire disparaître les donzelles, pour les remplacer par la peu aguichante Meggie, quand les clientes se présenteront.)

Enfin, et surtout, sous le sceau du secret le plus absolu — bien convaincue qu'ils le rompront à peine sortis de chez elle —, elle les informe que cinquante coffrets de grand luxe, renfermant un échantillon de chaque crème et de chaque eau de toilette, ont été adressés en cadeau...

... aux *cinquante* femmes les plus élégantes de Sydney, sélectionnées au terme d'une très longue enquête.

Les chroniqueurs s'en vont charmés, brûlant de porter la nouvelle.

— Et que va-t-il se passer à votre avis, Colleen ?

— Vous avez réellement expédié douze coffrets. Et seulement douze. Celles qui n'en ont pas reçu vont torturer leur pauvre mari pour en avoir un, à seule fin de prouver à leurs amies qu'elles figurent sur votre prétendue liste des cinquante. Hannah ?

— Oui, Colleen chérie ?

— Vous avez le diable dans la tête.

— Merci, Colleen.

... Et tu étais dans ma cuisine, ce jour-là, Lizzie, tu t'en souviens ? C'était ta première visite à mon laboratoire, où tu rêvais de venir. Et tu riais, tu riais !

Elle vend en trois jours les trente-huit coffrets qui lui restent. Cent guinées pièce. Elle en aurait vendu cinq fois plus, peut-être, mais elle a volontairement limité sa production, voulant avant tout orienter ses futures clientes vers les crèmes et les eaux de toilette au détail, dont le prix de revient est heureusement moindre.

Elle n'est pas déçue, de ce côté-là : trente-neuf pots et soixante-dix-neuf flacons partent en dix jours... alors que son institut de beauté n'est même pas encore ouvert !

Elle refait ses comptes : sur les coffrets, elle a gagné, après avoir payé l'ébéniste, cinquante-trois livres.

Plus soixante-sept livres et onze shillings dans les ventes au détail, cela fait cent vingt livres et onze shillings en tout. En dix jours. Douze livres par jour. « Ça te fera au plus quatre mille livres l'an. Tu es encore fichtrement loin du compte... »

En attendant la fortune, la réclame que lui a faite son histoire de coffrets l'a fait connaître de toute la ville. Un signe ne trompe pas : chaque jour, de luxueuses voitures défilent devant la porte cochère — rouge andrinople à filet noir — qui continue à cacher la cour-jardin à tous les regards, sur ordre d'Hannah. En outre, ses gros mensonges à propos de Marie Vetsera et de Mayerling ont fait frémir tous les salons ; on n'attend plus que l'ouverture pour se précipiter et l'interroger, elle le Témoin, sur le drame princier. « Quelle sacrée menteuse tu fais, Hannah ! Mais le moyen de faire autrement ? Tu ne vas pas rester vingt ans en Australie, non ? Déjà tu vieillis, tu as presque dix-huit ans, Taddeuz ne t'attendra pas un demi-siècle. Ni même Mendel, au cas où il ne s'évaderait pas... »

Nous sommes le 12 décembre 92. L'été austral entre dans sa plénitude. Elle a déjà reçu deux lettres de Lothar Hutwill. Aucune des deux signées, l'une et l'autre rédigées d'une autre écriture que la sienne, sans doute par Gunn, sur ordre de son employeur. Les deux missives avaient le même contenu laconique ; en anglais, alors qu'ils parlent plus volontiers allemand ou français, entre eux : *Je dois vous voir absolument.*

A deux reprises, déjà, elle a décliné l'invitation et fait semblant de ne pas remarquer l'invite muette de Micah le Rouge. La troisième fois, le 12 décembre donc, jugeant qu'elle peut ouvrir une parenthèse dans cette période de travail véritablement frénétique, sans la moindre interruption depuis des semaines, et estimant aussi qu'elle a besoin d'un court répit avant l'ouverture officielle de ses salons, elle attend d'être tout à fait seule et prend place dans la barouche qui est à sa disposition à l'entrée d'une rue.

13

JE SUIS UNE EQUILIBRISTE

— Fatiguée ?
— Oui.

Elle est allongée, yeux clos. La maison noire et blanche du peintre est derrière elle, surélevée de quelques mètres. On n'en voit guère que le toit, à cause des rochers au milieu desquels un mince sentier serpente. Dans cette direction-là elle ferme l'horizon, tandis que, face à Hannah, il n'y a que le Pacifique, d'un bleu-noir qui par endroits tire sur l'indigo, et que mouchettent les voiles blanches des voiliers sortis de Botany Bay.

Elle est allongée à plat dos sur un appontement bizarre, fou, qui prolonge la falaise et domine l'océan de cent vingt pieds — dans les quarante mètres. Entre les larges intervalles des planches blanches et noires en alternance, à défaut de pouvoir voir le vide, elle le sent, physiquement. « Toute l'illustration de ma vie en Australie, je suis une équilibriste. »

... Le sent physiquement et y prend du plaisir. Sans comprendre au juste pourquoi et comment on peut goûter d'être ainsi suspendue en l'air, si dangereusement. Il est vrai qu'elle est bien ; elle a chaud, juste ce qui convient, de cette brûlure du soleil dont elle découvre les effets agréables ce jour-là. Elle s'est laissée mettre nue par Lothar, sur la cuisse de qui elle a posé sa nuque.

— Tu as peur de ce vide, Hannah ?
— Non.

Il n'y a même pas de balustrade, ni d'un côté ni de l'autre. La construction démente s'avance dans l'air et après cinq ou six mètres, s'interrompt net. Ils ne s'y sont qu'à peine engagés d'un pas ou deux. Suffisamment pour dépasser l'aplomb de la falaise, mais guère plus. Elle demande :

— Qui a construit ce machin ?
— Le peintre.
— Il est fou.

233

— Complètement.

— Mais j'aime bien les fous. Je le verrai, un jour ?

— Il voudra faire un portrait de toi.

— Pourquoi pas ?

— Nue.

— Pourquoi pas ?

La veille, quand elle est descendue de la barouche, la maison était déserte, bien qu'un souper y eût été préparé pour deux. Elle a vu Micah Gunn repartir et, en attendant, a visité les pièces plus longuement qu'elle ne l'avait fait à sa première visite. A l'étage, voisin des chambres, elle a découvert un atelier bourré à craquer de toiles appliquées les unes contre les autres et protégées de la poussière par des draps. Toutes couvertes de barbouillages identiques à celles exposées en bas. Hannah n'a pas la moindre connaissance en peinture, à cette époque de sa vie. Si elle connaît le nom d'un Vinci, c'est à cause de la Joconde, dont elle a rencontré le nom au hasard de ses lectures. Et le baron Gros, auteur d'une représentation de bataille napoléonienne — parce qu'elle a été étonnée de ce qu'un baron puisse peindre. Dans l'atelier, elle a ôté les draps et examiné les toiles l'une après l'autre. Leurs signatures, souvent difficiles à déchiffrer (« ces types ne savent même pas écrire leur nom correctement ! ») lui sont demeurées hermétiques : Cézanne, Degas, Manet, Renoir... « des Français, apparemment. Et ce Pissarro devait être italien ou espagnol... Ce van Bogh ou van Gogh hollandais, comme tous les van Machin... »

Le fait qu'elle fût seule dans la maison silencieuse, le sentiment de presque commettre un viol en fouillant dans les secrets du propriétaire, peut-être aussi les apparitions successives des œuvres dans le halo de la lampe à pétrole qu'elle promène, ont dû jouer car une sorte de fascination est venue en elle. Presque un choc amoureux et subit. Notamment devant une peinture de ce Van Gogh, représentant des tournesols dans un champ calciné de soleil, d'une lumière jaune si éclatante qu'elle en était presque blanche. Elle en a revécu ses propres émotions, lors de certains étés aux abords du shtetl. « C'est fichtrement beau, Hannah... » Sa passion définitive pour la peinture est née à cet instant...

— Comment se fait-il qu'il n'y ait pas un seul tableau de ton peintre, dans toute la maison ?

— Il les brûle à mesure.

Elle ouvre et élargit les yeux, ahurie : pourquoi faire une chose pareille ?

— A son goût, explique Lothar, ses œuvres ne valent rien. Il a vécu dix ans en France et en a ramené toute une cargaison d'œuvres d'amis peintres qu'il avait là-bas. Depuis, il essaie de les imiter.

— Il est riche ?

— Très.

... La veille, Lothar n'est arrivé que vers minuit. Lui présentant mille excuses pour son retard : on l'avait retenu à une soirée d'affaires — qui était le motif officiel de son nouveau voyage à Sydney. Ils ont soupé ensemble. Pour la première fois de sa vie, elle a goûté du vin, et qui plus est du champagne — très bon, décidément. Elle a ressenti une (petite) griserie, Lothar et elle ont fait longtemps l'amour, avec des résultats toujours aussi extraordinaires. Sinon plus encore...

Hannah a fait d'autres découvertes passionnantes : par exemple que, dans un lit, une femme peut prendre des initiatives, conduire elle aussi le jeu — au lieu de simplement attendre et recevoir ; qu'elle peut donner, imposer son propre rythme ; que par les caresses appropriées elle peut amener son partenaire au paroxysme et le faire panteler tout autant qu'une femme, jusqu'à ce qu'il en gémisse et demande presque grâce ; le dominer en quelque sorte ; que ce doit être un échange à parts égales... et l'on prend le même plaisir dans les deux circonstances. Quelle trouvaille intéressante !

Au matin, il n'était plus dans le lit, mais il n'était pas parti. Elle l'a rejoint dans ce coin de l'immense pièce du rez-de-chaussée qui sert de cuisine, où il se brûlait les doigts en tentant de faire griller du bacon. Elle a pris le relais au manche de la poêle (pas trop adroite non plus), a voulu petit déjeuner au soleil et c'est ainsi qu'ils ont découvert l'étrange et impressionnante passerelle de fou en suspension sur l'océan. Lothar, lui, refusait de s'y engager. Mais elle s'y est avancée d'un premier mètre et il a bien été contraint de la suivre — « seulement si tu te mets nue, qu'au moins je joue ma vie pour quelque chose... » En un clin d'œil, elle a jeté sa chemise au vent du large et l'a regardée descendre sur le bleu-noir du Pacifique, en savourant la caresse du vent sur chaque centimètre de sa peau...

« Je suis en train de changer, pense-t-elle, sa nuque sur la cuisse de Lothar. Pas parce que je me mets nue au soleil, en plein air, devant un homme... Tu aimais déjà ça au shtetl, Hannah — sans homme en ce temps-là, quoiqu'un jour Mendel ait failli te surprendre (tu voulais peut-être être surprise, d'ailleurs). Pas non plus parce que tu fais maintenant l'amour en y trouvant tout le plaisir du monde. Si le plaisir existe, pourquoi ne pas le prendre, c'est même l'une des très rares choses qui ne coûtent pas d'argent. Non, le changement est dans ta tête : tu devines de mieux en mieux les gens, ce qu'ils ont dans le cerveau, ce qu'ils pensent et pourquoi ils le pensent. A se demander où ça va s'arrêter, ce pourrait être fichtrement embêtant, à la longue, si tu devenais trop perspicace. Etre bête, c'est comme un coussin ou un rembourrage, ça protège. Tu es de moins en moins protégée... »

Ceci parce qu'elle sent le moment venu. Et elle demande enfin, s'essayant à regarder le soleil en face :

— Pourquoi voulais-tu tellement me voir ?

— J'avais très envie de toi.

— Ce n'était sûrement pas la seule raison, remarque-t-elle avec patience.

Silence.
Il dit enfin : Eloïse.

Et le voilà parti à tout raconter. Peut-être pas avec les mots exacts qu'elle attendait. Mais c'est à peu de choses près l'histoire qu'elle appréhendait d'entendre.

Comment il a d'abord menti à Eloïse sur le vrai prix du schooner, ajoutant deux mille livres au montant réel de l'achat. Comment Eloïse avec sa méfiance haineuse a pris ses renseignements et constaté la différence. Les questions hargneuses qu'elle a faites alors. Comment il a menti encore, invoquant des dettes de jeu. D'abord elle l'a cru. Un temps. Et puis...

Hannah se relève d'un seul mouvement, souple et félin. L'une des deux Hannah qui sont constamment en elle constate cette animalité, cette force incroyable qu'elle a sur cent quarante-neuf centimètres ; décide aussi que c'est une chose merveilleuse que d'être nue, débarrassée de toutes ces choses imbéciles qu'une femme doit porter pour être convenable — et encore n'a-t-elle pas de corset, elle n'en porte pour ainsi dire jamais ; avec sa taille si naturellement fine, elle ne gagnerait sans doute pas deux millimètres à se sangler comme un cheval...

L'autre Hannah tremble de rage. A tuer, ou du moins à avoir très envie de le faire. L'extrême bord de la passerelle est à neuf largeurs de planche. Elle avance et il n'en reste plus que trois ou quatre. Elle dit, contrôlant sa voix du mieux possible et donc avec ce ton lointain, très détaché qui est le sien quand elle est tout à fait en fureur :

— Voyons un peu. Ton Eloïse a découvert que je suis encore... Elle sait que je suis toujours à Sydney ?

— Pas encore.

— Elle va le découvrir. Alors que selon toi j'étais en Chine. Elle découvrira que j'y ai créé une affaire. C'est ça ?

— Oui.

— Elle va en conclure que tu lui as menti depuis le début. Et surtout que ces quinze cent livres de malheur, c'est à moi que tu les as remises. Ou même deux mille.

— Oui.

Hannah fait un autre pas. Plus que deux largeurs de planche :

— Elle se souviendra que je n'avais à peu près rien, quand elle m'a engagée comme femme de chambre. Et surtout que je suis partie sans lui laisser le plaisir de me flanquer à la porte. En déduira forcément que je suis ta maîtresse, que je me suis servie d'elle, et de toi, et bien sûr de son argent...

Nouveau pas en avant. La passerelle, depuis quelques instants, vibre sous ses pieds nus comme un être vivant.

— Et nécessairement, quand elle va s'apercevoir que je suis en train de faire fortune — je fais vraiment tout mon possible pour qu'on parle de moi —, elle va débarquer comme une furie à Sydney, en m'accusant...

... La vibration monte au long de ses jambes et de ses reins, la gagne tout entière, curieusement voluptueuse, entrant en phase avec son propre tremblement de rage et d'excitation mêlées.

— ... Voyons, que pourrait-elle dire ? Elle pourrait m'accuser de lui avoir volé l'argent qui m'a servi à monter mon entreprise... Et encore, par exemple, qu'elle n'avait pas voulu porter plainte à l'époque, par pitié. Mais que trop, c'est trop, qu'elle doit mettre en garde contre la petite traînée juive — c'est moi — toutes les honnêtes femmes de Sydney, et tant qu'à faire d'Australie. Ce qui ne sera pas trop bon pour mes affaires. Tu y as pensé, Lothar ?

— Oui.

— Je suis sûre que tu l'as fait. Tout à fait sûre.

Elle accomplit le dernier pas et se retrouve tout à fait au bord, apercevant entre les pointes dressées de ses seins et ses orteils roses l'océan Pacifique tout en bas, tandis que la passerelle de fou se balance mollement sous l'effet du poids de son corps et sans doute aussi du vent : « Quel foutu monde, Hannah, quelle foutue saloperie de monde, comme dirait Mendel Visoker qui te manque tant, surtout dans les circonstances présentes où ses gros poings à fracasser les têtes ne seraient vraiment pas de trop ! En débarquant en Australie, un homme, à ta place, n'aurait peut-être même pas été volé. Pour cette raison simple qu'il aurait eu des tas de poches où répartir son argent. Il n'aurait pas eu besoin de se tapisser le ventre et les seins de liasses avec le désagrément de paraître bouffi. Ensuite, il aurait trouvé du travail sans problème, et une fois qu'il aurait fait fortune, se serait même enorgueilli — on l'aurait trouvé admirable — d'avoir exercé trente-six métiers... »

— Pour l'amour de Dieu, Hannah, ne reste pas là ! dit derrière elle la voix rauque de Lothar Hutwill. Tu me terrifies.

— Moi, je n'ai pas peur. Pas plus de cette passerelle que d'aucun être humain, quel qu'il soit. Jamais.

« ... mais toi, Hannah, à part faire la putain, comment aurais-tu trouvé très vite de l'argent ? Tu crois qu'une banque te l'aurait prêté ? Ils auraient lorgné ton devant et ton derrière et ça les aurait carrément fait se tordre de rire, en t'entendant leur exposer ton idée : une femme qui veut être dans les affaires, pensez donc ! Ils en ont une sur le trône, de femme, la dénommée Victoria, mais ça ne va pas plus loin ; elle ne peut même pas entrer dans leurs clubs, cette espèce de bonbonne à moustaches, toute reine qu'elle est. Alors, toi, tu parles ! »

— Hannah, je t'en supplie !

Elle regarde une dernière fois entre ses seins et ne voit rien d'autre que la toison de cuivre roux très sombre de son ventre, et le bleu indigo du Pacifique : « Des couleurs qui ne vont même pas ensemble, en plus ! Donc, tu arrêtes de faire l'imbécile et tu sors de là, s'il te plaît. »

A peu près calmée, elle rétrograde. Un pas en arrière et puis deux autres. La vibration s'apaise, le tremblement de même. « Tu es vraiment folle, pas de doute. » Elle pivote, revient face à Lothar, qui en effet a l'air tout affolé...

« Regarde-moi ça, Hannah : ça a quarante-deux ou quarante-trois ans et ça a des vapeurs. Et ce sont les femmes qui sont fragiles, paraît-il ! »

— Tout cela est tellement médiocre, Lothar.

Sa rage est complètement tombée. La mécanique tourne. Elle est à peu près certaine qu'il lui ment... Eloïse n'est pas au courant, il aura tout inventé. Et la raison de ses mensonges n'est pas si difficile à trouver — s'il ment vraiment, bien sûr, ce qui reste à prouver, et dont elle ne jurerait pas absolument.

Elle s'agenouille mais sans courber les reins. Au contraire elle les cambre, s'étire autant qu'elle le peut, seins dressés, redécouvrant le plaisir du friselis frais du vent qui passe entre ses cuisses ; elle caresse les lèvres humides de son ventre, le regarde fixement :

— Fais-moi l'amour. Maintenant et ici.

Il y a eu un moment où elle n'a plus pu supporter le soleil, un peu trop chaud pour elle. Et puis avec la peau très blanche qu'elle a, elle se connaît : elle ne tarderait pas à tourner à l'écrevisse. D'ailleurs, elle ne voudrait en aucun cas hâler, même si elle le pouvait.

Ils ont regagné la grande pièce du bas et elle lui a demandé d'ouvrir toutes les fenêtres, ce qu'il a fait docilement. Elle monte à l'étage et s'asperge interminablement d'eau fraîche. En profite pour se laver les cheveux, surtout pour gagner un peu plus de temps : « Tu sais très bien ce qu'il va te dire, à présent. Ou alors, tu t'es trompée tout du long. Ce qui serait bien étonnant... »

Redescendant enfin, elle le trouve évidemment rhabillé (il est d'une pudeur de jeune fille), assis sur la banquette semi-circulaire du bow-window, un livre entre les mains, mais regardant la mer.

— Faim ?

Il secoue la tête.

— Moi si, dit-elle. Elle gagne le coin cuisine et se confectionne un en-cas à base de viande froide, de jambon, de lard cru, de beurre salé, de salade, tout cela accumulé tant bien que mal entre deux tranches de cette saleté de pain blanc anglo-saxon qu'elle déteste.

— Une faim d'ogre.

— Je vois.

Il tourne enfin la tête et elle devine qu'il est tout près de parler. Malgré sa bouche pleine, elle dit :

— Tais-toi.

— Il y a une solution.

« Tu ne t'es décidément pas trompée, Hannah... »

— Il y a une solution qui réglerait tout, dit-il d'une voix sourde.

— Pas celle-là.

— Je t'aime.

Le plus étonnant est qu'elle a vraiment faim, elle mangerait une vache. Elle croque dans son empilement de nourriture avec un appétit de carnassier, et ses aiguës petites dents très blanches tranchent viande et lard comme un hachoir, y découpant des demi-lunes fort plaisantes à l'œil. A l'égard de Lothar Hutwill, elle commence d'éprouver de l'agacement, voire de l'irritation : qu'a-t-il besoin de la mêler à ses problèmes avec Eloïse ? S'il ne supporte plus sa femme, il n'a qu'à la quitter ; et oublier son argent, se débrouiller seul. Le peu de tendresse qu'Hannah pouvait avoir pour cet homme achève de s'effacer...

« Autre leçon à retenir, Hannah : il n'est pas du tout nécessaire d'aimer quelqu'un pour faire l'amour avec lui. Peut-être même est-ce le contraire : à trop aimer, il est possible que le plaisir soit diminué, en tous cas différent. Cela expliquerait pourquoi, avec Taddeuz, dans la chambre de Praga... »

— Je t'aime et je ne peux plus me passer de toi, Hannah.

Du pouce et de l'index, elle extrait la couenne du lard, avec beaucoup de délicatesse et la dépose sur le bord d'une assiette :

— Ce n'est pas une raison pour assassiner quelqu'un, Lothar.

Elle va et vient dans la pièce immense.

— Je ne la tuerais pas moi-même, dit-il derrière elle.

— Je vois : Micah Gunn.

— Il a déjà tué. Deux fois au moins. Je suis le seul à le savoir en Australie. C'était à Londres et la police le recherche encore, sous un autre nom. Il tuera Eloïse si je lui dis de le faire, il ne peut rien me refuser. Il la hait, de toute façon. Et je serai en voyage quand ça arrivera.

Elle pivote et le dévisage. Elle avait beau s'attendre à une proposition pareille, tant de tranquillité dans le projet d'un meurtre la laisse interdite. « Encore une chance que je me sois rhabillée : ce n'aurait pas été une tenue très adéquate, d'être nue comme un ver, pour discuter de ces choses. Dans quelle fichue situation me suis-je encore mise ? »

— Je ne serai pas inquiété, Hannah, dit-il encore. Pour Micah aussi, tout est arrangé : il sait qu'il risque d'être reconnu à tout moment ; je lui donnerai mille livres et il s'embarquera pour l'Amérique. Et je pourrai t'épouser, ensuite.

— Rien de plus simple, en effet, dit-elle sarcastique. Après quoi nous vivrons dans le faste, de l'argent d'Eloïse. On patauge dans l'imbécillité.

Elle s'assoit, tout à l'autre bout de la pièce, à quinze bons mètres de lui. Il est à peu près midi et l'on est forcément un dimanche. Toute la mécanique dans sa tête tourne à plein régime :

— En premier lieu, Lothar, je ne t'épouserai jamais. Jamais. Si même tu étais veuf par suite d'une mort très naturelle et avec tout l'argent du Grand Mogol. Si je dois un jour épouser quelqu'un, je choisirai toute seule. J'ai déjà choisi, d'ailleurs, et ne suis pas près de changer d'avis.

Une espèce de gaieté féroce est en train de monter en elle. Toute cette affaire est non seulement médiocre, mais ridicule.

— ... deuxième point, Lothar Hutwill : je vais écrire une lettre ou deux, je les remettrai à des personnes de confiance. Dans ces lettres, je raconterai comment tu m'as offert de tuer ta femme, grâce à Micah ou sans lui, afin de m'épouser ensuite. Si quoi que ce soit arrive à Eloïse, qu'elle ait un accident de cheval, qu'elle s'étrangle en avalant un jambon de Westphalie ou qu'elle se suicide, les lettres iront à la police. Je dirai aussi que j'ai essayé de te raisonner et qu'en vérité, j'ai cru que tu me racontais tout ça comme un jeu. D'ailleurs, c'était un jeu, rien d'autre.

Il la fixe avec son calme ordinaire, dont il vient de révéler quelle violence il dissimulait. Ses longues et belles mains comme toujours détendues. Et dangereuses, en fin de compte. Il doit y avoir pas mal de temps qu'il projette de tuer sa femme, quoiqu'il ne soit probablement pas capable de la tuer lui-même.

— Et je vais te rembourser de tes quinze cents livres. Seize cent quatre-vingts, avec les intérêts.

« Pour le cas où il ne m'aurait prêté cet argent qu'à seule fin de me compromettre. Il en est capable. C'est qu'il pense, ce monstre ! »

— C'est inutile, Hannah. Surtout avec intérêts.

— Je te rendrai jusqu'à la dernière livre.

Elle glisse une main dans son décolleté et en retire la liasse :

— Cent vingt livres. Restent dues : quinze cent soixante.

Comme il n'esquisse aucun geste, elle dépose l'argent sur la table devant elle.

— Je pense que le remboursement devrait aller assez vite. L'affaire de quelques mois.

Il ne bronche pas, muré dans ce même calme qui commence à inquiéter un petit peu Hannah, quand même. « Avec ton histoire de lettres, tu ruines tous ses projets de meurtre. Avec ta complicité ou sans elle. Tu le condamnes à s'accommoder d'Eloïse pour le restant de ses jours, ça pourrait bien le désespérer. Au point que lui vienne l'idée de t'étrangler... Tu as parlé trop tôt, il t'aurait fallu, pour lui faire cette menace, attendre d'être ailleurs que dans cette maison solitaire, seule avec lui. Tu as commis une erreur, idiote ! »

Elle se met en mouvement et va vers l'escalier. Qu'elle gravit. Ses cheveux sont à peu près secs, elle se coiffe en s'obligeant à prendre son temps — ne surtout pas se précipiter !

... Et à un moment, grâce au miroir, voilà qu'elle le découvre juste derrière elle, une fixité pas trop rassurante dans ses prunelles marron :

— Tu veux rompre, Hannah ?

— Mais non. Quelle idée !

Elle soutient son regard et lui sourit. Il demande encore :

— Nous allons donc nous revoir ?

Elle se retourne et l'embrasse, lui caresse la joue :

— Pas avec l'aide de Micah Gunn. J'aurai bientôt assez d'argent pour m'acheter ma propre voiture. (Elle surveille ses mains.) Tu es le plus merveilleux amant dont je pouvais rêver et je me priverais de toi ?

Elle continue de l'embrasser, câline en diable, suspendue à son cou. S'étonnant du plaisir qu'elle prend à ces caresses, alors qu'elle est si fermement décidée à ne plus jamais le revoir. « C'est quand même bizarre que ça n'ait rien à voir, le plaisir physique et l'amour, j'aurais cru le contraire... » Une minute. Elle le sent enfin qui se calme, par la seule façon dont il commence à lui rendre ses baisers.

Le danger est passé.

Elle s'écarte :

— Je me demande bien ce que j'ai fait de mes bottines. Nous étions si impatients, hier soir...

Il esquisse un sourire, comme à regret. Elle prend le risque de lui tourner le dos, se met à quatre pattes et récupère les bottines, l'une et l'autre expédiées, la veille, à l'autre extrémité de la chambre. Elle se rechausse. Quand elle relève enfin la tête, elle découvre qu'il est reparti, toujours sans bruit. Ramassant capeline et aumônière, elle descend à son tour. Il n'est pas non plus dans la grande pièce du rez-de-chaussée. Elle finit par l'apercevoir au bas des marches taillées dans le roc qui conduisent à la passerelle de fou. Il s'engage même sur les planches et une autre inquiétude vient à Hannah : il ne manquerait plus qu'il aille se jeter en bas. Comment peut-on être si vieux et en même temps si déraisonnable ?

— Je m'en vais, Lothar. J'ai tant de travail...

Pas de réponse dans l'instant. Il est à mi-chemin sur les planches et poursuit sa progression. Dit pourtant :

— Micah va te raccompagner.

— J'ai envie de marcher un peu. Je marchais beaucoup, en Pologne...

« Il va sauter, ce vieux fou ! » Déjà, elle ouvre la bouche pour crier. Mais il s'immobilise, sur la dernière des planches, comme elle l'a fait auparavant. A son grand soulagement, elle le voit s'asseoir, jambes pendantes dans le vide. Puis s'allonger à plat dos, recouvrant son visage de ses avant-bras repliés. « Il ne va pas sauter. Ou alors, il l'aurait déjà fait, rien que pour me punir. Quelle faiblesse de caractère ! » (Elle s'étonne aussi de cette logique, qui lui paraît pourtant irréfutable.)

Elle sort de la maison. Micah Gunn n'est nulle part en vue. Au vrai, l'endroit est terriblement désert. On ne voit la passerelle de nulle part, depuis le chemin qui suit la crête de la falaise...

... Sauf d'un seul point, grâce à une avancée rocheuse pointant un peu plus que les autres. Elle s'y engage et maintenant, à deux cents mètres en très léger contrebas, découvre à la fois le ponton fou en suspension absurde sur des milliers et des milliers de kilomètres de Pacifique, et Lothar Hutwill toujours allongé sur le dos, immobile.

Une demi-heure plus tard, un groupe de pique-niqueurs dans deux voitures à cheval la recueille et la ramène à Sydney.

Avant de se remettre à ses comptes, elle écrit sa lettre à Quentin MacKenna (elle ne sait où le joindre exactement mais James Soames le vieux botaniste lui a appris qu'il venait parfois le voir). Elle lui raconte tout, prenant toutefois la précaution de n'utiliser que des initiales. Elle écrit expressément : *C'est surtout le Rouge qui m'inquiète.* Il comprendra, elle lui a parlé des Hutwill tandis qu'ils voyageaient en train.

L'ouverture de l'ensemble dont elle a conçu chaque détail a lieu le 14 décembre. Six jours avant la date prévue, alors que les délais fixés à Robbie Watts étaient déjà fort serrés.

C'est un triomphe. Et à peine s'en surprend-elle : une bonne idée et beaucoup d'acharnement ne peuvent manquer de produire le succès ; hormis la nuit du samedi et la matinée du dimanche passées dans la maison de Botany Bay, elle a consacré à son entreprise plus de vingt heures par jour, sept jours par semaine, depuis qu'elle est rentrée de Cobar et de son expédition à l'ouest. Soit quarante-six jours d'affilée.

Mais les résultats parlent d'eux-mêmes : deux cent quatre-vingt-trois livres de bénéfice pour la première semaine...

... trois cent quatre-vingt-onze la deuxième.

Elle a décidé de passer seule la nuit et le jour de Noël. Ce n'est même pas le fruit d'une réflexion consciente, elle se décide par instinct (ce n'est que plus tard qu'elle découvrira ses probables motivations profondes : elle vivra seule les fêtes de chaque fin d'année jusqu'à ce qu'elle ait retrouvé Taddeuz. Et avec lui seulement...)

Les MacKenna l'ont presque suppliée de se joindre à eux, accablés à l'idée de sa solitude, puis blessés de son refus. Colleen d'abord. Ensuite Aleck, celui des quatre fils — Quentin étant comme rayé de la surface de la terre — qui est le plus éloigné de son père et de Rod. Aleck est venu la chercher dans le buggy en compagnie de Lizzie, le

24 au soir vers six heures, il a insisté fort gentiment. Elle a continué de dire non, avec une identique gentillesse mais beaucoup d'entêtement. Inébranlable même devant les larmes de Lizzie. Ce n'est pas qu'elle soit si affairée, hormis bien sûr ces comptes sempiternels qu'elle fait et refait jusqu'à la nausée. Elle veut simplement être seule. Et dormir. En dépit de son imperturbable santé, elle est fatiguée et pas tellement au physique : elle éprouve un sentiment de solitude et d'abandon, et l'envie sournoise de s'y abandonner un peu, pour une fois. Somme toute, elle subit le contrecoup de son émigration, de sa plongée dans ce monde étranger où l'on ne parle que l'anglais, de son déracinement. Elle en est presque à ressentir de la nostalgie, cinq mois après son débarquement en Australie et quoiqu'elle commence d'y réussir. Des images, des sons, des odeurs la hantent, tout un univers qu'elle est inexplicablement certaine de ne jamais revoir — celui des rues Goyna ou Krochmalna, des jardins de Saxe, de la Vistule avec ses escarpements, des grandes plaines polonaises de son enfance, et même du froid...

Sans parler de Mendel...

Sans parler de Taddeuz et de la chambre de Praga.

Elle pleure un peu au cours de la nuit du 24 au 25 décembre. Plus exactement, elle se réveille durant cette nuit et se découvre en train de pleurer à chaudes larmes. D'abord sans comprendre pourquoi, et puis son rêve lui revient : elle a rêvé que Taddeuz était lui-même en Australie, elle a vu sa haute et fine silhouette parmi les marchandises et les fardiers du Circular Quay dans le port de Sydney ; il venait vers elle avec son merveilleux sourire mais, juste à l'instant de la recevoir dans ses bras alors qu'elle courait vers lui, il s'est détourné d'elle à jamais... à cause de ce qu'elle a fait, coucher avec tous ces hommes (dans son rêve, elle a eu cinquante amants au moins) et poser nue pour tous ces peintres : désormais, dans le monde entier, n'importe qui peut la voir reproduite sans rien sur elle, lorgner ses seins, son ventre et ses reins en ce qu'ils ont de plus intime.

Hannah n'est absolument pas dupe de sa dépression. Sait fort bien qu'elle ne sera que passagère — c'est délibérément qu'elle s'y est laissée aller. Et le moyen de faire autrement, d'ailleurs ? L'autre Hannah qui l'étudie en permanence ricane déjà : pour elle, tout est simple — c'est justement parce qu'elle a réussi à atteindre le premier de ses buts avec ses saletés de crèmes, qu'elle se relâche un peu, perd de son élan ; c'est toujours ainsi après une victoire ; d'abord de l'exaltation mais très vite derrière, le vide. Alors tu arrêtes de pleurnicher, s'il te plaît !

Elle tente de se rendormir mais sans succès. Elle demeure allongée, yeux écarquillés dans l'ombre, partagée entre les deux Hannah ; l'une qui explique en toute lucidité que l'affaire de Sydney n'est qu'un début, tout petit ; on est encore loin du compte, des cent mille livres sterling qui sont son objectif convenu ; des millions de choses restent à faire, ce n'est sûrement pas le moment de quitter la partie...

... Et l'autre qui a tout bonnement envie de s'enfouir le visage dans l'oreiller et de pleurer toutes les larmes de son corps, comme une petite fille dont on a cassé la poupée.

... « Sauf que tu n'as jamais eu de poupée. »

En fin de compte, elle rallume sa lampe. De la douzaine de livres qu'elle a trimballés dans le sac en tapisserie depuis Dantzig, en fait depuis Varsovie, il n'y en a guère qu'un qui ne soit ni en français, ni en allemand ni en anglais (toutes langues étrangères), c'est le seul capable de satisfaire un peu sa nostalgie. Et en plus, il est chargé de souvenirs : *Un héros de notre temps*, de Mikhaïl Lermontov, en russe. Elle se met à le relire, l'ouvrant au hasard. Une phrase la frappe presque aussitôt, mise par l'écrivain dans la bouche de Petchorine : *Il faut mourir, je mourrai : ce ne sera pas une grosse perte pour l'univers ; et d'ailleurs, moi-même, je commence à m'ennuyer passablement en ce monde. Je suis comme un homme qui bâille à un bal et qui ne rentre pas se coucher uniquement parce que sa calèche n'est pas encore là...*

La citation la frappe. Sûrement pas parce qu'elle exprime ses sentiments, à elle, Hannah. Il s'en faut de milliards de lieues : quant à elle, elle quittera le bal le plus tard possible ! Mais une intuition bizarre, presque sans raisons discernables, la fait penser à Taddeuz. Taddeuz pourrait dire ces choses, ou les penser, tôt ou tard...

Il doit être dans les trois heures du matin. C'est l'heure où elle se lève, d'ordinaire — quand elle prend le temps de se coucher, ce qu'elle a fait une nuit sur deux ou trois depuis quarante-six jours. Mais rien ne presse vraiment, aujourd'hui, toute cette journée du 25 sera comme morte, il n'est évidemment pas question d'ouvrir l'institut de beauté ni même le salon de thé. Le silence de la nuit sydnéenne est total, absolu. C'est précisément en raison de ce silence qu'elle capte le léger bruit de pas dans l'escalier de bois, au flanc de l'entrepôt d'Ogilvie, un escalier qui ne mène qu'à son seul appartement.

Elle fixe la porte fermée à double verrou, et sa main va chercher le manche du rasoir sous l'oreiller. Les pas se sont arrêtés. Elle perçoit le souffle d'une respiration derrière le battant. S'écoulent d'interminables secondes. Puis lui parvient une sorte de grattement d'ongles contre le bois...

— Quentin... murmure-t-il.

14

VOUS AVEZ TUE QUELQU'UN ?

Son regard filtré parcourt les deux pièces, visage un peu renversé en arrière. Il hoche la tête :

— On fait dans le dépouillement, on dirait.

Elle a refermé la porte après qu'il est entré, elle a rallumé la lumière de la lampe, soufflée avant d'ouvrir. Elle garde cette lampe à la main et se tient plaquée contre le battant, son autre main entre le bois et elle (le rasoir est dans sa paume, bien qu'elle se sente honteuse de sa méfiance). Quentin est toujours vêtu de sa chemise et de son pantalon de toile. Il porte de grosses bottes de cuir fauve par-dessus lesquelles il a curieusement retroussé le bas de son pantalon. Quantité de suées successives ont maculé la toile du vêtement ; une des manches de la chemise a été déchirée puis rapetassée à la diable, à gros points, à l'aide d'une pièce qui n'est pas tout à fait du même bleu. Une ecchymose jaunâtre marque sa pommette gauche, du sang coule de sa main droite.

— Vous êtes blessé ?

— Rentrez donc votre putain de rasoir.

Elle dépose l'arme et la lampe en même temps, sur la chaise qui lui sert de table de nuit.

— Blessé ?

Il semble redécouvrir sa main :

— Ce n'est rien. Juste une écorchure.

— Vous vous êtes battu.

— Ça m'arrive.

Aucun sourire. Il ajoute :

— Personne ne m'a vu entrer chez vous. Je peux repartir, si vous voulez.

Son visage est encore plus émacié que celui dont elle a gardé le souvenir. Il semble épuisé mais aussi, elle le remarque à ses yeux verts, à ce qu'on en voit par la fente des paupières, il a bu. « Et sans doute énormément, il doit en avoir l'habitude. »

245

— Laissez-moi votre main.

La chair est à vif sur les jointures mais le sang provient surtout d'une profonde entaille dans sa paume.

— A croire que vous avez saisi une lame à pleine main.

Pas de réponse. Il titube légèrement. Elle le fait asseoir sur le lit et c'est seulement à ce moment-là qu'elle remarque que la chemise est fendue sur une quinzaine de centimètres, juste au-dessus de son gros ceinturon de cuir. Et du sang coule, là aussi.

— Enlevez votre chemise.

— ... fair' foutre.

Elle le met torse nu, impressionnée par sa maigreur, et il se laisse faire, fermant tout à fait les yeux de temps à autre.

— Vous avez tué quelqu'un, Quentin ?

La plaie n'est qu'une longue, très longue balafre. On distingue nettement l'endroit où la pointe du couteau s'est plantée, au centre de l'abdomen, sans s'enfoncer toutefois. Ensuite la lame a dérapé sur la droite, entaillant la chair.

— Quelqu'un a essayé de vous ouvrir le ventre. Vous avez pris la lame avec votre main et l'avez écartée. C'est ça ?

Il se laisse aller en arrière et s'allonge. Rouvrant les yeux dans l'intervalle : il fixe Hannah. Elle va chercher de l'eau et un linge et nettoie ses blessures, avec son sang-froid ordinaire.

— Je n'ai que du thé.

— Non.

Un long silence après ce refus et elle le croit déjà endormi. Mais le voilà qui se remet soudain à parler, bredouillant un peu : il voudrait lui parler des « bordel de Dieu de plantes », est-ce qu'elle a bien reçu tous ses envois et est-ce qu'elle ne pourrait pas faire un tri, un « bordel de Dieu de liste », parce qu'elle n'a sûrement pas besoin de tous ces « putains de trucs », elle doit savoir un peu mieux ce qu'il lui faut exactement, maintenant que sa « bordel de Dieu d'affaire » est en route ?

Tout d'une traite.

— Oui, à toutes les questions, répond-elle. D'accord, je vous établirai une autre liste, plus précise et moins longue. Allongez-vous. Vous puez comme trois sconses. Vous ne changez jamais de chemise ?

— En ai pas d'autre.

Avec l'aide d'Hannah, il se traîne et s'étale au milieu du lit. Un chat perdu, pense-t-elle, un chat perdu très grand et très maigre, couturé de Dieu sait combien de cicatrices et à qui tout le monde jette des pierres. Son envie de pleurer lui revient un peu. Elle la combat par de l'activité, ainsi qu'elle fera toujours.

— Enlevez-moi ce pantalon aussi. Je vais tout laver et essayer de boucher les trous, bien que je ne sois vraiment pas terrible, pour la couture et le rapetassage. Et l'on se tait, ajoute-t-elle avec les mots de Colleen.

Elle parvient à lui ôter ses bottes, après qu'il ait dû littéralement lui coller son pied au derrière et pousser pour l'aider. Dieu merci, ses pieds sont à peu près propres. Avec la même énergie farouche, elle déboucle le ceinturon, défait les boutons de la braguette, saisit les jambes de toile et tire, tout cela d'un seul mouvement irréfléchi.

... Et elle se fige, se sentant tourner à l'écarlate, horriblement gênée et malheureuse. Il la dévisage à nouveau :

— Satisfaite ?

Le membre est mutilé, tranché presque à ras des deux petites boules qu'ont les hommes à cet endroit de leur corps. La cicatrice est ancienne.

Elle secoue la tête :

— Quentin, je ne pensais même pas...

Elle repart du coup dans sa frénésie d'action, emplit le tub d'eau, y plonge les vêtements, les lave et les relave avec le dernier acharnement. Trouve enfin le courage de dire :

— Vous m'auriez laissée vous donner un peu d'argent, vous auriez pu au moins vous vêtir de neuf. On y voit presque à travers.

Pas de réponse. Elle se retourne et le découvre endormi, avec une touchante expression d'enfance, soudain, sur le visage. Elle s'attarde encore un peu, suspend le pantalon et la chemise à côté de ses propres culottes — « ça fait fichtrement matrimonial, Hannah... » Vient un moment où elle n'a plus rien à faire, sinon à la rigueur se remettre à ses comptes — qui peuvent attendre et que d'ailleurs elle a refaits six fois au moins.

Elle se résout à s'allonger sur le lit, elle aussi. C'est ça ou prendre place sur la chaise unique. Poussant un peu Quentin, elle réussit à se faire une petite place. Elle se remet à lire. Mais au bout d'un moment, il marmonne quelque chose d'indistinct au sujet de la « putain de lampe ». Elle éteint et se pelotonne dans le peu d'espace qu'il lui a laissé.

Elle s'est finalement rendormie, à force de se contraindre à demeurer immobile. Le jour s'est levé depuis des heures, le même total silence règne sur Sydney au matin de Noël, dans ce quartier où déjà l'on n'habite plus guère, quand un contact l'éveille. Dans son sommeil, Quentin vient d'allonger un bras et l'a posé en travers de sa poitrine. Elle ne bouge pas, considérant la grande main osseuse aux ongles cassés sur son abdomen, main d'abord inerte, qui peu à peu s'anime, prend de la vie. Des doigts abordent, escaladent et apparemment identifient le mamelon de son sein gauche. La main se retire sans hâte. Au rythme de la respiration, elle devine que Quentin vient lui aussi de s'éveiller. Il ouvre les yeux, avec tout l'air de ne pas comprendre où il est. Son regard vient sur elle. Il demande :

— Il y a longtemps que je suis ici ?

— Vous êtes arrivé cette nuit vers trois heures du matin.

247

Six à sept heures plus tôt, à en croire les cloches des églises qui carillonnent.

— J'étais ivre. Excusez-moi.

— Ça ne fait rien. Vraiment rien. J'étais seule, moi aussi.

— Ma famille n'a pas voulu de vous ?

— Je voulais être seule.

Il bouge enfin et roule sur lui-même, pour se retrouver à plat ventre :

— Qui m'a déshabillé ?

— Qui d'autre ?

— Où sont mes vêtements ?

— Lavés. Ils puaient à vomir. Ça ne vous ferait pas de mal de vous laver aussi. Il reste de l'eau, à côté. Entre-temps, j'essaierai de vous faire cuire quelque chose. Je suis une très mauvaise cuisinière.

— On aime donner des ordres, hein ?

— On fait ce qu'il faut faire.

Elle sort du lit, resserrant le peignoir d'indienne porté par-dessus sa chemise, et sans plus s'occuper de lui fait le compte de ses provisions de fourmi ; cinq œufs, une boîte de haricots, de quoi couper huit ou dix tranches de bacon, un fond de lait, du thé et du chocolat en barre d'une livre. A son aune, de quoi largement tenir une semaine au moins. Mais ça mange, un homme...

— Trois œufs, ça va ?

— Ce qu'il y a.

Il a filé comme une ombre dans la petite pièce voisine et elle l'entend qui fait couler de l'eau et y barbote. C'est une sensation neuve, et agréable, d'avoir un homme chez elle, dépendant d'elle. Dans sa poêle unique, elle se décide à verser aussi les haricots à la tomate, les mélange aux œufs et aux six tranches de bacon, avec pour résultat un salmigondis assez bizarre mais pourquoi pas ?

Il lui revient tout propre et enveloppé d'un drap, visage très bronzé avec le reste du corps blanc, ce qui lui donne des allures d'Hindou barbu et blond.

— Je partirai dès la nuit venue, dit-il entre deux bouchées. Je ne peux guère sortir de chez vous en plein jour.

Elle va répondre qu'elle s'en fiche complètement mais dans la seconde suivante perçoit le bruit d'une voiture et, bientôt, des pas dans l'escalier de bois. Qu'ils sont au moins deux à gravir. On frappe à la porte.

— Hannah ? C'est moi.

Voix de Lizzie. Hannah ne bronche pas, ses yeux dans ceux de Quentin. Elle secoue la tête. On frappe à nouveau :

— Hannah, tu es là ?

Silence. Hannah esquisse le mouvement de se lever, presque décidée à aller ouvrir la porte. La main de Quentin s'allonge et l'immobilise. « Ne répondez pas », signalent les yeux verts. Les secondes courent dans le silence. On redescend l'escalier. Bruit de la voiture qui repart à présent.

— Je vous aurais assommée, plutôt, dit Quentin.

— Vous devriez la voir et surtout lui parler.

Il n'y avait pas la moindre chance qu'il accepte, mais j'ai essayé, Lizzie, j'ai fait de mon mieux..

Il ne prend même pas la peine de répondre et se remet à manger, engloutissant l'espèce de pâtée qu'elle lui a servie avec la plus grande indifférence. Il ne lui a toujours pas dit un mot de la lettre qu'elle lui a écrite, au sujet de Lothar Hutwill et de Micah Gunn. Et maintenant qu'elle le voit, elle se reproche et regrette d'avoir fait appel à lui. Que diable aurait-il pu faire ? « Il faudrait tout de même que tu perdes l'habitude de chercher des Mendel partout, pour résoudre les problèmes que tu t'es toi-même créés. D'ailleurs, il est probable qu'il n'est pas passé chez Soames et que donc il ne t'a pas lue. Tant mieux ou tant pis. »

Elle dit qu'elle va sortir une heure ou deux. Demain, elle enverra quelqu'un chez Soames, ou ira en personne, pour récupérer sa lettre. Elle sort, se rend à son laboratoire et s'y attarde, sans grandes raisons. L'endroit est évidemment désert — jusqu'aux sœurs Williams qui sont absentes — et les rues sont vides.

A son retour, elle le trouve à nouveau endormi, un doigt glissé entre les pages du seul livre en anglais qu'elle possède : *Vanity fair* de Thackeray. S'il en a lu trois pages, c'est bien le maximum. Elle tire la chaise devant la table et commence à établir une liste succincte des produits dont elle a vraiment besoin, précisant les quantités exactes. Pour s'occuper ensuite, malgré le profond dégoût qu'elle a pour ce genre de chose, elle rapièce au mieux, avec des morceaux d'un de ses vieux tabliers, les déchirures de sa chemise. Elle n'a que du fil noir ou rouge andrinople. Le résultat de ses travaux d'aiguille est lamentable, comme elle s'y attendait...

L'après-midi passe de la sorte, dans ce climat bizarre. Elle s'est enfin remise à lire, d'abord Lermontov puis Lichtenberg, en allemand, se rapprochant de la fenêtre à mesure que la lumière décline et, toutes les huit ou dix pages, jetant un coup d'œil sur Quentin MacKenna ; notant le jeu des ombres qui envahissent son visage, et sous la maigreur extrême, l'impressionnante dureté des muscles longs, tendus comme des câbles.

— Vous m'avez fait une promesse, à propos de Lizzie.

Elle ne l'a pas senti s'éveiller. Ne pourrait dire depuis combien de temps il l'observe.

— Je la tiendrai.

Il acquiesce.

— Du thé ?

Mouvement de tête : non. Elle pose son livre et demande :

— Vous allez vraiment traverser toute l'Australie à pied ?

— Vous avez une carte ?

Elle a. L'heure suivante, il lui explique par où il va passer et comment. Le projet remonte à six années, il l'a conçu étant encore en prison, suite à la boucherie sur la goélette. Il avait d'abord envisagé de se servir de ces chameaux qu'on avait dans le temps fait venir des Açores. Mais il partira à pied en fin de compte. Et seul, sans même se faire accompagner de deux ou trois Aborigènes de ses amis, de qui il a appris les moyens de survivre dans le désert. Il mettra le temps nécessaire, vingt, trente, quarante mois ; et davantage le cas échéant.

L'unique fenêtre de la chambre d'Hannah donne au sud-ouest ; on peut voir le soleil descendre et commencer à rougeoyer.

— Je vous ai demandé une liste plus précise.

— Elle est prête.

— Vous continuerez d'être approvisionnée. Avec ou sans moi à l'autre bout de la ligne. J'ai pris des dispositions : un type appelé Clancy se chargera des expéditions. Vous n'aurez qu'à lui donner une livre par semaine, trente shillings au plus, pas davantage...

... Et lorsque Clancy prendra contact avec elle, elle saura que Quentin aura commencé ou sera sur le point d'entreprendre sa longue marche.

Silence. Il est à contre-jour, à présent qu'il s'est redressé au point d'être presque assis dans le lit ; à peine voit-elle ses yeux. Et elle devine ce qui lui passe dans la tête. « Dont tu as tout autant envie. »

— Je veux bien, dit-elle.

— Si sûre de comprendre ce que j'allais vous demander ?

— Je crois, oui.

— Par pitié.

— Jusqu'ici, vous n'avez pas trop pleuré sur vous-même. Ne commencez pas, s'il vous plaît.

Il hoche la tête :

— C'est ce qui s'appelle se faire clouer le bec, pas de doute. Coriace, hein ?

— Oui.

— Je plains cet homme, que vous avez décidé d'aimer, ce Polonais.

— Ce n'est certainement pas votre affaire.

— D'accord. Je n'ai rien dit.

— Maintenant ?

— S'il vous plaît, oui.

Elle défait son peignoir et ôte sa chemise, face à lui dans le soleil désormais rasant qui n'éclaire qu'elle.

— Vous pouvez défaire vos cheveux ?

Elle s'exécute.

— Tournez lentement sur vous-même.

Elle obéit encore.

... Et s'allonge près de lui sur un autre signe qu'il lui fait. Il ne la touche pas, alors que sa main gauche n'est guère à plus d'un centimètre de sa hanche. Plusieurs minutes de silence, et d'immobilité totale, jusqu'au moment où les derniers rayons du soleil quittent la chambre. Alors seulement il se lève et va se rhabiller. Il est prêt à repartir quand il réapparaît.

— Deux choses, dit-il. A propos des Hutwill d'abord : ils sont rentrés à Melbourne. J'ai pu parler à l'un de leurs domestiques à Gundagaï : vous avez tout à fait raison de penser qu'il est incapable de tuer sa femme, livré à lui-même. En plus, j'ai appris que le couple allait partir pour l'Europe, où il restera au moins un an. Eloïse n'a jamais fait faire d'enquête sur vous, elle ne sait même pas votre vrai nom et s'en fout. Vous ne l'intéressez pas. Il vous a menti et vous l'avez bien jugé.

— Et la deuxième chose ?

— Gunn. Il est mort.

— C'est avec lui que vous vous êtes battu ?

— Ne vous occupez pas de ça. Sans Gunn, votre Hutwill est désarmé, c'est la seule chose qui compte. Comment s'appelle ce type qui est en Sibérie ?

— Visoker. Mendel Visoker.

— S'il parvient un jour en Australie, ça m'intéresserait de le connaître. Clancy saura où me trouver. Hannah ?

— Je sais, dit-elle : Lizzie.

— Rien d'autre.

En deux pas il est au bord du lit, se penche et l'embrasse très légèrement sur les lèvres.

— Merci.

Après son départ vers dix heures du soir, elle écrit sa quatrième lettre à Mendel : ... *J'ai réussi, Mendel, j'aurai bientôt plus d'argent que je n'en avais à mon débarquement. Je serai bientôt presque riche. Je n'en suis pas aussi heureuse que je m'étais attendue à l'être. Il est vrai que ce n'est qu'une étape, très petite. Mon idée des coffrets, dont je vous avais parlé la dernière fois, ou l'avant-dernière, a donné des résultats vraiment surprenants, au-delà de mes espérances. C'est satisfaisant, de voir se réaliser un projet qu'on a rêvé. C'est même un peu grisant (pas longtemps, rassurez-vous) quand les gens font exactement ce que vous aviez prévu qu'ils feraient. Surtout quand on est haute comme une chaise, qu'on est une fille et qu'on n'a pas encore dix-huit ans. Vous pouvez rire ! Mais la Morveuse est assez contente d'elle, en fin de compte...*

Elle hésite un peu, à ce point, ne sachant si elle doit lui raconter toute l'affaire Hutwill. Mais non, ça l'inquiéterait et ajouterait aux difficultés qu'il doit déjà avoir en Sibérie.

Elle se contente de mentionner le nom de Quentin et celui de Clancy, sans beaucoup de précisions, disant à Mendel que lorsqu'il arrivera en Australie, elle lui fera rencontrer le premier — *qui n'est pas mon amant, n'allez pas vous faire des idées !*

Et, revenant au sujet de sa fortune, elle écrit qu'il faudra encore quelques mois pour assurer l'entreprise. Après quoi, elle entamera une deuxième phase, plus ambitieuse.

Bref, tout va pour le mieux, Mendel. Je vous embrasse très fort.

De toute façon, il ne lira jamais ses lettres, pense-t-elle. Elle pourrait tout aussi bien écrire à Dieu, pour le peu de réponse qu'elle en attend !

Trois cent trente-neuf livres de bénéfices entre le lendemain de Noël et le dernier jour de l'année 92.

Solitude encore pour ce dernier jour, cette ultime nuit. De nouveau elle a décliné les invitations des MacKenna, celles aussi des Ogilvie, des sœurs Williams, de Meggie MacGregor, des frères Rudge, tous pareillement attristés à l'idée qu'elle puisse et veuille être seule pour la naissance de l'an neuf. Colleen plus que quiconque a manqué de la faire revenir sur sa décision : les progrès de la maladie se lisent de plus en plus clairement sur le visage de la grande Irlandaise...

Deux cent neuf livres seulement au cours de la première semaine de 1893.

Elle s'était attendue à cette baisse. Les profits records des jours d'avant Christmas et d'avant la Saint-Sylvestre n'avaient d'autre raison, précisément, que ces fêtes. Il est normal que se manifeste une sorte de décrue. D'autant qu'au train où vont les choses, la quasi-totalité des dames de Sydney doit à présent posséder une au moins de ses crèmes. Sans parler des eaux de toilette qui sont encore mieux parties. Hannah a presque fait le plein, en quelque sorte. « Heureusement que j'ai prévu des pots minuscules, elles seront tôt ou tard obligées de se réapprovisionner... »

Mais c'est un peu agaçant tout de même.

Seul point très rassurant de cette première campagne : le succès obtenu par le salon de thé. Les sœurs Williams, passé les premiers jours où leur timidité les a paralysées, se sont très bien faites à leur nouvel état de directrices-hôtesses, elles dont la respectabilité est au-dessus de tout soupçon. Certes elles ont connu un nouvel affolement quand Hannah leur a annoncé les prix qu'elle entendait pratiquer (entre dix et trente fois le prix de revient réel) pour vendre muffins, scones, chaussons aux framboises (*raspberry turn-over*), *buns, crumpets,* Dundee cakes, tourtes à la rhubarbe, *pink cakes* à la noix de coco (meringués), voire plum et Victoria puddings, et les soixante et onze qualités de thé offertes par la carte... Mais elles se sont pliées à ses exigences.

Mieux encore, une métamorphose a touché les Outardes : elles sont devenues d'un snobisme comme fanatique, interdisant l'entrée de l'établissement à deux ou trois femmes insuffisamment distinguées à leurs yeux. Ces proscriptions ont frappé les imaginations : le *Jardin de Boadicée* — du nom d'une sorte de Jeanne d'Arc anglaise dans la lutte contre les Romains — a pris rang de cercle hautement aristocratique. Dans les premiers jours, Edith et Harriett ont elles-mêmes fabriqué les pâtisseries. Il a fallu un vrai combat pour les décrocher de leurs fourneaux. Elles ont refusé les deux premières candidates cuisinières trouvées par Colleen, ont condescendu à accepter la troisième, après l'avoir soumise à un examen serré de trois jours, digne de l'Inquisition espagnole. Elles accueillent avec beaucoup de suspicion la suggestion d'Hannah d'un nouveau renfort aux cuisines, une semaine après l'ouverture du 14 décembre. Mais cèdent quand même à l'adjonction de deux mitronnes (il s'agit de jeunes aides ; des filles bien sûr, aucun mâle ne saurait poser le pied dans le *Jardin de Boadicée*).

Lorsqu'il s'agit d'embaucher une deuxième pâtissière, elles finissent encore par dire oui. La nouvelle venue est une immigrante de fraîche date, arrivant tout juste de son Autriche natale ; elle a les plus grands dons pour les spécialités viennoises, de la *sachertorte* au *milchrahm strudel*, en passant par les *zwetshkenknödel*, les *Mozartkugeln* et le *nockerl* salzbourgeois, voire le kouglof de Carinthie, le *hupfauf* tyrolien et les petits pains aux amandes et raisins secs de ce même Tyrol, dont elle est originaire, après tout.

Les Outardes concèdent que c'est exotique.

« Non contente de leur tartiner la peau, je vais en plus transformer toutes ces Australiennes en barriques, à les bourrer ainsi ; je suis un vrai danger public », pense Hannah. Mais elle pense aussi qu'elle a une foutument bonne idée (son langage verdit de plus en plus, dans ce pays de pionniers où l'on n'a pas peur des mots ; tout le reste de sa vie, elle va garder un goût pour les mots forts — pour une femme — en avance sur une mode qui ne la rejoindra que cinquante ans plus tard), une bonne idée donc en ouvrant un salon de thé. A l'inverse, pour l'instant, de celui des crèmes et eaux de toilette, le chiffre d'affaire des gâteaux en tout genre suit une courbe constamment ascendante, après un démarrage assez lent. Dans le bénéfice global du début de janvier, il entre déjà pour un tiers...

... Pour la moitié deux semaines plus tard. On a dû engager une troisième mitronne aux cuisines ; au service des tables, les sœurs Williams ne suffisent plus, deux adolescentes et puis deux autres (six à la mi-février) sont recrutées comme apprenties serveuses. « Et si je créais une école pour instruire et entraîner tout mon personnel ? » Elle note l'idée pour plus tard.

Autre embauche : un conducteur-livreur, pour mener la carriole, évidemment noire à parements rouge andrinople. Parce que la clientèle ne se contente plus de venir déguster sur place, elle commande et réclame des livraisons. « Si seulement Maryan Kaden était ici... » Hannah envisage quelque temps de lui écrire, pour lui demander de la rejoindre, sûre et certaine qu'il accepterait. Mais outre qu'elle devrait lui payer le voyage, ce qui n'est pas encore tout à fait dans ses moyens, elle sait qu'il doit subvenir aux besoins de sa mère et de ses innombrables frères et sœurs, qu'il ne voudra pas abandonner ainsi. « Pour plus tard, cela aussi... »

Chiffres pour les deuxième, troisième et quatrième semaines de janvier 1893 : cent soixante et onze, cent vingt-neuf (c'est l'étiage, le niveau le plus bas qu'elle enregistrera jamais) puis cent soixante-cinq. (Les bénéfices subissent le contrecoup des salaires supplémentaires à payer.) « Mais ça remonte », note-t-elle en marge de son éternel calepin de basane, où sont encore portés toutes les inscriptions, les bilans et les annotations de ses débuts à Varsovie chez Dobbe Klotz, où absolument tout est consigné, au penny près.

Cent quatre-vingt-quatorze début février.

Deux cent trois la semaine suivante.

« Soit à peu près cent quarante fois mon salaire de femme de chambre. On ne peut pas nier que tu progresses. Reste qu'il te faudrait dix ou douze ans pour atteindre ton but. Moyennant quoi Taddeuz aura le temps de se marier six fois et de faire à ses femmes cinquante-quatre enfants... ce qui te poserait quelques problèmes si tu veux l'épouser. Oh mon Dieu, Hannah, il te faut donc courir un peu plus vite... »

Et dans ces moments-là, quand elle pense à ces choses, il lui vient presque de l'abattement. Presque. Mais pas de doutes, non, la trajectoire continue de lui être des plus limpides : faire fortune, entasser une masse de manœuvre, rentrer en Europe, retrouver Taddeuz, se marier avec lui, le rendre heureux — accessoirement être heureuse aussi —, vivre avec lui jusqu'à ce que la mort les prenne, ce qui se produira quand ils seront très vieux, et ensemble, un matin de printemps (à moins que ce ne soit à l'automne, c'est l'un des rares points sur lesquels elle n'ait pas encore fixé ses idées).

Tout cela est fort simple, en somme.

« Tu es folle. »

— Je ne pense pas que je verrai le prochain Noël, dit paisiblement Colleen, comme elle disait qu'elle prévoyait de la pluie pour le lendemain.

— Ce n'est pas vrai. On ne meurt pas ainsi, sauf si l'on s'abandonne.

— Quelle étonnante personnalité est la vôtre, Hannah. Vous croyez vraiment que vivre n'est affaire que de volonté, n'est-ce pas ?

— Oui. Ou en tout cas que ça ne coûte rien d'essayer. On n'a qu'une chance, une seule, autant la jouer à fond.

Elle ne croit pas au paradis, dit-elle. Ni à l'enfer, ni à aucune vie ultérieure. Et sait déjà qu'elle mourra très vieille, lorsqu'elle commencera d'être un peu trop fatiguée. Dans un siècle.

Sur quoi elle se tait, parce que Colleen tousse et tousse, prise d'une autre quinte (et néanmoins elle ne crache pas de sang, ce qui contrarie bien les médecins). Se tait aussi parce qu'elle voit bien qu'elle contriste beaucoup l'Irlandaise, à se monter ainsi démunie de toute religion.

Elles sont toutes deux dans le flanc gauche de la cour intérieure, au premier étage, face au corps de bâtiment qui abrite le salon, l'institut et le laboratoire. Ces pièces-là ont été décrépies par les ouvriers de Watts, certes ; blanchies, elles n'exhalent plus la tenace odeur du suint de mouton, mais aucun autre aménagement n'y a encore été fait, elles ne sont pas habitables. Hannah se réserve de les installer à son propre usage quand elle sera un peu plus riche. Ici sa chambre à venir, adjacente à un futur cabinet de toilette ; là son bureau, puis sa bibliothèque ; là un autre petit appartement, qui sera très gentiment arrangé...

— Pour Lizzie, dit doucement Colleen.

— Je hais vous entendre parler ainsi, vous n'êtes pas morte.

— Quentin m'a rapporté sa conversation avec vous, à propos de Lizzie. La demande qu'il vous a faite est la mienne, Hannah. J'en ai parlé à Dougal, il est presque d'accord déjà, et Rod de même. Tout est donc réglé, hors votre accord.

D'en bas, depuis le jardin, leur parvient le caquetant babil des dames sydnéennes, greffé sur des ruissellements d'eau claire. — *Je ne t'ai pas adoptée autrement, Lizzie. Ce fut tout à fait simple, et quasiment inexorable. A peu près comme on recueille un chien sans maître... Arrête d'aboyer, s'il te plaît : nous sommes deux vieilles dames prenant leur thé au Ritz, soixante ans plus tard ; nous sommes censées être respectables...*

Mille huit cent quinze pounds. Le 15 janvier, conformément aux accords passés avec Lothar Hutwill (qu'elle lui a imposés en fait, tant il se souciait peu d'argent), elle porte elle-même à un banquier du nom d'Edward Rudston Greaves et remet entre ses mains la somme de huit cent quatre-vingt livres. Ce qui, s'ajoutant aux cent vingt qu'elle a déjà restitués, porte à mille le montant de ses remboursements. Restent six cent quatre-vingts. Elle pourrait définitivement s'acquitter de toute sa dette dès la mi-février suivante : son instinct lui souffle que ce ne serait pas de la très bonne finance ; l'influencent aussi les cours du soir qu'elle continue de prendre, sur la banque maintenant. Elle s'agace du plafonnement de ses bénéfices en matière de produits de beauté ; voit bien qu'elle est parvenue à un palier, au-delà duquel il sera difficile d'aller. Sans les profits toujours plus grands qu'elle retire du salon de thé et de la pâtisserie, la courbe de ses recettes serait plate sinon descendante. La seule solution consiste à investir ailleurs. Elle a décidé de faire deux parts de ses bénéfices. L'une (un tiers, soit soixante-huit livres, de façon à régler sa dette en dix semaines) servant à rembourser Hutwill ; l'autre destinée à des entreprises nouvelles.

E. R. Greaves doit avoir dans les quarante-cinq ans, il occupe des fonctions importantes à la Banque d'Australasie. Soit qu'il possède un art consommé de la dissimulation, soit qu'il ignore tout des relations d'Hannah avec Lothar Hutwill, il semble seulement préparé à recevoir de l'argent, sur un compte secret de son ami et client, sans connaître le montant des versements.

— Je viendrai, ou quelqu'un viendra, vous porter soixante-huit livres chaque semaine. Dix semaines durant. Ou plutôt non, une autre idée me vient dont vous allez pouvoir me dire si elle est intelligente : j'ouvre un compte chez vous, vous me servez du dix pour cent — c'est un minimum, me semble-t-il — et sur ce compte vous prenez hebdomadairement soixante-huit pounds pour les verser à votre autre client. Réflexion faite, je préférerais du douze pour cent. Vous pouvez refuser. Il y a d'autres banques. *Je n'aimais déjà pas les banquiers, en ce temps-là.*)

Greaves répond oui.

— Pour les relevés, dit Hannah, un ou deux par semaine suffiront. Disons le mardi et le vendredi. J'aime savoir où j'en suis et je me retrouve assez bien dans les chiffres. Merci de votre obligeance. J'aurai cent mille livres dans dix-huit ou vingt mois et il me faudra bien les confier à quelqu'un... C'est cela, oui, j'attends un petit héritage. Puis-je vous poser une question ?

Elle peut.

— Quelles seraient les chances de quelqu'un qui irait à pied, en ligne droite, de Brisbane à Perth ?

Il déglutit, déconcerté par le coq-à-l'âne :

— En traversant le désert central ? Absolument aucune. Personne ne l'a jamais fait.

... Si, quelques-uns l'ont déjà tenté. Il énumère les noms d'un certain comte polonais Strzelecki lequel, en 1840, a découvert et baptisé le mont Kosciusko ; d'un certain Angus MacMillan qui, un an plus tard, atteint Corner Inlet (Hannah ne sait pas du tout où c'est) ; d'un Prussien appelé Leichhardt qui en 48 est parti des berges de la Darling droit vers l'ouest et dont on attend encore le retour ; d'un John Forrest en 74 qui a effectué la jonction entre Perth et Adelaïde...

— Mais Adelaïde est dans le sud de l'Australie... à l'ouest de Melbourne et le trajet de Forrest ne peut en aucun cas se comparer à un Brisbane-Perth.

Il cite encores les noms d'autres illuminés de la même farine, tous disparus sans exception. Sans l'exprimer tout à fait en ces termes, il pense qu'il faudrait être dément pour entreprendre une telle traversée. Surtout à pied. Même les nouvelles voitures sans chevaux dont on parle...

Hannah sourit : seuls les fous sont intéressants. Elle a une dernière question à poser : où sont présentement M. et Mme Hutwill ?

Indubitablement à Melbourne. Jusqu'en juin-juillet, époque où d'ordinaire ils gagnent leur propriété de Gundagaï. Mais Greaves a cru comprendre que le couple allait partir pour l'Europe.

Voilà qui confirme les informations fournies par Quentin MacKenna.

Comptes et re-comptes tandis que vient l'automne — qui est le printemps en Pologne. Hannah conclut qu'elle sera, fin mai, en possession de deux mille six cents livres bien à elle, augmentées des intérêts de la banque.

Cinquième lettre à Mendel : *Vous arriveriez demain, j'aurais de quoi vous faire manger, quoique vous soyez assez glouton, avec cette espèce d'armoire qui vous tient lieu de poitrine... Oh, Mendel, ma dépression est finie, j'ai l'âme foutument guerrière. Et d'ailleurs, je pars en guerre. Quand donc allez-vous me rejoindre ?*

Elle s'embarque pour Brisbane le 29 avril 93.

PLUS FROUFROUTANTE QUE MOI...

Elle voyage à bord du vapeur *Alexandra* de l'Australian Navigation Company et, trois jours après son départ de Sydney, vient en vue d'une côte basse, bordée de mangrove et de quantité d'arbres tropicaux tout emmêlés de lianes, jusqu'à des bananiers qui sont à ses yeux la quintessence de l'exotisme. A bord, elle a été la seule femme, découvrant le plaisir d'être considérée comme telle, mieux que jamais auparavant. Quelle révélation ! Elle fait la connaissance de son premier vrai milliardaire. Naturellement il a émis le vœu, avec plus ou moins de rouerie (plutôt moins que plus) de visiter sa cabine, de préférence à un moment où elle y soit présente... et en position horizontale. Elle a aisément repoussé l'offensive qui n'a été que plaisante — outre qu'il est horriblement vieux : elle a déjà des vues sur lui et lui prépare un piège diabolique. C'est un colosse rubicond dénommé Clayton Pike ; il possède un ou deux millions d'hectares pleins de moutons, et quelquefois de vaches, sans compter des mines d'or dans la région de Gympie en plus de puissants intérêts dans des maisons de commerce ; il est enfin député au parlement du Queensland. « J'aurais cherché vingt ans, je n'aurais pas trouvé mieux. Comme ça tombe bien ! Déjà que j'ai l'âme guerrière ! »

Elle se donne pour Suissesse de Vierwaldstättersee (pure fantaisie de son imagination fertile et précaution aussi : quel Australien retiendrait un nom pareil ?) et lui conte une navrante histoire, à tirer les larmes d'un wallaby, de naufrage-hécatombe en Papouasie, dans laquelle elle a perdu toute sa famille...

... s'interrompt et éclate de rire :

— Vous ne croyez pas un traître mot de ce que je vous dis, n'est-ce pas ?

Son rire à lui tonitrue : c'est vrai qu'il ne la croit pas du tout, il a lui-même été assez menteur, dans sa jeunesse, et se sent plutôt triste de n'avoir plus à mentir, la réalité ayant dépassé la fiction — preuve de sa décrépitude. Il est l'un de ces hommes comme elle en rencontrera tant et tant par la suite, surtout aux Amériques, portés par une invincible confiance en eux, d'une férocité parfois joyeuse de grand requin blanc, qu'ils fassent dans la jovialité texane ou la froide rigueur des hommes d'argent juifs ou presbytériens de la côte Est américaine ; capables de paris insensés, néanmoins prêts à se battre dix jours pour un dollar, ayant tous en commun cette croyance qu'une femme est soit une mère, soit quelque chose de froufroutant et rose, poussant en temps voulu de petits cris mouillés.

Hannah ne voit nul inconvénient à être froufroutante. Au contraire. L'un de ses premiers soins, sitôt qu'elle a gardé pour elle une partie des bénéfices, a été de s'équiper (la toilette est un investissement, selon elle, elle n'en démordra jamais ; en plus d'être une revanche et une joie). Avec un fabuleux crêpe de soie venu tout droit de Chine, elle s'est fait refaire sur mesure la fameuse robe aux trente-neuf boutons, en trois exemplaires identiques ; dans un lampas non moins fastueux, une autre robe, à décolleté profond comme une tombe ; en pékin satiné une cinquième, uniformément rouge andrinople ; du taffetas changeant de couleur noire, à parements de dentelle rouge et blanche, au décolleté pareillement vertigineux pour la sixième ; du tussah ou tussor des Indes pour les trois dernières, blanches enfin, qu'elle ne met qu'au soleil, plus justement à l'ombre douce des capelines en fleurs. Elle a acheté six chapeaux, et dix paires de chaussures dont des sortes d'escarpins français légers comme une pensée distraite. Et quant à ses dessous, c'est un bouillonnement de faille, de gros-grain, de foulard, de dentelles à l'aiguille ou au fuseau, une orgie de mousseline de Dacca efflorescente sinon tout à fait transparente. C'est là ce qu'elle appelle sa tenue guerrière, elle l'inaugure. « Plus froufroutante que moi, il n'y a sûrement pas, dans toute l'Australasie. »

... Mais quant à être rose et piaillante, c'est autre chose. Ces hommes — dont celui-ci est un prototype austral des plus nets —, elle va devoir les affronter souvent (ce n'est pas un pressentiment, elle le sait) pour d'abord les convaincre qu'elle est de taille à chasser sur leurs terres et ensuite, à l'occasion, leur mettre une pâtée.

« Remarque bien, Hannah, que si tu dois un jour être piaillante et rose, juste le temps d'en abuser un, pourquoi pas ? C'est dans ton arsenal, tu serais bien idiote de ne pas t'en servir... »

A l'abri de son cigare tel un artilleur russe regardant à Balaklava accourir la Brigade légère, Clayton Pike l'écoute en silence tandis qu'elle lui dit tout. Tout y compris le stratagème des coffrets. Il rit mais elle voit clairement que ça lui donne aussi à penser : il ne la croyait pas autant machiavélique. Du coup, prudente, elle met momentanément à l'écart le piège qu'elle s'apprêtait à ouvrir et durant une bonne heure, fait sa petite fille, enthousiaste, ambitieuse, moins-rouée-qu'elle-ne-croit-l'être, et-en-fin-de-compte-un-peu-naïve...

... Dose ses effets tandis que l'*Alexandra* embouque la rivière de Brisbane, au troisième jour du voyage.

Sent enfin le moment venu où sa défiance est presque totalement tombée. Elle avance pour la deuxième fois son piège :

— Pike, dit-elle (elle a décidé de se passer du « monsieur » ; d'abord parce que lui-même l'appelle Hannah, ensuite parce que « monsieur Pike » ne lui paraît pas suffisamment égalitaire ; assez surprise de sa propre audace, elle veut mettre sur le même pied qu'elle un homme qui pourrait aisément être son grand-père). Pike, vous avez dans les cinq cent mille livres de fortune, mais vous avez aussi... (Elle fait semblant d'évaluer son âge, qu'en réalité elle connaît grâce au steward — il a soixante-trois ans :) ... Vous avez aussi cinquante ans. Moi, j'en ai dix-huit. Je vous fais un pari : je possède aujourd'hui plus de deux mille six cents livres, je vous parie que dans un an j'en aurai vingt-cinq mille. Au moins.

— Un an jour pour jour ?

— Jour pour jour, heure pour heure. Sans aucun prêt ni aucun héritage. Et sans non plus détrousser des gens dans la rue avec un gros revolver. Vingt-cinq mille livres d'argent que j'aurai entièrement gagné toute seule.

— Preuves en mains ?

— Toutes les preuves voulues. Vous aurez droit à vérifier mes comptes.

— Qui arbitrera ? Une banque ?

— Celle de votre choix.

— Union Bank of Australia, à Melbourne.

— D'accord.

— Vous la connaissez ?

— Jamais entendu parler.

— C'est une grosse banque.

— Grand bien lui fasse.

— Et si vous avez ces vingt-cinq mille livres ?

— C'est vous qui me payez vingt-cinq mille livres. En échange...

— Et si vous aviez d'ores et déjà cet argent ?

— Mon compte est à la Banque d'Australasie de Sydney. Je vous l'ouvre. Je n'en ai pas d'autre. Je ne suis dans ce pays que depuis juillet dernier. Vous pouvez vérifier toute mon histoire, y compris celle du vol par les *larrikins*. Pike, s'il me manquait ne serait-ce qu'une livre à la banque, ou un seul shilling, je vous remettrais toute somme en ma possession, en Australie et dans le reste du monde. Je veux dire dans trois cent soixante-cinq jours d'ici, à la minute près.

Silence. La Brigade légère, lord Cardigan en tête, est clairement en train de déferler sur les impavides batteries russes. « Tu as gagné, Hannah, tu as bien fait de le prendre de front. Et qu'est-ce que tu t'amuses, en plus ! »

Pike ôte son cigare de sa bouche et s'exclame, commence à

s'exclamer : « Nom de... », mais il s'interrompt, parce que ce n'est pas bien du tout de jurer devant une dame.

— En ce qui me concerne, lui dit Hannah avec son plus délicieux sourire, vous pouvez bien dire « bordel de Dieu » ou « putain de quelque chose », si cela doit vous soulager ou vous aider à penser... Oui ou non, Pike ? Vous acceptez mon pari ? Auriez-vous peur de moi ?

Et de se pencher un peu pour qu'il s'éblouisse davantage sur son décolleté (elle a ce jour-là, le petit paquebot étant en train de manœuvrer pour apponter ses huit cents tonnes, sa robe de lampas).

Ils topent. Sa toute petite main mitainée de dentelle en point d'Irlande disparaît dans la grosse patte australienne, à l'ombre de l'ombrelle tournoyante.

« Il n'aurait pas parié, si j'avais été un homme. Ça peut foutument servir, parfois, d'être fille. »

Il l'invite chez lui, pour toute la durée de son séjour à Brisbane, alors qu'elle avait prévu de descendre à l'*Imperial Hotel*. En tout bien tout honneur, précise-t-il, et non sans un certain embarras :

— Je préférerais que nous ne parlions pas de ce pari devant ma femme, Hannah. Elle pourrait ne pas comprendre...

— Parole d'homme, répond Hannah en riant.

Il a une maison, et pas n'importe laquelle, à Kangaroo Point, comme il se doit à Brisbane ; et la demeure est agrémentée d'une femme légitime, de cinq enfants et sept petits-enfants. Comme convenu, il la présente en tant que fille d'une de ses relations d'affaires à Sydney. Elle est reçue avec chaleur, règle australienne dont elle ne retrouvera l'équivalent qu'en Amérique. On veut organiser un bal pour elle, bien qu'elle révèle ne pas savoir danser du tout. Pike lui prête une voiture et un cocher qui lui servira d'escorte...

... Et mieux que cela, en beau joueur qu'il est, il met à sa disposition pleine et entière toutes les relations qu'il peut avoir et en ville et dans toute la colonie du Queensland (plus tard elle se rendra compte qu'elles débordent le territoire de celle-ci). Dès l'après-midi suivant son débarquement, elle se rend dans le centre par le ferry de Petrie's Bight. Rencontre l'agent immobilier recommandé par son hôte. Visite avec lui les dix ou douze locaux possibles. En choisit un le lendemain, dans Queens street, au premier étage d'un joli immeuble de briques à fenêtres blanches et fleuries, au-dessus d'une modiste à l'enseigne française, qui se révèle aussi française qu'Hannah est autrichienne ou helvétique.

Trois pièces, pour sa première succursale. Qu'à l'image de ce qu'elle avait déjà voulu à Sydney, elle fait peindre en blanc, avec parquet rouge andrinople et plinthe noire d'ébène, et meubles en rotin de Manille laqué de blanc. Pour plus de sûreté, elle a fait voyager avec elle, sur l'*Alexandra,* les planches d'ébène indispensables, suffisamment de pots de la peinture rouge qu'elle veut, les aquarelles et pastels qui viendront sur les murs, une fois blanchis. Restera à disposer beaucoup de fleurs.

Jusque-là les choses sont allées comme elle aime qu'elles aillent : vite. En revanche, il lui faut tout de même cinq jours supplémentaires pour recruter son agente. Sans le réseau des relations sociales que les Pike déploient pour elle, elle n'y fût d'ailleurs pas parvenue, du moins en si peu de temps. Elle engage deux représentantes, faute de pouvoir se décider entre les deux meilleurs postulantes et surtout parce qu'elles lui semblent complémentaires, la première sachant fort bien compter et l'autre mieux disposée pour la vente. Elles s'appellent Evangéline Pope (c'est la calculatrice) et Mary Carr, femmes de marins (un marin chacune, elles sont bien honnêtes), épisodiquement pourvues d'époux quand ces messieurs en casquette galonnée rentrent de Pernambouc ou de Java. Elle leur fixe — « prenez des notes, je vous prie » — ce qu'elle attend exactement d'elles : vendre les crèmes et les eaux de toilette qu'elle leur fera parvenir de Sydney par cargaisons mensuelles. Et prodiguer aussi quelques conseils de beauté. Elles ignorent tout en ce domaine ? Et alors ? Croient-elles qu'Hannah en sache davantage ?

Rétribution au pourcentage sur les ventes faites.

Pour ce qui est de la réclame, et de faire connaître à leurs concitoyennes quelles merveilles elles peuvent leur vendre, Hannah s'en charge. Elle répète tout bonnement à Brisbane l'opération des coffrets, avec cet atout supplémentaire de disposer d'un complice de poids : Clayton Pike, qui a aussi des intérêts, ou des amitiés solides, dans la presse locale, notamment au sein de la rédaction de l'hebdomadaire *Queenslander.* Mieux que Mary, Evangéline goûte la stratégie, elle absorbe les recommandations comme une éponge ; et les comprend, ce qui est mieux encore : « L'Evangéline Selon Hannah : En ce temps-là Hannah disait à ses disciples... C'est quand même amusant, les affaires ! »

Elle table sur cent trente livres de bénéfices par mois, pour Brisbane. Durant les dix premiers mois, car ensuite cela devrait normalement monter. Pour prendre toutes les précautions, elle s'entend avec un fondé de pouvoir de la Banque d'Australasie, chargé de surveiller les comptes de l'agence et de l'alerter à la moindre péripétie un peu surprenante.

— Pourquoi cent trente livres ? demande Clayton Pike.

— Il y a deux cent quarante mille habitants à Sydney. Qui me rapportent huit cents livres par mois, en ne comptant que quatre semaines dans le mois. Brisbane est habitée de quarante mille personnes. Le sixième de huit cents est cent trente-trois. Vous voulez revoir les termes de notre pari, Pike ? Pour en monter l'enjeu ?

Il n'y tient pas, non.

Au bal qui sera pourtant donné en son honneur, elle refusera catégoriquement de danser, s'inventant une petite entorse pour la circonstance. Là encore, sans raison claire à ses propres yeux comme quand elle s'était obstinée à demeurer seule pour les fêtes de fin d'année. Elle ne sait pas danser, c'est vrai, mais ne doute guère de pouvoir apprendre. Non, il s'agit d'autre chose : une espèce de rêve indistinct qui se forme, et qu'elle va nourrir sept ans.

De retour à Sydney le 14 mai, elle n'y passe que deux jours, ayant prévu d'y prendre le premier train pour Melbourne. A Sydney, suivant les conseils de Clayton Pike, elle parvient à convaincre Benjamin Rudge, frère d'Ezekiel du même nom, de ne plus travailler qu'à mi-temps pour la P & O, en tant que comptable, et de consacrer les heures ainsi libérées au contrôle financier de ses affaires à elle. Il n'aura qu'à lui faire tenir un bilan hebdomadaire, elle a confiance en lui, autant qu'elle puisse se fier à quelqu'un.

Pike a raison : il est grand temps qu'elle se dégage de sa surveillance au jour le jour, elle a mieux et plus à faire. Dans le même ordre d'idées, elle confie à Meggie MacGregor la direction de la production des crèmes et eaux de toilette — à la mi-mai de 93, cette fabrication occupe déjà onze ouvrières et l'effectif va passer à quinze, puis à dix-huit au cours des six mois suivants.

Dinah Watts quant à elle, pour quinze livres par mois, prend en charge l'organisation générale des salons, supervisant Edith et Harriett Williams qui ne voient guère plus loin que le bout de leur nez pointu en matière de finance.

... Et elle trouve encore le temps, à deux heures du départ de son train, d'aller embrasser Colleen et Lizzie. L'Irlandaise a de nouveau et spectaculairement maigri durant ses deux semaines d'absence ; il y a des moments où elle étouffe, blémissant sous la douleur qui lui broie la poitrine.

— Je vous préviens, Colleen : si vous n'êtes pas là à mon retour...

— On se tait, Hannah.

Seul le hasard des correspondances entre les trains fait qu'elle passe une nuit à Melbourne. Elle n'avait de toute façon pas l'intention de s'y attarder. Melbourne est un trop gros morceau, qu'elle ne sait par quel bout prendre.

Elle va dormir chez Mrs Smithson, dans la pension de famille où elle a passé ses premières nuits australiennes et où on l'a volée. Elle n'a pu résister à la tentation, assez enfantine, d'aller y brandir glorieusement l'état présent de ses finances, neuf mois après son premier passage : compte tenu de ce qu'elle a investi à Brisbane et de ses frais de voyage et de toilette (les seconds plus importants que les premiers, mais elle ne regrette rien) il lui reste un peu moins de deux mille livres.

Le lendemain, elle repart pour Ballarat et Bendigo. De Ballarat, elle sait tout juste ce que Lothar Hutwill en a dit, quand il lui a raconté l'histoire des gondoles vénitiennes mâles et femelles. Mais une nouvelle fois, dans leur rigueur, les chiffres lui ont servi de guides : cinquante mille habitants au moins pour la première des deux villes, trente mille et quelques pour la seconde. Et surtout qu'on a retiré du sol au-delà de deux cents millions de livres sterling d'or.

Clayton Pike lui a indiqué un nom, pour Ballarat, celui d'un certain Lachlan, propriétaire dans la région de pas mal de choses, en particulier des vignobles. Lachlan lui-même ne se révèle pas d'un intérêt fascinant ; Hannah constate son indifférence, et même un certain agacement, quand elle lui annonce son intention de répéter sur son territoire ce qu'elle a déjà réalisé à Sydney et Brisbane. « La vérité est qu'il s'en fout complètement. Espèce d'homme ! »

... Mais le hasard joue son rôle, et cet état d'affût permanent, de constante vigilance où elle est, prête à sauter sur la moindre occasion. Six mois plus tôt, pour la seule raison qu'ils étaient natifs du pays des bordeaux et des bourgognes, Lachlan a engagé à Melbourne un jeune couple de Français, les Fournac. Une coïncidence fait que, dans le bureau de Lachlan, Hannah succède immédiatement aux compatriotes de son cher Choderlos de Laclos et de son bien-aimé Jules Verne. Quand ils sortent elle les entend parler dans leur langue et s'émerveille de les comprendre, durant les deux ou trois minutes où elle attend d'être reçue. Sitôt terminée sa propre entrevue avec le viticulteur d'Australie — où peut-être elle n'a pas donné toute sa mesure, en effet, déjà préoccupée d'une autre idée qu'elle venait d'avoir — elle court sur leurs talons...

Ils se prénomment Régis et Anne, ils n'ont pas cinquante ans à eux deux. En Australie depuis huit mois, ils projettent de s'y installer tout à fait, envisageant sans idée précise d'ouvrir quelque chose : un restaurant ou peut-être un magasin de modes à l'image de celui que le frère aîné de Régis a ouvert en 1887 à Melbourne, dans Bourke street (Hannah se souvient de l'enseigne, et mieux encore des robes exposées qui l'avaient alors fait béer d'admiration et baver de convoitise). Ils ont un petit capital d'une soixantaine de livres — ce n'est pas le Pérou bien sûr — en grande partie amassé grâce à leur séjour chez Lachlan.

Il se trouve aussi qu'avant d'émigrer pour l'hémisphère austral, ils ont travaillé à Paris, lui vendeur successivement au *Bazar de l'Hôtel de Ville* puis au *Printemps,* elle commise-caissière dans une boutique de la rue du Faubourg Saint-Honoré. « C'est le Ciel qui te les envoie, Hannah ! » Avec eux, elle utilise le français qu'elle a appris dans les livres sans l'avoir jamais parlé, usant parfois de locutions qui font s'écarquiller les yeux de ses interlocuteurs. Le couple lui plaît infiniment, pour un peu elle se méfierait d'une telle chance ; et la réciproque est vraie, en dépit de cette suspicieuse réticence, bien française, à s'engager trop vite.

Elle leur explique en détail le mécanisme de son entreprise, comment elle envisage une association entre eux et elle : elle leur expédiera ses produits, ils en auront la concession exclusive pour tout ce qui est à l'ouest de Melbourne, c'est-à-dire Ballarat, Bendigo et pourquoi pas ? Adelaïde. N'avaient-ils pas justement formé le projet de s'y installer eux-mêmes ?

Anne a l'œil clair et vif. Elle renifle un pot de « 79 » :

— Et ça effacerait les rides ?

— Pas celle-ci, l'autre. Enfin, je crois.

« Je leur dis la vérité ou non ? » Elle opte pour l'affirmative, leur révèle qu'elle a fabriqué elle-même les deux crèmes, dont elle ne sait fichtrement pas à quoi elles peuvent bien être utiles ; la seule chose dont elle soit (à peu près) sûre, c'est qu'elles sont inoffensives. Elle-même s'en met sur la figure chaque matin depuis des mois (elle exagère un peu) et n'a pas encore constaté d'excavations dans son épiderme.

La Française prend le risque de se tartiner un peu les joues, avec la mine de quelqu'un invité à dîner chez les Borgia.

— Ça sent bon, c'est toujours ça.

... Oui, dit Hannah répondant à une nouvelle question, Perth et Fremantle aussi pourraient être dans leur secteur. Elle n'y voit aucune objection majeure (en vérité les deux villes sont au diable vauvert sur l'océan Indien et elle a renoncé à s'y implanter pour l'instant. Mais si les Fournac y tiennent, pourquoi pas ?)

Ils peuvent travailler comme de simples agents, rétribués en pourcentage sur les ventes, à la commission...

— Nous avons de l'argent.

... Dans ce cas, elle est d'accord pour qu'ils l'investissent à côté de ses propres capitaux : ils engageront cinquante livres et elle trois cents. Ils percevront un septième... D'accord, d'accord, elle leur concède trois pour cent de plus sur les bénéfices... Sous six mois au plus, ils devraient atteindre entre soixante-dix et cent pounds par semaine... Si, si, elle sait de quoi elle parle. Cent livres après six mois, qui deviendront rapidement deux cents, la chose est sûre. Et même davantage, sous certaines conditions qu'elle est toute disposée à leur définir...

Lesquelles ? ils conviendraient tous trois d'accumuler les bénéfices communs des huit premiers mois d'exercice, ou bien — si les choses vont encore plus vite qu'elle ne l'espère — de réinvestir aussitôt ces bénéfices dès qu'ils auront atteint cinq cents livres. Et avec ce capital, ils adjoindraient à leur vente de produits de beauté un salon... des salons de thé, oui, pourquoi pas ? offrant la meilleure pâtisserie du sud-ouest de l'Australie...

— Il serait bon que l'un d'entre vous... bon d'accord tous les deux... alliez à Sydney pour voir comment les choses s'y passent... C'est entendu : les frais du voyage seront à ma charge... Les frais de séjour aussi, tant qu'on y est... Non : pour le costume et la robe que vous voulez acheter, débrouillez-vous tous seuls !

Et là-dessus ils éclatent de rire et expliquent qu'ils voulaient juste savoir jusqu'où elle irait, dans sa générosité. Ils plaisantaient. Ils se veulent de vrais associés, prenant à leur charge tout ce qu'ils doivent prendre, ni plus ni moins. « Mais une question, Hannah : où avez-vous appris votre français ? Il est vraiment curieux, par moments ! » (Pour une des rares fois de sa vie décontenancée, presque vexée par cette moquerie française dont elle n'avait pas soupçonné l'existence, elle finit par rire avec eux.)

A Sydney, ils devront aller voir Dinah Watts, qui leur apprendra ce qu'ils doivent savoir. Non, elle ne s'y trouvera probablement pas elle-même. Peut-être sera-t-elle à Melbourne.

Elle partage avec eux le *high tea* de cinq heures, dîne de même, les faisant parler de Paris. Consacre la matinée du lendemain à les former un peu plus. Insiste catégoriquement sur le style de décoration qu'ils devront respecter dans les moindres détails, blanc, rouge andrinople et bois laqué de noir à défaut d'ébène trop coûteux pour des débuts.

Elle avait prévu de rester à Ballarat quatre ou cinq jours, sinon davantage ; ensuite d'aller à Bendigo et enfin à Adelaïde ; pour essaimer ses agences dans les trois villes. C'est presque trop beau pour être vrai, la rencontre qu'elle vient de faire règle tous ses problèmes d'un coup. Et elle a beau exercer sa méfiance par des questions en ribambelle, les réponses que lui font les Français la confortent dans son opinion qu'elle a vraiment mis la main sur l'oiseau rare.

Ils la raccompagnent à son train. Pour un peu, ils seraient partis avec elle, tant leur entente est déjà grande. Ils ont toutefois quelques mesures à prendre, pour se libérer tout à fait de leur contrat avec Lachlan, trouver un autre logement, effectuer aussi une reconnaissance plus à l'ouest, en premier lieu à Adelaïde. D'où, c'est convenu, ils lui adresseront un rapport.

... La vérité est qu'elle ne veut pas les avoir dans les jambes au cours des jours à venir. Son intuition lui souffle qu'alors qu'elle recherchait seulement des agents, elle a peut-être trouvé bien mieux : une solution d'ensemble à l'échelle de toute l'Australie. Ce serait le cas si le frère de Régis Fournac correspond tant soit peu à la description qu'ils lui en ont faite. L'éventualité est si belle qu'elle préfère être seule pour l'étudier à fond.

Dans le train qui descend vers la mer et la ramène à Melbourne, elle fait encore et toujours ses comptes. Il lui reste dans les quinze cents livres. C'est presque la somme empruntée à Lothar Hutwill, qu'elle a désormais remboursée entièrement. Mais en fait elle a plus que cela : il y a un mois qu'elle s'est embarquée pour Brisbane afin d'y commencer sa tournée et le premier jour de juin, comme convenu entre Benjamin Rudge et elle, les bénéfices du mois de mai seront collectés et virés sur le compte qu'elle va ouvrir à l'Union Bank of Australia, dans Collins street.

Entre huit et neuf cents pounds supplémentaires.

Plus de deux mille trois cents livres en tout. Une masse de manœuvre bien suffisante pour entamer son offensive melbour-nienne.

Frère aîné de Régis, Jean-François Fournac a trente et un ans. Pour avoir lu neuf fois *les Trois mousquetaires,* Hannah le compare au premier abord à d'Artagnan. Il en a les moustaches et la gaieté narquoise, dans son œil noisette. Son magasin de Bourke street est d'une rare élégance et s'étend sur quatre salons.

C'est un formidable vendeur dans ce type de négoce : il a l'adresse, l'extrême affabilité que rien ne déconcerte, la rouerie, la pointe d'insolence familière pour relever une courtoisie autrement sans faille ; ses sept vendeuses évoluent en ballet sur un seul regard.

Hannah le vérifie : elle entre dans la boutique comme une cliente ordinaire...

Elle achète d'ailleurs quelque chose : un corsage en crêpe de Chine, à manches à gigot et ornement de mousseline jabotière, qu'elle paie sept guinées, une fortune et en vérité une folie, « il va falloir que je pense à lui réclamer une ristourne, si nous faisons affaire ensemble... »

Mais elle met plus de deux heures à conclure son achat, poussant exprès les vendeuses à l'exaspération par ses exigences changeantes, et le suivant, lui, dans ses évolutions, d'un œil glacé de chasseur. Il finit par se rendre compte de son manège, vient vers elle :

— Je me trompe ou avez-vous autre chose en tête qu'un simple achat ?

Ce qui se joue à cet instant, dans la seconde, la décision qu'elle prend, engage certes son avenir australien mais également, bien au-delà de celui-ci, la suite de son histoire. Alors même qu'elle est tout juste sur le point d'ouvrir sa négociation avec Fournac, elle se voit déjà repartie pour l'Europe, commençant sa quête de Taddeuz, relevant sa piste, le retrouvant, l'épousant, ayant des enfants de lui, bouclant la boucle autrement dit, sa propre vie assise pour l'éternité.

La projection est pour le moins fulgurante et hardie, mais à ses yeux à elle, logique et claire.

C'est qu'elle ne s'est pas précipitée chez Fournac à peine débarquée du train. On est le 2 juin. Il y a quatre jours qu'elle est à Melbourne, dans des conditions ô combien différentes de celles de son premier passage. Elle a procédé à toutes les études possibles, elle a calculé et réfléchi.

Elle a surtout rencontré Polly.

16

POLLY TWHAITES

Wittaker, Wittaker et Twhaites, c'est la raison sociale d'un cabinet d'avocats d'affaires dont Clayton Pike, le député milliardaire, lui a indiqué l'adresse, lui recommandant de devenir leur cliente : « Hannah, si vous étiez femme à vous satisfaire de devenir une boutiquière aisée... — Ce qui n'est pas le cas : je veux devenir plus riche que vous. — Vous êtes d'une effronterie sans bornes. Allez voir ces gens-là. Ils peuvent vous aider. » Elle a suivi la suggestion. Paul Twhaites, troisième associé, n'est en Australie que depuis un an — il en a trente-quatre ; avant d'émigrer, il a opéré à Londres et New York, s'y constituant un confortable capital, en partie employé à acheter un tiers du cabinet. Toutes informations données par Pike. Qui a en outre ajouté que c'était lui qu'elle devait voir et nul autre, « il vous conviendra tout à fait ».

Pike ne croyait sûrement pas si bien dire. La surprise a éclaté aux premiers mots, passé les préambules. Après qu'elle lui eut fort minutieusement exposé ses projets, et qu'il l'eut écoutée dans le plus attentif des silences. « Polly » est de petite taille, blond, joufflu et rose avec une tendance à l'embonpoint, l'œil attendrissant et comme étonné, mais — c'est l'évidence — d'une intelligence retorse et pointilleuse. Il ne s'est pas satisfait de l'entendre évoquer ses ambitions, il a voulu tout savoir de son itinéraire jusqu'à son bureau.

... Et le voilà soudain qui dit qu'il ne veut pas d'honoraires pour cette consultation qu'il lui donne. A la rigueur un shilling symbolique. Mais qu'en revanche il attend d'elle un engagement très ferme : elle fera désormais appel à lui pour toutes ses entreprises, en tous domaines et tous pays, il deviendra son conseiller attitré. Elle le dévisage avec surprise :

— Parce que vous croyez que je vais réussir ?

— Je n'en ai pas la moindre idée. Mais je serais curieux de voir une femme entrer dans cette jungle, avec pour seul fusil des yeux grands comme des assiettes, et foudroyants. A propos, voulez-vous m'épouser ?

— Non. (« Encore un fou, je les collectionne », pense Hannah qui demande :) Et si je ne réussis pas ?

— Je vous aurai vue essayer, ce qui, déjà, ne sera pas ordinaire. Je vous conseille donc gratuitement pendant six mois...

— Onze.

— Pourquoi onze et pas douze, tant qu'on y est ?

Elle lui parle de son pari avec Clayton Pike. Qu'il connaît. Parce que Clayton Pike est l'un des hommes les plus riches d'Australie et surtout parce qu'à Melbourne, le même Pike est représenté par Henry Morton Wittaker, *senior partner* du cabinet.

— C'est Pike qui m'a indiqué votre nom, monsieur Twhaites.

— Appelez-moi Paul.

— Appelez-moi Hannah.

— Hannah, je suis en effet le meilleur juriste de cet hémisphère...

— En toute modestie.

— En toute modestie. J'ai bien compris, n'est-ce pas ? vous allez accumuler ici, en Australie, tout l'argent possible, le plus vite possible et ensuite rentrer en Europe ?

— C'est cela même.

— Je m'ennuie moi-même à mourir ici. Sûre que vous ne voulez pas m'épouser ?

— Certaine.

— On en reparlera dans onze mois, quand vous aurez gagné votre pari avec Pike. A tout prendre, je préférerais me marier avec vous quand vous serez riche de cinquante mille livres, je ne suis pas du genre à refuser une femme sous prétexte qu'elle a de l'argent, mon snobisme a des limites. Versez-moi mes honoraires, s'il vous plaît.

Il lui établit un reçu pour un shilling, pour solde d'honoraires couvrant toute la période jusqu'au 2 mai 1894 à onze heures du matin, date de l'échéance du pari avec Pike. Le plateau de son bureau est une vitre épaisse, totalement nue — aucun écritoire, aucun papier, pas le moindre objet personnel. Il fixe Hannah de ses yeux candides de poupon, puis a un geste qu'elle apprendra à connaître : index et majeur potelés de sa main gauche parcourent le verre, en une imitation enfantine de quelqu'un qui marche :

— Parlons maintenant de cette association possible avec les Fornac...

— Fournac. Jean-François et Marie-Claire.

— Que vous n'avez pas encore rencontrés.

— Ils ignorent jusqu'à mon existence.

— Mais vous êtes assurée de les convaincre ?

— Absolument.

Joignant par leurs extrémités ses petits doigts roses, il dit :

— Voyons, voyons, il existe plusieurs possibilités...

L'idée d'un troc des actions des deux sociétés (une pour les produits de beauté, crèmes et eaux de toilette, une autre pour la chaîne de salons de thé ; sociétés qu'il l'aide à créer dans les formes) contre des actions des sociétés créées par les Fournac, cette idée est de lui. Certes, il y a une petite difficulté : les Fournac de Bourke street, outre qu'ils ne sont pas du tout au courant de ces vastes projets qui pourtant les concernent, n'ont encore constitué aucune société. Mais...

— Je les persuaderai d'en faire une, ou même deux si nécessaire, dit Hannah.

— Cette extraordinaire confiance que vous avez en vous me culbute proprement.

— Voulez-vous parier ? Parions vos honoraires.

— Je ne suis pas Clayton Pike. Que deviendrais-je si je perdais ce shilling ? Pas question de prendre des risques. Admettons les Fournac convaincus...

Pour en arriver à ce point — le troc —, Twhaites a dû vaincre les plus farouches réticences d'Hannah : pas question de céder quoi que ce soit, si peu que ce soit, de ce qu'elle a créé, qui est à elle...

Il a fini par trouver l'argument décisif, le seul qui puisse la convaincre, au fin fond de son entêtement :

— Vous n'allez pas rester toute votre vie en Australie, Hannah.

— Sûrement pas. Je viens de vous le dire.

— Vous souhaitez regagner l'Europe et vite.

— Oui, mais...

C'est en comprenant ce qu'il veut lui dire, ce qu'il a entrevu avant elle, qu'elle prend sa décision. Tout lui devient clair : elle ne va pas seulement réussir en Australie et avec l'argent ainsi gagné partir pour Paris, Vienne ou Londres afin d'y retrouver Taddeuz et Mendel, d'autant plus aisément qu'elle sera riche. Pourquoi ne pas tenter d'aller plus loin ? Avec les « saletés de crèmes », justement ? Comme toujours chez elle, ça lui vient en un éclair : ce qu'elle a fait au bout du monde, pourquoi ne pas le répéter partout. « Tu pourrais devenir la femme la plus riche qui soit, ou sinon la plus riche, en tout cas, la première à avoir gagné elle-même tout son argent. Avec Taddeuz à tes côtés, cela va de soi. Lui écrira ses livres et toi tu feras fortune. On vous connaîtra tous deux dans le monde entier... »

— Hannah, je crois que vous irez infiniment plus loin que vous ne l'avez envisagé vous-même. Pourquoi croyez-vous que je veuille accrocher mon destin au vôtre ? Ce shilling que je mise sur vous va me rapporter de quoi m'acheter deux châteaux dans le Kent. Et puis ce sera amusant en diable, de vous voir monter. Dites oui, par pitié. Il y a trois ou quatre millions d'Australiens, vos affaires ici ne tarderont pas à plafonner. Ces concessions faites aux Fournac — bonté divine, quand je pense qu'ils ne savent encore rien ! — vous sembleront bien insignifiantes, vues de France ou d'Angleterre. Ne passez avec eux des accords d'association que pour une zone géographique bien précise ; au plus jusqu'en Nouvelle-Zélande. Le reste du monde sera à vous...

Elle cède. Comment résister à quelqu'un qui vous révèle à vous-même ? Avec son aide, elle crée ses deux premières sociétés. (« Pourquoi deux ? Les crèmes et les eaux de toilettes vont ensemble. — On ne prend jamais trop de précautions, Hannah. Imaginez que l'une de vos crèmes aille défigurer une seule dame. Vous auriez un procès. Le perdant, vous perdriez tout. Deux sociétés compartimentent les risques. Et puis il vous faut déposer des brevets. Je m'en occupe. Pas seulement pour ce pays-ci : à l'échelle de la planète. Il ne manquerait plus qu'on aille vous voler vos recettes de sorcière. Signez ici. »)

C'est ainsi, à conférer avec Polly Twhaites, à créer ses sociétés, à effectuer quantité de démarches pour donner vie juridique à son entreprise, qu'elle passe ses quatre premiers jours à Melbourne, en ce début de juin 93. Et alors seulement, ensuite, elle entre chez Jean-François Fournac.

Son œil gascon a exprimé successivement le charme du vendeur spécialisé dans les grandes dames, puis la surprise, la froideur méfiante du maquignon, l'intérêt et enfin le rêve : « Et vous voudriez que je vous loue une partie de mes installations ? »

Elle répond qu'il a très bien compris ce qu'elle voulait, qu'on gagnerait du temps s'il cessait de faire semblant de ne pas comprendre, qu'elle connaît déjà son frère Régis et sa belle-sœur Anne, qu'elle a pu jauger sa femme Marie-Claire — qui pour sa part a ouvert une deuxième boutique dans Little Collins street et y vend de la fanfreluche de luxe...

— J'ai fait des emplettes chez elle aussi. Dont d'adorables souliers de droguet blanc avec des boucles incrustées de diamants d'Irlande. Vraiment très mignons. Votre femme et vous-même tenez les plus beaux articles d'Australie, je représente moi-même le comble du luxe et du raffinement, dans un autre domaine. Nous sommes faits pour nous entendre, et nous associer.

Elle n'attend pas de lui une réponse dans l'heure, on ne conclut pas des transactions pareilles sur un coup de tête, d'ailleurs elle ne voudrait pas d'associés capables de s'engager à la légère, et puis elle sait quelle confiance il fait, très justement, à sa femme. On lui a vanté ses grands mérites : c'est elle qui tient les cordons de la bourse du ménage tandis que lui s'occupe essentiellement de créer les modèles à partir de gravures choisies dans les revues arrivant de Paris. Soit dit en passant, il a vraiment beaucoup de talent comme concepteur de robes et de vêtements féminins, c'est même étonnant qu'un homme puisse avoir tant de goût, elle va sûrement lui acheter des tas de robes, sous réserve qu'il lui fasse des prix de faveur, et à propos est-ce qu'il ne pourrait pas reconsidérer le prix du corsage dont elle vient de faire l'acquisition, parce que sept guinées, c'est tout de même assez excessif... s'ils deviennent associés, elle et lui, le moins qu'il devrait lui consentir, comme ristourne, serait du quarante pour cent et...

— Je peux placer un mot ?

— Vous venez de le placer. Non, ne dites rien : je sais ce que vous alliez me dire : que vous ne me connaissez ni d'Eve ni d'Adam et que je pourrais être une aventurière. J'en suis une. Mais honnête. Et j'ai du répondant. J'ai un avocat d'affaires, et des plus honorablement connus sur la place, il a fait ses études à Oxford et il est presque cousin de Victoria, celle qui a des moustaches et s'assoit toujours sans jamais regarder s'il y a une chaise prête pour la recevoir — il ne connaît qu'elle. En plus, M. Clayton Pike, l'homme le plus riche d'Australie, enfin presque, peut également répondre de moi, c'est mon ami — en tout bien tout honneur s'entend... le pauvre homme, il est vraiment décrépit.

« Ce n'est pas tout : j'ai déjà investi trois cents livres avec votre frère Régis, preuve de ma sincérité et du sérieux de mes intentions. Et bien entendu, à Sydney où je suis mieux connue qu'à Melbourne, on vous dira partout que je suis en train de faire fortune. Pendant que j'y pense, le mieux serait que votre femme et vous, ou l'un sans l'autre à votre choix, aille là-bas pour voir ce que j'y ai déjà fait. Et qui n'est qu'un début. Dans un an, mes affaires à Sydney vaudront trente, peut-être même cinquante mille livres. Parce qu'il y a en plus mon agence de Brisbane.

« Pour notre association, poursuit Hannah, rien de plus simple. Vos avocats régleront les détails avec le mien, n'entrons pas, s'il vous plaît, dans des discussions sordides. Laissons-nous aller à l'amitié qui monte, monte, monte entre nous. J'espère que vous allez m'inviter à dîner ce soir chez vous. Je suis passée devant l'immeuble de Collins street où vous avez votre appartement de huit pièces. Très joli. Et respectable. Je ne vois vraiment pas pourquoi vous n'achèteriez pas la rue, dans deux ans, disons trois, lorsque nous aurons fait fortune ensemble, grâce à notre association.

« Et cette association, nous pourrions l'étendre à la Tasmanie et à la Nouvelle-Zélande. Je me suis laissé dire que vous receviez des commandes des dames de là-bas, et que vous y expédiez de ces robes que vous faites confectionner par les quinze ouvrières de votre atelier. Intéressant. Imaginez que le réseau que vous avez déjà, nous le développions ensemble, de Perth à Auckland, en acquérant le monopole de tout ce qui est luxueux, féminin, raffiné, en tous domaines. Comment pourrions-nous échouer ? C'est impossible. Je lis la question dans vos yeux et devine que l'interrogation vous ronge : où sont les crèmes et les eaux de toilette dont elle parle ? Je vous réponds : en gare de Flinders street, ici même à Melbourne. Mon adjointe Meggie MacGregor m'en a fait parvenir mille pots et trois mille flacons. De quoi débuter, nous augmenterons les livraisons ensuite. Voilà, c'est tout. Vous vouliez dire quelque chose ?

L'œil gascon la déshabille, souriant :

— Plus rien. Nous avons fait le tour de la question, me semble-t-il. Pendant que j'y pense, accepteriez-vous de venir dîner à la maison, ce soir ? Ma femme Marie-Claire serait très heureuse de vous connaître.

— Quelle bonne idée ! dit Hannah.

Cela dit, on négocie l'entente commerciale avec un identique acharnement des deux côtés. Les Fournac en délégation — les deux frères et leurs épouses respectives — se rendent bel et bien à Sydney, à leurs frais. Et même si ce qu'ils y voient les rassure tout à fait, il n'en faut pas moins dix-sept jours pour parvenir à un agrément, qui sera scellé chez un *solicitor,* en la présence de Thwaites et des avocats des Franco-Australiens. Hannah cède finalement aux Fournac quarante pour cent sur les produits de beauté, dans toute l'Australie et la Nouvelle-Zélande (mais strictement rien au-delà de ces deux territoires, en dehors desquels sa liberté est totale), quarante pour cent aussi sur les salons de thé créés ou à créer, désormais regroupés au sein d'une société distincte de celles commercialisant d'une part les crèmes et d'autre part les eaux de toilette. Le problème posé par la concession déjà accordée par Hannah au cadet des Fournac a été résolu par un accord entre les deux frères.

... Mais en échange de cette concession de taille, elle a exigé et obtenu une part d'un même montant sur toutes les activités des Fournac, activités présentes ou à venir, en n'importe quel domaine (Régis rêve de restaurants), qu'il s'agisse de confection ou de commercialisation dans d'autres pays — notamment des articles en laine australienne. Etant entendu qu'on va développer jusqu'aux limites du possible le secteur qu'Hannah nomme « Toilette et Fanfreluche ». Le but final n'est rien moins qu'une implacable machine de guerre appelée à disposer des garnisons dans toute ville australo-néo-zélandaise, ou ailleurs dans le monde, de quelque importance.

Au terme de la négociation, Hannah se retrouve dans cinq sociétés. Majoritaire à soixante-quarante dans trois d'entre elles (crèmes, eaux de toilette, salons de thé), minoritaire à quarante-soixante dans les deux autres (robes, manteaux et autres pièces importantes du vêtement féminin pour l'une, bijoux, colifichets, foulards, mouchoirs, chapeaux, gants, lingerie fine dans l'autre).

— Bonté divine, Hannah, c'est déjà presque un empire !

— Qui a pour moi cet avantage supplémentaire que je pourrai

m'en absenter aussi souvent et aussi longtemps que ça me chantera. Votre opinion sur les Fournac, Polly ?

— Intelligents, avisés, ambitieux et pleins de ressources. Du genre à être millionnaires en livres quand ils auront cinquante ans. A surveiller.

— Vous pouvez mettre en place un dispositif de surveillance, fonctionnant avec ou sans vous ?

— Les Wittaker peuvent les tenir à l'œil, au penny près, jour après jour.

— Où dois-je signer ?

L'idée de « chaîne », de magasins ou de boutiques en série, tous identiques, est d'Hannah. En ce temps-là, l'idée est neuve. C'est qu'elle tient à un essaimage systématique, à la présence simultanée — partout où cela peut être rentable — d'une agence de chacune des sociétés, partant du principe que le salon de thé orientera ses propres clientes vers l'institut de beauté, lequel à son tour les dirigera vers les boutiques de modes... La théorie des commerces communiquants.

Elle a imposé un autre de ses points de vue : la totale similitude des instituts et des salons, jusqu'à la moindre pâtisserie, à la tenue des serveuses, aux plus infimes détails qui signent une atmosphère. Telle cliente de Melbourne allant à Sydney, Brisbane, Wellington ou Auckland (et plus tard en Europe ou en Amérique) devra s'y retrouver comme chez elle, dans un havre, un refuge privilégié. Elle a lu dans le *Sydney Bulletin* qu'un Américain du nom de Gray — deux ans plus tôt, en 1891 — a créé un appareil téléphonique fonctionnant avec des pièces de monnaie. Elle a aussitôt écrit pour s'informer de la possibilité d'en doter son, puis ses instituts, qui seront ainsi mieux reliés les uns aux autres, sans qu'elle ait à supporter elle-même la charge des communications. Et elle songe à s'équiper aussi de son propre réseau téléphonique. Ne serait-ce que pour recevoir les états de chaque agence ou, par exemple, suivre une cliente dans ses déplacements, voire établir un indice de fréquentation.

Mais il aurait surtout fallu que je sois en mesure d'offrir à ces femmes un véritable traitement de beauté, au lieu de leur flanquer n'importe quoi sur la figure. Ce qui n'était pas encore dans mes possibilités, à l'époque...

En col dur et cravate rayée aux couleurs de son collège d'Angleterre, Polly rame sur la rivière Yarra-Yarra, à Melbourne. Hannah, elle, est assise face à lui sur l'autre banc du canot, vêtue de l'une de ses robes blanches en tussor, doublement à l'ombre de la capeline et de l'ombrelle. Sur son étroit visage triangulaire presque de musaraigne, si aigu et tellement dévoré par les immenses prunelles grises, piqueté de minuscules taches de rousseur, les jeux de lumière d'une

277

toile d'Edouard Manet... (*J'ai toujours été amoureux de vous, Hannah ; je le suis depuis quarante ans, depuis ces premières minutes où dans mon bureau chez Wittaker vous avez commencé à m'expliquer où, quand, comment, pourquoi vous alliez immanquablement faire fortune. Mais il y a peu de moments où je l'ai été davantage que le jour, vous vous en souvenez, où je vous ai emmenée canoter sur la Yarra-Yarra... Est-ce que vous m'appeliez déjà Polly, en ce temps-là ? Je ne m'en souviens plus...*)

— Polly, dit-elle en faisant tournoyer son ombrelle entre ses doigts émergeant des mitaines, vous êtes encore plus fou que moi...

— C'est une prétention que je n'aurai jamais, ma chère. Mais c'est vrai que je crois en vous plus que vous n'y croyez vous-même. Parlez-moi donc encore de cet extravagant Mendel Visoker à la colossale stature...

C'est lui qui, avant même qu'elle signe ses contrats avec les Fournac, l'a incitée à emprunter aux banques. *Niet*. En russe et dans toutes les langues qu'elle connaît, araméen compris.

— Je ne veux pas emprunter d'argent, Polly. J'ai horreur de ça. Une seule fois m'a suffi et ce sera la dernière. (Elle ne lui a pas parlé de Lothar Hutwill.)

— De combien disposez-vous ? Trois mille, trois mille et quelques avec les futures rentrées de juin ? Cela risque de n'être pas assez. Les Fournac voudront vous voir investir davantage.

— Tant pis.

— Savez-vous ce qu'est une ligne de crédit ?

— Un tour de taille qu'on amincit avec son tempérament.

— *Very funny.* Ce n'est pas l'idée qu'en ont les banquiers. Je vais vous expliquer ce qu'ils appellent ainsi. Quoique je me demande si c'est bien prudent : avec la tête que vous avez, vous en saurez bien vite plus que moi en ces matières, et je ne vous servirai plus à rien. Vous me chasserez.

— *Poor, poor Polly !*

— Hannah, il m'arrive parfois, en regardant vos yeux, d'y voir défiler les boules d'un boulier chinois. Vous savez comment les Chinamen font leurs comptes ? tchoung-tchoung, deux et trois font cinq, sept et quatre font onze, je retiens tout et garde le reste, c'est tout à fait vous.

— Je fais tchoung-tchoung, en ce moment ?

— Vous me faites l'œil câlin, ce qui finira par un naufrage. En Europe et en Amérique, j'ai vu des choses étonnantes... A Paris, il y a des pantomimes lumineuses dues à un certain Reynaud, où des personnages bougent ; ils sont vivants, et ce ne sont pas de simples photographies comme celles de Niepce ou d'Eastman. Et en Amérique quelqu'un appelé Edison a mis au point un machin baptisé kinétographe... Mais oui, des images qui bougent, on pourrait y voir tournoyer votre ombrelle et aussi vous voir sourire en vous moquant de moi, si ces messieurs vous mettaient dans leurs images. Vos yeux sont une lanterne magique, Hannah... *God gracious,* il me semble que c'est très joli, ce que je viens de dire ! Il y a combien de temps que je ne vous ai pas demandée en mariage ?

— Environ deux jours.

— Toujours non ?

— Toujours.

— Hannah, une ligne de crédit est le plafond qu'un banquier accorde à un client de choix, un plafond au-dessus des possibilités immédiates réelles de ce client, déterminé par le degré de confiance, par une évaluation savante des biens terrestres de l'intéressé, l'intensité de son amitié avec le banquier, l'étendue de ses relations mondaines ou une passion commune pour le cricket. Il y a à l'Union Bank of Australasia dans Collins street un escogriffe bigleux avec qui j'ai été au collège. Il est parfois traversé par des lueurs d'intelligence, quoique banquier. J'ai peur que nous ne soyons cousins, éloignés, Dieu merci. Il s'appelle Arbuthnot. Dans votre cas, je dois pouvoir le convaincre d'aller jusqu'à vingt-cinq ou trente mille livres.

— Non.

— Vous n'aurez presque pas d'intérêts à payer.

— Non.

— Et comment convaincre les Fournac d'investir plus que vous ?

— Je paierai chaque mois, à mesure que mon argent rentrera. Avec mon argent.

— Ils vont faire la grimace.

— M'en fous.

— Quel langage ! J'essaierai de les convaincre.

— On rame, Twhaites.

— Oui, chef.

L'institut (le nom n'est guère approprié puisqu'on n'y prodigue aucun soin, à peine quelques conseils ; ce n'est au mieux qu'un point de vente), l'institut de beauté ouvre ses portes dans Bourke street, sur la rive est de la rue, pas très loin du récent immeuble où ont été rassemblés les divers services de la législature coloniale. A la différence de ce qui a été fait à Sydney, le salon de thé est établi en un autre endroit du centre ville. On ne mélange plus les crèmes et eaux de toilette aux *milchrham strudel.* Ce premier salon est dans Little Collins — premier parce que ce sont deux établissements rigoureusement identiques qui voient le jour en même temps. Le deuxième comporte une terrasse à la façon des jardins de Saxe varsoviens ; il est situé au cœur des frondaisons et des fleurs, à l'arrière de l'immeuble du Trésor, bâtiment de goût italien à quelques pas des administrations centrales : bureaux du Gouvernement ou des Finances.

Le succès est à peu près immédiat. La chose est moins surprenante qu'elle n'a pu l'être à Sydney. Hannah a une nouvelle fois répété sa manœuvre des coffrets, avec la virtuosité que procure l'expérience ; Robbie et Dinah Watts sont venus la rejoindre, transportant avec eux cent vingt de ces coffrets, dont quatre-vingt-dix seront vendus sur-le-champ. Et puis elle dispose désormais d'appuis qu'elle n'avait pas eus : Clayton Pike est arrivé de Brisbane tout exprès, dans un train spécial, flanqué de son épouse, de ses filles et belles-filles, d'amies de tout le Queensland avec lesquelles il a organisé d'immenses *parties* dont Hannah a été l'invitée principale (elle a refusé d'y danser... son entorse est à répétition) ; outre le rappel battu par le milliardaire, les Fournac aînés ont eux-mêmes tout un réseau de clientes, parmi ce qui compte le plus à Melbourne et dans la colonie de Victoria : à eux seuls, ils ont invité deux cent et quelques personnes ; enfin Polly a tiré de son inépuisable vivier de cousins rien moins que l'aide de camp du gouverneur — « il était le plus bête de la famille, nous en avons fait un militaire ».

Les ouvertures en cascade ont lieu fin juin-début juillet, ce qui n'est peut-être pas la meilleure saison mais Hannah n'a pas voulu attendre. Ce qui est pris est pris. Et elle fait ses comptes, encore et toujours : le moins qu'elle puisse espérer, à court terme, de son association avec les Fournac tourne aux alentours de trois mille livres par mois, au-delà des premières semaines de lancement. Polly penche plutôt pour quatre mille, c'est un optimiste invétéré :

— Probablement davantage encore, Hannah, dès octobre ou novembre. Vous n'aviez pas imaginé à quel point vous répondiez à un besoin, en créant vos affaires. Et dans un an, vous pourrez commencer à me payer mes honoraires... Il me faudra renoncer à aller solliciter ma tante Lucinda. La pauvre femme, je vais lui manquer ! Non, non, ce shilling d'avance est très suffisant, je vous assure... Et surtout le plaisir extraordinaire que je prends à vous regarder faire me suffit : vous êtes bel et bien entrée dans la jungle et pour l'instant vous y progressez sans résistance. Hannah, on raconte en France l'histoire de l'un de mes compatriotes qui suivait jour après jour un cirque dans l'espoir de voir le tigre y dévorer le dompteur...

— Et je suis le dompteur, Polly ?

— Un dompteur de même pas cinq pieds de haut, tout froufroutant de dentelles. Que je ne désespère pas d'épouser un jour, quoique je n'y croie plus guère...

Elle a offert à Clayton Pike d'annuler leur pari, ses chances de le gagner étant désormais trop grandes, selon elle :

— Et d'ailleurs, je suis certaine que si je le perdais, vous refuseriez mon argent...

Hurlement de rire :

— Un pari est un pari, espèce de péronnelle polonaise ! Je vous poursuivrais jusque dans les îles des Papous, pour récupérer mon argent.

— Mon œil. Et de toute façon, le jeu a été faussé par votre faute. Vous trichez : vous m'aidez à réussir. Belle mentalité ! (Et elle ajoute :) Vous n'auriez rien fait de tel, si j'avais été un homme.

Son gros rire tonitrue de plus belle : c'est tout à fait vrai qu'elle est une femme, il l'avait remarqué, lui aussi, et s'il avait quarante ans de moins...

— Je devrais m'occuper de vos langes... D'ailleurs, j'aime les hommes comme les fromages : bien faits.

Elle l'embrasse sur les deux joues et pense : « Pas de doute qu'il m'adore et c'est tant mieux, c'est fichtrement utile. D'ailleurs, je l'aime aussi. Comme grand-papa gâteau, s'entend... Tu aurais pu l'embrasser sur la bouche, tant que tu y étais, ça l'aurait émoustillé pour des semaines. »

Sa seule inquiétude, durant ces débuts à Melbourne, a été vite dissipée : les Hutwill sont bel et bien partis pour l'Europe. Ils n'en reviendront pas avant des lunes. « Eh bien, tant mieux... »

Elle canote avec Polly, est invitée de toutes parts, à des bals où elle refuse de danser et dans les meilleurs restaurants de la ville. Comme c'est agréable d'avoir un peu de succès, même et surtout quand on n'est pas trop jolie... (Elle se regarde de moins en moins dans les glaces, sinon pour s'assurer que sa mise est toujours parfaitement élégante. Pour le reste, elle a abandonné toute espérance : le Hibou persiste et signe.)

Vers le 25 juillet, un an et neuf jours après son débarquement en Australie, alors qu'elle n'est plus allée à Sydney depuis presque trois mois, sauf pour quarante-huit heures en s'en revenant de Brisbane, la lettre lui parvient.

Et la fait pleurer comme jamais de sa vie.

Colleen est morte.

17

WALTZING MATHILDA

Face à elle, les géants MacKenna. Dougal est le seul assis, ses quatre fils — Rod, Patrick, Owen et Aleck — sont debout, tous semblables, puissants et lourds — chacun d'eux approche le quintal, ou le dépasse. Ainsi vêtus de noir, tous alignés d'un même côté de la pièce au rez-de-chaussée dans la maison de Glenmore road, à Sydney, ils composent une vraie muraille... et accentuent l'isolement, la petitesse d'Hannah enfouie dans un fauteuil à oreillettes. Dougal raconte ou achève de raconter à quel point Colleen a insisté, au cours des dernières semaines de sa vie, entre deux étouffements sinistres, pour que Lizzie lui soit confiée, à elle Hannah.

— Elle vous aimait énormément, Hannah. Autant que si vous aviez été sa fille, ou comme si vous étiez sa sœur...

(Clairement, Dougal s'interroge encore sur cet amour, cette complicité ; il a encore quelque réticence.)

... Et puis, ajoute-t-il, il ne s'agit pas seulement de respecter les volontés de la morte, la promesse solennelle qu'il lui a faite ; il y a aussi le fait que les MacKenna n'ont pas une seule parente dans toute l'Australie ; pas davantage aux Indes ; ce n'est qu'en Irlande, à Belfast côté paternel, à Galway s'agissant de Colleen, qu'on trouverait de vagues tantes pouvant élever la fillette. En sorte qu'à moins de la mettre dans certain pensionnat de Melbourne...

Toi, Lizzie, tu étais dans ta chambre du haut, ce jour-là. Tu attendais le verdict. Tu t'étais mise à pleurer en me voyant arriver, tu t'étais jetée dans mes bras, refusant de t'en détacher et tu m'avais suppliée de t'emmener avec moi... En quelque sorte, j'ai affronté une véritable conjuration de tous les MacKenna, pour m'obliger à te prendre en charge... D'accord, d'accord, Lizzie... il n'est peut-être pas indispensable de me casser ce vase sur la tête : j'avais TRES ENVIE de te prendre en charge, je le reconnais...

Bien entendu, dit Dougal, ni lui ni aucun de ses fils (dont le plus jeune a plus de dix ans de différence d'âge avec sa sœur) n'accepteraient d'être séparés tout à fait de Lizzie. Ils préfèreraient la garder avec eux. S'ils consentent à la voir aller vivre ailleurs, c'est avec tristesse. Mais dans une maison sans femme...

— Et peut-être Lizzie a-t-elle son mot à dire, remarque calmement Hannah, à l'intérieur d'elle-même sensiblement agacée par toutes ces tergiversations mais craignant aussi d'en dire trop. Elle a presque dix ans, après tout. Et la tête solide.

Dougal en convient :

— Elle veut aller avec vous, reconnaît Rod.

Reste à donner des garanties, en tant que tutrice, officieuse pour l'instant (on rendra plus tard la tutelle officielle, si tout le monde en est d'accord).

Hannah explique le développement de ses affaires. En appelle au témoignage de Rod lui-même, qui d'ailleurs l'a beaucoup aidée, à ses débuts, « et je l'en remercie » (« Nom d'un chien, pense-t-elle, ça va durer longtemps, cette comédie ? Ces cinq grands imbéciles sont au fond bien soulagés que je les débarrasse de Lizzie ! »)... décrit l'extension de Melbourne et l'immensité de ses projets ; avance les noms de Clayton Pike et de Paul Twhaites, ceux de Robbie et Dinah Watts, des sœurs Williams à Sydney.

Sydney où elle va désormais demeurer dans le très grand apparte-ment dont elle a fait pousser les travaux, sur le flanc gauche du *Jardin de Boadicée* — plus respectable, ça ne se peut pas... Lizzie y vivra avec elle et une gouvernante très convenable du nom de Charlotte O'Malley, irlandaise comme son nom l'indique, recrutée par Dinah ; plus une domestique de sexe également féminin ; et elle, Hannah, prendra soin des études de l'adolescente, tout comme elle surveillera avec la plus grande attention, c'est convenu, l'apparition possible chez Lizzie des premiers signes de la phtisie, galopante ou non, si c'était bien une phtisie (— *nous savons aujourd'hui que ce devait plutôt être un cancer, Lizzie* —), qui a emporté sa mère, pour le cas où la maladie lui aurait été transmise ; et bien sûr « vous, monsieur MacKenna, et vos fils pourrez voir votre fille, votre sœur, aussi souvent qu'il vous plaira... »

— D'ores et déjà, autre chose, dit encore Hannah. Dans douze ou dix-huit mois, je compte me rendre en Europe. Voudriez-vous en envisager l'éventualité, je veux dire que Lizzie m'accompagne ?

Et là-dessus, tout ayant été dit, elle se lève et gagne la chambre en haut :

— Ça y est, nous allons vivre ensemble.

Elle prend Lizzie dans ses bras, à moins que ce ne soit le contraire ; elles sont de taille presque égale, en dépit de ce qui est alors une différence d'âge que les années vont effacer.

— Allons-nous-en très vite, Hannah. Avant qu'ils changent d'avis.

— Frankenstein a la tête en bas, on voit sa culotte.

Lettre de Lothar Hutwill, qui l'attendait depuis des semaines. Il annonce qu'Eloïse et lui vont s'embarquer pour l'Europe — la nouvelle n'est pas des plus fraîches. Mais il écrit aussi, à propos de Micah Gunn : *Il a disparu totalement, mais peut-être le savais-tu déjà. Je ne peux pas m'empêcher de penser que tu y es pour quelque chose. Tu as toujours une solution à tous les problèmes, n'est-ce pas ?*

Message aussi, signé d'une seule initiale, qui parvient trois jours après que Lizzie et Hannah aient pris leurs quartiers dans le nouvel appartement : *Dieu vous bénisse, Hannah, vous avez tenu parole.*
Dernier signe de vie qu'elle aura jamais de Quentin.

Polly Twhaites vient tout pimpant à Sydney au début de septembre. Les nouvelles qu'il apporte sont excellentes : les choses ne pourraient aller mieux, Melbourne tourne à plein, Ballarat et Bendigo et Adelaïde sont ouverts ; les Fournac cadets sont en train de s'attaquer à Perth et Fremantle, avec une efficacité redoutable ; un autre Fournac est arrivé de France — d'Auvergne en l'occurrence — nanti lui aussi de moustaches et de grandes dents qui traînent par terre tant elles sont longues et rapaces ; les positions de Tasmanie et de Nouvelle-Zélande ne vont pas tarder à tomber ; partout les chiffres montent ; et il paraît qu'il faut s'attendre à d'autres émigrations auvergnates, qui complèteront les effectifs déjà en place sous le commandement de Jean-François : « Hannah vous allez endosser devant l'Histoire la responsabilité d'avoir peuplé l'Australie d'une quantité incroyable de Fouchtras — c'est le nom qu'on donne, paraît-il, aux gens d'Auvergne. Mais vous n'auriez pu trouver mieux, comme associés ; ils sont encore plus rapiats que vous, ce qui n'est pas peu dire ; et à condition de les surveiller beaucoup... »
Polly pense que dans l'ascension d'Hannah, il y a quelque chose de proprement inexorable.
— Mais vous n'allez pas vous satisfaire de l'Australie, j'espère ?
Que non. Non, bien sûr. Il n'a nul besoin de la pousser, l'idée de repartir pour l'Europe est de plus en plus claire. Ce qu'elle fera à Londres, Paris, Berlin ou Vienne n'est pas moins net dans son esprit. Elle aura nécessairement de l'argent, au moins quarante mille livres selon ses calculs les plus affinés. Bien plus évidemment si elle choisissait de liquider tout ou partie de ses créations australiennes (ce qu'elle ne fera pas pour l'instant... on verra le cas échéant, si besoin était). Avec cet argent elle s'établira, ne mènera pas trop grand train, pas question de dilapider ; juste ce qu'il faudra pour offrir à Lizzie une maison digne de ce nom et surtout pour se tenir prête dans l'éventualité où elle retrouverait Taddeuz plus tôt que prévu...

... Et entreprendre elle-même des études. Ce qu'elle nomme ici, pompeusement, ses instituts ne sont rien d'autre que des magasins. Pour prendre leur vraie forme, ils devraient comporter des femmes entraînées, savantes en matière de beauté, aptes à prodiguer conseils et soins en sachant de quoi elles parlent. De telles femmes existent peut-être en Europe. Si elles n'existent pas, elle en formera, à commencer par elle-même. « Après tout, je n'aurai jamais que dix-neuf ou vingt ans, c'est peu vieux bien sûr mais quand même, je ne serai pas trop décatie... »

Elle suivra donc des études aux meilleures sources, sur tout ce qui concerne la peau, ses maladies et leurs traitements, les cheveux, les ongles, les dents et pourquoi l'on grossit trop, ou pas assez, et comment on peut augmenter l'éclat du regard et s'il peut exister un jour une espèce d'élixir de jeunesse. Autant de choses que l'Australie n'est décidément pas en mesure de lui apprendre (elle s'est rendue à l'école de Médecine de Melbourne et n'a trouvé personne capable de répondre vraiment à ses questions). « Encore heureux que je n'aie estropié personne jusqu'ici, avec mes préparations infernales ! » se répète-t-elle.

Elle deviendra donc savante, c'est dit. Il lui faudra deux ans. Peut-être trois. A moins qu'elle ne se fasse docteur en médecine ? « Docteur Hannah », ça impressionnerait !

Avec toutes ces connaissances neuves, elle installera des usines partout, ce n'est pas la place qui manque et ces usines produiront en quantités effrayantes crèmes, eaux de toilette et lotions astringentes (elle ne sait pas au juste ce que c'est mais les mots lui plaisent, ça fait savant). Il lui faudra occuper tout le terrain avec une gamme complète, ne laisser de place à personne d'autre.

Quoi d'autre ?

... Ah oui, elle devra aussi acquérir l'usage du monde. Elle a vraiment eu l'air malin à Melbourne, à ce dîner chez le gouverneur de Victoria quand elle s'est retrouvée devant des tas de fourchettes et de verres, avec ces gens autour de la table qui parlaient de choses strictement inconnues et portaient tous des titres différents. A croire qu'elle débarquait tout droit de son shtetl et qu'en plus ça se voyait.

Rien de plus ?

Elle cherche et ne trouve guère...

... Il y aurait bien ces tapisseries, broderies et autres stupides ouvrages de dame sur lesquels elle est d'une ignorance crasse, et en quoi les vraies dames paraissent pourtant d'une science à donner le vertige, tout comme pour la culture des roses, le théâtre et ces machins qu'on appelle opéra, musique...

Attention, Hannah, tu viens de mettre le doigt sur un point capital...

... Parce que tu es une femme, triple buse. Et qu'à ce titre on attend de toi que tu saches parler de roses, de tapisserie, des enfants,

286

des domestiques qui-ne-sont-plus-ce-qu'ils-étaient. Tu dois apprendre à organiser une table, à donner à chacun le titre qui convient. Tu dois aussi savoir faire la mijaurée avec les hommes (si ça leur fait plaisir, à ces crétins…), te tenir prête à t'évanouir au moindre courant d'air. Malgré que tu sois bien plus solide qu'eux, que tu aies une santé de fer et n'aies jamais eu la moindre vapeur ; c'est malheureux à dire mais c'est ainsi, il te faudra faire semblant. Tu serais vraiment trop bête de te priver aussi de ton petit corps plus dodu qu'il n'y paraît. Il est vrai que ces fichus hommes ont l'œil, pour ces choses ; sitôt qu'ils vont plus loin que ton visage de hibou, qui n'a vraiment pas de quoi les culbuter à la renverse…

Ne te montre pas trop intelligente, non plus. Apprends à paraître idiote, de temps en temps. A les écouter, béate et pénétrée d'admiration, quelque ânerie qu'ils débitent. Tu ouvres tes grands yeux et tu penches la tête (n'oublie pas de gonfler les seins, en même temps, tu parles d'un exercice !) et ça marche, plouf, les voilà tous fondants. Fais dans le délicat et le fragile, l'attendrissant. Inutile de leur faire savoir que tu es forte comme un cheval.

C'est que, bon sang, c'est intéressant et utile d'être une femme, pour ce que tu vas faire. Puisque c'est à des femmes que tu vas t'adresser, et que tu peux foutument les comprendre…

HANNAH!… Hannah, soit dit en passant, tu devrais un peu mieux surveiller ton langage. Quand tu as dit « bordel de Dieu », hier, ce pauvre Polly a roulé des yeux comme des tartes aux myrtilles ; pour un peu, c'était lui qui avait des vapeurs, au lieu de toi…

Et si je dormais avec Polly ?
Il est mignon. Pas beau, mais mignon. Ses mains ne sont pas trop mal, quoique potelées. Elles sont toujours très propres, c'est déjà ça. Il a de jolies dents et un gentil sourire, il est certainement très doux. Un peu rahat-loukoum, c'est vrai, mais il a l'œil qui pétille, il est intelligent. Je ne crois vraiment pas qu'il me donnerait autant de plaisir que Lothar Hutwill mais ça pourrait être drôle, il serait capable de me faire pouffer de rire au moment du Grand Frisson. Si grand frisson il y a…

… C'est qu'il y a quand même quelque temps que tu n'as plus dormi avec un homme. Ce n'est pas que ça te manque — quoique… — mais peut-être que ça se fait, de prendre un amant. Ces femmes si raffinées de Melbourne en avaient. Pas toutes mais par exemple la lady Machin qui te coursait le petit lieutenant en tirant la langue, ventre à terre pour ainsi dire. Pas toutes parce qu'il y en a certaines auxquelles il faudrait être fichtrement héroïque pour faire des gâteries…

NON. Pas avec Polly. Ce serait stupide, ça changerait tout entre lui et moi. Outre qu'en tant qu'expérience, ça ne m'apporterait probablement rien. Et n'oublie pas que tout ce que tu fais en ce domaine, c'est pour te préparer à Taddeuz...

... A moins que ce soit, un petit peu, un prétexte que tu te donnes ?

Sale garce.

Non, Polly est ton ami, fidèle, intelligent, c'est un sacrément bon conseiller, prêt à te suivre au bout du monde. Ça a été une foutue chance de le rencontrer. Ne va donc pas tout gâcher en dormant avec lui. Ce ne sont pas les hommes qui manquent.

Dieu merci.

... Tu peux comprendre les femmes, Hannah. A priori mieux que les hommes. Deviner ce dont elles ont besoin, si possible avant qu'elles ne le sachent elles-mêmes. Les précéder. Les femmes qui seront tes clientes seront raffinées ou voudront l'être, elles sont des centaines de millions dans le monde et tu es bien placée pour savoir que ce n'est pas parce qu'on sort d'un trou de campagne, toute bouseuse et de la paille dans les souliers, qu'on n'a pas envie d'être belle. Et plus ça ira, Hannah, plus il y aura de ces femmes. Comme dirait Polly, le marché va en s'élargissant. A toi de le prendre, même si tu dois être la seule femme à t'aventurer dans les affaires. Tu es la seule, d'après lui, d'ailleurs... (Pauvre Polly. Ça va lui faire de la peine, que je ne dorme pas avec lui. Surtout s'il me voit avec d'autres hommes. Mais non, décidément.)

... Hannah, il va te falloir être plus raffinée que la plus raffinée d'entre elles ; ou le leur faire croire, c'est du pareil au même. Tu es déjà coquette comme une poule et toute froufroutante — n'en fais pas trop. Ça doit pouvoir s'apprendre le raffinement, tout autant que la botanique et la dermatologie, l'amour ou la littérature, et la finance. Et quand tu seras complètement raffinée, que tu auras croqué comme des pommes toute cette science, que tu auras installé tes instituts et tes usines, alors seulement tu épouseras Taddeuz. Tu vivras très heureuse avec lui, il écrira ses livres pendant que toi tu feras bouillir la marmite...

Il te faudra bien faire attention de respecter son orgueil d'homme. Orgueil stupide, entre nous, je me demande bien pourquoi on trouve normal qu'une femme soit entretenue par son mari et pas le contraire. Mais enfin, c'est la vie, les hommes ont toujours été stupides, tu ne vas pas les changer...

Pas si crétins que ça, quand même : ils se sont arrangés pour coller à leur épouse ce qu'il y a de moins palpitant dans la vie, laver des couches, par exemple, et pendant ce temps-là, ces messieurs batifolent, parcourent le monde, découvrent des trucs et des machins, créent des choses, ce qui est bien plus intéressant !

... Taddeuz te fera deux enfants.

Non : trois.

C'est un bon chiffre, trois, j'aime les chiffres impairs, les pairs sont ronds et mous. Un, ça ne serait pas assez et cinq ou sept, ça ferait tribu, je passerais mon temps en couches et mes affaires iraient à la ruine.

Trois, c'est dit.

Au fait, il serait peut-être temps que tu commences à t'en préoccuper, de Taddeuz. S'il allait se marier avec une dinde pleine d'argent — une héritière, pouah ! — avant que tu sois prête ? Il ne manquerait plus que ça ! Bien sûr, ça existe, le divorce, mais quand même... Bon, il y a des mesures à prendre. Tu ne sais même pas où il est. C'est qu'il vieillit, lui aussi. A vingt et un ans, deux mois et treize jours, ce n'est plus un tout jeune homme évidemment, mais il a encore quelques belles années devant lui.

Il n'y a pas de quoi rire, idiote !

Voyons, voyons, à un problème, il y a toujours des tas de solutions...

Hannah va choisir une de ces solutions.

Et c'est ainsi que Maryan Kaden reviendra dans sa vie, pour ne plus jamais la quitter.

Elle ignore où il peut se trouver, lui aussi. Qu'à cela ne tienne, elle s'assure tout d'abord que les Carruthers sont toujours en poste à Varsovie. Polly lui a expliqué — un autre de ses cousins est au Foreign Office de Londres — comment cela se passait pour le personnel diplomatique et, en l'occurrence consulaire : on demeure deux ou trois ans dans un pays et ensuite on vous nomme ailleurs. Si cela se trouve, ils pérégrinent déjà en Chine ou déambulent parmi les Bantous, les Carruthers...

Mais non. Mieux qu'une demande de renseignement par lettres, dont l'aller et retour eussent pris des semaines, Hannah se sert d'une invention qui la fascine et dont elle va vite apprendre à se servir en virtuose : le télégraphe. En 1872, la ligne télégraphique transaustralienne a été installée, reliant Sydney via Melbourne à Darwin, qui est tout au nord du continent austral, en bordure de la mer de Timor, face à l'Indonésie. Et trois années auparavant, un câble sous-marin a été posé au fond de l'océan — ici, les yeux d'Hannah se sont écarquillés d'une surprise émerveillée —, rattachant Darwin à Singapour. Grâce à quoi, depuis le General Post Office, on peut joindre directement Londres, et, via Londres, Varsovie, quelle chose admirable !

En une semaine juste, elle établit le contact avec les Carruthers, leur transmet sa demande. Ils l'assurent qu'ils y accéderont par tous les moyens.

Les banques font le reste. Trois cent cinquante livres sont mises à la disposition de l'oncle de Maryan à Varsovie (celui-là même dont elle a déjà utilisé les services comme homme de paille, pour son magasin de la rue du Faubourg-de-Cracovie). Mais ce sera le seul Maryan qui disposera de l'argent. Il n'a que dix-sept ans mais elle est sûre qu'il a plus de tête qu'aucun autre homme — sauf Mendel.

Elle reçoit une lettre de Maryan dans le courant de novembre et prend un coup au cœur, de voir ainsi confirmées toute sa confiance et son amitié pour lui : il a fort bien compris ce qu'elle attend de lui, il a reçu l'argent, l'oncle ne l'a pas volé. C'est plus que suffisant pour faire vivre sa famille pendant un an au moins, suffisant aussi pour couvrir ses frais dans ce qu'il entreprend sans perdre une seconde : il part pour Prague, il ira ensuite à Vienne puis fouillera toute l'Allemagne.

Et retrouvera Taddeuz si ce dernier se trouve encore sur la rive droite du Rhin.

Pas un mot de trop dans sa réponse, juste l'essentiel. Il ne dit même pas merci. Plus tard, elle le lui reprochera en riant. Il se dandinera d'un pied sur l'autre, ses yeux pâles n'osant croiser ceux d'Hannah : « Avec tous ces gens qui allaient me lire et se répéter mes mots les uns aux autres ? »

Elle écrit à Mendel, pour la sixième fois depuis son départ de Dantzig. L'informe dans cette nouvelle lettre du développement très satisfaisant de ses affaires : elle peut désormais le rembourser de tout l'argent qu'il lui a confié, avec l'intérêt normal que pratiquent les banques.

... Mais bien entendu elle considère qu'il est son associé et que donc tout ce qu'elle a acquis, ou va acquérir encore, lui appartient pour moitié... que surtout il n'aille pas la chicaner sur ce point ! N'a-t-elle pas voyagé avec un billet qu'il avait acheté pour lui-même ? Et l'idée d'aller en Australie n'était-elle pas la sienne ? En somme, elle lui doit tout et n'est pas loin de penser qu'elle le vole un peu en ne lui accordant que cinquante pour cent de ses bénéfices. Elle se tient prête à discuter, et qu'il se méfie : elle est rapace, maintenant...

« Tu es folle, Hannah. Il ne recevra jamais tes lettres, aucune. Bien sûr, il n'est pas mort, et puis quoi encore ! Mais de là à imaginer qu'il reçoit du courrier d'Australie au fin fond de la toundra !

« ... Tout comme tu es folle de tenir de tels raisonnements sur les hommes et les femmes, de programmer ainsi ta vie par avance. Et non seulement la tienne mais celle de Maryan, de Mendel, de tant d'autres... et pis encore, celle de Taddeuz — s'il voulait *quatre* enfants, hein ?

« En Australie, tu as eu de la chance. Tu es au bout du monde, dans un pays tout neuf, où le superflu manque forcément, en sorte que tu as pu t'y faire une place. Mais en Europe, on ne t'a pas attendue. Il te suffit de lire les revues : d'autres que toi, et des hommes, s'il te plaît, ont déjà fait ce que tu fais ici. Le marché sera pris. Tu rêves... Tu es vraiment dans un monde où seuls les hommes peuvent entreprendre des affaires. Et tu le sais. Si Polly ne t'avait pas si bien devinée, il n'y aurait personne pour savoir quelles ambitions démesurées tu as, tu n'oserais pas les dévoiler... »

Dans cette sixième longue lettre, elle fait surtout part à Mendel d'une rencontre qui a eu lieu par l'entremise de Clayton Pike : rien de moins qu'un comte austro-allemand, en train d'accomplir le tour du monde en compagnie d'une jeune femme fraîchement épousée. *Je ne vous parle pas d'eux au hasard, Mendel, vous allez voir que j'ai des raisons solides. Lui s'appelle Rudolf de Sonnerderck, elle Anastasia. Je n'avais encore jamais vu de comte ni de comtesse ; ceux-là m'ont paru tout à fait normaux : ils mangent comme tout le monde, ils sont très aimables et très courtois — mais non, je ne perds pas mon temps à des bavardages, attendez... La comtesse a voyagé en voiture dans l'intérieur de l'Australie ; elle se plaignait de la poussière et de la chaleur, de leurs effets sur sa peau. Pike me l'a amenée — ils ont un yacht superbe, son comte et elle. Je l'ai tartinée de crème, un peu inquiète, mais elle a été ravie. Je lui ai raconté mon histoire, un peu arrangée comme d'habitude : cette fois j'ai fait un dosage de la Cosette des* Misérables *et des* Deux orphelines, *avec une pincée de* David Copperfield. *Elle a pleuré et a voulu à toute force que son comte entende aussi le récit de mes aventures. Ils m'ont invitée à dîner, en toute simplicité (mais on est en Australie où les distinctions sociales ne sont pas trop grandes). Ça sert, de parler allemand, en tout cas. Et avec ma grande langue si pointue, je leur ai posé des questions, moi aussi. C'est alors que cela s'est passé, Mendel, la chose la plus incroyable, la plus merveilleuse que vous puissiez imaginer. Parce que lui, le comte, qui est si aimable (mais pas beaucoup plus fûté qu'un balayeur de square) est apparenté par sa mère à l'empereur d'Allemagne, celui qu'ils appellent Guillaume II, qui est lui-même le petit-fils par sa maman de la reine-impératrice d'Angleterre, la Victoria dont les initiales sont sur les casques des policemen, ici en Australie...*

Oui, je sais, je suis bavarde ! Bon. Il y a mieux : car cette Anastasia, la comtesse, est la cousine d'une princesse de Hesse, laquelle — vous me suivez, Mendel ? — est la belle-fille du tsar Alexandre III, vu qu'elle a épousé le fils de celui-ci, un certain Nicolas, qui pourrait bien devenir empereur de toutes les Russies, un de ces jours. Ce qui fait qu'avec un peu de chance, un jour quand je serai en Europe, quitte à faire le voyage, je serai en mesure d'aller voir le foutu tsar qui règne aussi sur notre Pologne et je pourrai lui demander de faire libérer mon ami Mendel Visoker, qui n'est jamais que polonais, juif, maquereau sur les bords, qui n'a jamais tué que trois ou quatre personnes (ou plus, allez savoir) dans un mouvement d'espièglerie...

Oh, Mendel, j'ai l'air d'écrire ces choses en riant mais j'ai les yeux pleins de larmes. C'est vrai que je crois à cette chance et que je vais la tenter. Ne mourrez pas, s'il vous plaît, Mendel... Attendez-moi. Je vous embrasse très, très fort.

— Est-ce que tu vas te marier avec Polly ? demande Lizzie.

— Non.

— Il n'est pas assez riche, c'est ça ?

— Il est plus riche qu'il n'en a l'air, il fait seulement semblant de ne pas l'être, et de croire que ça n'a pas d'importance. Je n'ai pas envie de partager mon tub avec lui pendant cinquante ans, c'est tout.

— Je ne savais pas que le mariage était une question de tub. Je suis vraiment obligée d'aller à l'école ?

— Ouais.

Gai clip-clop de sabots sur le pavé. Elles sont toutes deux dans un buggy attelé d'un mignon petit cheval bai. Hannah a acheté l'un et l'autre pour conduire l'attelage. Elle a fait peindre la voiture en noir et rouge andrinople, ce qui ne va pas sans étonner bien des dames de Sydney.

— Et si j'étais malade ?

— Tu n'es pas plus malade que moi.

— C'est tout dire, remarque Lizzie en faisant de son mieux pour avoir l'air lugubre. Et quand on sera en Europe, je devrai aussi aller à l'école ?

— Pareil.

— Je ne vois pas l'intérêt de changer, alors. Et si moi, je me mariais avec Polly Twhaites ?

— Il a vingt-cinq ans de plus que toi. Et partie comme tu l'es, tu vas le dépasser d'une tête. Tu aurais l'air d'une autruche déambulant avec un cochon d'Inde.

— Je pourrais me marier avec Maryan Kaden ? Il est beau, Maryan Kaden ?

« Je n'en sais fichtre rien, pense Hannah. Je ne l'ai jamais regardé sous cet angle... »

— Pas aussi beau que Taddeuz, évidemment, poursuit Lizzie. Qui pourrait l'être ? Mais seulement à moitié assez beau, ça me suffirait, à moi.

— Lizzie, la ferme !

— Une dame ne dit pas « la ferme » à une autre dame. Tu parles vraiment mal, tu sais. Tu devrais bien venir à l'école, toi aussi, ça te ferait du bien. Tu me raconteras encore la fois où Dobbe Klotz la Meule de Foin t'a avancé de l'argent pour t'acheter la robe aux trente-neuf boutons ?

— Je te l'ai racontée cent vingt-trois fois au moins.

— On ne s'en lasse pas. Et quand tu es allée voir la logeuse de la chambre de Praga et que tu lui as raconté que Taddeuz était ton frère ? Celle-là aussi me plaît beaucoup. Tu es une sacrée menteuse, quand on y pense. Et dire que c'est toi qui m'élèves ! Si Rod savait tout ça...

— Pas de chantage, s'il te plaît. Et puis, raconter aux gens ce qu'ils ont envie d'entendre, ce n'est pas mentir, c'est leur rendre service.

— Mon œil. Et la fois où Taddeuz et toi...

Le regard d'Hannah.

— Ça va, ça va, dit Lizzie. J'ai compris. Je ne suis pas idiote. La ferme.

Le buggy s'arrête devant l'institution pour jeunes filles. Les yeux verts dans les yeux gris. Les bras de Lizzie qui a dix ans encerclent le cou d'Hannah qui en a dix-huit et demi (quoique son passeport lui en accorde vingt-trois), ses lèvres touchent la joue :

— Je t'aime, Hannah, tu sais. Autant que j'aimais maman.

Hannah n'arrive pas à répondre, la gorge nouée. Elle hoche seulement la tête. Lizzie saute à terre, dans un grand envol de tous ses jupons, en montrant ses culottes tuyau de poêle, sans dentelle comme le prescrit le règlement de l'institution.

Elle fait trois pas et se retourne :

— Et si je me mariais avec Mendel Visoker ?

Simon Clancy a fait son apparition. Il a surgi un soir à la nuit tombante, à l'entrée de service du laboratoire, roulant son chapeau entre ses grosses mains. Il est désormais le grand pourvoyeur des herbes et des plantes, il a succédé à Quentin MacKenna. L'Anthropophage avait annoncé une telle éventualité, et cela signifie qu'il a bel et bien pris le départ de son grand voyage transaustralien. Tout se passe comme s'il avait attendu la mort de sa mère et l'adoption par Hannah de Lizzie, pour se lancer dans son aventure sans espoir.

Clancy rend visite à Hannah à la mi-août, à l'occasion de la première livraison qu'il effectue sous sa propre responsabilité. C'est un homme d'environ trente ans, né en Australie, d'assez petite taille mais massif, rustaud et de parler lent, comme timide. Quand il abandonne cet extrême laconisme, il use d'un argot assez déconcertant. Pour lui un penny est un *brown* ou un *stever,* une pièce de trois pennies un *tray,* un shilling un *deaner,* une livre un *quid.* Le seul monde où il soit à l'aise, c'est-à-dire le bush en ce qu'il a de plus reculé, est constitué de *cockies* (fermiers), de *runs* (ranches), de *stockmen* (vachers ou bergers), le tout constamment soutenu par une effarante crudité de langage.

Il connaît les plantes, mieux que Quentin ne les a jamais connues ; reçoit avec le plus grand flegme la nouvelle qu'il lui faudra désormais tripler, voire quadrupler au moins tous ses envois, pour approvisionner le laboratoire de Meggie MacGregor — cette dernière, depuis juillet 93, a près de trente ouvrières sous ses ordres pour la fabrication des crèmes, des eaux de toilette et des lotions capillaires récemment venues s'ajouter à la gamme. Mais oui, il pourra répondre à la demande, pas de problème. S'il sait à peine lire et compter, son honnêteté est scrupuleuse : il refuse les soixante livres qu'elle veut lui donner. C'est trop, son propre salaire devra être de trente shillings, ce qui est déjà beaucoup pour un emploi qui ne l'occupe que quelques heures par jour ; selon lui, c'est bien assez pour surveiller les dizaines d'hommes et femmes, le plus souvent aborigènes, qui depuis le Queensland jusqu'au Victoria, sur un front de quinze cents kilomètres, le fournissent en plantes, grâce au réseau mis en place par Quentin. « Pour les payer, eux, faites comme avant, comme Quent vous l'a dit : pas d'argent liquide, ils le boiraient mais vous envoyez les sous à Travers, c'est un type bien, qui les nourrit directement et leur procure les putains de trucs dont ils ont vraiment besoin, pas de l'alcool... »

Il explique que le travail qu'il fait pour elle le satisfait pleinement, au sens où il lui laisse tout le temps voulu *humping the bluey* (pour vagabonder), pour jouer les *sundowners* ou les *swaggies*...

... Ou mieux encore, parce que c'est le fin du fin en Australie pour les amoureux de la belle étoile et des grands espaces, afin de *valser Mathilda* à sa guise.

Elle connaît la chanson, non ? Et c'est justement ce que fait Quentin, d'après lui (*he is waltzing Mathilda*, comme personne avant lui, avec son expédition de fou).

... Non, il ne pense pas que le Mangeur d'Homme (*Man-Eater Quent*) s'en sortira vivant, pas de doute qu'il crèvera dans le Grand Désert du centre, la tête dans les étoiles. Et alors ? « Chacun vit comme il lui plaît sa putain de vie, m'dame... »

Le passage à Sydney du comte et de la comtesse austro-allemands est de décembre 93. Le couple aristocratique projette de séjourner en Australie jusqu'à la fin de l'été austral, ensuite il reprendra la mer sur son yacht frappé de l'aigle à deux têtes, s'en ira visiter la Chine et le Japon, avant de cingler au travers du Pacifique pour gagner les Etats-Unis. Le retour en Europe n'aura pas lieu avant des mois, dans le meilleur des cas. Entre Hannah et la jeune comtesse (elles ont le même âge réel), des liens se sont noués ; on jure de se revoir à Vienne ou au Tyrol, lorsque Hannah aura effectué son retour. C'est Anastasia qui amène un jour à l'institut de beauté la plus grande célébrité australienne du temps (elle est née à Melbourne une trentaine d'années plus tôt et de son véritable nom s'appelle Helen Porter) : rien de moins que la célébrissime cantatrice Nelly Melba, soucieuse de son teint de pêche, et que Rudolf de Sonnerdeck a entendue débuter au théâtre de la Monnaie de Bruxelles, six années auparavant.

Grand moment que celui où la diva, en remerciement des soins reçus, entame dans le *Jardin de Boadicée* le grand air du « Roméo et Juliette » de Gounod.

« Et quelle réclame, Hannah ! »

L'année 1894 vient et s'écoule, sans aucun événement notable pour la marquer — cela arrive. Les prévisions de Polly Twhaites se révèlent de plus en plus exactes : le caractère inexorable du succès d'Hannah s'affirme, se dessine et se renforce à chaque nouveau bilan — *c'est le seul domaine de ma vie où la chance ne m'a jamais quittée, Lizzie : mes affaires. Si j'avais dû... mais on ne choisit pas ces choses.*

Le pari avec Pike avait le 2 mai pour date d'échéance. Dès la mi-mars il est plus que largement gagné : sa ligne de crédit à l'Union Bank of Australasia est de soixante mille livres. Toutes les agences du système en association avec les Fournac sont maintenant en service. La seule période des fêtes de fin d'année (qu'elle a encore vécues seule, se privant même de Lizzie que les Watts ont bien voulu emmener avec eux à Melbourne) lui a valu un bénéfice personnel, tous frais déduits, de plus de six mille livres.

Le 30 avril, Clayton Pike débarque à Sydney de son train personnel, arrivant de Melbourne où il a acheté pour quinze cents guinées une couple d'elle ne sait trop quels bovins imbéciles qu'il ramènera à Brisbane avec lui, dans un wagon spécial. Il a déjà établi le chèque de vingt-cinq mille livres. Hannah le refuse en riant : ce pari n'était qu'un défi qu'elle se lançait à elle-même et puis elle ne voulait qu'attirer son attention, susciter sa sympathie et obtenir son aide éventuellement, ce en quoi elle a réussi au-delà de toute espérance. Elle ne veut donc pas de cet argent (et elle pense : « Mais s'il insiste, je le prends. ») Il insiste. Devient tout rouge et se met vraiment en colère : un pari est un pari. Pour finir, Polly Twhaites élabore un compromis qui les satisfait l'un et l'autre : Hannah percevra bien les vingt-cinq mille livres mais considérera la somme comme un prêt privé, portant un intérêt dérisoire d'un demi pour cent l'an et donnant droit à Clayton Pike ou à ses successeurs nommément désignés de recevoir cinq pour cent des actions de toute société créée par Hannah sous son nom, au cours des dix années à venir, ailleurs qu'en Australie et en Nouvelle-Zélande :

— Hannah, je connais votre haine des emprunts. C'en est un sans l'être. Vous aurez besoin de capitaux en Europe et n'en trouverez jamais à de meilleures conditions. Ne parlons même pas du demi pour cent que vous aurez à régler, il sera plus que largement compensé par les intérêts que vous percevrez, en plaçant cet argent sur le marché financier de Londres, par exemple. Où j'ai justement un cousin qui...

La vie d'Hannah à cette époque est douce et quasi familiale. Lizzie lui est une jeune sœur, situation qu'elle n'a jamais connue et dont elle découvre les vertus aimables. Bizarrement, c'est à présent, alors qu'elle est « si vieille » à ses propres yeux, qu'elle retrouve les joies de l'enfance, quand elle se laisse entraîner par la joyeuse Lizzie. Leurs fous rires sont monumentaux.

Et ce sera à cause de Lizzie qu'elle remettra à deux reprises son départ. Une première fois parce que Rod a fait des difficultés, disant qu'il finirait bien par se marier lui-même et qu'il ne voyait pas pourquoi sa sœur vivrait ailleurs que chez lui. Il a fallu tout un mois pour désamorcer la bombe. Ce bon bougre de Dougal MacKenna a finalement cédé à sa fille.

... La deuxième fois parce que, ayant fixé leur embarquement au début de janvier 95, elle a réalisé que l'année scolaire européenne est inversée et que cela ferait arriver Lizzie au milieu du deuxième trimestre, dans le collège anglais choisi pour elle.

Le départ a donc été reporté à la mi-juin.

« Et tu t'en satisfais, Hannah, sois honnête avec toi-même. Tu as un peu peur d'aller combattre là-bas. Dès lors, tous les prétextes sont bons : et Lizzie, et le fait que tu n'as pas encore tout à fait assez d'argent... »

Elle met à profit les vacances scolaires de janvier et février pour se rendre en Nouvelle-Zélande. Toute sa vie, lorsqu'elle évoquera des montagnes enneigées, il lui reviendra le souvenir des chaînes néo-zélandaises, plutôt que les Alpes ou les Rocheuses américaines. Avec Lizzie et Charlotte O'Malley (soixante-dix kilos de dignité catholique pratiquante), elle traverse de part en part les deux îles, d'Invercargill à Christchurch et Nelson puis, passé le détroit de Cook, de Wellington à Auckland. Dans cette dernière ville, Jean-François Fournac a implanté une usine de vêtements et pris des intérêts dans le commerce de la laine — elle aussi par voie de conséquence, à quarante pour cent. Partout les boutiques à la griffe du double H sont exactement conformes à ses exigences et leur réussite est indéniable.

Et puis le pays est admirable, même si la population de Nouvelle-Zélande n'atteint même pas sept cent mille personnes...

A son retour à Sydney, elle trouve une lettre de Maryan Kaden, la troisième depuis qu'elle a rétabli le contact avec lui. Il écrit dans un curieux mélange de yiddish, de polonais, d'allemand et de russe — peut-être par précaution, il voit des espions partout. Avec une minutieuse application qui n'est pas faite pour l'étonner, Maryan a fouillé Prague, Vienne et Berlin. Puis d'autres villes de l'empire austro-hongrois. Puis d'Allemagne. Il coche leurs noms au fur et à mesure, sur une carte. Il n'a nulle part relevé la trace de Taddeuz. Et il n'a non plus aucune nouvelle de Mendel, bien que son oncle et quantité d'autres personnes diligentées par lui aient interrogé l'administration tsariste, fort taciturne par nature. Il joint à sa lettre un relevé fanatiquement précis de toutes les dépenses qu'il a engagées — il mange soixante-quatorze morceaux de pain par mois, y apprend-on entre autres informations passionnantes. Il affirme qu'il lui reste bien assez d'argent pour vivre encore deux ans, ceci malgré le fait qu'il ait fourni à sa mère et à ses frères et sœurs de quoi subsister en son absence. Il indique une adresse à Berlin où elle pourra désormais lui écrire.

Ce qu'elle fait aussitôt. Elle lui annonce son arrivée en Europe pour l'été à venir, lui fixe un rendez-vous le 15 septembre 1895 à neuf heures du matin, dans une auberge de Baden-Baden dont une des suivantes de la comtesse Anastasia lui a communiqué le nom : *Si l'auberge n'existe plus à ton arrivée, attends-moi là où était la porte. Sinon, à l'intérieur. ET DÉPENSE UN PEU PLUS, BON SANG !*

Dernière randonnée australienne à la fin de l'été austral : Clayton Pike les a invitées sur son schooner à croiser au long de la merveilleuse Grande Barrière. Par-dessus le bastingage, pas plus rassurée que cela (Lizzie sait nager mais pas elle, et elle refuse d'apprendre), elle contemple deux ou trois grands requins blancs mangeurs d'hommes (et de femmes : eux au moins ne font pas de distinctions imbéciles) filant par-dessus des coraux.

Elle n'a aucune nouvelle de Quentin.

Dont elle mettra plus de vingt-cinq ans à prononcer le nom devant Lizzie. Elle a tenté d'interroger Simon Clancy. Il ne savait rien. Polly a conduit une enquête, Pike de même : tout ce qu'on a pu apprendre, c'est que Quentin s'était en effet trouvé à Brisbane, des mois plus tôt. Il s'est battu dans une taverne, sans dégâts majeurs. Depuis, le silence.

Elle l'imagine marchant, seul. *Waltzing Mathilda.*

... Et dès lors, elle s'apprête au grand départ, une espèce de fièvre lui venant au fil des semaines, à mesure qu'approche l'heure. Elle va changer de vie, de continent, d'hémisphère. Là où elle se rend, elle n'est jamais allée, bien que ce soit à nouveau l'Europe. Elle va surtout et enfin — c'est le sentiment qui domine en elle — entamer la grande offensive dont Taddeuz est l'objectif final.

« Tu t'en vas, *waltzing Mathilda,* tout comme Quentin, à l'échelle de la planète... »

Une dernière fois avant de monter à bord, dans sa cabine de première classe sur le paquebot de l'Orient Line, elle fait et refait ses comptes : soixante-quatre mille six cent vingt-sept livres sterling l'attendent à Londres. Un trésor de guerre assez énorme, accumulé en trente-cinq mois.

Elle, Lizzie et Charlotte O'Malley s'embarquent le 11 juin 1895. Pas seules. Plus que jamais Anglais-suivant-le-cirque-pour-voir-si-le-dompteur-va-être-dévoré, Polly Twhaites, qui ne travaille plus que pour elle, est du voyage.

Lizzie pleure un peu, en voyant disparaître l'Australie où elle est née. Pas trop longtemps : Hannah lui a acheté douze robes neuves.

Livre 3

... ET LA PETITE
MECANIQUE VA...

18

SAINT-JAMES PLACE

— J'ai connu jadis en Australie, dit Hannah d'une voix très claire à la grosse dame vêtue de mauve, quelqu'un qui vous ressemblait beaucoup, en plus distingué peut-être. Là-bas, au milieu de ses moutons, on l'appelait Archibald. Il avait les mêmes moustaches que vous.

— C'est un scandale, dit la grosse dame en train de suffoquer. Et elle essaie de se cacher derrière son face-à-main incrusté de diamants parfaitement authentiques.

— A une autre différence près — je parle d'Archibald : lui se lavait. Pas tous les jours peut-être mais une fois par mois au moins. On ne le sentait pas à vingt yards. Comme certaines.

Dans le grand salon d'apparat au rez-de-chaussée de l'hôtel particulier, le silence s'est abattu avec les effets qu'aurait eu le plafond s'il était tout à coup tombé. L'hôtel particulier se trouve en vue de Saint-James Place, il a trente-deux pièces, le loyer en est de six mille livres par an. Son rez-de-chaussée est tout entier occupé par l'institut de beauté, dans l'aménagement duquel elle a investi trente-deux mille livres. Dix ou douze esthéticiennes et autres employées de moindre rang, en robe noire et rouge andrinople, les unes à bavolet, les autres sans, se sont figées. Et de même la cinquantaine de clientes présentes.

— Bon voyage, madame, dit Hannah. Et n'hésitez pas à ne jamais revenir.

La grosse dame suffoque tout à fait, à présent. Elle titube. La triple rangée de vraies perles en sautoir, étalées sur sa poitrine horizontale comme sur le plateau d'un joaillier, cette triple rangée tressaute, animée de mouvements convulsifs. La grosse dame se détourne et sort, blême. On entend jusqu'au claquement de langue du cocher en livrée remettant en route les chevaux du dorsay.

Silence lourd.

— Pour l'amour du ciel... commence à dire très bas Cecily Barton, qui est la directrice de l'institut de Londres.

— Pas ici.

Le regard d'Hannah va chercher celui de Lizzie, assise sur une ravissante chaise à capitons, dans sa tenue de pensionnaire, bottée de noir, gantée de noir, coiffée de ces chapeaux de paille à longs rubans qu'immortalisera le dessinateur Searle. L'œil vert de Lizzie scintille, elle fait la moue, signe qu'elle n'est pas loin du fou rire, elle non plus.

— Venez, je vous prie, dit Hannah à Cecily.

Elle se dirige vers les bureaux, qui occupent une partie du premier étage. A mi-chemin dans l'escalier de marbre, elle se retourne et s'assure que Lizzie les suit, Barton et elle. Ce qui est bien le cas. Elle entre dans la pièce dont les quatre fenêtres donnent sur Green Park et, à condition de se pencher un peu sur la gauche, sur Buckingham Palace et ses jardins.

— Pour l'amour du ciel, Hannah... recommence à dire Cecily.

— Encore un instant, Cecily, je vous prie...

Hannah sourit à Lizzie :

— Tu as encore grandi, on dirait. Fais voir.

L'Australienne et elle se mettent épaule contre épaule. Dix-huit ou vingt centimètres, à l'avantage de la plus jeune.

— Une autruche, dit Hannah.

Sur quoi elle attire et prend contre elle l'adolescente :

— Tu m'as manqué, chameau. (Elle s'écarte :) Tu as tout entendu, Lizzie ?

— Il aurait fallu être sourde. Je suis arrivée au moment où la baleine mauve sortait du salon Montespan, avec cette pauvre fille, Aglaë je crois, qui pleurait derrière elle.

— Tu sais ce qui s'est passé ?

— La baleine a giflé Aglaë. C'est drôle : on dirait un message secret comme en échangent les espions. « La Baleine a giflé Aglaë et j'ai les plans... »

— Tu feras le clown plus tard. Lizzie, j'étais en colère, d'après toi ?

Lizzie éclate de rire :

— Non.

— Alors, pourquoi ai-je fait cette scène ?

— Parce que la baleine ne paie jamais, de toute façon ?

— C'est vrai mais ce n'est pas la raison. Tu gèles.

— Parce qu'elle est un cas désespéré en matière de beauté ?

— Vrai aussi mais toujours pas la raison.

— Parce qu'elle est une lady Machin-Chouette très laide et très connue à Londres ?

— Ça se réchauffe.

— Parce qu'elle est une lady très connue à Londres et que quand on saura que tu l'as flanquée à la porte de ton institut, on ne parlera plus que de ça dans les salons de ces dames ?

— Tu brûles.

— On ne parlera plus que de ça et on se battra encore plus pour entrer chez toi. Plus les gens sont haut placés et plus il faut les insulter.

Hannah sourit. Sans même tourner la tête :

— Cecily ?

Cecily Barton soupire avec résignation. Elle a trente-huit ans. Avant d'entrer en fonction à l'institut de Saint-James Place, elle a travaillé quinze années, d'abord comme secrétaire-adjointe d'un club de dames distinguées de Grosvenor street puis, après son veuvage (son mari était officier dans les Lanciers du Bengale, il est mort en héros, évidemment), comme secrétaire à plein temps d'un autre *ladies' club,* encore plus distingué si la chose est possible, à Cavendish Square.

En ce 3 janvier 1899, il y a quarante et un mois qu'Hannah et Lizzie MacKenna sont en Europe. Charlotte O'Malley et Polly Twhaites de même. Depuis plus de deux ans, Hannah a donc lancé son offensive. Victorieusement à bien des égards. Elle a vingt-quatre ans, Lizzie seize.

Elle n'a toujours pas retrouvé Taddeuz.

19

RENCONTRE A TSARSKOYE SELO

Retour arrière.

Elle est arrivée, elle arrive dans le port de Londres le 16 août 1895. Exactement trois ans et un mois jour pour jour après son débarquement australien — pure coïncidence. Lizzie, Charlotte et Polly sont naturellement avec elle. En vue du fort de Tilbury, sur la Tamise, Polly Twhaites leur a rappelé les mots célèbres de la reine Elizabeth passant au même endroit ses troupes en revue, dans l'attente fiévreuse de l'Invincible Armada, trois siècles plus tôt : « Je sais que j'ai le corps d'une faible femme, mais j'ai le cœur et la trempe d'un roi... »

Sitôt qu'on a posé le pied en Angleterre, Polly a beaucoup surpris Hannah qui s'était fait une certaine idée de lui, en Australie : un mignon petit jeune homme (quoiqu'il ait largement quinze ans de plus qu'elle), potelé et rose, fort intelligent certes, de grand conseil dans la finance, mais à part cela d'une nonchalance amusée et teintée de sarcasme, très indifférent à l'argent (preuve certaine de ce qu'il devait en avoir), un merveilleux raté en somme.

En Angleterre, elle découvre qu'il est fils cadet de baronnet, que le papa siège à la chambre des Lords et est chevalier de la Jarretière (ça, ça a bien failli les faire s'étouffer de rire, Lizzie et elle) ; que sa famille a un hôtel particulier dans le West-End, un château dans le Bedfordshire et un autre en Irlande, tout cela peuplé de quatre-vingts domestiques au moins, sans compter les terres affermées ; que Polly a fait des études brillantes (Hannah le croyait financier par l'opération du Saint-Esprit mais non : il a étudié pour ça !) ; qu'il a assez d'argent pour vivre sans rien faire pendant deux cent cinquante ans.

Et il connaît tout Londres, en plus. Grâce à lui, on fait une entrée triomphale à l'institution de jeunes filles (au cœur du Sussex), dans une pétaradante voiture sans cheval qui n'est tombée en panne que sept fois. Le pensionnat est des plus huppés et, parce que les tarifs y sont bien plus élevés que les possibilités financières de Dougal

MacKenna, Hannah paie de sa poche la différence, sans en souffler mot à quiconque. Sauf à Polly qui sait tout.

Elle y abandonne lâchement une Lizzie au bord des larmes, repousse les propositions pourtant honnêtes de Polly qui voudrait lui faire connaître tout de suite la gentry londonienne et, dès le début de septembre, par la malle de Douvres, passe en France.

Paris l'émerveille. Elle ne s'en remettra jamais. De toutes les innombrables villes qu'elle a connues ou va connaître, celle-ci restera toujours sa préférée, surtout en ce temps-là. Mais il ne s'agit pas d'être touriste, on verra plus tard. Elle prend ses premiers contacts. L'homme de qui elle compte beaucoup apprendre est un certain docteur Berruyer, de réputation mondiale pour ses travaux en ce que l'on commence d'appeler la dermatologie, l'étude de la peau et de ce qu'il y a dessous. Elle établit une première liste des spécialistes auprès desquels elle va s'informer : un botaniste de l'Institut Pasteur ouvert quelques années plus tôt, un chimiste du même établissement, un chirurgien du nom de Lartigau qui pratique quelque chose de très neuf appelé chirurgie esthétique. Elle y ajoute diverses écoles, notamment le Collège de France, et bibliothèques dont elle essaiera de tirer le suc en d'innombrables matières, comme la comptabilité, le droit commercial et des affaires, les mécanismes bancaires et boursiers. Plus encore, elle approche et recrute, suivant une idée qu'elle a eue en mer, un groupe d'étudiants de l'Ecole Pratique des Hautes Etudes, rue des Ecoles, et moyennant finances (ils sont désargentés, dans leur vie de bohème), passé leur premier ahurissement d'entendre ce petit bout de femme s'exprimant dans un français essentiellement emprunté au XVIIIᵉ siècle, leur demande une étude complète de tout ce qui se fait, en France, voire en Europe, s'agissant de crèmes de beauté, de santé, de jeunesse, d'élixirs plus ou moins charlatanesques. Elle attend d'eux, en outre, qu'ils lui constituent un dossier exhaustif de toutes les réclames concernant de tels produits.

Tout cela en une dizaine de jours. Le 14 septembre au soir, elle est à Baden-Baden. Le lendemain matin, Maryan Kaden y est aussi, répondant à la minute près au rendez-vous qu'elle lui a fixé à vingt mille kilomètres de distance.

« Et te voilà toute douce et retournée, Hannah... »

Il a pris vingt centimètres et pas mal de kilos, en plus de trois ans qu'elle ne l'a pas vu. Mais c'est toujours le même Maryan, tête enfoncée dans les épaules, lent d'apparence, avec ce zézaiement léger qu'il gardera dans toutes les langues, avec sa formidable solidité et son sérieux. Il a dans les dix-huit ans et ne s'étonne pas de la retrouver riche. Le contraire l'aurait sans doute stupéfié — si tant est qu'il soit capable de stupéfaction : depuis dix ans qu'il subvient seul aux

306

besoins de sa nombreuse famille, il a pas mal émoussé ses facultés d'étonnement...

Il rougit quand elle l'embrasse sur les deux joues, consent tout de même à répondre à quelques questions qu'elle lui pose mais aussitôt après entreprend de lui rendre compte, comme s'ils s'étaient quittés de la veille : Taddeuz n'est certainement pas à Vienne, sous le nom de Nenski ou un autre ; des semaines durant, Maryan a scruté, passé au crible tous les endroits où il aurait pu être : les universités, les bibliothèques, les librairies, les cafés, les milieux littéraires et artistiques... (Là, Maryan rougit : il a vu des femmes entièrement nues dans beaucoup d'ateliers de peintres.)

... Taddeuz n'est pas davantage à Prague, ne s'y est assurément jamais trouvé :

— Si tu t'en souviens, Hannah, il a une tante qui vit toujours. Il n'est pas allé la voir en quittant Varsovie voici plus de trois ans. La dame ne l'a jamais revu.

Il n'est pas à Cracovie non plus.

A Salzbourg moins encore.

Il n'est pas à Berlin — cela a pris deux mois à Maryan pour s'en assurer, la ville est grande —, ni à Heidelberg ni à Munich :

— Pour sa tante de Prague, j'ai mis en place un système de surveillance, pour le cas où il reprendrait contact avec elle. Ce qu'il pourrait bien faire : elle a un peu d'argent et il est son héritier ; et comme elle est malade, elle peut mourir. J'ai parlé à l'un des clercs de son notaire et aussi au commis de l'épicerie où elle fait ses achats : si quelque chose arrive, ils m'écriront à l'adresse de Berlin. Je leur ai promis vingt roubles à l'un et dix à l'autre. Ce n'est pas trop ?

— Mais non, dit Hannah en souriant. Il te reste de l'argent, Maryan ?

Il sort immédiatement de sa poche un carnet dans lequel il a consigné la plus infime de ses dépenses. Oui, il lui en reste, bien assez pour vivre encore sept mois, voyages compris. Il explique qu'il a déjà fouillé à peu près trente villes, jusqu'en Hollande, grosso modo de la Baltique jusqu'à la Suisse alémanique : il arrive justement de Zurich, où il était encore deux jours plus tôt et où il a fait chou blanc. Et à tout hasard, pour ne rien négliger, il serait allé lorgner du côté de Lausanne et Genève, sans ce rendez-vous qu'il avait avec elle.

Il piétine, se dandine un peu, gêné et zézayant plus encore : il confesse qu'il lui est venu certaines idées dont il a un peu honte, que peut-être elle va lui reprocher... partout où il est allé, sachant la passion que Taddeuz a pour les livres, il a désigné des sentinelles dans toutes les librairies, leur promettant... (il hésite)... promettant une sorte de prime à quiconque lui signalerait le passage ou la présence de l'étudiant...

Toute éberluée, Hannah le regarde. Et le rire lui vient, elle pense : « Bon sang, voilà que nous avons mis à prix la tête de Taddeuz ! »

Elle l'embrasse une nouvelle fois :

— Oh, Maryan, je t'adore ! Et de combien, cette prime ?

Il le lui dit : cela représente à peu près cinq livres anglaises.

— Pas assez, dit-elle, multiplie-la par vingt. Et ce n'est pas tout (elle se sent très allègre), je vais te donner quatre cents pounds, tu t'achèteras un costume neuf. Et d'autres souliers, les tiens sont vraiment usés. Maryan, de cet argent que je te donne, tu feras deux parts, à ton idée. L'une pour ta famille dont tu es le soutien et qui par ma faute est privée de toi. L'autre pour tes frais, pour la prime mais surtout pour toi, tu vas voir que tu auras besoin de plus que tu ne le crois. En plus de ça, il nous faut décider d'un salaire...

Mais oui, bien sûr, il va travailler à plein temps pour elle, désormais, il n'aura plus que cela à faire, n'était-ce pas dans l'ordre naturel des choses ? A moins qu'il ne veuille pas et qu'il ait d'autres projets ?

Il la considère d'un air de reproche.

Elle lui sourit, l'affaire est faite. Elle lui attribuera dix... non, douze livres sterling par mois ou l'équivalent en tout autre monnaie que la pound. Six mois d'avance.

— Tiens, prends. Et fais-toi faire trois costumes, réflexion faite, dont deux pour tout aller et un autre pour les dimanches. N'économise pas trop, s'il te plaît, il te faut être habillé comme un monsieur et attention, j'ai l'œil, j'ai appris ces choses, je ne veux pas de costumes d'occasion qu'on aurait retournés. Du neuf. Et de la belle laine. Pareil pour les souliers. Tu n'as même pas de valise, bien sûr. Il t'en faut une, en cuir, nous irons l'acheter ensemble, j'ai vu quelques boutiques, à Baden-Baden, qui feront très bien l'affaire. Nous choisirons aussi des chemises, il t'en faut au moins six. Et puis toutes les autres choses dont les hommes ont besoin. Tu dois quand même savoir ce qui est nécessaire, non ? Je vais faire de toi un monsieur, on te donnera du « monsieur » désormais partout où tu iras, y compris à Varsovie, gare de la Vistule... Oh, Maryan, ça n'est vraiment pas la peine d'avoir la larme à l'œil !

Elle le traîne partout dans Baden-Baden, fouaille de sa langue si pointue les vendeurs des magasins de modes pour homme et les tailleurs, veille à tout, jusqu'à ses caleçons, à propos desquels elle pousse le scrupule jusqu'à vouloir qu'il les essaie devant elle : « Qu'est-ce que vous me chantez là ? Il ne manquerait plus que je ne puisse pas regarder mon petit frère tout nu ! Et arrêtez de vous mettre en travers de cette porte ou bien j'achète votre boutique rien que pour vous flanquer dehors ! »

— Maryan, nous allons faire ensemble des millions de choses passionnantes. Tu sais le français ? Non ? Et l'anglais ? Pas davantage. C'est bien ce que je craignais. Eh bien, tu vas me les apprendre, et vite. Tu sais déjà quatre ou cinq langues, qu'est-ce que c'est que deux petites de plus ? Vite et bien, hein ? Ton idée des librairies est très

308

bonne, le mieux est de l'étendre. Il est peut-être en Suède ou chez les Belges, si ça se trouve. A moins qu'il ne soit à Paris ou Londres. Nous allons mettre sa tête à prix dans toute l'Europe, il n'est quand même pas parti chez les Turcs !

« Tais-toi, Maryan, dit-elle. Il lui faut des cravates aussi, et des mouchoirs et deux chapeaux, il sera superbe avec un chapeau. Et la canne ? Il lui faut une canne, tous les messieurs ont des cannes. Celle-ci ira très bien. Non d'un chien, tu es méconnaissable, regarde-toi dans la glace, un vrai *gentleman* — c'est de l'anglais.

« Oh, Maryan, j'ai tant de projets que ma tête éclate, j'ai envie de danser sur le monde. Tu vas vraiment travailler avec moi, pas seulement à galoper partout pour me retrouver mon Taddeuz. En plus du français et de l'anglais, tu devras aussi apprendre la finance, la comptabilité, la façon dont on passe d'une monnaie à l'autre, comment on traverse les frontières avec des marchandises et, surtout, le fonctionnement des banques. C'est très important, les banques, on ne fait rien sans elles. Je veux que tu en saches plus que n'importe quel banquier, que tu sois capable de deviner à tout coup leurs mensonges et me dire : " Attention Hannah, il te raconte des histoires. " J'ai eu une très bonne idée (comme d'habitude) : tu vas entrer dans une banque, disons dans quatre mois, en janvier prochain, quand tu auras mis en place tout ton réseau de libraires-espions-chasseurs de tête. Quelle banque ? Une allemande, pour commencer, puisque tu sais très bien l'allemand. Je vais t'en trouver une, je sais comment. Tu y travailleras, dans tous les services l'un après l'autre et tu apprendras tout. Autre chose : à partir d'aujourd'hui, tu es mon cousin... " Bonjour, cousin Maryan, embrasse ta cousine germaine, nos mères étaient sœurs ", c'est en tout cas ce qu'il te faudra dire à tout le monde.

Ils conviennent (elle fixe) un autre rendez-vous. Il viendra à Paris, à cet appartement qu'elle a loué dans la capitale française, au 10 de la rue d'Anjou. Elle y sera pendant au moins les deux années suivantes. Parce qu'elle va elle aussi entreprendre des études. Elle sera à Paris, à telle et telle date : dans l'immédiat, qu'il lui écrive là-bas.

10, rue d'Anjou. Maryan note et transcrit. Bien qu'il n'ait pas besoin de mettre quoi que ce soit par écrit, elle le sait : sa mémoire est hors du commun. Passé deux ou trois brefs moments d'émotion ou d'affolement (surtout quand elle a fait irruption dans la cabine d'essayage et l'a trouvé tout nu, cachant son ventre avec ses mains comme une jeune vierge), il est à nouveau calme, attentif et d'une solidité merveilleuse. Hannah pense à la question que Lizzie lui a posée : « Et il est beau, Maryan Kaden ? » Pas vraiment beau. Mais pas laid non plus. Il a un visage lisse, de grands yeux pâles un peu tristes, la bouche fichtrement ferme et volontaire. « Il faut que ce soit toi, Hannah, pour le bousculer de la sorte. N'importe qui d'autre prendrait un gros coup de poing sur le nez... Il sourirait plus souvent que ça l'arrangerait beaucoup. »

Mais il n'a pas eu tant d'occasions de sourire jusque-là dans sa vie. Elle a pour lui de l'affection, une affection quasi fraternelle.

Tandis qu'elle le rencontre, qu'elle dispose de lui, bâtissant leur avenir à tous deux, elle noue ses deux vies à ce jour successives : l'Hannah de la Pologne et celle d'Australie, créant une Hannah toute neuve.

Très allègre en vérité.

Quatre jours plus tard, elle est au Tyrol. La lettre qu'elle a postée à Marseille, lors de l'escale du paquebot de l'Orient Line, cette lettre a reçu sa réponse à Londres : Anastasia von Sonnerdeck l'accueille avec un enthousiasme vrai (quoique légèrement nuancé d'une pointe de condescendance aristocratique : on n'est plus en Australie), dans la résidence d'été du couple, près de Jenbach au bord de l'Achensee. À une semaine près, Hannah aurait dû pousser jusqu'à Vienne pour revoir sa comtesse : le couple est en effet sur le point de regagner la capitale de l'Empire. Pourquoi d'ailleurs ne les accompagnerait-elle pas ?

Hannah décline l'invitation. Séjourne six jours dans les Alpes tyroliennes. Le temps d'y pouponner un peu, avec les deux premiers rejetons d'Anastasia. (Il faudra décidément que nous ayons trois enfants, Taddeuz et moi. Et peut-être quatre, après tout, s'il y tient. C'est tout à fait merveilleux, ces petites choses roses et délicates, ça donne chaud au cœur, et encore ce ne sont pas les tiens et ceux de Taddeuz... »)

... Le temps aussi de relever tous les renseignements relatifs à certaine banque de Cologne, où l'homme d'affaires des Sonnerdeck a toute les accointances possibles...

... Le temps enfin et surtout — ayant très soigneusement préparé le terrain — de poser la question qui lui brûle les lèvres depuis des mois et des mois, depuis qu'à la lecture des gazettes australiennes, elle a appris que le tsar de Russie Alexandre III était mort, que son fils lui a succédé, à peine un an plus tôt, sous le nom de Nicolas II. Et bien évidemment, elle n'a pas oublié que madame Nicolas Deuxième, sous le nom russifié d'Alexandra Feodorovna, est tout de même la princesse Alix de Hesse, d'origine, et la propre cousine d'Anastasia (dont le couple impérial donnera le prénom à l'une de ses filles).

Silence sur fond sonore très doux des cloches à vache dans les alpages. Dans la senteur automnale des foins coupés. « Je suis allée trop loin », pense Hannah à cause de ce silence et de la lueur étrangement froide dans les yeux de la jeune comtesse, dont elle a pourtant tout à fait pour se faire une amie.

— Et vous voudriez pouvoir parler à Sa Majesté la tsarine ?

— Pour la supplier à genoux, tout comme je vous supplie.

Elle n'a jamais révélé à Anastasia qu'elle était juive et s'est toujours fait passer pour une germano-polonaise de bonne famille. Refrénant de toutes ses forces la honte et le dégoût que lui inspirent les mensonges nécessaires quant à son judaïsme, Hannah a servi sur le compte de Mendel la seule histoire qui pouvait le sauver. Elle a donc raconté que Visoker est, ou était avant son arrestation, un commerçant un tout petit peu juif (pas beaucoup) mais très ambulant de Pologne, honorablement connu comme peut en témoigner la Banque de la Baltique. Un jour à Varsovie, alors qu'il ne l'avait jamais vue, il l'a sauvée, elle Hannah, des griffes d'un quatuor de malandrins juifs, alors qu'après avoir été frappée — elle en porte encore les cicatrices et peut les montrer — elle était sur le point d'être violée. Visoker s'est jeté à son secours. Dans la lutte héroïque qu'il a soutenue seul contre quatre, il a été blessé mais Dieu merci pas mortellement. Au contraire des malandrins qui sont plus ou moins morts, surtout parce qu'ils se sont ensuite disputé entre eux l'argent qu'ils lui avaient volé à elle. Et le pauvre Visoker, qui n'était jamais coupable que de courage, s'est vu condamner à vingt ans de bagne et à la déportation à vie...

— C'est trop injuste, madame. Sans lui, je serais à jamais déshonorée, et sans doute morte. De chagrin sinon de mes blessures. Je ne peux pas vivre avec le souvenir de cette horrible injustice...

Elle a même réussi à pleurer, disant cela. Sans se forcer d'ailleurs, tant son affection pour Mendel la submerge et l'émeut vraiment.

Anastasia dit qu'elle ne sait pas, la demande est exorbitante, elle en parlera au comte, et aussi à sa mère, dont elle prendra conseil. C'est tellement extraordinaire, comme requête... Et puis il faudrait aller en Russie, où le comte et elle se sont certes rendus pour les cérémonies du couronnement, l'année précédente, mais où ils n'ont nulle intention de retourner, du moins dans un avenir proche. Les larmes d'Hannah l'émeuvent néanmoins, elle aussi, elle en pleurerait presque, tant l'histoire est dramatique et triste...

Elle finit par promettre qu'elle fera son possible.

Flambée de rage chez Hannah, heureusement très intérieure : « Cette foutue petite garce antisémite... Qui ne saurait pas survivre, sans ses hordes de domestiques et n'a jamais rien fait d'autre que d'ouvrir ses cuisses en pleurnichant ! Et c'est de ça que dépend la vie de Mendel ! »

Elle sourit, avec ce qu'il faut d'humilité douloureuse :

— Merci, oh merci !

Hannah est de retour à Paris, ayant sur le chemin du retour fait un crochet par Cologne. Elle a pris langue avec le directeur de la banque auprès de qui l'intendant des Sonnerdeck l'a recommandée. Débarquant en superbe équipage, elle a commencé par annoncer au banquier avec énormément de nonchalance et de morgue, qu'elle allait effectuer un très modeste dépôt chez lui, vingt-cinq ou trente mille livres, une misère ; elle ne sait pas au juste, l'argent a si peu d'importance et elle est si ignorante...

Et à propos, elle a un jeune cousin qui ne rêve que de finance, il n'a pas le choix d'ailleurs, s'il veut un jour succéder à son oncle qui possède la moitié de Melbourne, dont une banque et une compagnie de navigation maritime plus des trains et un milliard de moutons. Se pourrait-il que son cousin, encore un peu fruste — « vous savez ce que c'est : il est de la branche pauvre de la famille, il a besoin d'être dégrossi. Mais il est fort intelligent, compte comme personne, sait l'allemand, le russe et le polonais » — suive à Cologne une sorte d'initiation, un début du moins ? « On m'a tellement vanté votre banque de Cologne, et votre science. A propos, pourriez-vous m'étudier des possibilités de placement ? Non, pas pour cette petite somme que j'ai déjà déposée, je parle de capitaux plus importants, j'ai quatre cent mille livres dont je ne sais vraiment que faire. Pour mon cousin, six à huit mois d'apprentissage conviendraient. Il pourrait passer d'un service à l'autre. Vous n'auriez pas à le payer, bien sûr. Je lui verse moi-même une petite pension. Ce qu'il faut, pas plus. A cet âge, on dilapide aisément... Combien d'hectares nous avons en Australie ? Je ne saurais vraiment pas vous dire : six ou huit millions, pas davantage. Ce sont surtout nos mines d'or de Ballarat et Bathurst qui... »

A Paris, elle aménage l'appartement du 10 de la rue d'Anjou, qu'elle va conserver si longtemps.

— Je crois, remarque sarcastiquement Polly Twhaites venu la rejoindre (le mari de sa cousine est ambassadeur de Sa Majesté en France), que vous ferez peindre en noir et rouge andrinople les parois intérieures de votre cercueil.

— Je ne mourrai jamais, Polly. Sauf si j'en ai envie. Mais l'idée est bonne.

En un mois, elle emplit les huit pièces de livres. Elle a couru toutes les librairies (où nulle part on n'a vu passer un jeune homme blond, très grand et très-très beau, peut-être polonais ou russe ou allemand, voire français, de vingt-trois ans d'âge et passionné de littérature). Elle a acquis une quantité effrayante d'ouvrages : peu de romans mais pour l'essentiel des essais traitant de tous les sujets qu'elle veut approfondir. Elle lit comme on boit de l'eau, des dix heures d'affilée, des nuits entières, avec un formidable acharnement, que rien ne peut ralentir. Et ne se contente pas de lectures. Car ces études qu'elle a parlé d'entreprendre, elle les suit vraiment, portée par une fièvre dévorante qui sidère jusqu'à Polly, pourtant accoutumé à elle. Durant les deux années qui vont suivre, elle comble très méthodiquement, somme toute, toutes ses lacunes et plus que cela une carence, un manque intellectuel qui date de ses sept ou huit ans, quand elle a cessé d'aller à l'école, nonobstant le rabbin de son shtetl, parce qu'elle avait constaté qu'elle n'avait plus rien à y apprendre. Son but est clair : elle veut être la plus grande experte au monde en matière de soins de beauté, personne ne devra en savoir plus ou même autant qu'elle ; et pour cela, elle picore, faisant le tri entre ce qui est utile et ce qui ne servirait qu'à lui encombrer la tête, comme en proie à une obsession maniaque.

« Mais n'oublie pas le raffinement... » A toutes les disciplines dont elle a dressé la liste, et dont elle va pendant vingt-trois mois poursuivre l'exploration systématique, elle ajoute l'art sous toutes ses formes : « Polly, vous m'emmenez au théâtre ce soir. Et demain, l'opéra. — Bien, Hannah. A vos ordres, chef. »

Elle s'inscrit à l'Ecole des Beaux-Arts. A son extrême regret, quasiment à son désespoir, elle y découvre qu'elle n'est douée pour rien, un vrai miracle : ni le dessin, ni la peinture, ni la sculpture ni même la décoration. Ça la met en fureur : « Je suis vraiment totalement idiote ! A quoi donc est-ce que je suis bonne ? »

... Tout juste à se mettre toute nue et à poser devant ces barbus pas trop propres, aux cravates grandes comme des draps de deuil. On le lui propose et elle est assez tentée de dire oui. « Ne te cache rien : tu as de plus en plus envie d'un homme dans ton lit. Câlin de préférence mais pas trop non plus, la bonne moyenne. Doux et brutal, et devinant quand il doit être soit l'un soit l'autre. »

— N'insistez pas, Polly...

Un soir de novembre, n'ayant pas osé sonner ni même entrer dans l'immeuble malgré la pluie, Maryan l'attend rue d'Anjou. Fort élégant, ma foi, malgré sa tête enfoncée dans les épaules. Il ne dit rien en présence de Polly et pour cause : ils n'ont pas encore de langue en commun, tous les deux. Mais il secoue la tête en la regardant s'extraire de l'ascenseur à poulie grinçante — dans lequel elle a par deux ou trois fois déjà croisé un jeune homme aux yeux de femme, du nom de Marcel Proust (il habite à un étage d'elle).

Après avoir arpenté l'Allemagne du Nord, le Danemark et la Belgique, il reste bredouille, s'agissant de Taddeuz. Profitant de son séjour à Bruxelles, il s'est acheté un manuel de conversation française, qu'il a expérimenté sur les indigènes. Il connaît tout plein d'idiotismes et pour un peu vous parlerait déjà la langue. La preuve : le voilà qui baragouine. Elle le dévisage avec stupeur puis comprend et s'esclaffe :

— Bon Dieu, Maryan, tu es en train d'apprendre le belge !

Elle lui donne toutes les indications sur la banque de Cologne où on l'attend dès les premiers jours de janvier, ce qui lui laisse le temps d'aller passer Noël en famille. « Pourquoi ne viendrais-tu pas, Hannah ? » Non. Pour deux raisons : elle n'a pas envie de revoir la Pologne ; elle se veut solitaire pour les fêtes, comme toujours. D'ailleurs, elle a déjà pris ses dispositions : elle ira en Angleterre entre le 20 et le 31 décembre, y verra bien Lizzie mais celle-ci passera Christmas avec Polly et toute sa famille, très gaiement. Elle a une fois pour toutes expliqué ses raisons au dit Polly et bien sûr à Lizzie, qui l'ont fort bien comprise.

Maryan s'en va, après trois jours.

Elle prend un amant au début de décembre.

Un peu parce que son lit est froid, pas mal aussi parce qu'il a le double avantage d'être beau, avec des mains comme elle les aime, et d'être peintre. Elle commençait d'en avoir plus qu'assez d'aller de galerie en galerie, de café en café, d'atelier en atelier, et d'y être toujours poursuivie, traquée par tous ces barbus qui veulent dormir avec elle — pas dans la première heure quand ils ne voient que son visage mais ensuite, quand elle parle et rit, quand soudain quelque chose de plus ou moins délibéré arrive, qui fait qu'ils ne peuvent plus détacher leur regard de ses yeux. Et du reste. En choisissant l'un d'eux, parmi les plus propres, les plus intelligents et les plus beaux (les moins impécunieux aussi, celui-ci a de l'argent en quantité suffisante), elle a en fin de compte tracé un coupe-feu, on va enfin la laisser tranquille.

... Et peut-être a-t-elle un vague regret de cet autre peintre à qui était la maison de Botany Bay, et qu'elle n'a jamais connu...

Son amant s'appelle René Destouches, il ne comptera guère par lui-même, un peu plus par les connaissances qu'il lui permettra de faire. Il fait assez bien l'amour — *de mon point de vue, Lizzie. Lui se jugeait admirable. Conduire une voiture et faire l'amour sont les deux exercices dans lesquels les hommes sont toujours convaincus d'exceller* — mais, curieusement pour un artiste, du moins dans l'idée qu'elle se fait alors des artistes, il est assez loin des audaces érotiques d'un Lothar Hutwill. Il est même jaloux, ce qui amuse Hannah aux larmes, et se fâche tout rouge quand elle commence de poser nue dans son atelier (« si encore j'étais allée chez un autre ! ») devant une assemblée d'amis, parce qu'elle estime que son modèle d'alors est un « gros boudin blanc » — l'expression est d'elle.

— Je t'aurais pourtant fait économiser trois francs par séance. Et puis la dénommée Colette se montre bien nue, pourquoi pas moi ?

Il boude. « Je ne vais pas le garder longtemps. »

Rue d'Anjou, elle est à deux pas de la rue du Faubourg Saint-Honoré, de la rue de Rivoli. Chaque jour ou presque, elle en étudie les boutiques. Ne se contente pas d'en scruter et d'en comparer, d'en critiquer aussi les devantures et les vitrines, pointant ce qu'on y vend et combien et sous quelle forme : il n'en est aucune où elle n'entre pas, s'y présentant comme cliente ou, affublée d'un accent australo-polonais, comme modiste de l'hémisphère austral, en voyage d'études. Cela marche parfois, on lui confie des secrets. Elle achète peu, sa frénésie est tombée ; il est vrai qu'elle a quarante et quelques robes, sans compter tout ce qui va avec. Elle juge les vendeuses, leurs façons, leurs défauts et leurs qualités.

Idem chez les couturiers. Elle enregistre. Pour plus tard : le moment n'est pas encore venu.

René n'a que du talent, comme peintre. Pas de génie. Il compense par un assez remarquable sens critique, et des relations étendues. Il lui fait connaître Guillaumin, Pissarro, Signac, Renoir, Léon Bonnard pour qui Victor Hugo a posé, l'Américaine Mary Cassatt, un jeune poète à l'accent qui semble dégringoler des aubes d'un moulin à eau : Paul Claudel, un journaliste-politicien à l'humour féroce, Georges Clemenceau. Elle voit Edgar Degas achever sa « Femme nue s'essuyant le cou » et sans la jalousie de Destouches, eût posé pour lui, que les yeux gris ont fasciné. René l'emmène à Giverny chez Claude Monet où l'on déjeune puis, au printemps 96, chez le bougon Paul Cézanne en Provence, qui se remet difficilement de l'échec lamentable de sa première exposition particulière chez Ambroise Vollard. « Vous voulez m'acheter quelque chose ? Vous êtes bien la seule. Prenez ce que vous voulez »... D'Aix, avec René toujours, elle va à Monte-Carlo — *la découverte de la Côte d'Azur, mon Dieu, Lizzie !* — où elle joue au casino et gagne dix-sept mille francs en une soirée.

« Au moins, voilà quelque chose que je sais faire. »

Mais cet argent si aisément raflé lui semble sans valeur. Il lui brûle les doigts, il n'est pas véritablement à elle. On lui parle d'un terrain de douze hectares sur les hauteurs d'une ville nommée Cannes, elle l'achète avec les dix-sept mille francs, sans même l'avoir vu. Il paraît qu'on peut y voir la mer, la raison lui semble suffisante.

Rentrée à Paris, elle rompt avec René. « Je l'ai supporté six mois, j'en ai assez. » Il menace de se tuer si elle le quitte. Elle lui offre une corde (prétendument) empoisonnée au cyanure, nouée d'une faveur noire ; ça le désarçonne complètement. Elle a rompu non pas pour un autre homme quoique les candidats se pressent, mais parce qu'elle a fait le tour de tout ce qu'il pouvait lui donner. Il ne lui a rien appris qu'elle ne sache déjà sur la façon dont un corps peut en étreindre un autre... même s'il lui a apporté considérablement en matière de peintres, de peinture et de l'œil qu'il faut avoir, des mots à dire en ce domaine.

Elle vient tout juste de rompre, au début de juin, quand la lettre d'Anastasia lui arrive.

Elle part le jour même pour Saint-Pétersbourg.

— Tu veux répéter ? demande Lizzie.
— Tsarskoye Selo. Le Village Impérial, en russe. C'est à quinze miles, vingt-cinq kilomètres environ, au sud de Saint-Pétersbourg qui

est la capitale des Popoffs. J'y arrive le 29 juin au début de l'après-midi...

— Le cœur battant.

— Tais-toi. C'est vrai que j'ai très peur, Lizzie. Sûrement pas parce que je vais rencontrer la tsarine, je m'en fiche bien qu'elle soit tsarine, je vaux autant qu'elle...

— Plus.

— Je vaux plus. Surtout pour moi. Dans l'absolu aussi, d'ailleurs. Tais-toi... Mais cette femme tient entre ses mains le sort de Mendel, et c'est de cela que j'ai peur. Nous passons devant la maison de Tolstoï, sa datcha. Plus loin à gauche, le palais d'Alexandre. Pour je ne sais quelle raison, nous tournons à droite et entrons dans les jardins du Montparnasse. Face à nous, le Théâtre Chinois...

— Des Chinois maintenant !

— Lizzie, je n'ai pas envie de rire, pas du tout.

— Je sais.

— Nous pénétrons dans le palais, qui a trois cents mètres de façade...

— Je n'ai rien dit.

— ... La façade est faite de pilastres et de colonnes en pierres blanches, sur fond bleu, avec des moulures dorées. Il fait très beau, il y a beaucoup de soleil qui éclate sur tous ces bâtiments, les dômes dorés des églises, ces jardins immenses. J'ai tant d'anxiété en moi que je suis incapable de parler ou même de répondre quand on me parle. Anastasia m'a enseigné et me fait répéter mille fois la révérence que je dois faire et je m'affole comme une enfant, moi Hannah, qui n'ai peur de rien au monde, je me dis que si je manque cette révérence, je jouerai peut-être la vie de Mendel sur cette erreur, je le tuerai parce que j'aurai mal croisé les genoux...

— Hannah ?

— Tais-toi.

— Je t'aime.

— Lizzie.

— Hannah, ça ne te ressemble pas de douter ou d'avoir peur. Mais il s'agissait de Mendel...

— Il s'agit de lui. Une quantité incroyable de domestiques, d'hommes en uniforme blanc, en habit noir... A un moment, nous en sommes à attendre dans une grande pièce dont Anastasia me dit que c'est la fameuse Chambre d'Ambre, qui est pleine d'objets très beaux, en ambre justement, de l'ambre de Perse. Une heure au moins se passe. Des tas d'espèces de grandes duchesses ou de je ne sais quoi sont venues saluer et embrasser Anastasia mais aucune n'a seulement fait attention à moi. Je me sens vraiment toute petite, minuscule, Lizzie. Je me sens polonaise, et juive de mon shtetl, et pauvre et ignorante, au milieu de toutes ces dames russes dont le père, le frère ou le fils était peut-être cet officier russe de Cosaques que Mendel a failli massacrer avec un timon de charrette, et qui a laissé massacrer mon père et Yasha sans rien faire d'autre que caresser sa moustache. Et par moments, j'éprouve une foutue rage, une haine à trembler, j'aurais très envie de flanquer le feu à leur saloperie de palais... Mais on vient nous chercher, Anastasia et moi, nous repartons, nous traversons des pièces aux murs recouverts de soie.

« Nouvelle halte, on nous dit que la foutue tsarine va enfin nous recevoir. Mais non, une autre heure passe et voilà qu'on nous fait ressortir dans le parc, marcher vers un petit bâtiment, qui est la galerie Cameron, où sont les chambres en agate. Et juste au moment où nous allons y arriver, il y a comme une grosse vague, la terre tremble presque et Anastasia m'oblige à me mettre pour ainsi dire à quatre pattes : c'est le tsar Nicolas qui passe, avec sa barbe et sa moustache, et son regard fuyant de comptable malhonnête. Il passe et la vague retombe. Aussitôt après, nous sommes sous des arcades d'où l'on voit un lac et elle est là... la tsarine soi-même, Sa Majesté en robe blanche et sautoir de dentelles, avec ses lèvres dures et ses yeux pareils, sa voix sèche. Elle parle sur un ton d'agacement à Anastasia et seulement ensuite me jette un regard, plein de tout le mépris du monde. Je me dis que si la vie de Mendel dépend de cette femme, alors il est déjà mort, qu'il est mort à la seconde où elle a appris son nom. Je parle très vite, parce que chaque seconde compte et que je suis désespérée, mais j'essaie de toutes mes forces. Je ne me rappelle pas un mot, pas un seul des mots que j'ai prononcés. Simplement vient un moment où la tsarine se détourne et s'en va, vers les jardins, par une sorte de rampe, entourée de toutes ses femmes. Je reste seule avec Anastasia et trois ou quatre jeunes filles et elles pleurent toutes, en disant que j'ai été sacrément émouvante, émouvante à en pleurer.

« Je n'en sais rien... Je te l'ai dit, Lizzie : je ne me souviens même pas de ce que j'ai bien pu lui raconter, à cette madame Nicolas Deux. Nous revenons à Saint-Pétersbourg et pour une fois dans ma vie, je suis fatiguée. Anastasia et moi nous allons dans un palais qui est à l'un de ses oncles, sur le bord du canal Griboyedov, pas loin de la perspective Nevski et de l'église de la Résurrection du Christ qu'on est en train de construire, à l'endroit où le tsar Alexandre II a été assassiné. Nous restons quinze jours et il ne se passe rien. Si ça se trouve, la pimbêche de tsarine n'a même pas écouté ce que je lui expliquais, ou bien elle a ordonné une exécution, par ma faute, rien que parce que je lui ai appris que Mendel existait, voilà ce que je me dis tandis que nous allons à des bals, dont un qui dure deux jours entiers et nous fait revenir à Tsarskoye Selo.

« C'est seulement au début de la troisième semaine qu'un matin, Anastasia entre dans ma chambre. Elle est toute blanche de colère et de chagrin, elle en tremble. Elle me dit que jamais plus elle ne voudra me revoir et que je dois m'en aller le jour même, dans l'heure. Parce qu'elle, elle et d'autres dames de compagnie de la tsarine, toutes remuées par ce que j'avais pu dire, ont intercédé tant et plus en faveur de ce maquereau juif de Varsovie, quelle honte pour elles ! Au point qu'un ministre est intervenu, il a ordonné la libération, la grâce du maquereau, l'a fait contresigner par le tsar lui-même, a envoyé l'ordre par télégraphe jusqu'au fin fond de la Sibérie dans les mines de sel ou je ne sais trop où. Et le Fin Fond de la Sibérie a répondu qu'on ne demandait pas mieux que de libérer Visoker, à condition de lui remettre la main dessus. Parce que cela faisait déjà plus d'un an que ledit Visoker s'était enfui, après avoir cassé la tête de trois ou quatre gardes-chiourme, et qu'il était parti à pied, tout seul, soit vers le pôle Nord, soit vers le lac Baïkal, le pays des Mongols ou l'Himalaya. Et qu'on espérait bien qu'il était enfin mort, ce fou.

Silence.

Et la petite Lizzie qui a alors onze ans remarque, les yeux tout emplis de larmes elle-même :

— Et tu pleures de joie ou de tristesse ?

— Je ne sais pas.

— Jamais je ne t'avais vu pleurer.

— Eh bien, c'est fait, répond Hannah. Tu m'as vue.

20

UN CERTAIN 4 JANVIER 1899

L'été de 1896, elles vont toutes les deux faire les folles sur la Riviera française. Elles ne dépensent pas trop, et même pas du tout : Hannah passe un seul soir au casino de Monte-Carlo et voilà que ça recommence, elle gagne largement de quoi payer leur voyage et leur séjour à l'*Hôtel de Paris,* plus deux robes neuves pour Lizzie et deux pour elle, plus le loyer du 10 de la rue d'Anjou pendant un an en comptant le gaz. Hannah conclut que c'est une espèce de malédiction qui la poursuit. Elle en est presque découragée. Elle passerait tout un mois à jouer, nul doute qu'elle deviendrait aussi riche que tous les messieurs de Rothschild réunis. Si au moins elle savait bien jouer, si elle mettait dans ses manœuvres la moindre parcelle d'intelligence, de réflexion ou de mémoire ! Mais non : elle mise sur le 18 (jour anniversaire de Taddeuz), sur le 2 (jour anniversaire de Lizzie), sur le 23 (son jour anniversaire à elle), elle mise sur n'importe quoi et chaque fois encaisse trente-six fois sa mise.

« Ecœurant. Quel jeu imbécile ! »

Restée à l'hôtel, naturellement, en compagnie de Charlotte (qui a encore grossi, elle ne passe plus par les portes à tambour), Lizzie en étouffe de rire, étendue sur le dos et pattes en l'air.

— Il n'y a vraiment pas de quoi rire, grince Hannah avec beaucoup d'aigreur. J'ai vraiment l'air malin, à essayer d'entreprendre des affaires !

Parlant d'affaires, justement, elle fait et refait ses comptes avec sa maniaquerie ordinaire. Son argent qui pour partie est à Londres et pour partie en Allemagne, dans la banque de Cologne où Maryan Kaden travaille comme une bête à tout comprendre, cet argent lui rapporte du neuf et demi pour cent. Ce qui est peu mais elle l'a voulu constamment disponible. Sur les vingt-cinq mille livres de Pike, à qui elle verse régulièrement son demi pour cent, il ne lui reste que neuf points d'intérêt. Mais cela fait tout de même près de six mille livres l'an, sans toucher à son capital.

... Et en plus ce capital s'accroît. D'abord parce qu'elle ne dépense pas la totalité des six mille livres, ensuite parce qu'en juin 96, conformément aux accords conclus, onze mille neuf cent et quelques autres livres lui arrivent d'Australie, représentant le premier versement sur sa part des affaires australes, versé par Jean-François Fournac — lui-même contrôlé par le cabinet Wittaker.

— Et il va vous en parvenir autant dans six mois. Fournac a réinvesti les premiers bénéfices, ainsi que c'était prévu, mais à présent les investissements sont terminés. Ce sont trente mille livres que vous devriez recevoir l'an prochain.

— Je sais compter, et lire.

— Je n'en doute pas, Hannah, je n'en doute pas. C'est juste votre calme qui m'émerveille.

Polly quant à lui commence visiblement à se poser des questions. Ce n'est pas seulement sa placidité apparente qui l'étonne, mais son inactivité ; il ne la savait pas capable d'autant de patience. Il vient très souvent de Londres à Paris. Quand elle a pris son amant le peintre, il a un peu boudé mais ça lui a passé — sa religion est faite, il ne l'aura jamais et s'en console peu ou prou ; il est de ces rares hommes que les grands chagrins de la vie ne semblent pas pouvoir atteindre ; à la rigueur, ils en meurent, mais galamment, et avec le sourire.

Il vient souvent à Paris de Londres mais sans autre raison que cette amitié à laquelle il se résigne, faute de mieux : elle ne fait rien en quoi il puisse la conseiller. Elle a même refusé ses avis en matière de placements plus avantageux, pour le motif déjà évoqué : elle veut garder son argent sous la main, pouvoir en disposer dans l'heure. « Vous raisonnez comme une immigrante, ma chère. — J'en suis encore une, pour l'instant. Et puis ne me dites pas que je suis inactive : je poursuis mes études, c'est de mon âge, après tout. » Sur ce point précis, c'est la vérité vraie : en un an, avec le dermatologue Berruyer, avec d'autres — elle a même assisté à des opérations de chirurgie ; on lui a dit qu'elle s'évanouirait au premier sang ; elle a ricané et bien entendu est demeurée impassible —, avec tous les livres qu'elle dévore, elle a appris une quantité invraisemblable de choses. Travaillant seize à dix-huit heures par jour, quand elle n'a pas Lizzie avec elle, quand elle n'est pas à quelque soirée où la conduisent (pourquoi doit-elle toujours être flanquée d'une homme, bon sang ?) soit René (avant leur rupture), soit ces écrivains, peintres, journalistes ou musiciens qu'elle fréquente.

En octobre de 96, elle a plus de soixante-dix-huit mille livres devant elle. Il lui suffirait de s'asseoir et d'attendre pour atteindre à cette barre de cent mille pounds qu'elle s'était fixée comme objectif.

Et Polly l'a bien devinée, comme toujours — « je suis le dodu petit poisson pilote du mignon petit requin blanc que vous êtes, Hannah » —, c'est vrai que la fièvre d'agir commence à la brûler. Elle a découvert que faire fortune n'était pas et ne pouvait pas être, pour ce qui la concerne, un objectif en soi ; autre chose la pousse, d'une bien plus puissante exigence : le besoin absolu, presque pathologique, de mettre en œuvre cette formidable aptitude à créer qui est en elle, et que ni le temps ni l'âge, ni les tourments de sa vie ne pourront affaiblir ou restreindre.

En effet, c'est plus fort qu'elle : elle rompt la promesse qu'elle s'était faite à elle-même, d'attendre deux ou trois ans avant d'entreprendre quoi que ce soit.

Elle ouvre un premier front.

En l'occurrence, elle reprend, sous les arcades de la rue de Rivoli, face au jardin des Tuileries, une boutique qui n'allait pas trop bien. Le propriétaire est mort un an plus tôt, l'affaire périclite (à son avis, il n'y a aucun rapport entre les deux faits). On y vend de la fanfreluche et de la bimbeloterie ; cela va des corsets à baleines, qu'on dirait d'occasion, aux médailles pieuses. Pour deux mille six cents francs, elle obtient le droit d'en faire tout ce qu'elle veut (sauf un lupanar, la veuve a de la religion).

Polly lui a dit et répété : il y a de l'inexorable dans son succès. En trois mois, la clientèle revient, ou plutôt elle vient, changée du tout au tout, avec un demi-siècle de moyenne d'âge en moins, attirée sans la moindre réclame par un on-ne-sait-quoi dans les arrangements de la vitrine, la décoration (limitée pourtant à une simple couche de peinture). Le bouche-à-oreille s'enclenche devant la modification subtile des articles proposés, l'attitude différente d'une, puis de deux nouvelles vendeuses, l'atmosphère... Hannah elle-même ne saurait donner d'explication définitive. Elle fait des choses et ça réussit. Elle ne cherche pas trop à comprendre pourquoi. Force lui a été de constater qu'elle n'avait aucune sorte de talent pour le dessin, la peinture, la sculpture ni, non plus, la création littéraire. Elle s'est essayé à écrire, en effet, une quinzaine de pages sur Mendel, ses passages au shtetl avec son brouski, les grandes plaines de Pologne ; encouragée au début par Marcel Proust, elle a fini par lui montrer ses œuvres complètes. Rien qu'à voir ses yeux, elle a compris : le résultat est froid, sans âme, ne lui ressemble en rien ; elle n'a pas su se donner et ne s'est servie que de sa seule intelligence, ce qui est trop et pas assez, a commenté le sensible Marcel. Elle n'a non plus aucune disposition pour la musique ; elle est même carrément infirme, sur ce plan-là. Quand Debussy a joué, presque pour elle seule et en lui souriant, son « Prélude à l'après-midi d'un faune », elle a entendu des bruits et rien d'autre ; et sa surdité est la même à l'Opéra ou lors des concerts auxquels Polly et d'autres l'ont traînée.

... Mais elle possède en revanche le talent d'entreprendre et de vendre — Polly parle même de génie, en riant il est vrai ; elle a cette magique habileté à deviner par avance ce que les gens, les femmes surtout, veulent.

En février 97, la boutique s'augmente, par l'annexion d'un magasin qui la jouxte, ce qui amène à recruter quatre vendeuses supplémentaires. En mai, c'est l'ouverture d'une autre boutique rue du Faubourg Saint-Honoré. L'affaire connaît une expansion brutale un mois et demi plus tard, quand arrive enfin de Sydney le premier chargement de crèmes, de lotions et d'eaux de toilette.

C'est un simple essai qu'elle fait. Elle ne veut plus se contenter de ces produits fabriqués au petit bonheur la chance, sur un coin de table, avec un mortier et un pilon. Avec toutes les connaissances réelles qu'elle a acquises, elle est sûre de pouvoir faire bien et mieux. Presque à contrecœur, tant elle a conscience de se laisser emporter par un tourbillon, elle parcourt les environs de Paris pour y trouver un endroit où implanter sa première usine. Bien entendu, Polly l'accompagne, il n'aurait pas manqué pour un empire le déclenchement d'une offensive qu'il commençait à désespérer de voir lancée.

— Vous allez faire venir vos herbes d'Australie ?

— Evidemment non. L'Australie est l'Australie, l'Europe est l'Europe.

Elle explique qu'à courir les herboristes, elle a noué des contacts, en a trouvé un plus entreprenant que les autres, qui a accepté de travailler pour elle.

— Un certain Boschatel. Il a un peu la main baladeuse mais connaît très bien les plantes dont j'ai besoin et aime parcourir la campagne. Il va me constituer un réseau.

De la Normandie à l'Allemagne (jusqu'à l'Alsace en fait, qui est allemande).

Elle trouve son usine à Evreux. Elle aurait certainement pu choisir plus près de Paris mais justement, elle veut la campagne :

— Et puis une entreprise située en ville subit l'influence de celle-ci et s'y noie. Là-bas, je recruterai sur place, je veux des filles solides et qui savent la différence entre les fleurs de pommier et de cerisier.

Ceci pour l'usine. S'agissant de personnel, elle se penche aussi sur la question des vendeuses, qu'elle se représente de façon précise : si possible jolies, fines, élégantes, avec en somme cet ensemble de qualités qu'elle a trouvé chez un Jean-François Fournac, mélange d'autorité et de courtoisie à l'égard des clientes ; elle leur demande presque de la morgue. Il n'y a guère que dans un seul milieu qu'elle puisse les trouver : celui de la haute couture. Sitôt qu'elle a elle-même pris tout à fait l'assurance nécessaire, elle a commencé de fréquenter assidûment Worth, rue de la Paix (qui règne sur la mode féminine mondiale, jusqu'aux Amériques ; presque toutes les femmes de Tsarskoye Selo à Saint-Pétersbourg arboraient des toilettes signées de Charles Frédéric ou de son fils Gaston), Worth mais aussi Doucet (qui a eu comme élève Paul Poiret, lequel n'a pas encore ouvert sa propre maison) et encore Mme Paquin, si ferme et si organisée (qui passionne Hannah, d'abord parce qu'elle est une femme et réussit — n'a-t-elle pas été la première à ouvrir une succursale à l'étranger, à Londres ? ensuite pour sa rigueur dans la gestion, l'exemple est à suivre, Hannah) et Marie Callot et Laferrière (encore une femme).

Hannah se lie d'amitié avec celui des fils du fondateur de Worth qui se préoccupe surtout de la gestion, Jean-Philippe. Liaison d'amitié uniquement (ils se sont connus par l'entremise d'Edgar Degas) et qui fait qu'un moment on ébauche quelques projets d'association ; sans les pousser très loin : Jean-Philippe et la maison Worth n'ont certainement pas besoin d'elle, et de son côté Hannah n'a en réalité nulle intention de s'associer à quiconque. Mais il est assez bienveillant pour lui énumérer quelques noms, lui faisant promettre en riant qu'elle ne viendra pas les concurrencer. Parmi ces noms, celui d'une Jeanne Fougaril, entrée chez Paquin lors de la création de la maison en 1891, au 3 de la rue de la Paix.

Jeanne a la trentaine, sait l'anglais et l'espagnol, elle possède à n'en pas douter toutes les qualités souhaitables : de l'ambition, un sens exceptionnel de l'organisation et des relations publiques (... « et un fichu caractère, je vous en préviens, Hannah. — Vous trouverez à qui parler, rassurez-vous : je ne suis pas mal du tout, dans le genre. — Et vous voudriez que je quitte Paquin pour diriger une affaire qui n'existe pas encore ? A moins que vous ne baptisiez entreprise ces deux boutiques ? ») On discute des semaines durant, par entretiens successifs. Jeanne, d'abord, ne croit guère à l'industrie de la beauté (on en est à parler d'industrie), tout au plus voit-elle un avenir aux parfums « où la place est déjà prise. Vous voudriez lutter avec Guerlain ou Roger et Gallet ? — Je lutterai contre n'importe qui. Mais je veux surtout aller là où personne ne s'est encore aventuré... » L'accord se fait finalement sur un arbitrage de Polly : Jeanne recevra pendant trois ans une fois et demie ce qu'elle gagnait chez Paquin (elle est mieux payée qu'un ministre) et au terme de ce premier contrat aura le choix entre deux pour cent des bénéfices globaux et une indemnité de cinq ans de salaire.

Elles vont travailler ensemble pendant trente-huit ans, jusqu'à la mort de Jeanne en fait. Malgré d'innombrables disputes fort orageuses, auxquelles elles prendront autant de plaisir l'une que l'autre, presque de la délectation.

Autre point à régler : celui de ces spécialistes qui, dans chaque institut (aucun n'est encore créé, pour l'heure), devront conseiller les clientes quant à l'utilisation de produits de beauté... qui n'existent pas non plus à cette date, « et dont aucune femme honnête ne voudra jamais se tartiner la figure. Nous ne sommes pas chez les sauvages d'Australie, Hannah ; les dames d'ici n'ont pas d'os dans les narines, au cas où vous ne l'auriez pas remarqué. — Je vous hais, Fougaril... Jeanne, je t'ai déjà expliqué cent fois... »

Hannah décide de créer sa propre école, où l'on formera ce qu'elle nomme, sur suggestion de Proust, des esthéticiennes.

Ne reste plus, en somme, qu'à concevoir les produits. Puisqu'elle veut aller bien au-delà de ses préparations infernales de Sydney. Parce qu'elle est également polonaise, femme et même varsovienne, Hannah est allée voir une certaine Maria Sklodowska, qui se nomme maintenant Marie Curie. Une vraie savante, elle. Elle refuse en riant les offres d'Hannah pour elle-même, mais conseille une Juliette Mann, qui justement est chimiste et conviendra parfaitement, comme directrice de la fabrication. On se rencontre, on s'entend et mieux que cela on s'accorde par l'une de ces amitiés immédiates et durables qu'Hannah aura toujours la chance de susciter. C'est donc Juliette qui désormais dirigera la Cuisine, et accessoirement la formation des esthéticiennes. Quand, six ans plus tard, Marie Curie obtiendra avec son mari le prix Nobel pour ses travaux sur le radium, alors seulement, Hannah mesurera son incroyable culot : « et je lui avais offert de me fabriquer des crèmes de beauté, j'étais vraiment inconsciente ! »

Elle a analysé l'énorme dossier constitué par les étudiants de la rue des Ecoles. En a tiré la conclusion que tout ou presque est à faire : le cosmétique au sens futur du terme n'existe pas ; tout au plus vend-on des crèmes qui, à l'examen, n'atteignent même pas le niveau de celles conçues par elle. « Eh bien, tant mieux : j'innove. Le reste sera affaire de brevets, de mise en place, de commercialisation. » Elle parcourt consciencieusement des tonnes de réclames, parues dans les journaux et les revues, présentées sous forme de prospectus... et se rassure : tout cela est d'une effroyable médiocrité, les mensonges les plus éhontés s'accumulent, surtout à propos de ces prétendus élixirs de jeunesse, rêve éternel, dont Juliette après les avoir étudiés affirme qu'ils sont totalement inefficaces dans le meilleur des cas, quand ils ne sont pas carrément dangereux. Mais aucune législation ne limite ou conditionne ces ventes.

A ces mêmes étudiants, elle demande une étude à l'échelle européenne : elle veut savoir où implanter ses instituts. Idée qui ne donnera à peu près rien : on lui suggèrera tout bonnement les grandes capitales et les stations de villégiature. Elle y avait pensé toute seule. Mais elle va retenir le principe de la démarche, celui d'une étude de marché, qu'elle appliquera plus tard avec de bien meilleurs résultats.

Pour Paris, l'institut sera rue Royale. Elle aurait préféré place Vendôme mais n'y a rien trouvé qui convienne.

« Quoi d'autre, Hannah ? »

... Evidemment quelqu'un pour superviser tout cet ensemble en train de naître, capable de veiller à l'acheminement, voire au simple ramassage des herbes et des plantes, à l'achat des produits de base exigés par Juliette, à tous les aiguillages ; capable aussi de partir en avant-coureur pour étudier les implantations possibles, chercher des locaux aux meilleurs endroits dans chaque ville conquise ; et digne de confiance, bien sûr, au point de pouvoir assurer la surveillance de tous et de toutes, et d'être de tous ses secrets...

Ce quelqu'un, elle n'a pas à le chercher : Maryan Kaden a terminé son stage de Cologne, sachant le français (pas trop bien, il le parlera toujours avec un accent à mourir de rire, à croire qu'il le fait exprès, ce qui n'est vraiment pas son genre), le français et la banque ; déjà il apprend l'anglais, plus aisément. Maryan avec sa formidable puissance de travail, son fanatisme presque, sa dévotion pour elle... elle lui dirait de se mettre au chinois ou à la physique qu'il s'exécuterait dans la seconde.

— Si tu as un moment, connaître un peu d'espagnol ne te ferait pas de mal. A moi non plus, d'ailleurs. Nous allons nous y mettre, *hablo, hablas, habla, hablamos, hablaïs, hablan,* c'est facile comme tout, on retient ça comme une chanson. *Muy pronto, amigo :* beaucoup de nos clientes viennent d'Amérique du Sud. Ou viendront, je les attends d'une année à l'autre. Et elles ont plein de sous, comme les princesses russes... Heureusement que nous savons le russe. Toi Fougaril, tu ne le connais pas, hein ? Tu vois que tu ne sais pas tout !

De Maryan, quelque confiance qu'elle ait en lui, elle ne fait pourtant pas son directeur. Elle ne lui décerne aucun titre, ne lui attribue aucun bureau. Il est déjà et sera toujours une ombre d'elle-même (même après qu'il aura fait fortune par ses seuls moyens), elle ne veut pas le figer dans une fonction, quitte à le rémunérer mieux que quiconque. Et même mieux qu'elle-même. Des hommes et des femmes qui auront travaillé pour elle trente ou quarante ans n'auront peut-être pas vu Maryan trois fois, à peine connaîtront-ils son nom et encore, alors que lui, avec son époustouflante mémoire, saura toujours tout d'eux, où qu'ils opèrent dans le monde.

Toute l'année 1897 se passe à ces créations multiples. Et tout cela, jusqu'à l'ouverture de Bruxelles qui suit celle de Paris à quatre mois d'intervalle, sans pratiquement écorner son capital, qui fructifie sans cesse, par le jeu des intérêts et les arrivées désormais régulières d'argent frais venu d'Australie. C'est que les bénéfices des boutiques des rues de Rivoli et du Faubourg Saint-Honoré ont été réinvestis intégralement, et continueront de l'être, servant à créer d'autres entreprises et uniquement à cela. Pas d'emprunt. Tout juste a-t-elle arrondi sa masse de manœuvre en puisant dans ses fonds propres, portés à quatre mille livres l'an. C'est de la sorte qu'elle a rémunéré ses deux principales lieutenantes, Jeanne et Juliette. Ce qui ne l'empêche pas de continuer à payer une partie des études de Lizzie et les mensualités de Maryan. Au besoin, elle se prive, reste jusqu'à un mois complet sans acheter une robe ou un tableau, ses seules extravagances.

« A part les deux mille six cents francs que j'ai versés pour racheter le bail de la boutique, rue de Rivoli, j'aurais tout aussi bien pu débuter sans argent. Je suis décidément maudite. »

Elle prend un autre amant de cœur, après mûre réflexion, ayant choisi entre quinze ou vingt postulants. Celui-ci s'appelle André Labadie, c'est un banquier-poète qui vient de Bordeaux, jeune fondé de pouvoir de la Société Générale promis au plus bel avenir et que les revenus d'un vignoble familial mettent très à son aise. Il a l'œil gascon de Jean-François Fournac (qui vient à Paris à l'automne de cette année-là) et la moustache volontiers sardonique, l'accent encore un peu chantant, des délicatesses d'orfèvre, s'agissant d'elle et de ses plaisirs. Il connaît l'Angleterre et l'anglais (a d'ailleurs des ancêtres anglo-saxons, dans les vieux temps du Prince Noir, et juifs aussi, curieusement, par la mère de Michel de Montaigne dont il descend). Il connaît de même l'Amérique, où il a vécu plus d'un an, à parcourir notamment l'Ouest sauvage en souvenir d'un autre de ses ancêtres qui a créé Saint-Louis. Il fait fabuleusement rêver Hannah, pas seulement parce qu'il lui récite aussi bien Walt Whitman que le *Cyrano* de Rostand (il l'a emmenée à la première de la pièce, elle a adoré) mais aussi parce que c'est lui qui va l'éveiller à l'Outre-Atlantique et lui faire découvrir cette nouvelle frontière qui, jusqu'à lui, lui semblait fort lointaine et comme rêvée. Dans ses voyages qui l'ont conduit jusqu'en Californie — « tu aimerais San Francisco, Hannah » —, il a fait collection de personnages : il a approché l'extraordinaire juge Roy Bean, le marshall Bill Tilghman, le Wyatt Earp d'OK Corral ; il a vu les cadavres des Dalton exposés à Coffeyville et s'éteindre la flamme de Sitting Bull, contemplé l'impassible visage de Geronimo vaincu. Il lui parle de ces étonnants milliardaires-aventuriers dont il a croisé la route, là-bas...

... et surtout il lui fait merveilleusement l'amour, elle ne s'est pas trompée dans son choix, à aucun point de vue. Lui fait l'amour sans les fantasmes d'un Hutwill mais avec une patiente et calme douceur, avec charme et tendresse, et le nécessaire appoint de folie.

Si bien qu'elle s'en affole presque : et s'il allait la détacher de Taddeuz ? Elle va jusqu'à le quitter tout un mois (elle prépare Londres mais ce n'est pas la vraie raison, elle a peur d'elle-même). Quand elle lui revient, il l'a attendue, paisible : « Tu n'es pas femme à partir sans parler, Hannah. » De tous, excepté Taddeuz bien sûr, il sera celui dont elle sera le plus près de tomber vraiment amoureuse. Elle ne se détachera de lui que lorsqu'il cédera lui-même à l'amour qu'il lui porte, en arrivant à lui demander de l'épouser.

Mais ils vont vivre un an ensemble.

Elle ouvre donc Londres en janvier 1898. Elle y loue l'hôtel particulier d'un duc, en vue de Saint-James Place. La demeure est quasiment historique, les travaux d'aménagement font jaser toute la *High Society.* Elle a paré le coup en faisant appel à un autre des innombrables cousins de Polly. Ce n'est pas n'importe qui : il a veillé à des réfections dans le château royal de Windsor et refait des pièces chez le duc de Clarence. C'est un homosexuel qui, bien qu'il se prénomme Henry, préfère qu'on l'appelle Béatrice. Il est fort drôle et deux ou trois fois vient contrôler l'exécution des travaux habillé en femme, à s'y méprendre, avec une voix de haute-contre qui trompe jusqu'à Polly. Il embrasse celui-ci sur la bouche en le déclarant mignon comme tout, et l'autre ne reconnaît même pas le fils de sa tante...

Henry-Béatrice va devenir l'un des grands amis d'Hannah, jusqu'à ce qu'il meure en 1915 (il se suicidera pour l'amour d'un bel officier tué lors d'un assaut sur le front des Ardennes). Il prend vite l'habitude, sitôt qu'elle y installe en partie ses quartiers, de venir la voir dans sa chambre le soir, au deuxième étage de l'hôtel particulier. Et ils bavardent, comme deux femmes — *la différence entre des bavardages de femmes et des discussions d'hommes, Lizzie, est que dans ces dernières on fume le cigare. Pour le reste, la proportion d'imbécillités qu'on y profère est très sensiblement la même.* — Il a de la haute société londonienne, voire britannique, la connaissance la plus complète, la plus indiscrète, la plus sournoise qu'on puisse imaginer. Est aussi mauvaise langue qu'un homme et une femme réunis, une performance. Il sait qui dort avec qui, et comment, pourquoi et à quelle heure. Il enchante Hannah et surtout la sert dans sa conquête. Entre eux s'établit une complicité réelle, un peu trouble...

... Très trouble à un moment. Peut-être comme un défi à relever, elle s'est plus ou moins mis en tête de le convertir et au fil des soirées qu'ils passent ensemble, au fil des semaines, au long des mois, elle joue à le séduire. « Et ne va pas te raconter à toi-même que tu fais encore ça afin de t'entraîner pour Taddeuz ! André suffit bien à la tâche. Non, tu es carrément vicieuse et puis c'est tout ! » Une nuit il survient — fort tard, il est dans les deux heures, elle rentre de Covent Garden où Polly l'a traînée et d'un souper qui s'est ensuivi — et la trouve en train de se déshabiller. Il s'assoit sur le lit et papote. S'interrompt quelques secondes quand elle se met nue, la regarde, reprend son papotage, continue de la fixer pourtant, s'écarte à peine lorsqu'elle s'allonge à plat dos par-dessus la courtepointe.

— Je dors toujours nue, dit-elle, excusez-moi. Continuez donc, Béatrice...

Il parle alors normalement, c'est-à-dire de sa voix d'homme qui n'est même pas flûtée. Hannah voit sa main qui bouge un peu, on dirait qu'elle palpite. Ce n'est pas qu'il ne l'ait jamais vue nue, en tout cas dénudée ; il lui est souvent arrivé d'assister à ses changements de toilette, quand elle s'apprêtait pour un dîner. Elle lui a découvert sa poitrine à plusieurs occasions — « les plus jolis seins d'Europe, ma chérie ; pour les autres continents, je manque de statistiques » —, voire un peu plus, tandis que sachant (il sait toujours tout en ces domaines) qui elle allait rencontrer à la table du dîner ou au foyer du spectacle, il lui livrait par avance les caractéristiques de chacun et chacune et mieux que cela les points faibles des uns et des autres, afin qu'elle les utilise pour les affaires : « Attention, lady Machin et la petite Mrs Armstrong se haïssent, vous n'aurez que l'une des deux ; jouez sur la plus jeune, elle entraînera derrière elle quinze ou vingt de ses amies qui ne savent comment jeter en l'air l'argent de leurs maris... » ou bien : « ... Ne vous fiez pas aux apparences, cette comtesse hongroise n'a plus un penny... » ou bien : « ... Vous voulez attirer chez vous d'autres Américaines ? Traitez gratuitement Suzie Armbruster ; elle ne dépensera pas plus de trois livres de toute façon, et encore, mais si elle parle de vous, toutes les femmes de la colonie d'Outre-Atlantique seront le jour même à frapper à votre porte... »

(C'est Henry qui, dix mois plus tard, en janvier 1899, quand elle cherchera un moyen de faire parler un peu plus de son institut, lui conseillera de flanquer très énergiquement à la porte, sous le premier prétexte, la grosse lady en mauve : « ... C'est une lady, mais de fraîche date, elle a débuté dans la marmelade. On la hait à peu près partout, quoiqu'on ait peur d'elle. Richissime mais avaricieuse, vous ne perdrez rien. Jetez-la à la rue et dès le lendemain dans Londres, vous aurez quinze cents amies d'enfance, tout émoustillées de venir chez celle qui a osé accomplir le geste dont elles-mêmes rêvaient depuis leur bal de débutante... »)

... Il parle et la regarde toujours, à moins d'un demi-mètre d'elle ; les doigts de sa main gauche effleurent sa hanche nue. Il s'interrompt encore et cette fois est la bonne. Il rougit un peu :

— Doux Jésus ! s'exclame-t-il.

Mais il ne s'éloigne pas d'elle pour autant.

Il dit alors, très doucement :

— Je ne suis pas vraiment un homme, Hannah...

— Je ne sais pas, Henry.

— Et vous voudriez savoir. Vous aurez décidément fait toutes les expériences d'ici la fin de votre vie...

— Il sera trop tard, ensuite.

— Très juste.

Sa main s'élève lentement et glisse sur la hanche ronde, en caresse le velouté. Elle continue son chemin, s'étale sur le ventre, l'index et le majeur commençant par frôler, puis jouant délicatement avec la toison de cuivre roux très sombre, enroulant des boucles soyeuses. Son autre main vient à la rescousse et passe très légèrement entre les cuisses qu'elle a ouvertes avec docilité. En attouche l'intérieur, à cet endroit où la peau est si lisse :

— Agréable ?

— Mmmmmm.

— C'est la première fois, m'en voilà tout timide. J'ai un amant de dix-sept ans mais il est moins doux que vous.

— Je triomphe enfin.

— Ne triomphez pas trop vite.

La main en renfort remonte et redescend, sans jamais véritablement atteindre les lèvres du ventre. Il se penche et lui effleure de sa langue la pointe de chaque sein :

— Quelle sensation bizarre. J'avance en pays inconnu. Même les odeurs sont différentes.

Il l'embrasse sur la bouche. Se laisse lui-même déshabiller, secouant la tête par avance. Et en effet, nu, il n'a pas d'érection, quoi qu'elle fasse.

— Je vous avais prévenue, Hannah. Même vous.

— Je m'en remettrai.

Il revient sur elle, ne la touchant qu'avec sa langue, comme le ferait une femme aimant une autre femme, et parvient à lui donner bien plus de plaisir qu'elle ne s'y attendait. Ensuite, il s'étend sur le dos et se met à pleurer. Si bien qu'elle le prend dans ses bras et ils restent ainsi, sachant l'un et l'autre qu'ils ne recommenceront pas. Il demande :

— Déjà essayé avec une femme, Hannah ?

— Non.

— Envie ?

— Non.

— Une mauvaise langue m'a parlé de vous, et de la femme écrivain, Colette.

Elle rit :

— Nous nous connaissons. A une soirée où j'étais à Paris, elle a fait son entrée cachée sous un couvre-plat gigantesque, nue et se mignotant avec une autre femme. Rien de plus. Il n'y a rien entre elle et moi.

— Rien que les hommes, c'est ça ?

— Je les adore. Je suis très normale.

— Ce qui est anormal est que vous le proclamiez. Quelle impudeur ! Une femme honnête n'a pas de plaisir. Nous sommes sous Victoria, après tout, ma chérie...

Immédiatement après Londres : Budapest — qu'elle ouvre au printemps suivant, toujours celui de 1898. Et presque en même temps, coup sur coup du moins, grâce à la remarquable préparation de Maryan, Prague et Berlin.

— Varsovie, Hannah ?

— Non.

— Dobbe Klotz est toujours vivante.

— Tant pis. Et surtout, dommage.

329

Elle s'est enfin décidée à écrire à sa mère. Une lettre brève et froide de quelques lignes. N'a pas reçu de réponse, ce qui ne l'a pas attristée mais surprise : elle n'aurait pas cru Shiffrah capable de suffisamment de personnalité pour lui faire la tête. Elle est pourtant toujours en vie, elle aussi, apparemment. L'explication du silence maternel lui arrive un peu plus tard, sous la forme d'une lettre de son frère Simon (il est rabbin à présent). Simon lui écrit vingt-huit pages de reproches véhéments, elle est la honte de toute la Pologne, et du reste du monde d'ailleurs. Il la renie comme sœur, comme Polonaise, comme femme. Et lui réclame mille roubles.

« Une rançon, je suppose », pense-t-elle, pas plus atterrée que cela par toutes ces malédictions qu'il profère.

Elle hésite, puis envoie l'argent, ayant même triplé la somme. Tout en sachant que c'est une ânerie monumentale, il ne cessera jamais d'exiger, la chose est claire.

« Tu es un monstre, Hannah, de ne pas aimer ta mère. D'ailleurs, il est faux de dire que tu ne l'aimes pas. La vérité est que tu t'en fous complètement. T'a-t-elle jamais aimée, elle, ce qu'on appelle aimer ? Elle aurait dû t'enseigner la tendresse et tout ce qu'elle a essayé de t'apprendre, ça a été la couture et la cuisine. On ne peut vraiment pas dire qu'elle ait brillamment réussi... Mais tu ne te souviens pas d'un seul geste qu'elle aurait eu vers toi. Dans l'autre sens non plus, c'est vrai. Tu as toujours dû la terroriser... Et c'est sans doute ce que tu ne lui pardonnes pas : qu'elle n'ait pas voulu, ou seulement tenté de te comprendre, de comprendre que derrière tes grands yeux de hibou, tu n'aurais pas demandé mieux qu'elle te cajole... qu'elle te prenne dans ses bras. »

Cette année-là, fin août, Rod MacKenna vient en Europe voir sa sœur, pour la première fois en plus de trois ans. Bien sûr, il a écrit, une lettre tous les deux mois, réglé comme du papier à musique. D'un ennui mortel. Les mots ne changeant quasiment pas d'un courrier à l'autre : « bien travailler », « être sage », « nous faire honneur » reviennent en antienne. Gai comme un pensum. Il s'est marié et sa femme, une espèce de cheval blond de Nouvelle-Zélande, l'accompagne — « s'ils font des petits, dis-lui de m'en mettre un de côté, souffle Hannah à Lizzie, il risque de faire trois mètres ! » Fou rire, que le bon Rod (il est bien gentil tout de même, comme Dougal qui vieillit beaucoup, paraît-il) considère sans rien comprendre. Lorsque Lizzie et Hannah parlent entre elles, il doit avoir l'inconfortable sensation d'assister à une discussion entre des extra-terrestres. Elles ont toutes les deux leurs mots codes, compréhensibles d'elles seules. « Zygomatique » par exemple les fait hurler de rire ; Lizzie l'a appris en étudiant l'anatomie et depuis, tout est zygomatique, le cocher d'une calèche, un parapluie, une chanson idiote, un politicien. Allez comprendre !

Une chose est sûre : Lizzie refuse avec la dernière énergie de seulement envisager un retour en Australie au cours des cinquante années à suivre. Oui, pour des vacances et encore. On verra. Rien ne presse. Et si Daddy veut me voir, pourquoi ne vient-il pas ? Mes notes scolaires ? elles sont excellentes, je suis la meilleure élève de l'Empire (c'est presque vrai, Hannah y veille, avec la vigilance d'un Sikh).

Rod et son cheval repartent après deux mois. Maryan arrive, venant d'Espagne où tout en cherchant Taddeuz (il n'est pas en Espagne ni au Portugal ; en Italie non plus, non, un deuxième des frères de Kaden est sorti à son tour de Pologne et vient de battre la péninsule de Turin à la Sicile), il a appris l'espagnol, comme Hannah lui en a donné l'ordre.

Maryan parle désormais sept langues. Et Lizzie le rencontre enfin, après en avoir tellement entendu parler. Elle ne le trouve pas beau — quoique. Elle ne le trouve pas non plus très intelligent — quoique. Alors qu'elle le voit depuis à peine vingt minutes (mais en fait elle le connaît depuis six années, depuis qu'à grands coups de chuchotements et entre deux fous rires, Hannah lui a tout raconté de sa propre vie, de Taddeuz à Mendel en passant par Maryan, Dobbe, Pinchos, Rebecca et les autres, dans la chambre de la fillette à Sydney), tout à trac elle lui demande s'il est encore puceau. Maryan passe par toutes les teintes du pourpre au coquelicot de campagne, se dandine d'un pied sur l'autre et ne répond rien — il a vingt-deux ans ou presque et gagne alors un tout petit peu moins que le gouverneur de la Banque d'Angleterre.

Lizzie l'embrasse. Elle l'aime déjà « et bien sûr je vais l'épouser, ce grand imbécile, dans deux ou trois ans ». Grand, c'est relatif : Maryan est presque de sa taille ; qu'elle grandisse encore un peu et porte des talons plus hauts, et ils seront exactement à la même altitude, un mètre soixante-dix-huit. Au physique, Lizzie est blond doré, elle ne réussira jamais à gommer ses boucles en dépit de toutes les modes ; elle n'est pas extraordinairement jolie mais sa gaieté est inaltérable.

— Je suis faite pour être heureuse, dit-elle un jour à Hannah ; tu es absolument sûre que je ne dois pas prendre d'amant ?

— Certaine.

— Tu en as bien, toi, alors que tu vas épouser Taddeuz ?

— Pas pareil.

— *HA, HA, HA.*

— Si tu prends un amant, je te renvoie en Australie. Et ne me dis pas que tu vas revenir à la nage !

— Un tout petit ?

— Non.

— Ce n'est pas une question de taille, c'est ça ?

331

— Tout juste.

— Pauvre Maryan qui va devoir me dépuceler ! J'espère qu'il saura comment faire.

— *LIZZIE !*

— Et qui m'a appris à parler comme ça, hein ? Qui ?

Quatre-vingt-treize mille livres en actif, lors du bilan de décembre 1898.

Malgré les investissements de Paris, de Bruxelles, de Budapest, de Prague, de Berlin et de Londres, qui eux-mêmes contribuent au fil des semaines à gonfler sa fortune.

Inexorablement.

Elle pense à Zurich et Vienne comme prochaines étapes. Zurich plutôt que Vienne, d'ailleurs, sans raison précise ; alors que selon Maryan il y aurait toutes les raisons d'inverser cet ordre de priorité. Mais elle se bute, question d'instinct, tout à fait inexplicable. « Vienne après, Maryan, ne me demande pas pourquoi, je n'en sais rien. »

La suite de la litanie est claire, en revanche : Milan et Rome en même temps, puis Madrid et Lisbonne. Et Stockholm et Copenhague et Amsterdam.

— Toujours pas Varsovie ?

— Non.

— Saint-Pétersbourg ?

Elle n'aime pas les Russes, ces antisémites primaires, il devrait le savoir. Je suis juive après tout. (Le ton de la réponse est d'une sécheresse glacée.) Amsterdam ouvert, ce sera le grand saut, l'Amérique. Peut-être ira-t-elle à New York en détachement précurseur, pour une fois, au lieu de lui. Un cousin de Polly, de la branche irlandaise de cette inépuisable famille, a émigré chez les Yankees. Il est à New York et y occupe une position très éminente, soit comme agent de change et banquier, soit comme chef de gang — Polly ne se rappelle plus et de toute façon ne voit pas la différence entre les deux états.

Les fêtes de fin d'année approchent et ainsi qu'elle en a l'habitude, elle veut les passer seule. « Ce n'est rien d'autre que du fétichisme, Hannah, et tu le sais. Tu attends Taddeuz et partie comme tu l'es, tu l'attendras toute ta vie... *Arrête de pleurer sur toi-même ! Tu le retrouveras !...* Tu l'attends et fêter le Nouvel An avec qui que ce soit d'autre, même Lizzie, te porterait malheur. » A l'instar des années précédentes, Lizzie (qui ne discute pas ce genre de décision) est allée en Ecosse séjourner, pour la Noël et la Saint-Sylvestre, chez une amie de pension.

Hannah part pour Zurich. Qu'au moins ce temps mort, dans tous les sens du terme, lui serve à quelque chose : elle repérera l'endroit où implanter la nouvelle succursale. Elle a rompu depuis deux mois avec André. Rupture dans la douceur et une extrême tendresse, assez déchirante. Il a trente-six ans. Le jour où il s'est laissé aller à lui parler mariage et quand elle a dit non, il a compris : il est sorti comme au théâtre et le lendemain, en cadeau d'adieu, a fait tapisser de deux mille roses rouges l'escalier et l'ascenseur du 10 de la rue d'Anjou.

A Zurich, elle descend au *Baur au lac*. Elle passe ses journées et parfois ses nuits à regarder tomber la neige sur l'eau noire enchâssée dans les Alpes de Glaris. Pas trop gaie. Il lui faut être fichument solide pour ne pas pleurer. Elle lit ou essaie de lire mais sans cesse, oppressante à en hurler, la chambre de Praga lui revient en mémoire.

Le 28 décembre, une rencontre qui n'est plus pour elle qu'anecdotique : depuis le fond du grand salon du *Baur* où elle s'est tapie dans un fauteuil à oreillettes, elle voit Lothar Hutwill traverser le hall. Inchangé, élégant et mince, séduisant et calme avec ses tempes argentées. Une petite jeune femme aux yeux clairs, très vive, l'accompagne, accrochée à son bras.

Elle attend que le couple ait disparu pour faire signe au réceptionniste en chef. Qui lui révèle qu'Hutwill est veuf depuis deux ans au moins, sa femme a péri dans une malheureuse noyade lors d'une promenade sur un lac, peut-être le Léman. Un accident. Et M. Hutwill s'est remarié, oui ; il est très riche.

Elle est de retour à Londres le 2 janvier, Lizzie rentre d'Ecosse le lendemain...

... Assiste à l'arrêté d'expulsion à l'encontre de la grosse dame en mauve...

... Parle à n'en plus finir les cinq heures suivantes. Reprenant leurs habitudes de Sydney, elles se mettent au lit ensemble, dans une profusion d'oreillers et de coussins noirs et rouge andrinople et s'endorment enfin... « Nom de Dieu, Lizzie, silence maintenant ! Il est une heure du matin ! — Une dame ne doit pas dire... »

Le lendemain, Hannah s'est levée un peu plus tard qu'à l'ordinaire — à quatre heures trente. Elle fait ses comptes et son courrier. Descend vers sept heures pour accueillir les premières vendeuses, dont le peloton de tête est mené par Cecily Barton, directrice pour l'Angleterre, n'ayant au-dessus d'elle dans la hiérarchie que Jeanne Fougaril et bien sûr Hannah. Une heure plus tard environ, assurée que tout est en ordre, elle réussit à arracher Lizzie au grand lit à baldaquin et faute de pouvoir lui prendre le drap de soie noire et l'oreiller auquel elle se raccroche, elle plonge le tout dans la baignoire, seule façon de réveiller l'Australienne à une heure aussi matinale pour elle.

Elles partent toutes les deux vers dix heures faire des courses. Dans Bond street, Hannah achète pour Lizzie un ravissant petit bracelet d'or incrusté de topaze, qui est le premier bijou de la jeune fille. Lizzie en est tout émue.

Il est peut-être une heure trente quand Hannah revient à l'institut (Lizzie vient de repartir pour le Sussex, sous l'escorte d'un chauffeur). Tous les salons sont pleins, bourdonnant doucement, l'escadron des neuf esthéticiennes et des onze vendeuses est sur le pied de guerre...

Et il est là. Assis sur un fauteuil de gros-grain dont Henry-Béatrice a mis deux jours pour déterminer le style et la décoration. Il porte un épais costume en laine brute d'Australie et, sur la tête, une casquette de voleur de pêches. Dans tout ce raffinement féminin qui l'entoure, où il semble un touriste à Baedeker égaré dans un harem, il sourit, avec cet air joyeux de garnement qu'ont les hommes quand ils savent qu'on finira bien par leur pardonner leurs frasques.

En sorte qu'Hannah craque, littéralement. Sa vue se trouble et elle a ce sentiment de mort qu'apportent les joies extrêmes :

— Oh Mendel ! Mon Dieu, Mendel !

21

MENDEL, PAUVRE DE TOI...

C'est pourtant fort simple, dit-il : une fois parvenu au lac Baïkal, il a tourné à gauche.

C'était cela ou passer par Irkoutsk, avec sa garnison. Et il n'est pas Michel Strogoff. Il a un peu marché, deux ou trois mois peut-être, pas beaucoup beaucoup plus. Ou alors quatre, mais c'est tout. Il se souvient d'être plus ou moins passé par la Mongolie et ensuite, il a vu plein de Chinois, à n'y pas croire, il en sortait de partout, sitôt qu'il a franchi la Muraille de Chine. A un moment, un ou deux milliards de Chinois plus loin, il est entré dans Shanghaï, ce devait être il y a dix ou douze mois, après s'être un peu battu avec des types appelés Boxers, qui prétendaient lui barrer la route. Sans quelques dames chinoises, qui sont aussi accueillantes que les autres, il aurait eu des ennuis.

A Shanghaï, il a failli monter à bord d'un clipper faisant la Course du Thé et qui l'aurait ramené en Europe dans un temps record...

— Vous n'avez jamais reçu mes lettres d'Australie, n'est-ce pas ?

Bien sûr que si. Il les a encore sur lui. Il les a transportées sur trente ou trente-cinq mille kilomètres et, tant qu'à faire, il les connaît par cœur. Pour la troisième fois, il la prend par la taille et la soulève à bout de bras :

— Hannah, il n'aurait plus manqué que ça, qu'ils négligent de me donner mon courrier ! Ce ne sont pas seulement trois ou quatre (dont le directeur du bagne, c'est vrai) que j'aurais assommés en partant ! Et je ne me serais pas contenté de leur donner un tout petit coup sur la tête.

... Et il pense : « Tu en fais trop, Mendel, dans le genre Samson sans Dalila... » Mais c'est façon de se protéger, et surtout de la protéger elle, de la puissante émotion qu'il éprouve. Il y a quand même plus de sept ans qu'il ne l'a pas vue. La dernière fois, c'était au moment où on l'a extrait de sa prison de Varsovie, lorsqu'il lui a crié « Bon anniversaire, Hannah » en soulevant ses poignets chargés de

335

ces saloperies de chaînes — qu'on lui a définitivement remises à la sixième de ses dix-neuf tentatives d'évasion. Et pendant ces sept années, il ne s'est guère passé de jour qu'il ne pense à elle. Il n'a dû de survivre qu'à la certitude qu'en se laissant mourir, il décevrait foutument la Morveuse. Il ne lui en dira rien, mais c'est tout à fait vrai qu'il revient de l'enfer. La garde-chiourme sibérienne n'a pas trop goûté son insolence, cet entêtement à la quitter, son refus constant de se résigner, son rire sous les pires séances de knout. Son affirmation, hurlée au besoin, de ce qu'il était juif (lui qui se fiche de la religion comme de sa première pomme volée ! mais puisque ça les agaçait qu'il fût juif, autant sauter sur l'occasion). On l'a expédié de camp en camp, jusqu'aux plus reculés dans la taïga, là où la fraîcheur du fond de l'air passe parfois les soixante-dix degrés sous zéro, avec une mortalité de neuf sur dix.

Rien que pour atteindre le Baïkal il lui a fallu cinq mois, à soixante kilomètres par jour, jour après jour. On a beau dire, ça fatigue, surtout avec tous ces zigzags qu'il fallait faire pour échapper aux poursuivants. Et après le froid sont venues la sécheresse et la chaleur du désert de Gobi, qu'il a traversé à pied, mangeant des serpents, des lézards et les restes faisandés de quelque chameau abandonné par une caravane, buvant souvent sa propre urine. Les Boxers de Chine lui ont aussi fait des misères : il se trouvait à récupérer dans une mission protestante allemande, et au vrai dans le lit de la femme d'un des missionnaires, quand la secte du Grand Couteau y a fait une incursion. Il s'est tiré de ce pogrom-là comme des autres mais on lui a un peu haché les épaules et le derrière à coups de lame. Bon, il a quand même réussi à faire quelques milliers de kilomètres de plus — les dames chinoises sont étroites mais effectivement bien accueillantes et pas placides du tout. A Shanghaï, il s'est fait marin, lui qui a horreur de la mer. Il s'est retrouvé au Japon sans trop savoir comment, puis de là à San Francisco, parce qu'il n'y avait pas chez les Nippons de correspondance directe pour l'Australie...

— Combien de mes lettres avez-vous reçues ?

— Six. Dans la dernière, celle de décembre 94, tu étais à Sydney, tu allais bien et tu avais rencontré tes comtes austro-allemands.

— Je vous en ai écrit une septième, où je vous annonçais mon départ pour l'Europe. Avec des rendez-vous précis.

— Pas reçue. De deux choses l'une : le facteur sera passé après mon départ ou ils se seront un peu fâchés contre moi. Je commençais à les agacer légèrement, sur la fin. Je suis parti au printemps de 95. Il faisait beau, un joli temps pour marcher. Il n'y avait pas plus de deux mètres de neige.

... De San Francisco (il conserve un souvenir attendri de la Californie, ça lui a bien plu, c'est plein de fous très intéressants), il a fini par trouver un embarquement pour les Philippines, où il a travaillé quelque temps dans une plantation, afin de se constituer un pécule, lui qui a encore plus horreur du travail sédentaire que de la mer. Ensuite, il a gagné Java. On l'y a mis en prison pour une assez obscure histoire de femme hollandaise, qui l'a préféré à son van Badaboum d'époux... Oui, le van Badaboum est un peu mort, il prétendait venger son honneur et comme il était grand et gros, Mendel lui a machinalement cassé les reins. Le temps nécessaire pour s'évader, et là-dessus du cabotage dans toutes ces foutues îles — qu'est-ce qu'il déteste la mer, nom de Dieu ! — jusqu'au jour où il est arrivé à Darwin sur le sol australien. Ce n'était pas trop tôt, il commençait à se poser des questions et à se demander si ça existait vraiment, l'Australie...

— Quand était-ce ?

— L'année dernière. Avril-mai, par là.

Il vagabonde un peu, tout content de retrouver la terre et les grands espaces, et un mois et demi plus tard, dans les monts Darling du Queensland...

— Un Simon Clancy, ça te dit quelque chose ?

— Oui.

— On s'est connus sous un eucalyptus, en contournant un kangourou. On parle de choses et d'autres, comme ça, et quand je lui dis que je suis venu rejoindre une morveuse grande comme un sac de blé et avec des yeux d'un mètre de diamètre, il me dit que bordel de dieu de putain de merde, il te connaît...

— C'est tout à fait lui, dit Hannah, ravie.

— ... Qu'il te connaît et même qu'il travaille pour toi, à faire comme qui dirait de l'herbe pour les lapins. Et que tu es partie pour l'Europe.

— Vous êtes allé à Sydney ?

— Pour quoi faire ? Tu n'y étais plus.

— Et à Melbourne ou Brisbane ?

— Pas plus. Pour la même raison. Les villes m'emmerdent et ce Simon Clancy me plaisait bien. Lui et moi, on...

— Mendel ! J'avais laissé des messages partout, à Sydney, Melbourne et Brisbane, pour quand vous y arriveriez ! J'avais laissé de l'argent !

Et nom de Dieu où a-t-elle pris qu'il se souciait d'argent ? Il a bien failli la soulever de terre une quatrième fois mais préfère se réfugier dans un angle de l'immense et fabuleuse bibliothèque du deuxième étage de l'hôtel particulier, toute lambrissée de loupe d'orme, garnie de peut-être cinq mille livres, dont la décoration d'origine a été conservée par Henry-Béatrice, sauf qu'il a troqué les panneaux de brocart grenat par d'autres rouge andrinople.

Mendel reste à l'écart d'Hannah. Même sa façon de la soulever à bout de bras a été une manière de la tenir à distance. Parce qu'il a trop peur de ce qui se passerait en lui s'il était assez fou pour la prendre contre lui. Lui-même n'y résisterait pas, il fondrait tout à fait,

s'abandonnerait, ils se retrouveraient au lit. Et comment l'accepter ?
S'il n'a jamais su faire qu'une chose, c'est bien de lire dans les yeux
des femmes. Et dans les yeux d'Hannah, il peut tout lire : joie
intense, émotion, affection, amitié, tendresse... mais pas d'amour.
« Tu la prendrais comme tant d'autres que tu as eues, tu ne te le
pardonnerais jamais, Mendel, et ça te ferait souffrir plus encore,
après, jusqu'au jour de ta mort. Si ça se trouve, elle a toujours son
Polonais en tête, ou un autre. Mais pas toi. »

Il fait semblant d'examiner les livres, mais il broierait volontiers
une chaise ou un meuble, comme il a autrefois soulevé un cheval,
pour la même raison. Il demande :

— Et un Quentin MacKenna, ça te dit aussi quelque chose ?

— Oui, dit encore Hannah, mais cette fois d'une voix bien plus
sourde.

— De l'amour pour lui ?

(Il a évité d'utiliser un verbe en formulant sa question, parce qu'il
aurait dû le mettre au passé, ce verbe, et ça lui aurait tout appris, à la
petite, intelligente comme elle l'est...)

— Non, dit Hannah. Pas vraiment.

— Il est mort, dit Mendel. Il est probablement mort. Tu savais ce
qu'il a tenté de faire, de traverser toute l'Australie à pied, de Brisbane
à l'autre bout, ce que personne n'avait jamais fait avant lui ?

— Oui.

— Ça m'étonnerait que quelqu'un d'autre le fasse jamais. Même
moi, je n'essaierais pas. Même si j'avais mangé tout l'équipage d'un
bateau, avec les passagers et les voiles. Mais c'était une foutument
belle folie, c'était comme de cracher à la gueule des étoiles. Il avait dit
à Simon Clancy que s'il réussissait, il laisserait un machin, un tas de
pierres empilées, un cairn, à un certain endroit convenu, cap Cuvier,
sur l'Océan Indien. Un endroit foutument perdu... Il avait parlé d'un
cairn entouré d'autres pierres disposées en étoile à cinq branches. On
y est allé, le Simon Clancy et moi, en remontant au nord de
Fremantle. Les pierres y étaient... Pas toutes, il manquait une
branche à l'étoile, et à côté, il y avait un squelette, bouffé par les
charognards. Avec une pierre dans les os de la main droite.

Ensuite lui, Mendel, a pris un bateau à Perth, comme soutier, à
pelleter du charbon. Quelques péripéties peut-être, aux Indes, un
typhon ou deux à Bombay, du temps perdu à se chercher un autre
embarquement au pied de la montagne de la Table à Capetown, mais
après, le calme plat, il est arrivé à Londres comme une fleur, la veille.
Le temps de se laver de ce foutu charbon, de la retrouver et voilà.

... Mais qu'elle ne se fasse pas des idées, il n'est que de passage. Il
est juste venu lui dire bonjour. Il serait bien resté en Australie, un
pays qui lui plaisait avec toute la place qu'il y a, mais il voulait tout de

même la revoir. Maintenant il préfère retourner en Amérique, qui lui plaît plus encore. Et au moins, il y a des femmes, là-bas.

Il a toujours sa moustache noire et ses dents très blanches, surtout quand il sourit.

... Se décide pourtant à soutenir ce regard gris qui lui chavire le cœur :

— Tu as dormi avec ce Quentin MacKenna, Hannah ?

« De quoi diable te mêles-tu, Mendel ? »

— Oui, dit-elle. (Elle est sur le point d'ajouter autre chose, mais s'en tient là.)

— Et avec d'autres ?

— Ils n'ont quand même pas été trois cent cinquante, dit-elle en riant. Trois ou quatre, en tout.

— Un en particulier ?

Silence. Elle se contente de le fixer, avec une lueur vraiment très particulière dans ses prunelles. Et il comprend, il pense : « *Oh nom de Dieu, ce n'est pas vrai !* »

— L'étudiant polonais, Hannah ?

— Oui.

— Il est ici ?

— Je ne sais pas.

— Tu ne l'as pas encore retrouvé ?

— Pas encore.

Elle dit cela la voix très tranquille, nette, comme elle dirait qu'elle n'a pas encore recousu un bouton manquant, mais qu'elle va le faire. C'est de la démence. Au point qu'il doit s'asseoir, ne serait-ce que pour maîtriser sa rage et son chagrin, de la voir ainsi perdre sa vie à cause d'un abruti de Polonais qui est peut-être beau mais probablement aussi fûté qu'une pelle à charbon.

— Tu ne l'as pas revu depuis la mort du petit Klotz et depuis que j'ai été arrêté ?

— Non.

— La moindre nouvelle ?

— Aucune.

— Tu ne sais absolument pas où il est ?

— Non.

— Mais bien sûr tu l'as cherché.

— Plus ou moins, dit-elle. J'ai juste mis sa tête à prix. D'abord cent livres, cinq cents maintenant. Je ne devrais pas tarder à monter jusqu'à mille. Voire dix mille. Je suis riche, à présent.

... Et justement, parlant de richesse, il n'en veut pas. Qu'elle arrête donc de lui expliquer cette foutue répartition qu'elle veut faire, entre elle et lui. Elle n'a donc que l'argent en tête ? Comme s'il allait s'intéresser le moins du monde à ces foutues crèmes dont elle tartine ces pauvres femmes qui ne lui ont rien fait ! Qu'elle lui rende simplement, si elle y tient vraiment, les vingt-deux mille roubles qu'il lui a confiées et...

— *QUELS NOMS DE DIEU D'INTERETS ?*

— En sept ans et onze jours, à neuf et demi pour cent l'an, ça fait...

— Hannah, tu arrêtes de jouer les boutiquières avec moi, tu veux ? Ou bien je te prends sur mes genoux, je te mets cul nu et...

— *Chiche,* dit-elle.

Ça le calme d'un coup.

— Sale garce.

— *Yep,* dit-elle en s'amusant comme une folle (et au vrai, elle est folle de bonheur. Pas à cause de l'argent, bien sûr : juste parce qu'il est devant elle.)

— Tu es sûre que c'étaient bien vingt-deux mille roubles ?

— Ma tête à couper, répond-elle imperturbable. Vingt-deux mille neuf cent onze roubles.

— Foutu mensonge. Je n'ai jamais eu tant d'argent de ma vie.

— Vous aurez oublié, en Sibérie. A soixante-dix sous zéro, on a les souvenirs qui gèlent. Je vous dois donc vingt et un mille quatre cent cinquante-trois livres et onze shillings. (Elle dit n'importe quoi.)

— Ça m'étonnerait bien, remarque-t-il goguenard, que le rouble vaille autant que ça. J'irai dans une banque, demain, et je vérifierai le cours des changes. N'essaie pas de m'escroquer, tu n'étais pas née que je volais déjà des pommes, et ce qu'il y a sous les jupons des dames. Vingt-deux mille roubles, ça doit faire dans les trois ou quatre mille livres, au plus. La ferme, morveuse.

Ils dînent ensemble, face à face aux deux bouts de la longue table du duc, si longue qu'il faudrait un cheval à la soubrette française (qui lorgne Mendel avec une convoitise évidente ; il plaît plus que jamais aux femmes) pour aller d'elle à lui. Ils parlent yiddish, comme autrefois, alors qu'à eux deux ils doivent bien connaître quatorze ou quinze langues (pérégrinant comme il l'a fait, il a appris — outre l'anglais — l'espagnol et le tagalog aux Philippines, le hollandais et le javanais à Java, plus un ou deux dialectes sibériens et même pas mal de chinois qu'il a acquis sans y prendre garde ; et comme il savait déjà le yiddish et l'hébreu, le polonais, le russe, l'allemand et le français, il peut à peu près voyager tranquille).

Il se tait néanmoins, la fixant dans la lumière chaude des chandeliers dorés à l'or fin, ayant bien conscience — comme elle — de ce courant qui vient de passer entre eux quand elle a dit « chiche ». Il sait déjà qu'il va aller dormir ailleurs, cette nuit et les suivantes. Plus, qu'il vaut foutument mieux qu'il embarque le plus vite possible pour l'Amérique, ou n'importe où. A rester près d'elle, il deviendrait fou. Ou tomberait comme un pan de mur, ce qui serait pire encore...

Le dîner terminé, ils passent dans un salon. Elle lui propose un cigare et du cognac de France. Il vide la bouteille à lui seul, sans être ivre pour autant. Ou du moins, il saura toujours que l'alcool n'était pour rien dans l'offre qu'il va lui faire :

— Et Maryan n'a pas pu le trouver ?

— Nulle part.

— Ça me ferait plaisir de le revoir, Maryan.

— Il était à Berlin hier. Demain matin, il partira pour Prague. Puis pour Vienne, y préparer le terrain pour le printemps, pour quand j'y ouvrirai un autre institut. J'ai son itinéraire exact et les dates. Je peux lui envoyer un télégramme et lui dire de venir.

— C'est moi qui irai. On marchera un peu ensemble.

— Comme vous voudrez.

Silence.

— Hannah ? Tu sais ce que je vais te dire, hein ?

— Vous allez me chercher Taddeuz. Et vous le trouverez, vous.

Il ferme les yeux, écrasé de chagrin : « Et le pire est que tu vas le faire, Mendel. Tu vas remettre la main sur cette ordure qui l'a fascinée quand elle avait sept ans et dont elle s'est mis en tête qu'elle l'aimait. Tu le feras malgré que tu penses qu'il ne vaut rien pour elle, qu'il est tout gonflé de lui-même, qu'il n'aime que lui-même et condescend juste à se laisser aimer par la petite qui le vaut un milliard de fois. Tu ne l'écrabouilleras pas comme tu en as pourtant très envie. Tu le prendras par la peau du cul et tu viendras le jeter aux pieds de la Morveuse, tel un chien qui rapporte le gibier. Tu es un foutu con, Mendel, pauvre de toi... »

22

PRESQUE ECRIRE LE KAMASOUTRA

En tout il reste une semaine à Londres. Il ne dort pas chez elle. La chambre très ducale au plafond à caissons qu'elle lui avait affectée ne l'a pas inspiré du tout. Un peu trop luxueuse pour lui. Malgré la soubrette française, des plus affriolantes, qui n'aurait pas demandé mieux que de lui faire don de sa personne. Il a cru à un piège. Et puis, pour se trouver des femmes, il n'a vraiment besoin de personne. D'ailleurs, il voulait goûter de l'Anglaise.

Très accueillante, paraît-il.

Elle l'emmène dans le Sussex afin qu'il rencontre Lizzie :

— Elle m'arracherait les yeux si je ne vous faisais pas faire sa connaissance. Je lui ai tout dit de vous et pour elle, vous êtes juste un peu moins grand que l'Himalaya.

Il n'a rien voulu savoir pour se débarrasser de sa casquette et pas davantage de son horrible costume à douze shillings — s'il l'a payé plus cher, il s'est fait voler, estime-t-elle —, qui le rend poilu comme un ours des Carpathes, sauf qu'il est plus massif. Il fait une entrée remarquée dans le parloir de l'institution aristocratique, au milieu d'autres parents en visite, tous distingués en diable. Lizzie reste bouche bée devant lui, pétrifiée d'admiration. Elle n'arrive pas à éructer un seul mot tout le temps qu'il est devant elle. « Lizzie muette, j'aurai au moins vu ça avant de mourir », pense Hannah somme toute enchantée, et très fière de l'effet produit par son Mendel.

Il repart trois jours plus tard. Pour Vienne, où il va rejoindre Maryan. Il a juste demandé :

— Et quand je lui mettrai la main dessus, à ton étudiant ?

— Gardez la main ouverte, s'il vous plaît.

— Et je lui dis ?

— Dites-lui... Mais non, ne lui dites rien. Il ne doit pas savoir que je le recherche.

— Je ne te le ramène pas ?

— Je veux simplement savoir où il est. Vous pouvez lui parler, si ça vous chante, mais pas de moi. Et méfiez-vous, Mendel : il est extraordinairement intelligent.

« Nom de Dieu, elle est vraiment folle ! »

— Et si je le trouve marié ?

Sauvagement : — Ça existe, le divorce !

Une lettre de lui, de Varsovie, en date du 6 février : *Suis passé à ton shtetl. Vu ta mère. Elle va bien, merci pour elle. Lui ai dit que tu l'embrassais.*

Rien d'autre.

Elle a reçu sa lettre à Paris, où elle est depuis trois semaines. Si elle continue d'habiter rue d'Anjou (où elle s'accorde de mieux en mieux avec Marcel Proust, évidemment pas sur la bagatelle : il travaille à la bibliothèque Mazarine, sa licence de philosophie terminée, mais il écrit et lui fait lire les premiers chapitres de *Jean Santeuil*, qu'il ne finira jamais), si donc elle est toujours installée rive droite, c'est sur la rive gauche qu'elle a sa Cuisine : au 6 de la rue Vercingétorix, au troisième étage. Le choix de cette adresse a tenu au seul fait que Juliette Mann, la chimiste procurée par Marie Curie, habite à deux pas de là, avenue du Maine. Ce n'est qu'après avoir signé le bail de location qu'Hannah a découvert qui occupait l'étage au-dessous du laboratoire : sur la porte vitrée de son logement-atelier, le locataire à peint en effet une Tahitienne sur fond de cocotiers, et il a écrit : *ICI, ON AIME*. C'est le peintre français Gauguin qui, cinq ans plus tôt, est une première fois rentré des mers du Sud, en compagnie d'une... Javanaise. On se lie d'amitié, surtout après qu'Hannah est parvenue à convaincre Edgar Degas, désormais illustrissime, de descendre de Montmartre pour reconnaître officiellement le talent de Paul. A qui elle achète (il voulait les lui donner) quatre toiles qui vont rejoindre notamment, rue d'Anjou et à Londres, les Manet, Monet, Degas, Cézanne... A des soirées chez Gauguin, elle fait la connaissance du peintre norvégien Edward Munch, et surtout, se liant d'amitié avec lui, de l'écrivain suédois August Strindberg, de qui elle a adoré la *Mademoiselle Julie*.

Quant à elle, avec son acharnement ordinaire, elle travaille. A ses yeux le temps presse, Mendel va forcément lui retrouver Taddeuz, il faut qu'elle s'apprête et avance au mieux ses affaires, pour être disponible en temps voulu. Plus question de prendre un amant, malgré les offres qui affluent : il ne manquerait plus que Taddeuz la trouve au lit avec quelqu'un ! « Et puis, mieux préparée que tu ne l'es, c'est impossible, tes études sont terminées. Contente-toi de Marcel. Avec lui, tu es tranquille. »

Toutes les études qu'elle a faites (en matière de science, celles-là), elle les a complétées d'une nouvelle enquête, menée auprès de comédiennes comme l'Anglaise Ellen Terry ou la Française Sarah Bernhardt, de son vrai nom Rosine Bernard. Ce sont les seules femmes du temps à avoir quelque expérience du maquillage, de par leur métier. Et encore leurs connaissances ne vont-elles pas très loin ; elles-mêmes, hors de scène, n'osent guère utiliser plus que la traditionnelle poudre de riz fabriquée en Chine et qui, pour peu qu'on en abuse, transforme rapidement ces dames en pierrots blafards. Hannah note, enregistre et crée. Elle a mis au point cinq nouvelles crèmes, bien aidée par Juliette ; crèmes qui remplacent celles fabriquées en Australie et qui toutes ont pour objet le traitement de la peau, sa protection et une luminosité plus grande — cette fois suite à des expériences et des réflexions fichtrement scientifiques. Leur innocuité est totale : Hannah la première, puis d'autres cobayes, d'abord payées et ensuite volontaires, en ont apporté la démonstration. Il y a des dosages savants à observer, il faut du doigté pour que cela ne se remarque pas, sinon par un éclat supplémentaire. Mais c'est justement à cela que servent les esthéticiennes d'alors, Dieu sait qu'elle les a entraînées à cette fin : « Une femme sortant de vos mains doit absolument être plus belle, mais sans qu'on sache pourquoi, la crème doit demeurer invisible ; à la limite ni le mari ni l'amant ne doivent comprendre comment cette beauté nouvelle a été obtenue. Restez mystérieuses. Je veux de la magie. »

Le mot est neuf, elle l'emploie la première : fond de teint. Dont il lui semble très vite évident qu'il n'en faut pas une seule sorte, mais autant de variétés qu'il existe de peaux différentes, presque de femmes différentes, selon qu'on est blonde, brune ou rousse, selon qu'on est plus ou moins blonde, brune ou rousse, selon la couleur des yeux voire celle de ce qu'on porte sur son corps, selon même les heures du jour et de la nuit : « On ne pourra se maquiller de la même façon pour aller au grand air de Longchamp ou du Derby d'Epsom, et dans les éclairages impressionnistes de tel restaurant du Bois, ou aux soirées de l'Opéra... Ou au lit. Ne riez pas stupidement, s'il vous plaît, mesdemoiselles. La porte reste ouverte à toutes celles que j'ennuie. »

... Et ne pas se contenter non plus d'une clientèle fortunée, nécessairement réduite. Pour un peu, elle se découvrirait investie d'une mission sacrée. (En vérité, elle irait bien jusque-là, n'était son habitude de ricaner d'elle-même ; mais elle se méfie de tous les excès, d'ambition, de joie ou de tristesse ; l'autre Hannah l'observe constamment, avec sa lucidité impitoyable.) Avec Lizzie, elles ont inventé un personnage mythique, évidemment imaginaire, Mᵐᵉ Sophronia Mac-Duschmoulski — c'est une déformation très fantaisiste du nom d'une femme de chambre qu'elles ont eue, à leurs débuts à Londres. Sophronia MacDuschmoulski est on ne peut plus peuple, on ne peut plus commune, elle parle en anglais avec un accent cockney à couper à la hache, en français avec tel effroyable accent de la province la plus reculée, en allemand (Mme MacDuschmoulski a toutes les nationalités en même temps) avec les intonations gutturales du nord de la Germanie ; elle est également polonaise, espagnole ou américaine (et dans ce cas, forcément, elle vient du Nebraska, Polly leur a dit que c'était fort reculé) ; elle est presbytérienne, musulmane, juive, catholique romaine et pourquoi pas confucianiste ou bouddhiste, leurs imaginations en délire ne reculent devant rien ; elle a un mari qui boit, certains jours il la frappe ; elle travaille dix-huit heures par jour ; est contrainte de compter sou par sou, penny par penny, groschen par groschen ; elle vit une vie d'esclave, d'autant plus qu'elle va en usine, la révolution industrielle l'a frappée plus que quiconque...

... et pourtant elle rêve. Sinon d'être aussi belle que les dames de Belgravia ou de Mayfair, du moins de se pomponner un peu, par moments. Et si ces rêves-là ne la traversent pas encore, cela viendra, ça vient, au besoin Hannah fera le nécessaire.

En fin de compte Hannah en arrive à éprouver de la tendresse pour Mme Sophronia MacDuschmoulski. Qui lui ressemble assez ou tout au moins ressemble à ce qu'elle a été elle-même... par exemple ce jour où elle s'est découverte en robe de panne grise, si laide, et en brodequins trop grands, dans la vitrine d'une boutique rue du Faubourg-de-Varsovie. On n'oublie pas ces choses, ça vous tient au fond de l'estomac et du cœur toute votre vie, on en pleure de rage en y pensant, devrait-on vivre des siècles.

Et elle a raison, bon sang, contre tous les foutus imbéciles qui la tiennent pour folle : elle entrevoit le jour où toutes les Sophronia du monde useront de ses produits à elle, sous condition de les mettre à leur portée. Ce qu'elle fera, c'est dit.

« Ce serait une révolution », a remarqué Juliette Mann, très sidérée par une ambition aussi vaste. « Je ne vous le fais pas dire », a répondu Hannah, elle-même quelque peu ébranlée par ses propres déductions.

Cosmétologie... le mot a des relents de science. Il en a les mystères et les constantes nouveautés. Cela va au-delà des fonds de teint, c'est tout un art dont il importe de découvrir les secrets. Ainsi par exemple de la coloration des lèvres, indispensable dès qu'on se passe un produit teinté et parfumé sur le reste du visage. En ce domaine bien précis, Hannah a également beaucoup poussé ses recherches. Longtemps, pendant deux cents ans peut-être, pour aviver leur bouche et la rendre plus attrayante, les femmes ont utilisé ce qu'on nommait des *raisins,* sortes de pommades à la contexture de mastic, en général parfumées d'eau de rose ou de jasmin, colorées par un suc d'orcanette ou du simple jus de raisin noir ; ensuite on a fait des *cérats,* à base de cire (parfois d'abeille) et d'huile. L'idée de bâtonnets, faciles et discrets à transporter dans un petit sac, qui seraient comme des crayons à lèvres, cette idée n'est pas d'Hannah. D'autres l'ont eue, qui n'en ont pas encore tiré la quintessence ; cela reste du ressort d'officines presque douteuses, connues des seules actrices ou des gourgandines. Autant dire que pour une femme du monde, ou simplement embourgeoisée, la chose sent le soufre, on n'est plus très loin de la prostitution. C'est l'un des problèmes qu'Hannah aura à résoudre que cette timidité, pourtant nuancée de tant de curiosité avide, de ses clientes devant toutes ces innovations (« innovations que les hommes apprécient énormément... chez les femmes des autres »). Et puis, tant qu'à faire fabriquer à l'échelle d'une industrie ces « bâtons de rouge », en supposant résolus les problèmes de contenant et de contenu, encore faudra-t-il que leur usage ne soit pas nocif, et ne transforme pas la gent féminine en apparentes victimes du scorbut. Le danger est d'ailleurs le même pour tous les autres cosmétiques.

— Affaire de chimie, Juliette. C'est à vous de jouer.

— ... Non, elle sait bien que cela ne se fera pas en trois ou quatre semaines. Bien sûr. (Hannah répète très souvent « bien sûr ».) Elle sait qu'il faudra des années, que ces recherches prendront cinq ou dix ans, des décennies peut-être. Et aussi que la seule Juliette ne suffira pas à la tâche. Il faudra d'autres chimistes, d'autres laboratoires, pas nécessairement en France. Il faudra investir, recruter. Elle y est prête, elle le fera. C'est à cette fin qu'elle accumule tant d'argent.

Juliette Mann mourra en 1931, dépassée au vrai depuis des lunes, par d'autres générations de spécialistes œuvrant dans de tout autres installations qu'un simple appartement...

Fût-il sur la tête de Paul Gauguin.

Elle est à Vienne en avril. S'étonne de n'y être pas venue plus tôt : « que voilà une belle ville ! » Quand on est de Pologne comme elle, à moins d'aller à l'Est, ce qui ne viendrait à l'idée de personne sauf à y être forcé (elle hait décidément les Russes), le cheminement logique est d'abord de se rendre à Prague, puis dans la capitale de l'empire austro-hongrois. « Je finis l'Europe où j'aurais dû la commencer. Il est vrai que vue d'Australie, l'Europe est maigrichonne. »

A Vienne, Maryan Kaden est au poste. (Il ne sait pas ce qui l'attend.) Il a abattu tout le travail de déblayage et de reconnaissance. Avec son efficacité coutumière. Deux endroits sont selon lui possibles, pour l'implantation de l'institut ; plus quatre autres emplacements pour les boutiques appelées à compléter le dispositif. Il voit donc l'institut soit dans la vieille ville, obligatoirement tout près ou sur les rives de l'ancienne et aristocratique Herrengasse, qui va du palais Kinsky à la Hofburg — où l'empereur François-Joseph et l'impératrice Sissi coulent des jours sinistres...

— Ou bien ?

— La Ringstrasse. C'est plus neuf. Et il y aura au moins de la place pour les voitures de tes clientes.

La Ringstrasse est en fait un cordon de larges avenues ceinturant le noyau historique de la cité. A la différence des autres grandes villes européennes, Vienne a conservé à peu près toutes les fortifications autrefois élevées contre les Turcs et les barbares. Ce n'est guère que quarante ans plus tôt, vers 1850, qu'on a vraiment commencé de construire par-delà les murailles, sur le glacis des terrains vagues ayant servi à tenir à distance les quartiers populaires. Maryan croit en l'avenir de cette partie neuve. Il pense en avoir même découvert la ligne de force :

— Quand on part de la place Schwarzenberg où réside toute la noblesse, plus on va vers l'ouest, le nord-ouest, en décrivant une courbe, plus on traverse la zone de la haute bourgeoisie. C'est la bourgeoisie qui a de l'argent, bien plus que la noblesse, comme partout. Mais il ne faut pas non plus aller trop au nord : passé le Parlement, il n'y a plus rien qui compte, sauf l'université.

— La Ringstrasse mieux que la vieille ville, selon toi ?

— Oui.

— Et où, sur la Ringstrasse ?

— Ou bien place Beethoven tout à l'est, ou bien la Reichratstrasse. Ce serait mieux, la Reichratstrasse.

Ils y vont. C'est une rue juste derrière le parlement, le Reichrat. Elle est large... — « quatre-vingt-un pieds, j'ai compté », dit Maryan. Elle s'achève à gauche sur les jardins de l'Hôtel de Ville. L'immeuble repéré par Kaden est au numéro sept. Construit en 1883, il est quasiment neuf. L'entrée en est somptueuse, dès le vestibule ornementé à foison, il impose le respect. Pour les étages en revanche, ainsi qu'il est d'usage, on a été plus parcimonieux : le *herrschaftssiege*, l'escalier d'honneur, se termine brusquement sur un banal escalier de service, desservant les appartements du haut :

— Pas question de lancer mes clientes là-dedans.

Il s'en doute. Il s'est renseigné : on peut louer l'un des étages nobles pour l'équivalent de deux mille huit cents pounds par an, deux mille cinq cents en discutant beaucoup. Le propriétaire est un archiduc qui adore la poésie :

— Hannah, est-ce que tu ne m'as pas parlé un jour d'un poète français appelé Rimbaud ?

— Je ne connais que lui. On a été à l'école ensemble.

Bien entendu, elle n'a jamais vu Arthur Rimbaud de sa vie. D'ailleurs, il est mort depuis au moins huit ans. « Il ne risquera pas de me contredire, par conséquent. » Mais elle l'a lu. (Taddeuz doit certainement l'aimer et il fallait bien qu'elle se prépare.) Et puis elle a souvent rencontré le sarcastique et drôle dessinateur Forain qui lui, dans sa jeunesse, a cohabité deux ou trois mois, près du boulevard Raspail à Paris, avec le buveur d'absinthe que fréquentait Verlaine.

— Tu lui parles de Rimbaud et l'archiduc te descend le prix, dit Maryan.

Quelle mémoire il a, le bougre, de s'être souvenu d'un simple nom

qu'elle-même ne se rappelle pas avoir seulement prononcé devant lui !
C'est vrai qu'ils ne parlent pas tellement littérature ensemble, Maryan
et elle ; bien qu'elle ait tout de même réussi à lui faire lire Jules Verne
en français, et récemment la *Guerre des mondes* d'H. G. Wells. En
anglais, car il maîtrise désormais parfaitement le patois d'Outre-
Manche.

Elle l'examine. Lizzie n'a pas tort, au fond. Si Maryan n'est au
premier abord ni très beau, ni très intelligent — quoique... —, il n'est
quand même pas mal du tout. Tant de solidité est rassurante, on
comprend qu'elle puisse attirer certaines femmes, beaucoup même. Il
a de jolis yeux parfois rêveurs, si calmes et paisibles en vérité, qui
dissimulent tout à fait le cerveau méthodique qui est derrière. Il est
fort et sain et depuis leur rendez-vous de Baden-Baden quatre ans
plus tôt, il a aussi appris à s'habiller. Il est vrai qu'il en a les moyens.
Dans le domaine de la finance, il s'est pareillement métamorphosé : il
lui a parlé de placements qu'il a faits en bourse, avec des mots d'agent
de change qui l'ont impressionnée. Pour s'assurer qu'il n'était pas en
train de spéculer comme un âne catholique, elle l'a emmenée chez ce
cousin de Polly Twhaites qui est un ponte à la City de Londres. O
surprise, le jeune Varsovien et le gentleman en col dur et cravate
rayée se sont entendus comme des comparses, au point de lui donner,
à elle qui n'est pourtant pas une idiote en ces matières, l'impression
qu'elle était de trop.

— Tu as une liaison, Maryan ?

Ils sont en train de retraverser le Ring, revenant droit vers le
Hofburgtheater. L'air est doux, il fait un soleil voilé, de très jolies
voitures passent, une Tzigane joue du violon et Hannah découvre
qu'elle est bel et bien amoureuse de Vienne.

Mais Maryan n'a pas répondu à sa question :

— Je me mêle de ce qui ne me regarde pas, Maryan, je sais. Mais
imagine que demain, ou dans un mois ou dans un an, une femme
t'envoûte ? Que tu en deviennes tout extasié, au point de te mettre un
huit-reflets sur la tête, une cape de satin et d'aller te ruiner avec elle
dans tous les lupanars d'Europe, en chantant des chansons obscènes ?

Il la regarde stupéfait.

— En m'abandonnant, dit-elle.

Et elle pense : « Peut-être que tu en fais un peu trop, Hannah. En
réalité, tu n'as pas peur qu'il te quitte, le risque est presque nul. Mais
à supposer que cette folle de Lizzie veuille vraiment l'épouser — et il
n'aura même pas un mot à dire, le pauvre garçon, elle te l'investira en
un clin d'œil —, ça vaudrait mieux qu'il ait de l'expérience. Elle n'en
a aucune, elle. Des idées oui, mais pas la pratique. Pourtant, avec ma
manie de tout lui raconter, elle en sait autant sur le sujet que le
marquis de Sade, elle pourrait presque écrire le Kamasoutra. Ne ris
pas, Hannah, ce n'est pas tellement drôle : la chambre de Praga et

cette déception terrible que tu as eue toi-même avec Taddeuz sont là pour prouver que ça compte, ces choses, dans un mariage... »

— Je ne ferais jamais ça, t'abandonner, répète Maryan en fixant le sol d'un œil accablé. Jamais.

— N'empêche que tu devrais avoir une maîtresse. Trois ou quatre, ce serait encore mieux. C'est comme la cuisine, il faut goûter de tout, pour savoir ce qu'on aime.

Il déglutit, en pleine panique. Et c'est à la fois très comique et très touchant de voir ce dadais si actif, si tenace, si capable dans tant d'activités, être à ce point intimidé quand on lui parle de femmes.

Elle prend place à la table qu'elle a réservée, sous les tonnelles du restaurant *Grillparzer*. Il s'assoit auprès d'elle, encore sous le choc. Elle commande des *backhendel,* du poulet pané et frit, et de la *sachertorte* pour deux. Sans demander à Maryan ce qu'il a envie de manger. « Pour quoi faire ? Je sais ce qui est bon pour lui. C'est comme cette affaire de maîtresse. Il va falloir que je m'en occupe aussi. »

Parmi mille autres choses qu'elle doit régler. Parce que, c'est décidé, elle va effectuer tous ses préparatifs à Vienne, ce sera encore mieux qu'à Paris qui lui avait paru jusque-là la seule ville appropriée.

En même temps qu'elle y créera son nouvel institut, les deux préparations n'ayant aucun rapport entre elles.

Johann Strauss lui sourit.

Dit qu'il n'est pas Johann Strauss, tout en l'étant tout de même. Il n'a pas composé *An der schönen blauen Donau,* pas non plus la *Valse de l'Empereur,* et pas davantage *G'schichten aus dem Wienerwald* (Légendes de la forêt viennoise), toutes œuvres dont elle vient de lui exprimer si bien toute l'admiration qu'elle leur porte.

— Je ne suis que Johann III, fils d'Edouard, lui-même frère de Johann II et de Joseph, lesquels étaient tous les fils de Johann Ier. Mais vos compliments me touchent néanmoins, même s'ils s'adressaient en réalité à mon oncle.

Il s'amuse beaucoup de la confusion faite par Hannah. Et qu'elle se rassure, elle n'est pas la première, ne sera sûrement pas la dernière, à confondre les Johann Strauss entre eux :

— D'autant qu'à nous Strauss, musiciens de Vienne, s'ajoute un Strauss musicien d'Allemagne, celui-là prénommé Richard, qui a récemment fait une chose admirable titrée *Ainsi parlait Zarathoustra.* Mais il n'a aucun lien de parenté avec notre famille. Ainsi donc, vous connaissez Claude Debussy ?

Elle a obtenu une lettre d'introduction du compositeur français. Strauss l'a à peine parcourue. Ce serait selon lui faire bien peu de cas de la galanterie viennoise que d'imaginer un seul instant qu'une jolie femme puisse avoir besoin d'être recommandée pour être reçue, serait-ce par Johann Strauss...

— C'est que j'ai une demande assez peu banale à vous présenter, dit alors Hannah.

Et de pencher un peu de côté la tête, d'agrandir un peu plus ses yeux, de faire sa chatte. L'effet sur les hommes est en général garanti. Il opère à nouveau. Johann Strauss l'écoute formuler sa demande et raconter ce qu'elle s'apprête à faire à Vienne, qu'elle adore, qui de surcroît est un choix logique quand on vient de Pologne, où donc elle a décidé qu'aurait lieu le plus grand événement de sa vie. De cet événement à venir, de son déroulement dont elle a prévu le plus infime détail, elle dit tout.

... Enfin presque tout. Il y a quand même certains petits points qu'elle gomme, de crainte qu'il ne convoque les infirmiers des fous.

... Et non, il n'y a aucun rapport entre cet événement et l'institut de la Rechratstrasse qu'elle s'apprête à ouvrir comme elle en a déjà ouvert dans presque toutes les grandes villes européennes... A ceci près que s'il plaisait à Mme Johann Strauss ou à ses amies les plus chères de s'y rendre en clientes, à cet institut, elles seraient accueillies gratuitement, cela va de soi. Mais ce n'est là qu'une incidente...

— J'ai horreur de parler d'argent, dit-elle encore, mais il va de soi que je...

Il rit, secouant la tête et ne cessant de la dévisager avec une grande curiosité :

— Vous êtes une jeune femme très peu ordinaire, n'est-ce pas ?

... Mais il n'est pas directeur des bals de la Cour impériale, comme elle l'a cru, c'est son père Edouard qui occupe cette fonction importante, auparavant tenue par son oncle et son grand-père. Lui-même, Johann III, est concertiste et chef d'orchestre, il a déjà parcouru le monde en cette double qualité. Bien sûr, elle l'a compris d'elle-même, la soirée du 31 décembre est hors de question ; il y aura grand bal cette nuit-là dans la salle des cérémonies de la Hofburg, un bal donné par Leurs Majestés Impériales, avec un faste tout particulier puisqu'il s'agira de célébrer non seulement l'année nouvelle mais également un nouveau siècle. En revanche...

— En revanche, pour la soirée du 30 décembre, pourquoi pas ? Je peux me libérer et je pense pouvoir convaincre aussi mon père. Votre idée est tellement... (Il cherche le mot.)

— Folle ? propose Hannah.

— Romantique, dit Johann Strauss. Elle est tellement romantique. Et si viennoise...

En deux temps trois mouvements, et une récitation concertante du *Bateau ivre* (qu'elle a appris par cœur dans ce but), elle a réglé avec l'archiduc l'affaire du 7 de la Reichratstrasse. Pour l'équivalent approximatif de deux mille cinq cent trente-deux livres sterling l'an. Quand elle lui a révélé qu'elle avait assisté aux dernières heures d'Arthur Rimbaud dans un hôpital de Marseille, l'archiduc a éclaté en sanglots, d'émotion. C'est un archiduc très sensible.

— Mais tu aurais quand même pu le faire descendre encore, remarque Maryan. Surtout pour les trente-deux livres...

— Le *Bateau ivre* m'en a rapporté deux cent soixante-huit. Sûrement plus qu'à ce pauvre Arthur, ce qui est une vraie honte. Mais réfléchis donc, Maryan : notre archiduc a plein de filles, à croire qu'ils les collectionne, qui elles-mêmes ont des amies, lesquelles ont d'autres amies, des tantes, des cousines. Cela va me faire dans les cent cinquante ou deux cents clientes d'un coup. Qui me feront en un jour gagner bien plus de trente-deux livres et m'attireront toutes les femmes de Vienne. Tu veux parier ?

Il n'y tient pas. Il ne parie jamais, ce n'est pas lui qui irait miser des sous sur une table de casino, l'argent est une chose sérieuse. Et justement il bougonne un peu, malgré toute la vénération confiante qu'il porte à Hannah : à son avis, elle dépense énormément, que lui arrive-t-il ? Alors qu'à son arrivée à Vienne elle s'était contentée d'un établissement moins coûteux, elle a ensuite pris ses quartiers à l'hôtel *Sacher,* ce qui se fait de mieux dans le genre à Vienne. Et la voici maintenant qui dilapide carrément, un peu plus chaque jour ; elle a loué un appartement superbe, qu'elle fait redécorer et meubler à son goût, sans regarder à la dépense ; elle qui a déjà une demeure à Londres, outre celle de Paris ; en plus, elle a engagé des domestiques, fait l'acquisition d'une voiture sans cheval, qui nécessite un chauffeur. Maryan s'inquiète, deviendrait-elle prodigue à cause de la légèreté de l'air viennois ?

(Elle ne lui a absolument rien dit des autres préparatifs qu'elle fait, de leur raison du moins ; de son idée « si romantique et si viennoise »...)

Il s'interroge d'autant plus que l'aménagement de l'institut progresse de façon satisfaisante, comme il est normal avec le savoir-faire que leur équipe possède. On compte qu'il sera prêt à ouvrir en juin. Mais la date n'est pas très bonne : Vienne se vide sensiblement en été, ainsi que d'ailleurs les autres capitales. Dès les premiers jours de mai, Hannah prend sa décision : on reporte l'ouverture à septembre, quand chacun commencera de rentrer des eaux ou des résidences d'été. Cela lui laissera le temps de goûter tout le charme viennois. Avec Lizzie, qu'elle fera venir pour les vacances. Et quant à lui, Maryan, pour l'instant il restera à Vienne, tant pis pour sa tournée d'inspection, il n'a qu'à employer davantage de ses frères. Ensuite, disons un peu après l'ouverture, elle voudrait qu'il parte pour les Etats-Unis d'Amérique, New York, où il entreprendra les premières études. Cette perspective lui plaît beaucoup : s'attaquer à l'Amérique aux premières semaines d'un siècle neuf, elle y voit toutes sortes de symboles.

— Je suis certaine que tu t'entendras très bien avec les Américains, Maryan. Tu as tout ce qu'il faut pour cela.

… Sauf une maîtresse. C'est tout de même agaçant, cette obstination à ne pas en prendre ! Vingt fois, elle a réintroduit le sujet dans leur conversation mais il s'est à chaque fois bloqué, écarlate, horriblement gêné et se mettant bêtement à fixer ses pieds comme s'ils l'hypnotisaient.

… Heureusement qu'à un problème, il y a toujours des tas de solutions.

Elle va voir Gustav Klimt. Dont tout le monde commence à dire qu'il est le plus grand peintre vivant à Vienne. Ce serait en soi une raison bien suffisante pour lui rendre visite. De par sa fréquentation assidue des Degas, Monet, Cézanne et autres Gauguin, sans compter celle de barbouilleurs moins illustres, de par aussi sa liaison avec René Destouches, Hannah a acquis une grande familiarité des artistes. Qui la fascinent par ce pouvoir de créer qu'ils détiennent, alors qu'elle en est elle-même tant démunie. Tout au plus sait-elle gagner de l'argent, ce qui n'est pas si extraordinaire.

Elle achète deux toiles à Klimt. Il a d'abord fait quelques difficultés pour vendre, s'est en fin de compte laissé convaincre quand elle lui a révélé l'étendue de sa collection personnelle. Qu'il soit appelé à figurer en compagnie de Claude Monet et de Degas le flatte assez, même s'il s'en défend. Mais il la considère avec bien plus d'intérêt quand elle prononce les noms d'autres peintres avec qui il a plus d'affinités. Tels Gauguin et Bonnard. Tel surtout l'Ecossais Charles Rennie MacIntosh, dont elle a acquis plusieurs aquarelles. Et à lire comme elle le fait *la Revue blanche,* ou *Jugend,* ou *Ver Sacrum,* elle a appris les noms d'un Voysey, d'un Lalique ou d'un Tiffany…

— Et vous aimez ?

— Je n'aurais pas acheté de leurs œuvres sans cela. Je n'acquiers que lorsque j'aime.

Il dit qu'il a rencontré MacIntosh à l'occasion de l'Exposition de Bruxelles, en 97. Et qu'il a également bien connu Van Gogh :

— Que vous êtes sans doute trop jeune pour avoir connu.

— Je ne l'ai pas connu. Mais un ami m'a emmenée à Auvers-sur-Oise, dans la maison où il s'est suicidé. C'était très émouvant.

(C'est vrai que René lui a fait faire le pèlerinage d'Auvers, vrai aussi qu'elle a été émue. Au point qu'aux deux premiers Van Gogh qu'elle avait déjà, elle en a joint deux autres, dont un qu'elle a mis onze mois à acheter, un marchand de couleurs ne voulait pas s'en défaire.)

— Vous poseriez pour moi ? demande Klimt.

— Je ne suis pas assez belle.

Il se met à rire, croyant sans doute à de la coquetterie, alors qu'elle est du dernier sincère. Il explique qu'il voudrait capter et reproduire certain mouvement qu'elle a, qu'il n'a vu chez aucune autre femme, une sorte de tension extrême que son œil de peintre a saisie.

— Je ne dormirai pas avec vous, je vous préviens, dit-elle. J'ai quelqu'un d'autre en tête.

Il assure qu'il en est désolé et le sera jusqu'à la fin de ses jours, mais ce qu'il veut surtout, c'est ce mouvement de la tête et des épaules, du buste et du menton, « votre façon de porter la tête ». Il la fait asseoir à demi sur un tabouret très haut, ses jambes restant au contact du sol et quand elle défait sa robe et la baisse jusqu'à la taille, débarrassée aussi de ses chemises, il se met à jouer du fusain, à quinze ou vingt reprises, accumulant les esquisses...

— Je n'y arrive pas. Si vous voulez vous rhabiller...

Elle se penche sur les croquis étalés un peu partout sur le sol de l'atelier. Ce qu'il a fait d'elle est très étrange :

— Je ne suis pas si grande.

— Moi, je vous vois grande.

— Et pourquoi ai-je toujours les yeux presque fermés ?

— Parce qu'avec le regard que vous avez, si je le reproduisais, on ne verrait que lui...

(Bien des années plus tard — il peindra la toile en 1909 —, dans un musée de Venise, elle tombera en arrêt devant cette œuvre de Gustav Klimt qui la représente à n'en pas douter, elle Hannah : tout y est, l'arc très long et très droit du sourcil, le nez tout aussi droit, ce pli sensuel de la bouche rouge, les angles aigus du visage, les petits seins à pointe rose, la lourde masse des cheveux croulant sur la nuque et, surtout, la paupière lourde ne laissant qu'entrevoir la prunelle claire. A son personnage, Klimt a donné le nom de Salomé. La femme qu'il a peinte a des mains blanches qui tiennent la chevelure de la tête aux yeux clos de Jean-Baptiste supplicié. Et cette interprétation comme prémonitoire de l'artiste viennois la rendra malade de chagrin pendant des semaines.)

Mais avec les relations ainsi établies entre eux, en ce printemps de 1899, obtenir de lui le petit service qu'elle est venue quémander n'est plus que jeu d'enfant.

En vérité, Klimt trouve la démarche du plus haut comique.

Elle en convient, elle a parfois des idées bizarres. Bien que dans le cas présent, il ne s'agisse que de venir au secours de son cousin...

— Et il a une préférence ? demande Klimt.

— Je ne crois pas, dit Hannah. Je serais très surprise s'il était clairement fixé.

— Blonde, brune ou rousse ?

— Blonde, répond fermement Hannah.

Et elle pense : « Au moins, il sera habitué à Lizzie... »

— Gros seins ou petits seins ? Postérieur à la Renoir, voire à la Rembrandt ou bien taille de guêpe. J'ai de tout en rayon.

Fou rire qu'ils partagent. A croire qu'elle veut acheter une casserole et qu'il en vend. Mais elle ne sait trop que répondre :

— A votre avis ?

Klimt dit qu'il préfère quant à lui les femmes longues et minces mais que dans le cas présent, il conseillerait une blonde, assez potelée, moelleuse, douce au toucher, très féminine, confortable en un mot... (il a une nouvelle crise de fou rire)... d'environ vingt-cinq ans et possédant donc toute l'expérience amoureuse nécessaire mais n'ayant pas non plus fait trop d'usage. Il a cela sous la main...

— Si j'ose dire, Hannah...

... En l'espèce l'un de ses modèles, pas une prostituée mais une fille délurée à souhait, qu'on devrait pouvoir aisément convaincre de, comment dire ? procéder à cette initiation de...

— Il s'appelle Maryan Kaden, révèle Hannah. Et il n'est pas laid du tout, vraiment pas. Autant que j'ai pu en juger, il est normalement constitué, sans défaut important. On peut tomber amoureuse de lui. Je connais une jeune fille à qui c'est arrivé.

— Pas vous, j'espère ?

— Non.

— Dieu soit loué, dit Klimt. Cela aurait encore compliqué les choses, qui sont déjà assez compliquées comme cela. Grissi va donc tomber amoureuse de Maryan. D'accord. Vous savez où, quand et comment ?

OUI. Elle a déjà prévu tous les détails de la stratégie qui va conduire Maryan droit dans un lit et dans les bras de ?...

— Griselda Wagner.

... dans les bras de Griselda Wagner. Cela se passera dans l'appartement qu'elle a loué près de la chancellerie de Bohême. Maryan y a une chambre. Elle engagera Griselda Wagner sous un prétexte quelconque, fera en sorte de les laisser en tête à tête, le Varsovien et elle. Il faudra que Griselda fasse les premiers pas, avec douceur et infiniment de finesse, Maryan est très fûté. Griselda disposera du temps nécessaire, inutile qu'elle se jette goulûment sur le garçon à la première rencontre :

— Aucun risque qu'elle ne le... qu'il s'accroche à elle et ne veuille plus la quitter ? J'ai très besoin de lui.

— Grissi a un cœur de pierre. C'est même la seule chose qui ne soit pas tendre, chez elle.

— Maryan est très timide avec les femmes, c'est son seul défaut. Toute sa vie depuis qu'il sait marcher, il a travaillé comme une bête, c'est un miracle qu'il sache lire, il n'a jamais eu le temps de penser aux femmes. Je m'arrangerai pour qu'il ait du temps libre et le passe avec Griselda. Je trouverai une raison, n'importe laquelle. J'ai assez

355

d'imagination pour ces choses. Et une fois seuls, si elle n'est pas idiote...

— *CRAC !* dit Klimt écroulé de rire.

— Crac, dit Hannah.

Elle rit aussi mais demande ce que préférera le modèle, de l'argent ou un bijou. Klimt répond qu'il aimerait mieux ne pas à avoir à négocier ces clauses-là. Il a une suggestion à faire : il peut convoquer Grissi pour le lendemain, la faire mettre nue et lui faire prendre toutes les poses possibles. De la sorte, Hannah pourra bien voir si elle convient, pour le physique.

— Vous n'achèterez pas chatte en poche, ainsi.

Quatrième crise de fou rire...

— Et quant au reste, le paiement, débrouillez-vous donc entre femmes...

Cinquième crise. Et il ne réclamera pas de pourcentage, dit-il encore.

L'idée de voir de près la marchandise séduit Hannah :

— Demain, onze heures ? J'ai un rendez-vous à dix avec des banquiers et à midi mes décorateurs de Londres arrivent...

Le jour suivant, en effet, elle scrute sous tous les angles, avec une minutie presque inquiétante, le corps nu du modèle. Ça ira très bien.

... Et les choses vont aller comme elle a prévu qu'elles iraient, dans la moite et légèrement enivrante douceur du printemps viennois. Maryan se laisse convaincre, il ira même jusqu'à emmener sa conquête danser à Grinzing. « Maryan en train de danser, on aura tout vu ! »

... « En tout cas, le voilà débarrassé de ces boutons qu'il avait sur la figure. C'est quand même mieux, pour nos affaires. »

On est encore en mai.

Et elle commence à s'inquiéter, il lui viendrait presque de l'angoisse, si elle n'était pas si sûre de son destin. Depuis son premier message de février, Mendel ne lui a pratiquement plus donné signe de vie. Sauf une autre lettre, à peine moins laconique que la première : *Rencontré ici une certaine Rebecca Singer. Celle de chez Dobbe. Très belle. Elle est mariée à un Américain très riche. Te donnerai son adresse.*

Pas un mot de plus. La lettre a été postée à Nice. Que diable fait-il là-bas ? Le connaissant comme elle le connaît, avec la formidable et indestructible confiance qu'elle a en lui, elle ne doute pas une seconde qu'il va lui retrouver son Taddeuz.

Mais il met un peu plus de temps que prévu.

... Difficile épreuve pour ses nerfs : avec tous ces préparatifs qu'elle a faits et poursuit, ces plans si précis qu'elle a établis, tous ces rêves qu'elle a conçus, agençant tout pour qu'ils deviennent réalité après tant et tant d'années, il ne manquerait plus que Mendel lui fasse faux bond !

... Ou soit seulement en retard sur ses calculs.

« Mais non, c'est impossible. Pas Mendel ! »

En sorte que c'est presque comme un soulagement, vers le 10 mai, qu'elle reçoit cette information secrète communiquée par Maryan.

Rien à voir avec Taddeuz ou Mendel, c'est d'autre chose qu'il s'agit.

De ses affaires.

Il y a eu une sorte de magie quasi hypnotisante, en tout cas délicieuse, dans la manière dont ses affaires se sont jusque-là agencées. Depuis cinq ans. Dans la façon dont elles se sont développées, surajoutées les unes aux autres. Dans cette réussite constante qui en a couronné le cours, mois après mois, année après année, irrésistiblement.

... Or voilà que les choses changent. Le premier écueil surgit, et le premier danger. Pareillement de taille.

Mais, tant qu'à se produire, cette première grande attaque contre elle ne pouvait mieux survenir, mieux à temps qu'en cette phase de son existence où elle se trouve dans un état exaspéré d'attente. Déjà, lors d'une période plus normale, elle eût réagi avec son acharnement ordinaire, et cette combativité qu'aucun des spasmes de sa si longue vie ne pourra jamais éteindre. Mais ce printemps et cet été de 99 sont différents : elle est dans une fièvre brûlante et irascible. L'incident Van Eyckem va donc lui être un exutoire, sinon une libération.

Elle y jette, presque voluptueusement, ses quarante-deux kilos de férocité.

23

ETRE UNE FEMME EN 1900

Lizzie, je n'étais pas de ce siècle où j'ai pourtant vécu les vingt-cinq premières années de ma vie. A y bien réfléchir, à présent que nous sommes toutes les deux carrément croulantes, je n'étais pas non plus des cinquante ou soixante années qui ont suivi. A croire que j'étais une extra-terrestre débarquée d'une soucoupe volante. Il faut se souvenir de ce que c'était, d'être une femme en 1900, et même longtemps après. Ça allait au-delà de toutes ces put... excuse-moi : de toutes ces saletés de robes, de jupons, de voilettes, de guêpières ou de corsets, de chapeaux et de gants, de tous ces falbalas dont il fallait nous affubler. Rien que se choisir un amant et le dire, coucher avec un homme à seule fin d'en avoir du plaisir, c'était pire que de tuer quelqu'un...

... Et pour ce qui est de faire fortune, mieux vaut n'en pas parler : quand j'ai commencé d'ouvrir mes boutiques et mes instituts, ça allait encore, j'étais une bobonne vendant des trucs de bobonne à d'autres bobonnes ; ça faisait sourire et point final. Mais ensuite ! Ensuite lorsque j'ai créé mes usines et mes laboratoires, créé mes sociétés, quand je me suis mise à gagner quantité de sous et que j'ai voulu me mêler de finance, alors là, ça n'allait plus du tout. Comme s'il fallait nécessairement avoir une culotte, et quelque chose dedans... (Ne fais pas semblant de rougir, s'il te plaît, tu es presque aussi effrontée que moi ; et puis, à ton âge !)... pour savoir compter et s'intéresser aux cours de la bourse de Wall Street...

... Avec le recul du temps, cela explique en partie ma vie avec Taddeuz. Il aurait été une femme, et moi un homme, que presque tout en aurait été changé...

Sauf que je n'ai jamais voulu être un homme. Ça m'a toujours énormément plu, d'être une femme, j'ai toujours pensé que c'était merveilleux...

L'incident Van Eyckem a été la première de mes grandes batailles. Peut-être pas la plus dure. Mais la plus dangereuse sûrement. J'ai failli tout perdre. J'ai eu peur.

Tout a commencé en 98, un an plus tôt. En préambule, il y a eu les visites discrètes, mais multipliées, de mystérieux émissaires. Des hommes uniquement. Vêtus de noir et impassibles, avec des yeux de gerfaut pour scruter les mouvements dans les salons et les boutiques. Ils ont posé des questions ; on les a vus prendre des notes.

Tels les effleurements, dans l'ombre, d'un ennemi encore inconnu.

Mais bientôt révélé : exécutant les consignes qu'elles ont reçues, les directrices — telle Jeanne Fougaril à Paris — indiquent le cabinet Paul Twhaites à Londres en tant qu'interlocuteur valable. En avril, Polly signale la nouvelle : un groupe de financiers vient d'établir le contact avec lui, avançant des offres précises. Que doit-il faire ? Les faire lanterner un peu ou les envoyer au diable tout de suite ?

Je veux les voir. Rendez-vous au Ritz *dans trois semaines,* câble Hannah en retour (elle voyage entre Budapest et Prague, à l'époque). Elle a effectivement pensé, dans un premier temps, à refuser toute entrevue. La petite mécanique lui a conseillé de l'accepter, en fin de compte. Et si elle a choisi le *Ritz* pour rencontrer ses interlocuteurs, c'est tout simplement parce qu'elle n'a pas de bureau en France.

Trois hommes face à elle et Polly, accouru pour la circonstance d'Angleterre ou plus justement de sa gentilhommière du Surrey. A Hannah, ils commencent par expliquer qu'ils préféreraient traiter directement avec son « employeur ». La bave lui vient aux lèvres mais elle se contrôle pour répondre qu'elle s'emploie toute seule et qu'il n'y a personne au-dessus d'elle. C'est la première fois, mais non la dernière, qu'elle aura à affirmer ce genre de chose. Ce qui l'exaspère au plus haut point, c'est que les industriels (deux sont britanniques, le troisième est néerlandais) se mettent à discuter avec le seul Polly. A peu près comme si elle était absente de la pièce et repartie pour l'Australie. « D'ici à ce qu'ils me demandent de passer la serpillière, d'épousseter ou de leur servir le thé, il n'y a pas loin ! » En fin de compte, l'humour l'emporte ; appuyé par l'intuition qu'en restant en retrait des discussions, elle apprendra plus de choses. Elle en apprend. A commencer par l'ampleur de ses entreprises, dont elle n'avait pas vraiment pris conscience. En somme, jusque-là, elle n'a fait qu'égrener, essaimer ses instituts et ses boutiques, considérant chaque création comme une opération isolée. Ce ne sont que des îles ; si elles forment archipel, c'est parce que les décorations en sont toujours identiques et qu'elle est l'unique propriétaire, sans aucun apport financier de quiconque, sans aucun emprunt. Certes, sur l'insistance de Polly, elle a effectué des dépôts de marques et de recettes, et de griffe (toujours le double H de son prénom tracé de la même manière que sur le bureau de Lothar Hutwill) mais rien de plus. A part Maryan, Polly et elle, personne ne sait au juste combien d'établissements elle a. Elle a disséminé ses comptes bancaires, par méfiance envers les banquiers : elle en a désormais à Londres et

Cologne, mais aussi à Paris et Zurich, à Vienne et à Berlin, à Bruxelles et Rome ; n'utilise jamais deux succursales d'une même banque ; a exigé des comptes à numéro quand c'était possible. Même Polly et Maryan seraient incapables de dire le montant de sa fortune. (« Hannah, il vous arriverait quelque chose demain, Dieu vous en préserve, tout cet argent disparaît quasiment. — Je ne mourrai jamais, Polly, vous devriez le savoir. »)

Chaque institut, chaque boutique sont totalement indépendants les uns des autres, même à l'intérieur d'une ville donnée. Sauf dans les débuts, avant et immédiatement après leur création, puisqu'elle se sert, par exemple, des bénéfices de la boutique de la rue du Faubourg Saint-Honoré pour financer l'installation de la boutique viennoise de la Herrengasse. Ensuite, sitôt que la nouvelle-née vogue par elle-même, elle coupe toute relation. C'est fini : à la Herrengasse de se débrouiller seule, une fois remboursé le prêt que lui a consenti son homologue parisienne, l'affaire viennoise a un an pour faire ses preuves, sous peine de disparaître. (De telles suppressions seront rarissimes et n'interviendront que pour faits de guerre — *les affaires sont le seul domaine où la chance ne m'ait jamais quittée, Lizzie.*)

Aussi longtemps qu'une entreprise est en état de dette donc, tous les chiffres la concernant s'inscrivent en rouge dans les petits carnets d'Hannah. Elle se sert d'un système comptable qui a failli conduire Polly au bord de la démence (pour le peu qu'il en a vu, elle dissimule ses carnets à tous les regards)...

Elle se sert de moutons.

« Souvenir d'Australie, Polly chéri. »

Il y a des moutons bleus pour les instituts.

... Violets pour les boutiques.

... Verts pour l'usine d'Evreux.

... Noirs pour le laboratoire.

... Orange pour l'école d'esthéticiennes.

... Rouges pour le centre de formation des vendeuses.

... Jaunes pour le système de ramassage et de fourniture des plantes et autres produits de base.

... A pois rouges pour le réseau de distribution.

... A carreaux noirs et blancs pour les multiples comptes bancaires.

— Des moutons à carreaux, doux Jésus ! s'est exclamé Polly, titubant et blémissant.

Pas question bien entendu de désigner l'une quelconque de ses créations autrement que par le numéro que chaque mouton arbore. Pour rendre les choses un peu moins simples, elle n'a pas numéroté ses moutons de 1 à X. Et pas davantage affecté, par exemple, le chiffre des dizaines aux instituts, celui des centaines aux boutiques et ainsi de suite. C'eût manqué de charme et n'importe qui aurait pu l'espionner. Elle a utilisé son cher Choderlos de Laclos : *les Liaisons dangereuses,* édition de 1841. La boutique de la rue de Rivoli porte ainsi le numéro 186/4. Parce que le quatrième alinéa de la page 186 commence par le R de Rivoli. (« Tu comprends, Lizzie ? — *NON !* — C'est pourtant enfantin, il me semble... — Hannah, tu veux dire que tu as tenu ta comptabilité pendant des années de cette façon ? — Jusque dans les années vingt, oui. Ça marchait très bien. Il n'y avait que moi pour comprendre. — Tu m'étonnes ! »)

Ce sont de mignons petits moutons (deux centimètres maximum) tout frisés à qui elle ajoute une queue non moins frisottante quand l'entreprise qu'ils représentent cesse d'être endettée et devient rentable...

... A qui elle met une patte lorsque cette même entreprise dépasse la barre des mille livres de bénéfices l'an. (Le mouton « rue de Rivoli » a déjà sept pattes, celui de l'institut de Saint-James Place bat tous les records avec onze.)

— C'est le système comptable le plus absurde qu'on verra jamais, a ricané sarcastiquement Polly. Et que ferez-vous quand vous devrez mettre soixante-quinze pattes à chaque mouton ? Soit dit entre nous, ils ressemblent à des moutons comme moi à l'empereur de Chine. Parce que vous dessinez affreusement mal, en plus !

— Vos critiques en matière d'art pictural ne m'atteignent pas du tout, a répliqué Hannah. Et si besoin est, je transformerai mes moutons en porcs-épics. Que j'appellerai Polly en souvenir de vous : un polly, deux pollies, trois pollies... En ajoutant des piquants à mesure.

Ces industriels qui l'ignorent avec tant d'ostentation dans un appartement du *Ritz* proposent une association. Ils sont prêts à engager des capitaux énormes. Ils ont de grands projets, pensent à un réseau plus vaste, touchant toute l'Europe (apparemment ils ne savent pas qu'elle s'est déjà implantée partout — eh bien, tant mieux, ils en auront la surprise, le jour où ils arriveront avec leurs grands pieds d'homme, pour s'établir aussi !), touchant toute l'Europe et commercialisant les produits créés par « l'employeur » d'Hannah. Produits auxquels on pourrait adjoindre de la parfumerie (« je n'y avais pas encore pensé, imbéciles ! » ricane Hannah in petto)...

Avec sa coutumière vivacité d'esprit, Polly a bien compris le jeu qu'elle jouait. Il pose des questions, s'emploie au mieux à faire parler les trois hommes, à apprendre un maximum de leurs projets. Puis affirme que leur intéressante proposition sera transmise à « qui de droit » et que réponse y sera donnée dans les meilleurs délais.

Les industriels font une sortie digne.

— Hannah ?

— Je ne m'associerai jamais avec personne.

— Tôt ou tard, vous les rencontrerez sur votre route.

— Je leur mettrai la pâtée. Tant pis pour eux. Pas d'associé. En revanche...

Elle se lève et se met à marcher :

362

— Restez assis, je vous prie, Polly. Polly, je veux créer d'autres sociétés.

— Comme en Australie ?

— Pareil. Une pour les instituts, une pour les boutiques et ainsi de suite.

— Compartiments étanches, ainsi qu'ils font maintenant dans la marine, j'ai lu ça dans le *Times*. J'ai compris.

— J'en suis sûre. Sociétés anonymes, si ça peut se faire.

— Sûrement.

— Mais dont j'aurai seule le contrôle.

— D'accord.

— A qui je vendrai ma griffe, au coup par coup.

Il acquiesce.

— Je peux avoir un projet détaillé pour juin ? Le quinze ?

— Avant.

— Est-ce que je vous paie assez, Polly ?

— Il me semble. Je compte racheter Buckingham Palace à Mme Victoria, l'un de ces jours. Ensuite, peut-être la Tour de Londres, pour y ranger ma collection de tabatières. Hannah, quand dois-je répondre non à ces trois hommes ?

— Faites-les attendre le plus possible.

— En leur laissant espérer une réponse positive ?

— Exactement.

— Voulez-vous que je me renseigne sur eux ?

— Je me suis déjà renseignée. Les deux Ecossais sont de peu d'importance. Ils ont de l'argent mais pas d'idées, ce ne sont que des banquiers. J'ai un dossier les concernant.

— Et le troisième ?

— Peter Van Eyckem, quarante-six ans, né à Batavia, marié, trois enfants dont une fille de dix-huit ans qui est l'aînée — elle ressemble à une choucroute peinte en rose. Il a une maîtresse qui est danseuse au théâtre de la Monnaie de Bruxelles. Prénom et nom de la danseuse : Mathilde Beylens ; elle a dix-neuf ans et sept mois et est enceinte de cinq mois, des œuvres du Van Eyckem susdit — du moins, elle le prétend. La famille Van Eyckem a une fortune considérable, partie en Indonésie, partie en Afrique du Sud. Spécialité de mines d'or et d'épices. Notre homme croit qu'il est un génie des affaires.

— Il l'est ?

— Plus que je ne le voudrais, moins qu'il ne le croit.

— Il peut vous faire des ennuis ?

— S'il est capable de créer des crèmes valant les miennes, oui.

« Et il n'en est pas capable. Qui le pourrait ? » pense-t-elle non sans orgueil.

... Non sans raisons aussi. Elle estime, à juste titre à l'époque, qu'elle possède en cosmétologie, dix années d'avance sur quiconque dans le monde.

Les dossiers sur Ramsay et Ross, celui sur Van Eyckem, ont été établis par Maryan Kaden. Evidemment. Dès 98, Maryan a presque achevé l'évolution vers sa personnalité définitive. C'est-à-dire que sous les apparences d'une lenteur très peu capable d'expansion, et même d'une médiocrité de l'intelligence, il dissimule un cerveau fort clair. Il n'avance jamais rien qu'il n'ait personnellement vérifié ; il est à l'abri de toute forme de partialité ; et outre cela, sa mémoire est effarante. Il a demandé à Hannah son autorisation pour embaucher définitivement trois de ses frères, alors qu'il les utilisait déjà comme émissaires et agents. Elle a dit oui ; elle ne veut pas qu'il se perde à des tâches subalternes. De lui-même, il a finalement écarté l'un de ses cadets — insuffisamment capable selon lui. Pour les deux autres, il en a affecté un au contrôle des expéditions, tant en amont qu'en aval de l'usine d'Evreux ; le deuxième, il l'a expédié à Londres, à ses frais, lui trouvant un emploi de grouillot à la City, avec ordre d'apprendre l'anglais et la finance. Répétant en somme avec son frère l'entraînement qu'il a personnellement subi. Hannah lui a proposé de subvenir à cette préparation. Maryan a paisiblement refusé. Il a montré ses comptes personnels (« je ne te cacherai jamais rien, Hannah, jamais ; et je ne m'occuperai de mes propres affaires que dans le seul temps libre que me laissera mon travail pour toi... »), comptes qui révèlent qu'il est en train de faire fortune, lui aussi, mine de rien.

Toujours avec l'approbation d'Hannah — sur sa demande en fait —, il a constitué un groupe de surveillance et de renseignement. Il a nommé ces gens les Furets. A l'origine, il s'agissait de tenir à l'œil instituts et boutiques. Au fil des mois, l'activité s'est élargie. Ce sont les Furets qui ont permis d'établir les dossiers sur Ross, Ramsay et Van Eyckem. (En avril 98, donc.)

... Ce sont eux qui donnent l'alerte en juin : alors que Polly atermoie au mieux, faisant attendre la réponse du prétendu « employeur » d'Hannah, ils révèlent que Van Eyckem est passé à l'attaque sans attendre cette réponse.

En secret.

En secret mais avec des moyens considérables. C'est qu'il ne se contente pas de louer : il achète. Ce qu'il y a de mieux — ainsi de la place Vendôme à Paris, dont les prix avaient fait reculer Hannah. Il est en train de prendre pied, dans la discrétion la plus grande, en tous les points vitaux de l'Europe. A Maryan qui propose des contre-attaques, elle répond que, pour l'heure, la seule solution est de ne rien faire. Sinon surveiller.

— Hannah, ils vont te ruiner si tu les laisses agir.

— Je sais.

Elle ne le sait que trop. Mais comment lutter contre des hommes capables de jeter deux ou trois cent mille livres dans la balance (aux dernières estimations de Polly) sans compter les emprunts qu'ils peuvent faire aux banques?

Maryan la scrute. Et parce qu'il la connaît si bien, il demande :

— Tu as une idée derrière la tête, Hannah?

— Non.

C'est presque vrai. Elle ne sait pas encore comment elle va livrer sa bataille. Si même elle va la livrer...

... Mais au moins sait-elle ce qu'elle ferait, si elle était à la place de Van Eyckem, « et si j'étais totalement dépourvue de scrupules, ce qui n'est pas le cas. Alors que lui... C'est le genre d'homme à vouloir tout, et tout de suite. Il ne m'a pour ainsi dire par regardée, au *Ritz*. Monsieur ne discute pas affaires avec des femmes! Le salaud! »

Début juillet 98, ayant tergiversé au-delà du possible, Polly Twhaites rend la réponse de l'employeur prétendu. Réponse négative. Mais assortie de révélations (faites aux seuls Ross et Ramsay) sur l'identité des véritables propriétaires de la chaîne des instituts et boutiques : rien moins qu'un certain prince qu'il ne peut nommer mais qui descend en droite ligne de feu George III, au point d'être cousin germain de Sa Majesté Victoria.

Faisant tous ces gros mensonges, Polly s'est conformé aux ordres d'Hannah. Sans tout à fait les comprendre : et elle pense que cela suffira à faire sortir les Ecossais du champ de bataille? Pour se retrouver en tête à tête avec le Hollandais?

Elle n'a jamais dit cela et ne le pense pas davantage. Elle avance une première pièce, rien d'autre.

— Et si notre Hollandais est aussi malhonnête que je l'espère, Polly... Croisez les doigts et priez.

Il réplique qu'il prie depuis le jour où il l'a connue, à Melbourne. Frénétiquement.

Passent l'été et l'automne de 98. Les rapports de Maryan et de ses Furets le confirment : l'expansion silencieuse de Van Eyckem se poursuit. Le plus irritant, c'est la stratégie qu'il emploie : le Hollandais se contente de copier. A tous égards. Maryan boude; l'affaire Henry-Béatrice, notamment, l'a mis hors de lui (il a relevé un sourcil, de rage). Pourquoi diable Hannah n'a-t-elle rien tenté afin d'empêcher le décorateur anglais de travailler pour Van Eyckem? Car c'est bien Henry-Béatrice qui, dans toute l'Europe, veille à l'aménagement du réseau concurrent : « Hannah, il te trahit, ça ne s'appelle pas autrement! Je le croyais ton ami! — Il est mon ami mais c'est un

365

professionnel qui a besoin d'argent pour vivre. Et avec les honoraires déments qu'il a obtenus de Van Eyckem... »

Cela se joue sur cette dernière phrase, et une lueur féroce presque imperceptible dans les yeux d'Hannah. Entre Maryan et elle, la connivence sera toujours extrême. Il se dandine d'un pied sur l'autre, baisse la tête, la relève, la hoche : « Je crois que je comprends où tu veux en venir », dit-il enfin.

Aucun autre mot échangé. Mais il a bel et bien compris.

Et c'est d'accord : il va demander à ses Furets de serrer leur surveillance sur quelques points précis :

— A condition qu'il fasse ce que tu attends qu'il fasse, Hannah.

Les yeux gris s'élargissent :

— Il va le faire, Maryan.

Elle est tout à fait sûre, à présent.

Mon raisonnement était très simple, Lizzie : à ce moment de ma vie professionnelle, on aurait pu me détruire, en me volant mes idées. J'ai cru qu'on allait le faire, j'en ai même eu foutument peur. Avec l'apport des Ecossais, Van Eyckem avait assez d'argent pour y parvenir. Mais il voulait tout, et tout de suite. Il aurait pris le temps, non seulement de recruter des chimistes mais de les laisser travailler pendant deux, trois ou quatre ans, j'étais fichue. J'aurais été ruinée ou, au mieux, obligée de tout vendre...

Mais Dieu merci, il était malhonnête et avide...

Et en décembre 98, j'ai su que je le tenais.

— Onze filles en tout, annonce Maryan le 6 décembre 98. Deux à Paris, trois à Londres, les autres à Berlin, Anvers, Prague et Zurich. Cinq sont ce que tu appelles des esthéticiennes, six des vendeuses. Il les a toutes débauchées en leur signant une lettre d'engagement leur garantissant un salaire double de celui que tu leur verses. Elles sont regroupées à Lausanne, tous frais payés, et servent de monitrices à une cinquantaine d'autres jeunes femmes.

— Van Eyckem opère lui-même ?

— Il se sert de son homme d'affaires, un certain Wilfrid Meeus. J'ai un dossier sur lui.

— Qu'est-ce qu'ils enseignent, à Lausanne ?

— Tout. Tout ce que tu as imaginé. Mot pour mot. J'ai les textes des cours.

— Et tu les as eus comment ?

Il a fait engager sa propre sœur (l'une de ses six sœurs) comme élève-esthéticienne !

— Oh, Maryan !

Il ne rit pas. Ce plagiat éhonté est à ses yeux un vol pur et simple.

366

Quoiqu'un vol incomplet, car au sein de l'escadron que forme Van Eyckem, il manque quelqu'un capable de diriger.

— Il pourrait évidemment choisir un homme, pour occuper ce poste, mais jusqu'ici il t'a singée en toutes choses. Il est donc logique de penser qu'il voudra une femme. Et ça ne court pas les rues, une femme qui ait de l'expérience. Il faudrait...

Il s'interrompt et fixe Hannah. Miracle : il sourit :

— Je comprends, dit-il. A moins qu'on l'aide, c'est ça ?

— Tout juste, dit Hannah.

Ils se mettent d'accord sur un nom.

La scène a lieu quelques jours plus tard. Elle oppose Hannah à Jeanne Fougaril, directrice pour la France. Elle est violente (leurs disputes sont déjà presque célèbres mais celle-ci passe les bornes) et surtout, elle est publique : nombre d'employées et même des clientes en seront les témoins, rue de Rivoli. Motif de la querelle : l'initiative prise par la Française d'ouvrir une boutique à Monte-Carlo, sans en avoir référé à sa supérieure. Le ton monte, atteint à la froide furie des femmes qui se heurtent, surtout après que Jeanne a menacé de porter l'affaire devant les « vrais patrons » de Londres, qui arbitreront.

De fait, Jeanne part pour la capitale britannique, et en revient deux jours plus tard le visage fermé : visiblement, les « vrais patrons » ont tranché en faveur d'Hannah...

A qui elle refuse d'adresser désormais la parole.

Le 7 janvier 99, elle est discrètement contactée par Wilfrid Meeus. (Ce jour-là, Hannah est à Londres. Depuis trois jours, elle a retrouvé Mendel, avec toute la joie du monde).

Jeanne refuse les premières propositions de Meeus. Oui, c'est vrai qu'elle ne s'entend pas du tout avec la « Petite Garce Polonaise ». Mais elle ne va quand même pas quitter des fonctions qui lui rapportent soixante-cinq mille francs l'an, sans compter son intéressement aux bénéfices. *Soixante-cinq mille francs ?* Meeus est ahuri par l'énormité de la somme. « Que croyez-vous donc, monsieur Meeus ? Sans moi, cette affaire ne tiendrait pas deux mois. Londres a seulement reconnu mes mérites... » Et de montrer les contrats qu'elle a avec Twhaites, qui prouvent la véracité de ses dires.

Meeus repart, impressionné...

... Reprend contact le 16 du même mois. (Le 16 janvier, après un séjour d'une semaine, Mendel Visoker vient de quitter Londres et commence sa recherche de Taddeuz.)

Meeus est porteur de propositions nouvelles : soixante-quinze mille francs l'an, contrat de trois ans, deux pour cent sur les bénéfices. Nouveau refus de Jeanne. Ça ne l'intéresse pas...

... Mais si on lui offrait cent mille par an, avec contrat de cinq ans, plus cent mille autres francs de soulte, à la façon d'une prime de transfert, en quelque sorte...

D'accord, elle pourrait se contenter de quatre-vingt mille l'an sur cinq ans. Plus la soulte, évidemment, qui devra être versée sous la table...

... Et à condition qu'elle puisse, avant de se décider, se rendre compte par elle-même du sérieux de l'organisation dans laquelle on lui offre d'entrer. Cette reconnaissance devant être secrète, cela va de soi. A prendre ou à laisser. Les Hollandais prennent.

Fin janvier, elle effectue une tournée européenne de tous les établissements mis en place par Van Eyckem, pour une ouverture générale en septembre 99. Elle se déclare impressionnée par le luxe de l'ensemble (il y a de quoi être impressionné : Henry-Béatrice a entraîné les Hollandais dans des dépenses ahurissantes) mais décèle toutefois le défaut du système : « Bravo pour les instituts et les boutiques, bravo pour l'école de Lausanne, mais vous comptez vendre quoi ? » On finit par lui révéler ce que même les Furets de Maryan Kaden n'avaient pas réussi à découvrir : une usine prête à fonctionner à Breda en Hollande, une autre en construction aux alentours de Berne en Suisse, un laboratoire à Strasbourg, en Alsace allemande, où sont déjà réunis une dizaine de chimistes. Lesquels travaillent depuis déjà plusieurs mois. Ils ont réussi à reproduire des crèmes en tous points identiques à celles qui...

Jeanne ricane : et c'est tout ce qu'ils ont pu faire, copier ? On peut, on doit faire mieux. Elle sait comment. Sa décision est prise : elle va changer de camp et donnera sa démission de son actuel emploi au 1er septembre prochain. Elle veut bien travailler avec M. Van Eyckem comme directrice générale pour l'Europe. Mais si on lui verse immédiatement cinquante mille francs, elle révélera le moyen de surclasser toutes les fabrications actuelles, en matière de produits de beauté. Et si son information est jugée capitale, on devra lui remettre encore cent mille francs. « Vous ne me paierez que si vous êtes satisfait. C'est un marché honnête, non ? »

Les Hollandais en conviennent après quelques réticences. Cinquante mille francs changent discrètement de main, le 7 février...

(La veille, Hannah a reçu pour la première fois des nouvelles de Mendel : la lettre si laconique — expédiée de Varsovie — *Suis passé à ton shtetl. Vu ta mère.* Etc.)

... Ayant empoché l'argent, Jeanne parle. Ce qu'elle révèle est essentiel : toute l'organisation prétendument dirigée par la Petite Garce Polonaise (qui soit dit en passant ne doit son commandement qu'au seul fait qu'elle est la maîtresse de l'un des gros actionnaires anglais) repose sur le travail de certain laboratoire dirigé par une Juliette Mann. « Je sais que vous le saviez, messieurs Van Eyckem et Meeus. Tout comme vous saviez qu'il est impossible d'acheter Mme Mann. Mais ce que vous ignorez, en revanche, c'est que Juliette

Mann elle-même n'est — comment dire ? — n'est qu'un homme de paille. Tous les produits en réalité sont mis au point par une chimiste russe tout à fait géniale. Laquelle ne peut apparaître au grand jour parce qu'elle a été anarchiste, voici trois ou quatre ans. Cette pauvre jeune femme vit dans la hantise d'être arrêtée. C'est d'ailleurs ainsi que la Petite Garce et Juliette Mann la tiennent : par un honteux chantage. Avec la Russe, ce ne sera même pas une question d'argent. Il suffira de gagner sa confiance — c'est difficile : elle a si longtemps vécu en proscrite qu'elle est nerveusement malade — et, surtout, l'aider à refaire sa vie. Je la connais un peu. Je peux vous mettre en rapport avec elle. Si elle fait votre affaire, et elle la fera, vous me paierez le solde... »

Nom de l'ex-anarchiste : Tatiana Popinski.

Au physique un pot à tabac tout boudiné. Sur la tête un épais fichu de laine de *babouchka* duquel émergent des mèches blondes pas trop propres. Un visage graisseux, assez repoussant, qu'on dirait couvert de pustules. Elle porte d'immenses lunettes, à monture de bois de son invention, paraît-il. Elle s'exprime dans un ahurissant sabir russo-franco-allemand, et roule constamment des yeux affolés, comme si elle craignait à tout moment l'irruption de policiers tsaristes. La première impression des Hollandais sur Tatiana Popinski n'est pas enthousiaste. On l'a vue arriver à Strasbourg pour y visiter le laboratoire en s'entourant de précautions d'espion traqué. Mais sa dextérité à manier les outils de la cosmétologie apparaît vite exceptionnelle, hors du commun, sous ses dehors de fanatique faiseuse de bombes. Sous les yeux éberlués des chimistes de Van Eyckem, reniflant chacune des crèmes qu'ils ont fabriquées, elle identifie à coup sûr le plus infime ingrédient, rectifie des erreurs : « ... Manque de la consoude et de fénugrec... Ici, on a mis trop d'aubépine et pas assez de prèle... Et vous prétendez guérir l'acné avec cette saloperie ? Que savez-vous de l'acné, espèce de *dourak* ? Vous savez combien de sortes d'acnés il existe ? *Vous ne le savez pas ?* Vous ignorez que l'acné peut être hépatique, intestinale, gastrique ou nerveuse et vous prétendez la guérir ? Mais quelle sorte d'abruti êtes-vous donc ? » Et ainsi de suite. En quelques heures, elle impose son personnage de cosmétologue déséquilibrée, bizarre, irascible et obsédée par une arrestation imminente au point que tout visage inconnu la terrorise...

... Mais quasiment géniale par ailleurs. Et donc indispensable, voire vitale. S'enfermant dans une salle du laboratoire de Strasbourg, elle confectionne en quarante heures de travail ininterrompu une nouvelle crème de beauté dont les chimistes d'Alsace conviennent qu'elle est sûrement remarquable. Van Eyckem en personne a tenu à la voir. Il est arrivé tout sourire. Il s'est fait éjecter dans une explosion de piaillements suraigus, torrentiels, en un charabia quasi incompréhensible. Il en a été ravi : c'est bien le génie annoncé par Meeus.

Il triomphe plus encore à la mi-avril de 1899...

(A cette date, Maryan Kaden est à pied-d'œuvre à Vienne, il y prépare l'ouverture de l'institut de la Reichratstrasse et Hannah vient de l'y rejoindre. N'ayant alors de Mendel, et de sa quête de Taddeuz, d'autre nouvelle que la courte lettre postée à Nice par le Cocher et dans laquelle ce dernier mentionne sa rencontre avec « la Rebecca de chez Dobbe ». A Vienne, Hannah a fait la connaissance, entre autres, de Johann Strauss et Gustav Klimt...)

... A la mi-avril, donc, Van Eyckem apprend que l'extravagante-mais-géniale cosmétologue russe a mis au point cinq crèmes entièrement nouvelles, comme il n'en existe pas sur le marché, deux lotions de beauté et, surtout, quelque chose de paraît-il extraordinaire. « On pourrait appeler ça des " masques de beauté ", explique Wilfrid Meeus ; une femme qui garderait ça sur la figure assez longtemps perdrait dix ou quinze ans de son âge réel. Monsieur Van Eyckem, cette folle vaut son poids en or. Il y a là de quoi révolutionner le monde, et gagner des milliards... »

Van Eyckem apprécie d'autant plus la nouvelle qu'à Londres, où il se trouve à la même époque, il vient de subir un coup dur : ses associés écossais le lâchent. Ils reprennent leurs investissements, ainsi que leur contrat leur en donnait le droit. Avec froideur (mais qui a jamais vu un homme d'affaires écossais guilleret ?) ils expliquent qu'ils ont trouvé un meilleur investissement pour leurs capitaux : ils entrent dans une autre entreprise fort intéressante, sûre, déjà bien lancée et d'avenir. Leur nouveau partenaire est un Australien de Melbourne.

... *A good fellow,* bien que d'origine française. Il s'appelle Jean-François Fournac.

Les deux événements se sont produits en même temps, Lizzie. Evidemment pas par hasard. Je voulais éviter que, devant la défection des Ecossais, Van Eyckem se tourne vers d'autres partenaires, sur lesquels je n'aurais plus eu de moyen d'action. Il fallait qu'il poursuive seul. D'où l'annonce simultanée des inventions de Tatiana Popinski : Van Eyckem y a vu la possibilité d'une fantastique réussite. Pourquoi l'aurait-il partagée ?

Le piège s'est alors refermé.

A Meeus, dans son infâme salmigondis de langues, Tatiana Popinski pose ses conditions : avant de livrer la formule de ses inventions, elle veut un passeport — allemand puisque l'allemand est la seule langue qu'elle parle à peu près bien, hormis le russe. Elle veut que ce passeport soit crédible et lui permette de changer définitivement d'identité (et qu'on ne lui raconte pas d'histoires : en tant qu'ancienne anarchiste, elle sait juger de la valeur de faux papiers !) ; elle veut dix mille livres dans une banque de Londres ; elle veut aussi un billet de bateau pour New York, où elle ira rendre enfin visite à sa pauvre mère qu'elle n'a pas vue depuis sept ans. Ensuite, elle rentrera en Europe et leur créera tous les produits qu'ils veulent.

Les dix mille livres (la somme leur semble même modeste) et le billet de bateau ne posent guère de problème aux Hollandais — quoique Van Eyckem commence à approcher de ses limites, en matière de finance ; le retrait des Ecossais a diminué de moitié sa masse de manœuvre. Le passeport en revanche les préoccupe davantage. Il ne s'agit pas d'acheter n'importe quel document dans l'arrière-salle d'un bouge. Après tout, le faux passeport devra servir à quelqu'un appelé à travailler pour eux des années durant. Une identité d'emprunt mal établie les mettrait eux-mêmes en position délicate.

On fera donc le maximum.

... Et le 4 mai, l'un des Furets de Maryan Kaden signale : « Un passeport allemand au nom d'Augusta Schlegel, née le 16 février 1869 à Königsberg, vient d'être établi avec la complicité d'un employé de l'état civil de cette ville, nommé Anton Gerber. Gerber a reçu trois mille marks. L'argent lui a été remis par Wilfrid Meeus. Ci-joint la liste des témoins susceptibles d'être appelés en justice. La vraie Augusta Schlegel est morte le 3 mars 1876, de la variole. Ci-joint certificat de décès, établi avant l'incendie du registre d'état civil. Incendie volontairement allumé par Meeus. Ci-joint liste et adresses des témoins convoqués par moi pour assister à cet incendie volontaire. » (Le Furet qui a opéré à Königsberg s'appelle Zygmunt. C'est le quatrième des frères Kaden : le seul à avoir de l'humour.)

Le faux passeport est remis à Tatiana Popinski six jours plus tard, par Meeus. En échange des formules complètes, authentifiées par un chimiste venu de Strasbourg, des « inventions ». L'entrevue a lieu sous le porche d'un immeuble du Clos Fauquière, quinzième arrondissement de Paris, alors fréquenté par des émigrés russes. Elle est très brève : l'ancienne anarchiste semble plus terrorisée que jamais et son jargon est presque incompréhensible.

Le 17 mai, c'est-à-dire une semaine plus tard, une Jeanne Fougaril singulièrement nerveuse annonce à Wilfrid Meeus qu'elle renonce à devenir la future directrice générale de l'organisation Van Eyckem, alors qu'on n'est plus qu'à quatre mois au plus de l'ouverture : « Des bruits circulent au sujet de Tatiana Popinski et ils m'inquiètent terriblement... » Des bruits ? Quels bruits ? Elle refuse d'en dire plus, restitue cent des cent cinquante mille francs touchés en dessous de table, jure qu'elle rendra bientôt le reste et s'enfuit littéralement. Interloqué, Meeus a à peine le temps d'aviser son employeur. Car le même jour, ayant effectué exprès le voyage jusqu'à La Haye, l'avocat Paul Twhaites se présente chez Van Eyckem.

Le potelé Polly est glacé : la statue du Commandeur. La colère et l'indignation l'étouffent, dit-il. Sans son penchant naturel au compromis, il aurait déjà exécuté les ordres de ses mandants qui voudraient hurler vengeance devant les tribunaux. Les faits sont clairs : un cambriolage, déclaré en son temps à la police française, a eu lieu quelques mois plus tôt au 6 de la rue Vercingétorix ; on a volé des formules secrètes de produits créés par le laboratoire de Mme Mann. « Nous ignorerions encore l'identité des voleurs ou de leur commanditaire sans la déposition d'un certain chimiste engagé par un laboratoire de Strasbourg. Cet honnête homme a été horrifié en découvrant qu'il était le complice d'un détournement. Il a formellement affirmé que les produits que vous prétendez fabriquer dans votre usine de Breda ont pour seule base le vol commis rue Vercingétorix.

« Ce n'est pas tout : une dénommée Tatiana Popinski travaillait chez Mme Mann. Elle a disparu. Et avec elle ont disparu d'autres formules. Il y a encore ceci : une lettre anonyme nous est parvenue, disant que votre collaborateur principal, Wilfrid Meeus, a expédié ladite Tatiana Popinski aux Etats-Unis, munie de dix mille livres sterling — en paiement, dit la lettre, du vol qu'on l'aura poussée à commettre. Circonstance aggravante : votre Meeus a fait voyager la malheureuse sous la fausse identité d'Augusta Schlegel, née à Königsberg, en Prusse orientale. J'ai fait vérifier : la vraie Hannah Schlegel est morte voici plus de vingt ans. Un certificat de décès était joint à la lettre anonyme. En voici une reproduction certifiée. D'autres faits, monsieur Van Eyckem ? Celui-ci par exemple : trois citoyens français d'origine russe sont prêts à jurer qu'ils ont assisté, sous un porche, à la remise par Wilfrid Meeus du faux passeport et du billet de bateau à la prétendue Augusta Schlegel. Nous avons en outre retrouvé celle-ci à New York. Elle a fait devant un juge une déposition dont voici la copie : elle affirme n'avoir rien compris à ce que vous et Meeus lui avez fait faire. On peut raisonnablement penser que votre complice et vous-même vous êtes servis de cette malheureuse pour couvrir vos vols... »

A cet endroit du réquisitoire, Van Eyckem tente de se défendre : en admettant — en admettant — qu'il ait payé Tatiana Popinski, ce serait parce que celle-ci est une chimiste et une cosmétologue de génie et il lui aurait acheté...

Polly Twhaites hausse un sourcil incrédule :

— Quelle est cette plaisanterie sinistre, Van Eyckem ? Tatiana

Popinski, celle qui travaillait rue Vercingétorix dans le laboratoire de Mme Mann, était employée comme femme de ménage. Et pour cause : elle est totalement analphabète et ne saurait pas reconnaître une formule chimique d'une note de gaz !

Qui plus est, elle est mariée, elle a trois enfants (un bienfaiteur anonyme leur a également payé le voyage jusqu'à New York) et il est hors de question qu'elle se soit jamais rendue à Strasbourg. Jamais. Elle ne sait même pas où est Strasbourg.

... Vol, complicité de vol, infractions multiples aux lois sur la propriété industrielle, établissement d'un faux passeport, faux et usage de faux, la liste des délits de Van Eyckem est longue. D'autant qu'à tous les témoignages déjà cités s'en ajoutent deux autres, et de poids : les Ecossais Ramsay et Ross, dont l'honorabilité est sans faille (il est question que Ross soit anobli par Sa Majesté), lui ont révélé, à lui Twhaites, que s'ils ont renoncé à leur association avec le Hollandais, c'est pour beaucoup en raison des doutes qu'ils avaient sur la moralité de celui-ci, et suite à certaines rumeurs très déplaisantes.

— Ainsi de cette lettre d'engagement que vous avez adressée à Mme Jeanne Fougaril, lui promettant de l'embaucher pour septembre prochain avec des appointements triples voire quadruples de ceux que nous lui versons. Dieu merci, Mme Fougaril est la probité faite femme : elle m'a communiqué votre offre ignominieuse. Van Eyckem, vous risquez la prison. Les clients que je représente disposent d'appuis auprès de tous les gouvernements. Si vous en doutez, demandez leur opinion à Ramsay et Ross. Dans le meilleur des cas, vous serez professionnellement et socialement ruiné. Mais je vous l'ai dit : je suis l'homme des compromis...

En bref, Polly pourra calmer ses clients si Van Eyckem accepte de leur louer ses deux usines et la plupart de ses immeubles, avec des baux de dix ans...

Et s'il reprend le chemin de Batavia, dans les Indes Néerlandaises, qu'il n'aurait jamais dû quitter, de l'avis de Polly.

— Et il est reparti, Hannah ?
— Oui. Quand le cher Polly lui a prouvé qu'il ne bluffait pas, quand il a appris de Ramsay et Ross les identités prétendues des « vrais patrons ». La perspective d'affronter tout le Gotha d'Europe l'a démoralisé. Ça m'aurait démoralisée, moi aussi.
— Hannah ?
— Oui, Lizzie ?
— Refais-moi encore Tatiana Popinski.
— La barbe. Je viens de te la refaire. On ne va pas y passer la journée...

373

— C'est quand même surprenant que Van Machin ne t'ait pas reconnue.

— Il ne m'avait guère regardée, au *Ritz*. Et il ne m'a guère vue, à Strasbourg. En plus, je portais un édredon devant et un autre derrière. Et des tresses, des lunettes et de la graisse sur la figure, de la graisse mêlée à des grains de mûres — dégueulasse.

— Et la vraie Tatiana Popinski, qu'est-ce qu'elle est devenue ?

— Elle avait toujours rêvé d'émigrer en Amérique. J'ai payé le voyage de son mari et de ses enfants. Elle n'a rien compris mais elle a fait tout ce que je lui ai dit de faire. La dernière fois que j'ai eu de ses nouvelles, c'était en 1949. L'un de ses petits-fils venait de recevoir son diplôme à l'école navale d'Annapolis. Elle était folle de joie. Elle ne savait toujours pas écrire mais les dix mille livres de Van Eyckem, judicieusement placées par Polly, continuaient à la faire vivre.

Silence.

— Hannah ?

— Oui, Lizzie, je sais.

— Tu étais quand même une sacrée arnaqueuse, à bien y réfléchir.

— Merci. Mais je crois que c'était ça le pire, pour Van Eyckem : qu'il se soit fait arnaquer par des femmes. Au xixe siècle !

Silence. Et le crépuscule tombant sur l'eau immobile, devant les deux vieilles dames.

— Elle a duré combien de temps, ta bataille avec Van Eyckem ?

— Treize mois : d'avril 1898 à mai 1899.

— Tu n'avais toujours pas de nouvelles de Mendel ni donc de Taddeuz ?

— Toujours pas. La fin de mai approchait et, depuis sa lettre de Nice, Mendel ne m'avait plus donné signe de vie.

— L'angoisse, hein ?

— L'angoisse, Lizzie. Une foutue angoisse. J'aurais donné ma main droite pour savoir où était Mendel...

24

JE N'AURAIS PAS
AIME N'IMPORTE QUI

Un petit Italien aux épaisses moustaches de Carbonaro se dresse devant Mendel. Il agite ses bras courts en débitant des tas de choses avec une extrême volubilité. Il est visiblement en train de proposer quelque chose, achat ou vente ou quelque service... contre de l'argent.

— Je ne comprends pas un traître mot de tout ce que tu me racontes, dit Mendel en français et en mentant pas mal, avec la plus grande bonhomie.

... Très bon enfant même : il prend le petit Italien sous les aisselles, le soulève à presque un mètre du sol, le soulève et le repose derrière lui. Il passe. Son œil noir un peu fendu, qui lui vaut partout où il est les regards intéressés de tant de femmes, ce regard ne quitte pas le quatuor qui se trouve à quatre-vingts ou cent mètres de lui, progressant dans une vieille rue de Rome, aux alentours de la piazza Navone. Deux jeunes hommes et deux jeunes filles, celles-ci fort charmantes avec leurs robes estivales claires, leurs chapeaux de paille agrémentés de longs rubans et leurs ombrelles. Mendel ignore qui sont les demoiselles. A leurs pieds, il les dirait anglaises, sauf qu'elles n'ont pas de si grandes dents. Il les a entendues parler anglais, cependant ; avec un accent assez nasillard. Il pencherait pour une nationalité américaine. Une chose est sûre : elles sont riches, l'une d'entre elles au moins. Le *palazzo* dont elles sont sorties voici deux heures, en vue directe du Pincio, n'est pas de ces endroits où l'on habite quand on est misérable. Mendel y a même aperçu deux de ces saloperies de voitures sans cheval, tout en fer, puantes, qui ne valent pas un bon brouski selon lui. Il a craint que les donzelles ne montent dessus et y fassent grimper leurs cavaliers. Auquel cas, il aurait eu l'air d'un foutu imbécile, lui qui est à pied, à courir derrière la machine...

Quant aux deux jeunes hommes, il les connaît parfaitement. Cela fait maintenant vingt-trois jours qu'il les suit, sans jamais se montrer.

Et sans non plus pouvoir interrompre sa filature : ces salopiots se déplacent sans arrêt, ne sont jamais restés plus de deux jours au même endroit. A se demander s'ils ne le feraient pas exprès, rien que pour le contrarier.

Il a relevé leur piste au début du mois. Pas tout à fait par hasard : il savait qu'ils allaient à Gênes, l'un des maîtres d'hôtel de l'*Hôtel de Paris* à Monte-Carlo avait compris une conversation en allemand. N'ayant qu'un jour de retard sur eux, il a pu les rejoindre et a presque failli leur tomber dans les bras, au moment où ils ressortaient d'une visite qu'ils venaient de faire à un soi-disant musicien, paraît-il fort célèbre, un certain Giuseppe Verdi. A partir de ce moment-là, il ne les a plus lâchés, de la sorte contraint d'effectuer sur leurs talons toute une traversée de l'Italie. Ils l'ont traîné jusqu'à Naples, l'île de Capri et autres endroits ensoleillés (il fait une chaleur du diable et à tout prendre Mendel préférerait presque la fraîcheur sibérienne). Ils ont fait halte dans Dieu sait combien de petites auberges, n'ayant visiblement pas trop d'argent mais suffisamment pour cela quand même. Et puis, avec la même nonchalance de promeneurs, ils ont fini par remonter à Rome, où ils sont depuis trois jours.

Ayant d'ores et déjà prévenu leur hôtelier du Trastevere qu'ils ne séjourneraient guère plus d'une semaine.

L'un des deux jeunes hommes est évidemment Taddeuz Nenski. Qui ne paraît guère ses vingt-sept ans. Il semble en fait plus jeune que son compagnon qui quant à lui, d'après l'enquête que Mendel a conduite, a exactement vingt-quatre ans.

De ce compagnon, Mendel ne sait que peu de chose : il est allemand, sait le français et, dans les auberges, donne régulièrement pour adresse une maison à Paris. Son nom ne dit rien à Visoker.

Qui diable a jamais entendu parler de Rainer Maria Rilke ?

« ... Et ne te raconte pas d'histoires à toi-même, Mendel : tu as bel et bien espéré qu'ils faisaient dodo ensemble, ces deux-là. Quitte à bougrement mortifier la Morveuse, ça t'aurait arrangé que le Taddeuz soit devenu de la jaquette et préfère les hommes aux femmes. Un espoir dont tu avais honte, mais que tu as entretenu quelque temps et qui a été déçu : pas de doute qu'ils aiment les demoiselles, surtout le Polonais. Qui, pis que tout, sait joliment y faire, avec elles : à Sorrente en un rien de temps, juste un échange de regards, il a emballé cette très belle jeune femme habitant dans cette non moins belle villa. Sans le Rilke qui commençait à se morfondre, il serait probablement encore dans le lit de la dame. A Gênes et Florence, pareil, le Polonais a payé pour rien sa chambre d'auberge qu'il n'a pas occupée : deux brunettes l'avaient retenu. Reconnais-le, Mendel, même si ça t'énerve, il a presque autant de dispositions que toi pour la bagatelle...

« ... Parce qu'il est foutument beau, cet enfant de salaud ! »

C'est cette constatation-là (et elle a été immédiate, sitôt qu'il a identifié Taddeuz à Gênes, il ne l'avait jamais vu jusque-là), qui a le plus enragé Mendel. Sur ce point-là aussi, il avait espéré... Espéré qu'Hannah aurait un peu trop magnifié son étudiant, l'aurait idéalisé, à le voir avec les yeux de l'amour... « et encore, ça pourrait se discuter, cet amour qu'elle pense avoir. Elle s'est tout bonnement entichée de lui, depuis ses sept ans ; elle ne s'est jamais remise de son grand coup d'émerveillement de cette époque et depuis, elle s'entête, avec l'acharnement incroyable qu'elle met dans tout ce qu'elle fait. Comme quoi, on peut être en même temps la femme la plus intelligente du monde... et bête comme une chaise... »

Mais non. Il-est-foutument-beau-cet-enfant-de-salaud. Depuis vingt-trois jours, Mendel scande la phrase dans sa tête, mâchonne les mots avec fureur. Le Taddeuz est non seulement beau mais il a de l'élégance. A dire franchement le mot : de la classe. En trois semaines d'observation, Mendel a eu le temps de s'emplir l'œil de toutes ses qualités. Il a même scruté l'Etudiant tout nu, en train de se baigner avec son ami allemand et deux assez jolies filles non moins déshabillées, à Anacapri, sous le château de Barberousse, « tu avais vraiment l'air fin, aplati comme une moule entre deux rochers, à espionner ce petit monde dans ta lunette ! »

Le Polonais est parfaitement constitué, aucun doute.

... Ses premiers espoirs déçus, Mendel en a donc formé d'autres. Nécessairement, quand on est aussi beau que ce type, on est idiot, on est plein de suffisance, d'extrême contentement de soi-même, on est un crétin inaltérable...

Or Visoker commence à avoir des doutes, sur ce point-là aussi. L'affaire de la plaquette, qui lui a permis de retrouver Taddeuz, était déjà instructive. Entamant son enquête en janvier, Mendel a d'abord rencontré Maryan Kaden à Prague. Le petit avait grandi, il s'était développé à tous égards mais l'amitié comme paternelle conçue par les deux hommes lors de la grande chevauchée varsovienne, au moment de la mort de Pinchos Klotz, de Pelte le Loup et des autres, cette amitié s'est réveillée au premier coup d'œil. Lui et Maryan se sont accointés, ou réaccointés le mieux du monde. Probablement à cause de leur commun attachement pour Hannah. Mais aussi par la constatation de grandes ressemblances entre eux, comme s'ils eussent été père et fils et que ce fût seulement une erreur de la nature de ne les avoir pas faits parents. Maryan a dressé pour Mendel le bilan de ses propres recherches. Mendel a pris la suite. Il s'est rendu à Varsovie. Y a relevé certes une piste, postérieure à sa propre arrestation, mais trop ancienne pour servir à quelque chose. Rien au shtetl d'Hannah et rien non plus au village catholique voisin. L'idée de Maryan de fouiner chez les libraires lui en a donné une autre. Hannah a dit que

Taddeuz allait devenir écrivain — elle l'a dit quand elle avait sept ans, d'accord, mais quand on a une tête comme la sienne...

Il a donc entrepris les éditeurs, un par un. Avec cette difficulté supplémentaire que le Taddeuz a pu se faire imprimer en polonais, en russe ou en allemand, voire en français ; savoir dans quelle langue il écrit ! Et puis il a peut-être changé de nom ; sûrement même, soit parce qu'il craignait les retombées de toute la haine que Dobbe Klotz a eue pour lui, lançant même à ses trousses la police du tsar ; soit pour toute autre raison — les écrivains sont des types bizarres, comme chacun sait.

Trois mois plus tard, à Munich, Mendel a trouvé un éditeur illuminé. Oui, l'homme a publié une plaquette d'un grand jeune homme blond et effectivement d'une beauté rare, qui a dit se nommer Terence Newman ; l'auteur n'a-t-il pas donné l'adresse d'une banque où lui seront versés ses droits d'auteur ?

Des droits d'auteur ! l'Editeur Illuminé a ricané : les poèmes de Terence Newman, édités en allemand, se sont encore moins vendus que ceux des autres rêveurs dont il a été assez fou pour imprimer les œuvres :

— J'ai tiré trois cents exemplaires de sa plaquette et à ce jour, en trois ans, j'en ai vendu neuf.

— J'en prends dix, a répliqué Mendel, vous doublez ses ventes d'un seul coup. Il vous a parlé de lui, ce Terence Newman qui signe Thomas Nemo ?

Pas beaucoup. Terence-Thomas-Taddeuz Newman-Nemo-Nenski a laissé entendre qu'il vivait en Amérique, venait parfois en Europe...

— Où, en Amérique ?

— New York, je crois.

... Oui, le jeune homme était très élégamment vêtu, il avait l'air financièrement à son aise ; à Munich, il était descendu dans l'un des meilleurs hôtels...

— La date de son passage ?

Août 96.

— Il avait l'air marié ?

Allez savoir.

— Et ils valent quoi, ses poèmes ?

L'Editeur Illuminé a considéré Mendel d'un œil outragé : il ne publie que ce qu'il aime, ce qui d'ailleurs explique qu'il soit lui-même au bord de la faillite, et les vers de Newman sont parmi ceux qu'il est le plus fier d'avoir édités :

— Ce garçon a une plume et une personnalité. Je jurerais qu'il a de l'avenir, comme écrivain...

« La Morveuse a eu comme toujours raison, a pensé Mendel presque abattu. Et merde ! »

La banque de Nice n'a jamais reçu d'autre argent que les dix francs initiaux justifiant l'ouverture du compte. On y dirige toutefois Mendel sur l'*Hôtel de Paris* à Monte-Carlo. « M. Newman en a parlé. »

Mendel s'y rend : aucun Newman Terence n'y est jamais descendu.

Aucun Nemo, aucun Nenski non plus.

On est alors en avril, vers le 15. Mendel commence la tournée de tous les hôtels de Monte-Carlo, puis de la Côte d'Azur dans son ensemble, pour la plupart encore fermés. Il frappe à la porte de toutes les résidences achetées ou louées par des Américains. Le plus souvent en vain : elles sont désertes à cette période de l'année. A quelque temps de là, à Cannes, il croise la route d'une jeune femme d'une beauté saisissante, qui resplendit dans ses fourrures et sa voiture sans cheval mais avec chauffeur en livrée. Le visage à peine entrevu lui rappelle quelqu'un. Il lui faut trois jours pour y mettre un nom : Rebecca Anielowicz, la Rebecca qui travaillait chez Dobbe Klotz avec la Morveuse. Il finit par parvenir à une propriété somptueuse sur les hauteurs du cap Ferrat : Mme Singer, de Park avenue à New York, vient juste de partir en croisière en Grèce, sur le yacht de son mari, avec des amis, elle n'était que de passage...

Non, aucun grand jeune homme blond et beau parmi ses amis...

Faute de mieux, Mendel revient à l'*Hôtel de Paris*. L'employé de la banque de Nice lui a pourtant juré que « M. Newman » y allait souvent, quand il se trouvait en Europe. Mendel fait encore une fois un à un tous les employés du palace. Cela lui prend deux jours, avec leur système d'alternance. Et c'est alors que la piste se confirme : l'un des serveurs est un jeune Suisse de Lugano. Il connaît bien un Newman tel que décrit par Mendel : « ... Mais le prénom n'est pas Terence... — Thomas ? Taddeuz ? » Oui, c'est cela, Taddeuz Newman. Ce n'est pas un client de l'hôtel, mais uniquement du bar. Il y vient chaque fois qu'il est à Monte-Carlo. Souvent avec des femmes mais (le Suisse sourit poliment), mais rarement la même et toujours très jolies.

Et « Newman » est à Monte-Carlo chaque fois que son employeur y séjourne, dans sa villa de Beausoleil. Son employeur ? Un Américain du nom de John D. Markham, très riche, qui a été ambassadeur des Etats-Unis à Saint-Pétersbourg, à ce qu'il paraît. Newman est son secrétaire depuis des années.

— Et Taddeuz Newman est là, en ce moment ?

— Vous n'avez pas de chance, monsieur. Il est justement parti hier pour un voyage en Italie, je les ai entendus dire qu'ils allaient rendre visite au célèbre maestro Verdi, à Gênes. « Ils » parce que M. Newman est accompagné de son ami, un M. Rilke, qui est lui-même le secrétaire du grand sculpteur Rodin...

A Rome le quatuor vient d'entrer chez un antiquaire de la via dei Coronari. Mendel s'accote à la façade de Sainte-Marie de la Paix. Une fois de plus, il sort de sa poche la plaquette de vers édités à Munich sous la signature de Thomas Nemo. Trente-deux pages en tout, vingt-six poèmes. Il les a lus et relus, toujours aussi perplexe. Non qu'il ne comprenne pas les mots. Mais quelle façon de faire des vers qui ne sont même pas égaux entre eux et qui, comment vous dites ? qui ne riment pas. « Des vers libres, a expliqué l'Editeur Illuminé sur le ton de celui qui communique une recette de cuisine à des cannibales. Vous connaissez Jules Laforgue ? Non. Et Wedekind ? Pas davantage. Vous savez lire, au moins ?... Evidemment, ce n'est pas du Dumas ou du Paul Féval. Mais c'est de la littérature et de la meilleure. Le garçon est, si vous voulez, de l'école expressionniste. Le cri primitif, le *Urschei,* vous comprenez ?... Non, vous ne comprenez pas, cela se voit... »

Mendel a failli l'assommer.

Le quatuor ressort de chez l'antiquaire. Les deux heures suivantes, on parcourt des centaines de kilomètres à travers Rome, et je t'arrête ici et je repars, et je repars et je t'arrête encore à s'extasier devant une autre vitrine. Lui Mendel suit et fait le pied de grue ; il a horreur de marcher dans les villes. On rentre enfin au Pincio. On n'en ressort plus de la nuit. Apparemment les pipistrelles ont invité chez elles le Taddeuz et le Rainer. Belle moralité, c'est la Morveuse qui va être contente.

Mendel passe la nuit dans le lit d'une dame romaine rencontrée par hasard mais dès le lendemain, le voilà reparti à arpenter la Ville Eternelle derrière le quatuor, quelquefois en calèche. A deux ou trois reprises, il note (avec une irritation qui l'étonne) les câlineries que se font le Polonais et la plus jolie des pipistrelles. Il sait le nom de celle-ci : elle est américaine et se nomme Mary-Jane Gallagher ; elle est la fille d'un richissime (évidemment) industriel de Chicago. Un mariage menace, de toute évidence, puisqu'on se conduit comme des fiancés officiels.

Trois jours plus tard pourtant, les couples se défont. Taddeuz et son ami allemand reprennent enfin le train pour la France, leurs vacances de secrétaires terminées. De fait, à Nice, les deux jeunes hommes se séparent à leur tour. Mendel suit le Polonais jusqu'à Monte-Carlo. Retrouve quant à lui la Monégasque qui lui avait déjà offert son lit à sa précédente visite. Lui apprend le câlin à la balinaise. Complète ses informations sur John D. Markham et son programme. L'ambassadeur aujourd'hui à la retraite écrit, paraît-il, ses Mémoires sur son séjour à la cour impériale de Russie, et n'arrivera pas en Europe avant plusieurs jours. Le Taddeuz l'attend, forcément.

Dès lors, Mendel pourrait rentrer à Vienne. Mais il veut en avoir le cœur net. Il attend presque une semaine encore, guettant l'occasion propice. Elle se présente lorsque, à bord d'une voiture sans cheval de marque Renault qu'il pilote lui-même — « ce salaud sait vraiment tout faire ! » —, Taddeuz s'en va à Nice, ayant heureusement prévenu de ses intentions les femmes de chambre de la villa de Beausoleil dont une, par hasard, a trouvé Mendel très à son goût.

A Nice, le Polonais passe des heures dans une bibliothèque, dort dans un petit hôtel du port et le lendemain, toujours nonchalant, va excursionner au marché aux fleurs.

C'est là que Mendel l'accoste, s'étant placé près de lui et ayant fait celui qui veut acheter une botte d'œillets mais ne sait d'autre langue que le russe.

Ils parlent.

Et cinq jours plus tard, Mendel est à Vienne.

— Je ne comprends rien à ce qui se passe, lui dit Maryan. Elle est devenue...

— Folle. Mais elle l'a toujours été, où est la différence ?

— ... devenue bizarre. D'abord, elle est toujours sur mon dos. D'habitude, elle me laisse travailler tranquille, elle a confiance en moi. Tandis qu'ici, depuis qu'on est à Vienne, non seulement elle ne veut pas que j'en parte mais elle n'en bouge pas elle non plus. Ou alors, si elle s'absente, c'est juste deux ou trois jours à chaque fois, pour une affaire très urgente et elle revient tout de suite. Et à chacun de ses retours, c'est comme un aigle qui pique. Sur moi.

Mendel rit.

— Je n'en parlerais à personne d'autre que vous, bien sûr, reprend Maryan. Mais c'est vrai que ça me tracasse, je me demande ce qui lui prend. Elle a des difficultés avec un Hollandais mais ce n'est pas la vraie raison. D'ailleurs, le problème est presque complètement réglé. Non, c'est autre chose qui fait qu'elle est bizarre. Elle a repoussé la date d'ouverture de l'institut. On aurait très bien pu ouvrir, pourtant. Tout est prêt. Une équipe d'esthéticiennes est venue de Paris et a formé des filles ici, qui sont parfaitement préparées. On n'en a jamais tant fait et je ne comprends pas pourquoi : Vienne n'est pas plus importante que Berlin. Or, à Berlin, elle m'avait laissé la bride sur le cou, c'est à peine si elle était venue jeter un coup d'œil.

Le regard de Mendel scrute le visage du jeune homme. S'éclaire soudain : « Je me disais bien qu'il y avait quelque chose de changé en lui ! » Il demande :

— Elle s'appelle comment, Maryan ?

— Hannah ?

— Ne fais pas l'imbécile.

Dandinement d'un pied sur l'autre, puis :

— Griselda.

... Et Maryan de se mettre à raconter comment il a séduit, sans trop le faire exprès, la secrétaire autrichienne d'Hannah, une blonde très douce et timide, qu'il se reproche un peu d'avoir dévergondée, d'ailleurs... « C'est pas Dieu possible ! pense Mendel, elle a été jusqu'à le déniaiser ! Cette Morveuse est infernale ! »

Maryan parle, parle et parle, de Grinzing et de ses guinguettes, de danse et à propos de danse...

Mendel sursaute :

— Hannah fait *quoi ?*

— Elle apprend à danser. Grâce à un musicien de Vienne très connu appelé Johann Strauss. Elle se fait donner des cours par le maître de cérémonie de la Hofburg. C'est le palais de l'empereur, la Hofburg.

Il y a trois banquiers et autant d'hommes d'affaires dans le bureau d'Hannah, au cœur de son appartement près de la chancellerie de Bohême. Comme elle le fera toujours, elle a prié les hommes de s'asseoir et se tient debout, elle seule, marchant et parfois même demeurant d'interminables secondes derrière eux, à considérer leur nuque de ses yeux pâles. Elle a souri à Mendel et lui a dit qu'il pouvait entrer, rester, assister à la conférence, s'asseoir. Il s'est assis et les deux heures suivantes il l'écoute, tantôt en anglais, tantôt en français ou en allemand, dicter ses ordres, demander des éclaircissements, relever une erreur ou même, en une seule occasion ce jour-là, sourire d'une prunelle glacée et dire : « Je crois que vous devriez réfléchir davantage... » ce qui, dans son langage à elle, signifie à peu près : « Continuez à me refuser ce que je demande ou à m'emmerder de la sorte et je vous plante mes dents dans la gorge et vous suce le sang jusqu'à la dernière goutte... »

Elle pèse déjà entre cent vingt et cent trente mille livres, en ce temps-là, et au train où vont les choses, en vaudra le triple ou le quadruple dans cinq ans.

Les hommes s'en vont.

Silence.

Les yeux gris s'enfoncent dans ceux de Mendel. Pas un mot n'est échangé mais elle se détourne soudain, yeux écarquillés, et se retient presque de tomber à l'une des embrasses en torsade maintenant un rideau :

— Où est-il, Mendel ?

— Monte-Carlo. Il y sera jusqu'à la fin d'août.

— Il va bien ?

— Oui.

— Il est marié ?

— Non.

... Mais bien entendu elle a perçu la très légère hésitation :

— Il va se marier ?

— Si tu le laisses faire. Une Américaine du nom de Mary-Jane Gallagher.

— Riche ?

— Très riche.

Il se met à lui faire un rapport presque complet. Pendant tout le temps qu'il parle, elle ne l'interrompt pas et demeure immobile et impassible, ayant repris sa place derrière son bureau, ses petites mains blanches et si fines posées sur le plateau, sans le moindre tressaillement. Mendel dit qu'il a pu reconstituer tout l'itinéraire de Taddeuz depuis le jour où, chassé par Dobbe Klotz de Varsovie, il a gagné Paris. Dans la capitale française, l'Etudiant a trouvé du travail dans un restaurant du quartier de l'Opéra, d'abord comme plongeur et puis assez vite, en raison de sa prestance, comme serveur. Il a travaillé plusieurs mois avant d'avoir assez d'argent pour revenir en Pologne...

— A Varsovie ?

— Oui.

— C'était idiot : la police le recherchait.

— Apparemment, ça ne l'a pas affolé.

— Quand était-ce ?

— Juin. Tu n'y étais plus. Tu t'étais déjà embarquée à Dantzig.

— Pourquoi ce retour ?

— Aucune idée.

— *Mendel.*

Mais Mendel répète : — Aucune idée, Hannah.

Elle hoche la tête :

— Continuez, s'il vous plaît.

... Taddeuz n'est pas resté très longtemps à Varsovie. Peut-être à cause de la police, en effet. Quoique le procureur qui lui voulait tant de mal ait été déplacé par le tsar, pour évidemment d'autres raisons. Taddeuz est rentré à Paris, y a repris son emploi jusqu'au jour où, à la table qu'il servait, il a entendu un homme dire qu'il recherchait un secrétaire sachant au moins le russe et le français, et capable d'écrire dans ces deux langues. Taddeuz, d'ordinaire si peu entreprenant, a pris son courage à deux mains...

— Comment savez-vous tout cela ?

— Pas de soupçons, je te prie : je suis tout simplement allé à ce restaurant. Et je m'y suis rendu parce qu'à Varsovie, quand il y est revenu en juin de 92, ton Polonais en a parlé à l'un de ses amis de l'université.

— Ça tient debout.

— Je ne le fais pas dire. Je peux poursuivre, morveuse ?

— Oui, très cher Mendel.

... a pris son courage à deux mains et s'est présenté. Il a été engagé quelques jours plus tard par John D. Markham, milliardaire et ami personnel du président Cleveland, deux fois élu à la Maison-Blanche.

Markham s'était fait nommer ambassadeur à Saint-Pétersbourg. Avec lui, l'Etudiant est d'abord parti pour les Etats-Unis, il y a été naturalisé sous le nom de Newman. A cause de la police russe, évidemment...

— Il est américain, à présent, Hannah.

— M'en fiche, dit-elle.

Trois ans à la cour de Russie. Retour en Amérique, en mars 96. Markham devient sous-secrétaire...

— C'est une sorte de vice-ministre, là-bas.

Mais Cleveland quitte la Maison-Blanche, remplacé par un certain MacKinley, et le vieux Markham, qui a plus de soixante-dix ans, décide de prendre sa retraite et d'écrire ses Mémoires, passant de plus en plus de temps en Europe. Depuis, Taddeuz n'a pas quitté son employeur, vivant la plupart du temps à New York et en Virginie. Il a rencontré Rainer Maria Rilke chez Auguste Rodin à qui Markham a acheté une œuvre...

— Et de là, le voyage en Italie. Tu sais tout... Hannah, Maryan m'a parlé d'un Hollandais avec qui tu aurais des problèmes ?

— Ils sont réglés, n'en parlons plus. Vous avez les poèmes de Taddeuz ?

— J'en ai pris dix.

— Vous auriez pu tout acheter.

— Tu le feras toi-même. Hannah, les Markham et les Gallagher sont très liés. La Mary-Jane a séjourné l'été dernier dans la villa de Beausoleil.

— Jolie ?

— Pas mal, oui.

— Brune ?

— Blonde. Une sorte de blond cendré, yeux noisette.

— Grande.

— Encore assez.

Il lit dans les yeux d'Hannah la question suivante et y répond par avance :

— Hannah, elle est aussi différente de toi qu'on peut l'être. Elle mesure presque vingt centimètres de plus que toi, elle s'extasie avec des petits cris devant les monuments et les fleurs, elle a besoin qu'on l'aide à descendre d'une voiture ou à monter un escalier. Elle ne doit pas savoir combien coûte un pain, si c'est un penny ou cinq livres.

— Elle sait jouer de la musique ?

— Piano.

— J'ai essayé, dit Hannah avec calme. Debussy m'a montré, pour le piano. Ensuite, j'ai pris un professeur. Résultat nul. Très nul même. Elle sait conduire une voiture sans cheval comme Taddeuz ?

— Oui.

Hannah bouge enfin, baisse la tête, la relève :

— Je vais m'en acheter une et apprendre. Qu'est-ce qu'elle sait faire d'autre que je ne sache pas ?

— Il y a un milliard de choses que tu sais et qu'elle ignore. Et...

... « Ferme ta grande gueule, Mendel Visoker. Parce que tu sais bien, et Hannah le sait sûrement aussi, que tout le problème est là : le nombre effarant de choses qu'Hannah sait et peut faire, sa formidable personnalité, sa façon de régenter les gens... jusqu'à ce pauvre diable de Maryan qu'elle a fait dépuceler !... et le monde, l'univers, le gouffre qu'il y a entre elle et une Mary-Jane Gallagher qui est une jeune fille ordinaire et riche, de celles qu'un homme peut épouser à peu près tranquille, sans trop de crainte d'être mangé tout cru... »

— Oh merde ! s'exclame Mendel pris par une soudaine tristesse. Hannah, tu vas le faire venir à Vienne ou bien faire semblant de le rencontrer par hasard à l'*Hôtel de Paris* à Monte-Carlo, en commandant un clair de lune spécial ?

— Vienne.

— Tu as tout foutument préparé, c'est ça ?

— Tout.

— Et si je ne te l'avais pas retrouvé ?

Elle sourit pour toute réponse. Et le Cocher reconnaît cette expression qu'elle avait eue, quinze (ou était-ce dix-sept ?) ans plus tôt, quand il posait à une morveuse de sept ans une question décidément trop naïve. Comme si, depuis toujours, elle avait été vieille et sage, et très avertie de toutes les choses de la vie.

Elle le fixe de son regard insondable et demande :

— Et quelle histoire lui avez-vous racontée, sur vous ?

— Où as-tu pris que je lui avais parlé ?

Elle secoue la tête, de façon assez irritante, l'air d'être apitoyée par un mensonge si simple :

— Vous lui avez forcément parlé, Mendel. Vous l'avez suivi tout un mois et même davantage. Vous lui avez parlé, à la fin. Parce que vous vouliez savoir, en plus de toutes ces qualités que vous lui avez vues — à regret, j'en suis sûre —, mais que vous avez vues parce que vous êtes très honnête, vous vouliez savoir ce qu'il avait dans sa tête.

Silence.

— Je crois que je partirai dès demain pour l'Amérique, dit froidement Mendel. J'ai assez attendu.

— Excusez-moi, Mendel.

— Va au diable.

— Je vais l'épouser le 30 décembre de cette année. Ici à Vienne. Nous danserons ensemble le lendemain, le jour de la nouvelle année et du nouveau siècle. Ensuite, nous partirons en voyage de noces. En Italie. J'y ai loué la maison qu'il faut, pendant que j'étais soi-disant en Suisse. Tout est réglé.

— Meilleurs vœux, dit Mendel. Et il en aurait presque envie de pleurer, ce que même les Sibériens n'ont jamais réussi à obtenir.

— Mendel, je vous dois plus qu'à n'importe quel homme, ou femme, que je connaîtrai jamais. Ne partez pas fâché contre moi, je vous en prie...

Elle ne minaude pas, ne fait pas sa petite fille : elle lui parle calmement et, comment dire ? d'homme à homme. Si bien qu'il se décide enfin à la regarder en face. Elle est dressée, minuscule derrière le bureau, avec ses grands yeux de hibou. C'est trop pour lui. Bien trop, avec le poids écrasant de ces dix-sept années de souvenirs communs ; le voudrait-il qu'il ne pourrait effacer de sa mémoire les milliers d'images qu'il a d'elle ; depuis la première fois où il l'a découverte dansant sa valse de mort au milieu d'un incendie, quand elle a émergé de la fumée et des flammes ; jusqu'à ces visites constantes qu'il lui a faites dans son shtetl, la voyant croître en intelligence et en maturité, prendre au fil des années de l'envergure ; et lui-même l'embarquant à bord de son brouski, l'amenant à la ville, ne cessant jamais de se préoccuper d'elle, s'émerveillant de ses progrès mais s'attendant à ceux-ci, puisqu'il l'a toujours sue exceptionnelle. Même après, lorsqu'il a plus que risqué sa vie pour elle et qu'on l'a expédié en enfer, alors qu'elle se trouvait à l'autre bout de la terre, leur complicité ne s'est jamais rompue, jamais ; sans ces foutues merveilleuses lettres qu'elle lui adressait d'Australie, il se serait peut-être laissé aller à mourir ; et sitôt qu'elle l'a pu, elle s'est battue pour le faire sortir de Sibérie, a entrepris les plus folles démarches ; quand elle l'a retrouvé, elle a voulu lui faire don d'au moins la moitié de sa fortune et elle aurait trouvé normal et juste qu'il accepte ; quel homme, fût-il un frère ou un père, aurait été d'une fidélité pareille à celle de la Morveuse ?...

« Ce n'est quand même pas de sa faute si tu l'aimes, Mendel, pas de sa faute si de toutes les centaines de femmes que tu as eues, elle est la seule à avoir brisé ta solitude de vagabond. Alors arrête ton acrimonie et ta rancœur jalouse, et aussi ta fureur de constater qu'elle t'a percé à jour, en devinant le moindre des sentiments que tu as éprouvés en face du Polonais. Elle est ainsi, tu ne la changeras pas : à la fois détestable par son incroyable perspicacité et sa manie de dominer et de régenter tout le monde... et adorable aussi, en même temps. La meilleure des preuves étant que tu l'adores, et que tu n'es pas le seul à l'adorer. C'est sûr que ça t'angoisse, de savoir ce qu'elle s'apprête à faire de Taddeuz, et de pressentir que ça finira forcément en catastrophe, entre elle et lui... *Surtout que tu sais maintenant très exactement ce qu'il a dans la tête, le Taddeuz, après tant d'heures que vous avez passées à discuter ensemble, lui et toi, au marché aux fleurs de Nice...* Mais tu peux te tromper, tu n'es pas infaillible. D'autant qu'elle sait certainement quel foutu risque elle court en agissant comme elle agit. Elle a raison : ne pars pas fâché contre elle... »

Il marche vers elle et la prend dans ses bras. C'est elle qui l'embrasse la première, sur les lèvres et bouche ouverte, à pleine bouche. Il lui rend son baiser. La repose et dit :

— Il est très bien, Hannah. Vraiment très bien et mieux encore. Je n'aurais jamais pu t'en trouver un semblable, même si j'avais battu le monde pendant cent ans. Il est même fichtrement intelligent. Peut-être même plus que toi, d'une certaine façon.

Elle ferme les yeux et sourit, triomphante :

— Je sais, Mendel. Je n'aurais pas aimé n'importe qui.

25

AUTOMNE SUR LE PRATER

Je n'étais pas de ce siècle où j'ai pourtant passé les vingt-cinq premières années de ma vie... A Lizzie qui vient la rejoindre à Vienne vers la mi-juillet de 1899, elle ne dit rien de toutes ces choses.

Au plus lui apprend-elle le départ de Mendel pour l'Amérique, et le résultat des recherches du Cocher. Mais elle ne dit rien, ou peu de chose, de ses propres préparatifs. Ne mentionne pas davantage, en ce temps-là, l'affaire Van Eyckem, qui pourtant vient de trouver sa conclusion définitive avec l'embarquement — attesté par les Furets — du Hollandais à Rotterdam pour les lointaines Indes Néerlandaises. De tout cela, de ses calculs et de ses fièvres de cette époque, elle ne parlera vraiment que des dizaines d'années plus tard, quand elles seront l'une et l'autre très vieilles, leur différence d'âge depuis longtemps effacée, lors d'une de ces innombrables soirées qu'elles passeront ensemble, dans des tête-à-tête vibrants de décennies de souvenirs.

La Lizzie qui débarque à Vienne de l'Orient Express, arrivant de Londres pour le dernier été du XIXe siècle, est de la dernière gaieté. Elle s'est acquittée de tous les engagements pris avec Hannah. A dix-sept ans, elle a achevé ses études. Fort brillamment. Au vrai, elle croule sous les diplômes, en a une pleine valise. Elle a acquis une connaissance exhaustive de tout ce qu'une jeune fille du grand monde doit savoir en ce temps-là : broder, les cent soixante-dix-huit façons de commencer une lettre, des bribes d'orthographe, de latin et de grec, surtout pas trop de calcul, c'est l'affaire des hommes, pas mal d'histoire (et la vénération admirative qu'il faut nécessairement porter à des égorgeurs aussi épouvantables que Cromwell, Nelson, Cecil Rhodes et autres Kitchener), le piano, l'établissement des menus en concertation avec la cuisinière, les sept formes de révérence à exécuter selon qu'on est devant Sa Gracieuse Majesté ou l'un des cousins éloignés de Celle-Ci, un peu de poésie mais pas trop, les neuf façons de servir le thé, la méfiance extrême où l'on doit tenir les étrangers (et sont étrangers sinon carrément métèques tous les *aliens* qui ne sont pas du British Empire), suffisamment de géographie pour avoir une idée exacte de l'Empire-où-le-soleil-ne-se-couche-jamais (pour le reste du monde, se référer à l'article « étrangers »), un peu de français afin de pouvoir commander aux nurses et aux maîtres d'hôtel des restaurants, le cheval pour les chasses à courre et enfin quelques informations plus que vagues sur l'existence d'une autre espèce, appelée *homme,* reconnaissable à ses moustaches, et dont il faudra se résigner à épouser un représentant, de préférence sortant d'Oxford, Cambridge ou Sandhurst, et de qui on devra subir certains attouchements...

— ... Dans le genre : « Ecarte les cuisses et pense à l'Angleterre, ce n'est qu'un mauvais moment à passer. » Oh Hannah, j'ai cru devenir folle, ma vie commence enfin ! Et à Vienne, en plus ! J'étouffe de bonheur, dis donc tu ne m'avais pas dit que tu avais acheté une automobile, c'est quoi comme marque ?

— Ne change pas de sujet, s'il te plaît. Et réponds à ma question.

— Non.

— Quoi, non ?

— Rien, pas l'ombre d'un, j'ai tenu ma parole : pas le plus petit amant. Il y en a tout juste trois ou quatre que j'ai autorisés à m'embrasser.

— Ça dépend où, dit Hannah soupçonneuse.

— Hannah tu devrais avoir honte, toi qui as eu soixante-douze amants. Et en te mettant toute nue, qui plus est, la circonstance est aggravante. Mais ils m'ont tout juste touché les lèvres. J'ai bien surveillé leurs mains, comme tu me l'avais recommandé. Mais ça a été peine perdue, à se demander s'ils n'étaient pas amputés. Il y a tout juste eu un petit lieutenant de Coldstream Guards qui a failli tomber dans mon corsage, à force de lorgner dedans. Il avait des yeux comme des couteaux de cuisine. Toutefois, quand je lui ai demandé s'il connaissait la position du Missionnaire du Yunnan, on a presque dû l'évacuer sur une civière.

— Bonté divine ! dit Hannah.

— Oh Hannah Hosannah ! C'est toi qui m'as appris toutes ces choses, après tout.

— Sale peste, je ne t'ai jamais parlé d'aucun missionnaire. Ni d'aucune position, d'ailleurs.

— Tu es sûre ? J'aurai rêvé. Et tu sais conduire cette machine ? Dis donc, c'est fantastique ! Tu m'apprendras ? Quoi, mes valises ? Je n'en ai que dix-neuf. Plus les malles, évidemment. J'ai laissé tous mes vêtements d'hiver à Londres. Polly m'a amenée à la gare et m'a dit que ça devrait suffire, comme garde-robe. Tu savais que Polly allait se marier, à propos ?

— Oui.

— Il était temps. Il a presque quarante ans. Ça peut encore faire des enfants à une femme, un homme, quand c'est si vieux ? Oh, pendant que j'y pense : j'ai reçu une carte postale de Mendel Visoker, de New York. Il écrit comme un télégraphe. Il dit qu'il regrette de ne pas m'avoir revue et qu'il adore les autruches. C'est gentil, non ? Il ajoute aussi une phrase bizarre : « Veillez sur elle. » Evidemment, « elle », c'est toi. Qu'est-ce qui se passe ? Pourquoi Mendel me demande-t-il de...

Elle s'interrompt enfin, la cataracte s'arrête de couler. Elle scrute Hannah, qui vient à l'instant d'immobiliser la Daimler devant l'immeuble près de la chancellerie de Bohème. Et elles se connaissent bien trop, Hannah et elle...

— Mon Dieu, Hannah, tu l'as retrouvé, c'est ça ?

Elles attendent d'être enfin dans l'appartement, débarrassées de toutes ces valises et malles que deux fiacres ont transportées, et que le couple de domestiques est parti défaire. Alors seulement, elles tombent dans les bras l'une de l'autre, pleurant toutes deux et Lizzie disant :

— Oh Hannah, je suis si heureuse pour toi, si heureuse...

« Et je vais le connaître enfin. »

Pour attirer et fixer Taddeuz à Vienne, elle a dans un premier temps conçu les plans les plus extraordinaires. Avec l'imagination si fertile qui est la sienne et que l'apport de Lizzie pousse à la surchauffe. Elle a pensé à tout. Depuis l'enlèvement pur et simple jusqu'à une extravagante machination par laquelle un éditeur viennois, qu'elle aurait grassement payé pour ce faire, serait tombé en admiration extasiée devant les poèmes de Taddeuz. Au point de n'avoir de cesse qu'il ne compte un écrivain aussi admirable dans son écurie. Lui laissant tout le temps pour écrire, des livres, du théâtre ou des poèmes, et même l'y encourageant par des subsides incessants, tel un mécène.

(Comme Visoker, et bien plus que lui, Hannah a lu et relu les poèmes de la plaquette éditée à Munich. Elle est sortie de ces lectures encore plus déconcertée que ne l'a été Mendel. D'abord par la découverte des choses étranges qu'il y a dans la tête de Taddeuz. Et que même elle n'avait pas su discerner. C'est comme de marcher dans un jardin mille fois rêvé et mille fois parcouru, dont on connaît la moindre plate-bande, et d'y découvrir soudain des fleurs inconnues, qui ont toujours été là pourtant. Entre autres poètes, Hannah a lu Baudelaire, Verlaine et Rimbaud, pour ne citer que les Français ; par André Labadie, elle a rencontré Stéphane Mallarmé au crépuscule de sa vie ; elle aime Heine et Wedekind, et Donne et Yeats ; c'est une lectrice infiniment plus avertie que le Cocher. Lisant Taddeuz, elle est frappée par ses intuitions, sa profondeur, l'intensité de ce qu'il exprime et au vrai elle prend conscience de ses propres limites, à elle, par rapport à lui. Autre chose la saisit : cette sensualité qui transparaît partout, dont elle n'avait à aucun moment soupçonné l'existence, lors des rendez-vous dans la chambre de Praga. « Il a terriblement changé, ou alors je n'ai pas su le voir tel qu'il est. Et c'est un vrai écrivain, capable de créer son propre univers, alors que je ne suis qu'une lectrice. Ça ne sert vraiment pas à grand-chose d'être intelligente, dans ces cas-là. Tout au plus à comprendre qu'on ne comprend pas. Il est un artiste et pas toi, qui ne sais rien faire d'autre que de l'argent. »)

Il y a eu du drame et de la comédie, dans toutes les stratégies successives qu'elle a élaborées. Comédie parce qu'à en discuter avec Lizzie, cela a souvent fini par d'énormes fous rires, quand elles imaginaient ensemble des manœuvres à dormir debout — ainsi de cette capture de Taddeuz par des bandits de Calabre, dont Hannah l'aurait libéré chevauchant un destrier noir et rouge andrinople, à la tête d'un escadron de mercenaires recrutés parmi les zouaves français. Ou bien la prise à l'abordage du casino de Monte-Carlo, et de l'*Hôtel de Paris* voisin, par des janissaires turcs qui auraient entraîné Taddeuz dans un harem, dont il aurait été le seul pensionnaire, sous la garde d'un Mendel habillé en mamamouchi avec yatagan...

Le délire.

... Mais toujours un moment est venu où l'autre Hannah, celle qui reste glacialement lucide, a mis fin à ces espiègleries. Elle ne sous-estime pas le danger que Mendel a bien vu. « Ce n'est pas un jeu, Hannah, toi et Taddeuz en avez passé l'âge. Et ce n'est pas non plus une affaire que tu traites. Essaie d'être simple, et spontanée, pour une fois. Même si ce doit être la seule fois de ta vie. Ce ne sera déjà pas facile, de vivre mariée avec Taddeuz, pour lui encore moins que pour toi, peut-être. Il te faudra sacrément prendre sur toi-même, et tu lui demanderas beaucoup pour qu'il te supporte. Ne gâche pas les choses dès le début... »

Elle décide d'écrire. Dans les derniers jours de juillet, elle fait et refait sa lettre dans les soixante fois.

L'envoie enfin, après avoir tergiversé jusqu'à l'ultime seconde.

C'est finalement Lizzie, étrangement silencieuse et grave, qui pousse l'enveloppe dans la boîte.

Elle écrit : *Je n'ai jamais cessé de penser à toi. J'ai envie et besoin de te revoir. Nous ne sommes mariés ni l'un ni l'autre. Je préférerais que tu ne répondes pas, si une rencontre entre nous ne servait qu'à parler du passé.*

Elle signe seulement « Hannah » et lui indique ses trois adresses, à Vienne, Paris et Londres.

Etre aussi laconique, se présenter en quelque sorte sans armes (sauf peut-être la juxtaposition des trois adresses, qui montre bien qu'elle est riche) l'a presque torturée. Mais elle s'en est tenue à sa résolution d'être simple. De laisser à Taddeuz son libre choix.

Seule entorse : elle demande à Maryan d'aposter quelqu'un auprès de Taddeuz, secrètement, à la villa de Beausoleil ou en quelque autre endroit où il puisse aller. Motif invoqué : elle veut être sûre qu'il recevra vraiment sa lettre. Impossible d'imaginer qu'elle puisse, le cœur entre les dents, attendre une réponse à un courrier qui ne serait jamais arrivé à son destinataire.

Le prétexte en vaut un autre. Sauf que lorsque Maryan l'informe que la lettre est bel et bien arrivée, et en mains propres, elle dit qu'elle s'occupera elle-même du guetteur — un détective privé venu tout spécialement d'Angleterre. En fait, elle enjoint à l'homme de maintenir sa surveillance jusqu'à nouvel ordre.

A l'insu de Maryan et même de Lizzie.

Certes, elle a honte d'elle-même mais c'est plus fort qu'elle : « Tu es incorrigible, Hannah. Il y a des jours où je te hais. »

Voyage à Paris en août et au début de septembre. Elle y retrouve Clayton Pike conduisant sa horde australienne. Il a annexé le *Ritz*. Si son rire est toujours aussi tonitruant, il a bien vieilli. Ainsi qu'il arrive très souvent chez ces gros hommes corpulents à l'approche de la mort, il a fondu, sa peau est désormais trop grande pour lui... Mais il n'est pas encore sénile au point de s'en laisser compter par quatre-vingt-dix livres à peine de chair rose et parfumée : « Qu'est-ce que c'est que cette ânerie — et je pèse mes mots... — Ne les pesez pas : ce n'est pas demain la veille que vous allez m'effaroucher, espèce de kangourou géant ! — ... que cette connerie que vos avocats ont racontée aux miens et selon quoi... — Me séduire, à la rigueur, ça, oui. Je me méfie de vous, Pike, et de vos beaux yeux bleus. J'ai toujours aimé les vrais hommes. — Nom de Dieu, je peux finir mes phrases, oui ? Je ne veux pas de ces putains de cinq pour cent sur vos affaires. Un pari est un pari. — Je ricane, Pike : vous recevrez l'argent que ça vous plaise ou non. Inexorablement, comme dirait Polly. — Hannah ? — Pike, vous êtes mon associé. Dieu merci, vous êtes toujours à l'autre bout du monde, je peux vous escroquer à plaisir et... — *Hannah !* — Oui, mon cher Pike ? — Je vais crever, Hannah, j'ai fait mon temps. » Silence. Elle vient contre lui et l'embrasse : « Ne dites pas de bêtises, Pioneer Pike ne peut pas mourir. — Hannah, je vous aurais connue dans mon jeune temps, Dieu sait ce que j'aurais pu faire... — Vous n'auriez pas eu besoin de me violer, en tout cas : j'aurais sauté à pieds joints dans votre culotte, charmeur comme vous l'étiez déjà. » Il sourit et lui caresse la joue. C'est vrai qu'elle éprouve à son égard beaucoup de tendresse et d'amitié ; il a tout ce que doit avoir un homme selon son cœur : force et esprit d'aventure, et la fragilité nécessaire, pour qu'on puisse le consoler dans le même temps qu'il vous protège. Et il est d'une race de grands pionniers, puisse l'espèce n'en jamais disparaître. Elle se retrouverait foutument seule, elle Hannah, et doublement bizarre, puisqu'elle est femme, en plus. On la mettrait probablement dans un zoo.

Pike : « Hannah, de par le contrat que votre foutu Anglais de Twhaites nous a fait signer à Sydney, vous devez en effet me donner ces cinq pour cent. D'accord, je suis coincé. Mais pas question de les laisser à mes héritiers. Je leur laisse de quoi être tous riches. S'ils en veulent plus, qu'ils se démerdent, ils n'ont qu'à faire leurs preuves. J'ai relu ce putain de contrat, je sais comment me venger de votre crapulerie : ça dit que vos cinq pour cent iront le cas échéant à mes " successeurs nommément désignés " ? Je vais m'en désigner un tout de suite : votre second fils. — Je n'ai pas d'enfant — Vous allez en avoir, non ? — Oui, trois. — Parfait. L'argent ira donc au deuxième, si c'est un garçon. — Ce sera un garçon. C'est prévu. Qu'est-ce qu'on parie ? — Bordel de Dieu, plus question de parier avec vous ! Hannah, vous savez déjà qui va vous les faire, ces trois enfants ? — Oui. — C'est sûrement un type extraordinaire, pour que vous l'ayez choisi. — Il est extraordinaire, Pike. »

Elle a fait le voyage de Paris parce que ses affaires l'exigent ; les chiffres ne cessent d'augmenter, partout, avec une régularité effectivement inexorable ; des propositions lui viennent de tous les côtés...

Elle l'a fait aussi parce qu'elle n'en peut plus de soutenir cette attente. Les rapports qui lui parviennent de Monte-Carlo, dans leur sobriété, lui décrivent un Taddeuz désespérément immobile. John D. Markham, son employeur, est arrivé en France, il donne des soirées ou va à des soirées. A ces mondanités, Taddeuz l'accompagne quelquefois mais en général, sauf deux heures en fin de matinée pendant lesquelles il retranscrit sur le papier les souvenirs de l'ancien ambassadeur, il passe le plus clair de son temps enfermé dans sa chambre. Il écrit. Non pas des lettres (le détective contrôle le courrier en partance) mais ce qui pourrait bien être une pièce de théâtre, à en croire la femme de chambre soudoyée par l'espion britannique. « En sorte, pense Hannah, que monsieur ne trouve pas le temps de me répondre, ne serait-ce que pour me dire d'aller au diable ! Pourquoi ai-je envoyé cette saloperie de lettre, qui a démasqué toutes mes batteries ? » Elle a prévu un dispositif pour être alertée dans l'heure, par télégraphe, dans le cas où une réponse arriverait où elle n'est pas, Londres ou Vienne. « Après tout, je ne lui ai pas dit exactement où j'étais... »

Elles achètent une quantité ahurissante de robes à elles deux, Lizzie et elle. Les robes et tout ce qui va avec. La toilette est le seul domaine où Hannah est capable de dilapider à son seul profit, alors que les bijoux la laissent à peu près indifférente. Elles inventent un jeu qui consiste à expédier Lizzie à l'institut ou dans l'une des quatre boutiques ouvertes dans Paris et à l'y faire passer pour une cliente aussi exaspérante que possible. Lizzie ressortie, c'est Hannah qui entre. Le rôle d'agent secret enchante tout d'abord la jeune Australienne, avant qu'elle ne découvre qu'il est cruel.

Hannah acquiert huit toiles, pour vingt francs l'une, d'un étrange personnage dont Gauguin lui a juré qu'il avait... une sorte de talent. L'homme a un peu moins de soixante ans, des moustaches en crocs, le sourcil dressé, le menton fier et sur la tête, une faluche disposée à plat — et un grand air de contentement de lui-même. Au premier abord, Hannah le tient pour un imbécile ; un peu plus tard, elle constate qu'il est quasiment idiot ; en ayant délibéré avec Lizzie, elles décrètent qu'il est un illuminé plutôt comique et touchant, fichtrement hâbleur. C'est un ancien employé de l'octroi de la porte de Vanves, du nom d'Henri Rousseau. Il leur narre ses expéditions au Mexique (où il n'a jamais mis les pieds, Gauguin lui-même en a convenu) et dessine ses lions grâce à un pantographe à partir d'une brochure des Galeries Lafayette. Ses œuvres, pourtant, plaisent beaucoup à Lizzie : « Quand j'aurai eu mes douze enfants de Maryan, j'aurai de quoi décorer leurs chambres. Pourquoi l'appelle-t-on le Douanier ? »

Lizzie a vu Maryan à plusieurs reprises. S'est déclarée enchantée de ce qu'il ait une maîtresse : « Autant qu'il jette sa gourme maintenant, parce qu'après, je le tiendrai à l'œil ! » Elle semble vraiment persister dans son intention d'épouser le Varsovien (qui n'est toujours pas au courant du projet et ne semble pas avoir le moindre pressentiment de l'état matrimonial qui lui pend sur la tête). C'est déjà pour Hannah un premier motif de surprise que cet entêtement tranquille de la jeune MacKenna. Elle en a un deuxième : l'attitude de Maryan lui-même. Contrairement aux craintes qu'elle avait pu entretenir, Maryan ne s'est pas particulièrement attaché à Griselda ; sa liaison avec elle l'a tout à fait libéré et après trois ou quatre semaines, c'est par ses propres moyens qu'il s'est trouvé d'autres bonnes amies. Auxquelles il consacre juste le temps nécessaire, ni plus ni moins qu'à se nourrir ou à se faire couper les cheveux, entre un rendez-vous avec un propriétaire ou gérant d'immeubles, ou un tapissier ou un banquier, quand il ne voyage pas pour quelque inspection. Constituant son corps de Furets, il a naturellement choisi plus de femmes que d'hommes, pour des raisons évidentes : dans un institut, un homme ne passerait pas précisément inaperçu...

Troisième surprise, pour Hannah, de la part de Maryan : parmi les cinq jeunes femmes qu'il a sélectionnées pour être ses Furets, il y a Griselda Wagner, ci-devant modèle de Klimt !

— Tu l'avais toi-même engagée comme secrétaire, Hannah. C'est donc que tu lui trouvais des qualités, à part d'être très jolie. J'ai cherché lesquelles et j'ai trouvé : Grissi a de très grandes dispositions pour porter la toilette et se montrer insupportable avec le petit personnel des boutiques et des instituts. Ce n'était déjà pas si mal mais il y avait mieux encore : une inclination innée pour l'espionnage, et le goût de jouer des personnages...

« Serait-il, par hasard, en train de se payer ma tête ? » pense Hannah prête à pouffer et ne relevant sur le visage du Varsovien rien d'autre qu'une extrême tranquillité zézayante.

— ... Et un penchant naturel à voyager, a poursuivi Maryan avec toute la placidité du monde. Elle a la mémoire assez bonne et ce qu'il faut d'honnêteté, pour peu qu'on la surveille. Je la ferai surveiller, évidemment. Il suffisait de lui apprendre la rigueur dans les chiffres. C'est fait. Elle est presque déjà l'un des meilleurs Furets possible. Tu veux toujours que je parte pour l'Amérique ?

— Oui.

— Je m'embarque le 30 septembre sur le *Majestic* de la White Star Line. Je serai à New York moins d'une semaine après. J'ai pris des renseignements. D'après M. Twhaites et d'autres personnes que j'ai consultées, ils ont là-bas une Cinquième avenue qui est très élégante. Je pense que c'est peut-être là qu'il te faudrait ouvrir ton institut. Je verrai.

— D'accord.

Elle est sûre à présent qu'il s'est un peu, et gentiment, moqué d'elle tout à l'heure, en lui parlant de Griselda. Ne lui en veut pas. Au contraire : en devinant sa manœuvre pour le déniaiser, il a montré toute l'intelligence qu'elle lui prêtait. « Tu as eu une chance incroyable de le rencontrer, Hannah... »

Il demande, impassible :

— Veux-tu que je revienne pour ton mariage ?

Il soutient son regard.

— Tu auras bien du travail, dit-elle. Et puis ce sera une cérémonie assez particulière.

... A laquelle il manquera peut-être le marié.

Car les jours s'écoulent, passent, sans rien apporter en un sens ou dans l'autre. Non seulement Taddeuz ne donne aucun signe de vie — « il aura aussi bien jeté ta lettre sans la lire ! » — mais un rapport du détective, en date du 6 septembre, signale que John D. Markham va bientôt faire mouvement, pour regagner sa Virginie. Son départ est fixé pour bientôt, quelques semaines. Et tout indique qu'il va ramener avec lui son secrétaire. Si extraordinairement solides que soient les nerfs d'Hannah, quelque puissante confiance qu'elle ait dans ses calculs et ses déductions, elle vit cette période avec une angoisse montante, que même l'orgie de travail à laquelle elle se livre ne parvient plus à refouler. Elle s'est attardée à Paris plus qu'elle ne l'avait prévu, en dépit de cet instinct qui lui dit que c'est à Vienne qu'elle doit rester. Juliette Mann œuvre à la tête d'une équipe de six personnes dont quatre jeunes femmes. Parmi les travaux en cours, des recherches sur les bâtonnets de peinture pour les lèvres, en l'avenir desquels Hannah croit énormément.

A son cénacle d'étudiants, dont la composition se renouvelle à chaque rentrée universitaire, elle réclame une étude sur les parfums. Le marché en est déjà bien encombré, plus de cinq cents sortes de fragrances existent déjà, dont plus d'un tiers créé par la seule maison Guerlain (il y a aussi Lubin, Houbigant, Dorin et beaucoup d'autres, tels Molinard et Roger et Gallet). Mais l'appel lancé aux chimistes bouleverse tout, une autre parfumerie est en train de naître, plus moderne, aux yeux d'Hannah. Dans laquelle les produits de synthèse obtenus en laboratoire remplacent les arômes naturels, abaissant les prix de revient et surtout permettant la naissance de parfums dont la nature n'avait pas d'équivalent. L'avenir est là, de toute évidence. Au laboratoire de l'Ecole Polytechnique, Hannah recrute deux autres chimistes, anciens condisciples de Juliette, et leur confie une nouvelle installation, sur deux étages, près des Gobelins, et une mission : créer *Hannah*, dont en toute simplicité et modestie elle souhaite qu'il soit le parfum le plus cher et le plus luxueux du monde (il ne sortira qu'en 1905, la même année que l'*Origan* de Coty). Créer aussi des produits moins coûteux, en une gamme complète et plus accessible. Ces derniers, elle les veut au plus vite. Elle ne supporte pas l'idée que, dans ses boutiques, on vende autre chose que ce qu'elle a fabriqué elle-même. Les noms ? Elle en établit toute une liste, à l'aide de son atlas et de ses souvenirs : des îles du Pacifique Sud... il y en a de merveilleux.

Elle consacre des dizaines d'heures à humer des préparations et à discuter de coumarine, de piperonal, de vanilline, d'ionone, de muscs artificiels, d'aldéhyde, et étonne ses propres spécialistes par ses connaissances.

... Activité quasi frénétique et pourtant presque distraite. Chaque jour qui passe et même chaque heure lui sont une torture. C'est au point que Lizzie en arrive à se taire ou plus justement, évite toute allusion à ce qui pourrait arriver en décembre, avec une gentillesse affectueuse d'autant plus accablante. Hannah n'en dort presque plus. Une idée la hante, qu'elle combat : monter dans un pullman du Paris-Lyon-Méditerranée et descendre plein sud, se ruer jusqu'aux oranges et aux palmes de la Côte. Quitte à se planter devant Lui, à dire n'importe quoi d'improvisé ou d'au contraire très soigneusement préparé. Afin de savoir enfin ce qu'Il a dans la tête. « J'aurais dû harceler Mendel de questions, le supplier au besoin, j'ai bien deviné qu'il me cachait quelque chose. Ils ont parlé des heures et peut-être même des jours, Taddeuz et lui ; sûrement qu'ils ont parlé de moi, les hommes s'entendent toujours entre eux... Oh mon Dieu, Hannah, tu es si bête, d'aimer de la sorte, surtout que sept ans ont passé ! »

Pour meubler ses insomnies, elle essaie de lire. Laclos pas plus que Melville, dont pourtant elle adore *Potter* et *Moby Dick,* ne réussissent à la tirer de son abattement. Pire encore, par un mouvement qu'elle croit de hasard mais qui participe sans doute d'un travail de son inconscient, elle ouvre Oscar Wilde (qu'elle n'a qu'entr'aperçu en compagnie d'Henry-Béatrice le décorateur, dont il est l'un des intimes). Elle relit la *Ballade de la geôle de Reading,* publiée l'année précédente, et rien n'y fait, elle pleure, tant les mots et les idées lui paraissent prémonitoires : *Yet each man kills the thing he loves, By each let this be heard, Some do it with a bitter look, Some with a flattering word. The coward does is with a kiss, The brave man with a sword*[1]...

Elle pleure comme jamais elle n'a pleuré ni ne pleurera, à grosses larmes enfantines, à gros sanglots. En dépit de l'implacable petite mécanique dans sa tête, qui ricane et se moque d'elle. « Pourquoi est-ce que je ne suis pas vraiment belle, et complètement idiote ? J'en serais moins malheureuse... »

Elle va quelques jours à Londres, bien qu'elle sache (on l'aurait forcément prévenue) qu'aucune réponse ne l'y attend, mais espérant quand même. Cecily Barton lui confirme ce qu'au reste elle savait déjà : les affaires ne sont jamais mieux allées. La Progression Inexorable décelée par Polly se développe et même accélère son tempo, les parfums à venir ne manqueront pas d'augmenter les chiffres. Tout se passe comme si, aux incertitudes et peut-être aux échecs de sa vie privée, devaient nécessairement correspondre, en un répons systématique, les réussites professionnelles.

A Londres, Polly se marie avec une Estelle Quelque Chose, très aristocratique et riche de beaucoup d'or sud-africain (il paraît qu'on a des ennuis avec des Boers, là-bas dans ce pays du bout de l'Afrique). A défaut d'une beauté grandiose, Estelle a de l'intelligence et de l'humour :

— Paul que vous appelez Polly dit de vous que vous êtes une sorte de Napoléon en jupon, sauf que vous avez installé votre camp de Boulogne en vue directe de Buckingham Palace...

— Sauf aussi que Napoléon souhaitait que toutes les femmes fussent analphabètes, réplique Hannah, en vérité bonapartiste mais que la misogynie napoléonienne a toujours agacée.

En cadeau de mariage, elle offre au couple l'un de ses Claude Monet. Celui auquel elle tenait le plus — mais que vaudrait un cadeau s'il ne coûtait rien ? Parmi les sept ou huit cents invités au mariage, il y a un jeune homme à la lippe de bébé baveur qui affirme qu'il sera

---

1. « Car chacun de nous tue ce qu'il aime, Que ceci soit par tous entendu, Certains le font d'un regard acerbe, D'autres d'un mot enjôleur. Le lâche tue avec un baiser, Le brave avec une épée. »

député sous peu (il n'a même pas vingt-cinq ans), qui est d'une rapidité d'esprit sidérante, d'une ambition phénoménale, d'une absolue confiance en son destin. Il se voit assez bien vice-roi des Indes, dans le pire des cas. Il invite Hannah à danser. Comme toujours elle refuse. Oui, dit-elle, elle sait danser, et plutôt bien, mais elle a fait vœu de ne pas danser jusqu'à la fin du siècle. Sur sa demande, elle lui explique comment elle badigeonne de ses crèmes (quatorze préparations différentes à ce jour) les dames de la gentry. Le lui explique dans son parler ordinaire, crépitant et sarcastique, quand elle est sûre d'avoir face à elle quelqu'un capable de la suivre dans ses déboulés verbaux. Il rit, s'assoit près d'elle, ils bavardent une heure durant :

— Appelez-moi Winnie. Ou Churchill, comme vous voudrez. Est-ce que vous ferez des prix à ma femme quand elle viendra chez vous ?

— Vous avez ma parole : je quintuplerai mes tarifs. C'est bien le moins que je puisse faire, pour une future vice-reine...

Le lendemain, il lui fait adresser des fleurs, pas n'importe lesquelles : des roses roses entremêlées de chardons, *presque aussi piquants que vous.* Elle riposte dans l'heure en lui expédiant en retour le plus grand chapeau qu'elle ait pu trouver (il fait un bon yard et demi de diamètre ; au vrai c'est l'enseigne d'un chapelier), avec pour tout commentaire : *J'espère qu'il sera à votre taille.* Elle appréhende un moment d'être allée trop loin, emportée par son insolence naturelle. Mais non, le soir même, il lui fait livrer à Saint-James Place dix gros barils de saindoux très nauséabond et très rance : *Modeste contribution à vos efforts pour la beauté féminine.*

Et dès le surlendemain, il se présente à l'institut, caresse de regards approbateurs les vendeuses toutes plus ravissantes les unes que les autres et la prie à dîner, chez une de ses tantes, en tout bien tout honneur, la tante en question étant au moins une duchesse. Elle va à ce dîner, et à d'autres, avec ou sans les Twhaites et pas nécessairement avec « Winnie » qui d'ailleurs va bientôt s'embarquer pour se couvrir de gloire — il écrira lui-même les articles le célébrant, pour plus de sûreté —, à destination du Transvaal.

De son côté, Maryan Kaden part pour New York.

Dernier point avec Hannah juste avant qu'il ne monte dans le train de Liverpool.

— Maryan, note, s'il te plaît, ou plutôt range ça dans un coin de ta mémoire : je suis devenue l'amie d'un Winston Churchill qui a tout plein de titres de noblesse et qui n'en est pas moins un garçon d'avenir. Sa mère est américaine, voici son adresse, Winnie m'a promis de la contacter afin qu'elle te reçoive... Avec Rebecca Anielowicz devenue Becky Singer et qui habite Park Avenue, avec le cousin de Polly qui est soit un gangster soit un agent de change, cela nous fait déjà trois points d'appui.

— J'en ai d'autres.

— Tant mieux. On n'en a jamais assez. Essaie aussi de savoir ce que devient Mendel. Ce n'est pas gentil de sa part, de nous laisser ainsi sans nouvelles...

Maryan se dandine et contemple ses pieds. D'évidence, il n'ose pas prononcer le nom de Taddeuz. Connaît pourtant les affres dans lesquelles elle vit, du fait de cette attente interminable. Finit par demander :

— Si je vois Mendel, est-ce que je dois lui dire de venir à ton mariage ?

— Il est déjà au courant et ne viendra pas. Maryan ? Ne te fais pas scalper par les Indiens, s'il te plaît.

Elle regagne Vienne avec Lizzie. Toujours ce même sentiment inexplicable que c'est là qu'elle doit être. L'institut de la Reichrat-strasse a ouvert et immanquablement a été un succès. Venue de Londres pour tout contrôler — c'est son deuxième voyage, elle s'est déjà rendue à Vienne au printemps —, Cecily Barton ne peut que constater ce nouveau triomphe. Mais il est vrai que les instituts d'Hannah couvrent maintenant presque toute l'Europe, un bouche à oreille s'est opéré, dans l'internationale des grandes dames. A la limite, on se vexerait presque, dans certaines capitales, de n'avoir pas encore été choisie pour une implantation.

Par Klimt le peintre et Johann Strauss le musicien, Hannah a noué des relations avec tout ce qui compte à Vienne en ce temps-là. Ainsi de la belle Alma Schindler qui va épouser Gustav Mahler, et de Mahler lui-même ; de « Lord Israël », c'est-à-dire Theodor Herzl qui deux ans plus tôt, à Bâle, a organisé le premier congrès sioniste ; d'Otto Wagner le grand architecte en train de remodeler la capitale des Habsbourg ; du célèbre bourgmestre Karl Lueger, « le Beau Karl »...

Ainsi d'Hugo von Hofmannsthal, dont l'intelligence est presque effrayante, qui va écrire pour Richard Strauss les livrets du *Chevalier à la rose* et d'*Ariane à Naxos* ; d'Arthur Schnitzler et Arnold Schönberg.

Hofmansthal lui a présenté un jeune médecin psychologue, Alfred Adler, qui à son tour l'amène à son maître, un praticien privé qui est aussi professeur honoraire de neuropathologie à la Faculté de Vienne, un juif de Moravie du nom de Sigmund Freud. La première rencontre avec ce dernier a lieu au *Café Central,* qui dans le cœur des intellectuels n'a pas encore tout à fait remplacé le merveilleux *Griensteidl* démoli deux ans plus tôt à la consternation générale.

Ce jour-là, Freud porte sous le bras un jeu d'épreuves d'un livre, *Die Traumdeutung,* littéralement « Interprétation du rêve », qu'il ne fera paraître que l'année suivante, soulevant les quolibets du corps médical dans son ensemble. Il a quarante-deux ans, c'est un petit homme à barbiche et moustache, assez timide d'apparence. Hannah lui parle yiddish, il lui répond en allemand. Il lui demande si elle rêve. « Surtout les yeux ouverts », répond-elle. Elle obtient de parcourir certaines pages du manuscrit. Il s'étonne de l'extraordinaire rapidité avec laquelle elle lit. Quelles études a-t-elle faites ? Aucune. « Elle est tellement équilibrée que c'en est anormal », précise Adler en riant. Freud demande si elle a compris quelque chose à sa lecture. « Quelques bribes », assure Hannah, qui administre aussitôt la preuve de ce qu'elle a saisi plus que cela, en résumant le chapitre qu'elle vient de parcourir. Freud les invite à dîner, Adler et elle, pour la semaine suivante. En tout, elle va quatre fois chez lui, ou chez eux : il est marié à une Martha à l'œil triste et doux (à propos de qui pourtant il se révèle qu'il éprouve une jalousie presque maladive). Elle ne réussit qu'en une seule occasion à avoir le couple à sa propre table.

A chacune de leurs cinq rencontres, Freud et Hannah ont des apartés, comme on échange des balles. D'entrée de jeu, elle lui a déclaré se sentir la tête suffisamment solide pour n'avoir pas besoin qu'aucun médecin y mette jamais ses lorgnons. C'est sans doute cela, surtout, qui va le fasciner chez elle, cette force très réelle qu'elle a, sa confiance sans prétention dans ses moyens, sa conviction définitive qu'il suffit de vouloir vraiment quelque chose pour l'obtenir tôt ou tard. Contrairement à Adler, lui semble juger qu'il y a un brin de démence dans un tel équilibre. Il ne va pas jusqu'à l'affirmer mais il est intéressé. Il la laisse ou plus justement la fait parler, et même elle s'y laisse prendre. Sans savoir pourquoi ni comment, un soir qu'ils sont en tête à tête dans son cabinet au rez-de-chaussée du 19 de la Berggasse, elle se retrouve soudain à raconter son shtetl, ses rencontres avec Taddeuz au bord du ruisseau, l'aventureuse avancée au grand large des champs de blé sous le soleil, la mort de son père et de Yasha et le pogrom...

Elle s'interrompt, bien plus gênée que si elle s'était mise nue. Silence. Elle est assise dans le fameux sofa à la turque, avec face à elle le poële de faïence et sur sa gauche la cheminée au manteau recouvert d'une étoffe turque. Freud sourit, mais pas des yeux : « Rien n'est plus pernicieux que les souvenirs d'enfance », dit-il enfin. Il ne dira rien d'autre, se refusant à émettre le moindre diagnostic, qu'au reste elle ne lui demandait pas.

Mais elle s'en ira avec cette douteuse et troublante sensation qu'on éprouve lorsque, après avoir longuement scruté votre paume, une bohémienne se tait soudain et s'éloigne.

Même si l'on ne croit pas du tout aux diseuses de bonne aventure.

L'automne vient sur Vienne. Les arbres du Prater passent par toutes les teintes possible. La gaieté de la ville n'en subit pas le contrecoup. Si Hannah se tient à sa volonté de ne pas danser, il n'en est pas de même de Lizzie. Qui de surcroît, à cette époque, est courtisée par une horde de mignons petits officiers ne rêvant que de se battre en duel pour elle. Et lorsqu'elles sortent toutes les deux, inévitablement flanquées de la grande Charlotte O'Malley, titanesque duègne, elles sont en général suivies par toute une escouade de cavaliers empanachés.

Parfois même, ces officiers louent les services d'un quatuor de violoneux qui jouent le « Beau Danube bleu » que Lizzie adore.

Pas ce jour-là.

On est passé, au Prater, devant le *Troisième Café* où tonitrue un orchestre militaire. On est allé déjeuner en plein air au jardin du Sacher. Les cinq officiers en shako sont partis avec Lizzie qui a tenu à monter sur la grande roue de soixante-cinq mètres de haut et qui tourne à soixante-cinq centimètres par seconde. Hannah est restée seule à la table ronde sous un amusant petit kiosque dont on peut tirer les rideaux, quand on souhaite s'isoler des autres tables sous les arbres. Elle est très triste et, plus que cela, bien plus, écrasée, quasiment vaincue : deux jours auparavant, par deux télégrammes successifs, l'un de Monte-Carlo, l'autre de Paris, son détective lui a appris que John D. Markham accompagné de son secrétaire et d'autres gens ont pris le Train Bleu pour la capitale française. Et de là au Havre et du Havre à New York, cabines retenues à bord de la *Lorraine*, de la Compagnie Générale Transatlantique.

Sans la présence de Lizzie à ses côtés, elle aurait fait n'importe quoi.

Elle tire de son sac deux ou trois calepins de cuir noir et rouge andrinople, marqués du double H d'or et machinalement refait les additions des colonnes de chiffres. Et voilà qu'elle sent une grande ombre au-dessus d'elle. Elle croit à un retour de Charlotte O'Malley que la grande roue épouvante.

... Mais on tire les rideaux, et une main immense referme ses calepins.

Elle se met alors à trembler, yeux écarquillés jusqu'à l'impossible, regardant droit devant elle et ne trouvant pas la force de tourner la tête. Avec une extraordinaire et bouleversante douceur, il la détache de son crayon, de ses calepins, de sa chaise de rotin noir. Il la fait se dresser et lui prend le visage entre ses paumes, se penche, l'embrasse sur les paupières, l'oblige à fermer les yeux.

— Ne dis rien.

— Il n'y a plus rien à dire.

— Tais-toi, Hannah.

Et elle pense, affolée : « Si je rouvrais les yeux, il serait capable de disparaître. »

Mais il est bien là.

26

ADMETTONS POUR LA POSTERITE...

Lizzie est revenue de son escapade sur la grande roue. Suivie de Charlotte et de tous ses admirateurs, dont le nombre s'est encore accru, au point qu'elle a semblé conduire une colonne. Elle s'est figée en vue du kiosque et quoique n'ayant jamais vu Taddeuz, a tout compris dans la seconde. Des présentations ont eu lieu, mais même elle, Lizzie MacKenna dont il est si difficile d'interrompre la faconde, est demeurée sans voix. Elle a bredouillé, presque couiné, expliqué que sous la tutelle d'O'Malley, elle partait boire un chocolat avec ses officiers, au *Heinrich Hof Cafe,* en face de l'Opéra.

Ils sont restés seuls.

— Je voudrais marcher un peu, dit Hannah.

Elle ne s'est toujours pas remise du choc, c'est presque de l'hébétude. Jusqu'à la petite mécanique dans sa tête dont elle a perdu plus ou moins le contrôle. A peine a-t-elle regardé Taddeuz, sans le voir vraiment. « Qu'est-ce qui m'arrive ? » Elle ne sait même pas pourquoi elle a demandé à marcher. Elle l'a dit sans avoir conscience de former les mots, son affolement persiste et le pire est qu'elle ne cherche pas à se reprendre. Elle s'abandonne tout à fait à sa torpeur engourdissante. Tout juste sent-elle le contact très léger des doigts de Taddeuz posés sur son coude gauche.

Ils marchent dans le Prater, passent devant les théâtres de marionnettes du Wurstel. Sur le moment, elle ne remarque rien, elle pourrait tout aussi bien se trouver sur la lune. Ce ne sera que bien plus tard que resurgira de sa mémoire, avec une précision photographique, le souvenir de ce jour-là : les attroupements d'enfants escortés de nurses, elles-mêmes bavardant avec des soldats, les jeunes gens en canotier, les Monténégrins vendeurs de citrons, les rémouleurs de Serbie, les colporteurs slovaques, la foule endimanchée de la Vienne impériale et son salmigondis de nationalités, tout un univers à son apparent apogée, qui pourtant n'a plus que quatorze ans à vivre et court à cette journée noire où un vieil empereur tout empesé signera l'ultimatum déclenchant la Grande Guerre, cyniquement salué pour cet exploit imbécile par le seul lucide de ses Viennois[1], qui lui dira : « Je souhaite à Votre Majesté une bonne fin du monde... »

Dieu merci, ce dimanche d'automne est ensoleillé et doux, il a presque des senteurs printanières. Ils marchent, sans avoir échangé un mot depuis la première minute où ils sont ensemble. Et enfin il se met à parler, non pas d'elle ou de leur passé, ni de tout ce qu'ils ont pu faire, durant ces presque huit années où ils ne se sont pas vus, mais de ses projets. Il est en train d'écrire une pièce de théâtre. L'a presque terminée. Pense en avoir fini dans deux ou trois semaines. Il lui en raconte l'argument. Ce faisant, il lui propose un terrain neutre, où ils ne risquent pas grand-chose à s'aventurer. Est-ce qu'elle connaît un Suédois nommé Strindberg, qui écrit aussi pour le théâtre, avec presque du génie ?

— Je l'ai rencontré à Paris chez Gauguin, dit-elle.

Elle ne l'a pas fait exprès mais c'est presque une ouverture : il pourrait l'interroger sur la vie qu'elle mène, qui lui permet de connaître un dramaturge et un peintre l'un et l'autre renommés. Or il enchaîne très calmement sur *Mademoiselle Julie.* Non seulement il a vu la pièce trois fois mais il en acheté la brochure et sait le texte presque par cœur, à force de le relire. De Strindberg, il passe à d'autres écrivains. C'est elle qui cite Melville. Il pense de *Moby Dick* tout le bien qu'elle en pense, et même plus. Mais elle devrait lire Henry James et également Mark Twain, dans un autre registre. Il dit qu'il connaît personnellement l'auteur de *Tom Sawyer* et d'*Huckleberry Finn,* dont le vrai nom est Sam Clemens et qui a tout l'humour du monde. Une plaisanterie de Twain, notamment l'enchante :

— A en croire Sam, il est né avec un frère jumeau avec qui il avait une ressemblance stupéfiante. Hélas, un jour que leur mère les baignait, son jumeau et lui, elle en a noyé un par inadvertance. Et soixante ans après, Sam s'interroge encore avec angoisse, se demandant si c'est lui ou son frère qui est mort ce jour-là...

Hannah rit. Et du même coup, voilà que la petite mécanique s'en trouve débloquée, se remet enfin en route. Elle s'enhardit au point de regarder vraiment Taddeuz. En est saisie : il n'a absolument pas changé. Peut-être un peu aminci de visage mais c'est bien tout, on pourrait lui donner vingt ans sans qu'il les rende. Alors qu'elle-même se sent si vieille, « on sait bien que les femmes se décatissent plus vite que les hommes. Surtout toi, à fréquenter des kangourous et à entasser tous ces amants, déjà que tu n'étais pas trop belle, au départ... *Ça va, Hannah, arrête !* Tu vis le plus grand moment de ton existence, alors ne commence pas à pleurnicher sur toi-même. Il t'est revenu, c'est déjà ça. Reste à éviter qu'il reparte ».

1. Le journaliste Karl Kraus, « l'homme le plus méchant de Vienne », directeur du journal *Le Flambeau.*

Décidément la mécanique tourne à plein rendement.

— Est-ce qu'un directeur de théâtre t'a déjà pris ta pièce ?

A son tour de rire : il n'en est pas encore là. Toutefois, l'un de ses amis français, Jacques Copeau, a lu ses deux premiers actes.

— Jacques n'a que vingt ou vingt-deux ans mais en sait déjà plus sur le théâtre que je n'en saurai jamais. Il a des théories passionnantes et...

Elle n'écoute pas, bien qu'elle se le reproche. Des souvenirs lui reviennent : à Varsovie aussi, lors de leurs retrouvailles, ils s'étaient pareillement servis de la littérature pour s'approcher l'un l'autre. « Je vais devenir une encyclopédie vivante, pour peu qu'on se retrouve tous les sept ans ! Allez, tu vois bien, tu recommences à rire — de toi bien sûr. Tu n'es plus hébétée du tout, à présent. Quel drôle d'animal tu fais, Hannah... »

... Entre la rencontre de Varsovie et celle-ci, c'est bien le seul point commun. Elle le lui a bien dit dans sa lettre, qu'il valait mieux qu'il ne revienne pas, si c'était seulement pour évoquer des choses mortes. Intelligent comme il l'est, il a sûrement relevé cette dernière phrase, en a pesé le moindre mot... « O Dieu vivant, *il est venu pour toi*, imbécile de poche ! Et allez donc ! Re-voilà que tu trembles, tu en as des chaleurs partout, jusqu'aux endroits les plus intimes, c'est du propre ! » Parce que c'est tout de même clair, non ? Il semblait tout près de s'embarquer sur cette saloperie de paquebot pourri à destination des Amériques et au lieu de cela il s'est dérouté, c'est bien la preuve de ce qu'il est là pour refermer une parenthèse...

Alors, bon sang, qu'est-ce qu'il attend ? Tandis qu'ils déambulaient dans le Prater, au milieu de tous ces gens, on pouvait admettre sa réserve — « il aurait au moins pu me prendre la main, je ne lui demandais pas une orgie ! » — ... mais à présent qu'ils sont en fiacre (Taddeuz a ordonné au cocher d'aller n'importe où, ce qui ne constitue pas une indication très précise), il pourrait... disons dévoiler un peu plus de ses intentions. La nuit est arrivée, les réverbères s'allument et chaque fois qu'on en dépasse un, le profil de Taddeuz s'éclaire et lui fait rebondir le cœur...

(... Et en plus ce triple abruti de cocher, loin de les emmener là où il y a de la pénombre, semble prendre un malin plaisir à les faire passer dans les plus illuminées des avenues ; il a déjà franchi le canal du Danube, il engage sa voiture sur le Ring ; on a dépassé la statue de Schubert, on approche de l'Opéra...)

Elle fixe la lèvre inférieure de Taddeuz, qu'elle aurait si envie de mordre — gentiment ; elle regarde ses grandes mains, pour l'heure nonchalantes...

... Regarde le reste aussi, tant qu'elle y est — « il a vraiment de belles cuisses » — et lutte contre des tas d'images proprement honteuses, et brûlantes : « Pourquoi ne m'embrasse-t-il pas ? Je ne peux tout de même pas prendre les devants ! Nom d'un chien, il y a des moments où c'est tout à fait horrible, d'être une femme ! »

— Rainer Maria Rilke... est en train de dire Taddeuz avec une voix si calme qu'elle en paraît lointaine. C'est le meilleur de mes amis, je me contenterais d'écrire moitié aussi bien que lui...

— Je me fiche complètement de ton foutu Rilke, dit-elle soudain, toutes digues rompues, incapable de se retenir plus longtemps. *JE M'EN FOUS !*

Clip-clop du fiacre. Et dans la voiture, un silence à vous faire tinter les oreilles. Taddeuz tourne lentement la tête et la considère. Il sourit :

— Je me demandais combien de temps tu tiendrais encore, et quand tu allais exploser.

— Tu connais la réponse, à présent !

— Est-ce qu'une dame dit « foutu » et « je m'en fous » ?

— Je ne suis pas une dame et je ne le serai jamais.

« ... Eh bien voilà, tu as brûlé tes vaisseaux, Hannah, la comédie est terminée. Il s'est moqué de toi tout du long, rien que son sourire le démontre. C'est juste pour ça qu'il est venu à Vienne : t'annoncer qu'il serait temps que tu mettes un terme à tes rêveries de gamine juive, à tes poursuites et tes persécutions... Peut-être même est-il venu se venger, de ce qu'on lui a fait à Varsovie et... »

— Hannah ?

« ... de ce qu'on lui a fait à Varsovie et peut-être surtout de cette humiliation qu'il doit garder, au souvenir de sa débandade dans la grange Temerl...

« Je le hais. » Elle est, en même temps, en plein désespoir et en pleine fureur.

— *Hannah !*

— Je n'ai jamais prétendu être un orateur exceptionnel, dit très paisiblement Taddeuz, mais le moins que je puisse attendre est que ma future femme m'écoute, quand je lui demande de m'épouser.

Elle avait déjà la main sur la poignée de la portière.

Et la mécanique est à nouveau en panne.

Dernier message reçu avant l'interruption des émissions : « Tu es froide, glacée comme la mort, Hannah... »

— Tu m'as entendu cette fois, Hannah ?

— Tu te moques de moi, réussit-elle enfin à articuler.

Il ne bouge absolument pas. Il dit :

— Il doit être parfaitement clair que je t'épouse uniquement pour ton argent. Celui que tu as et celui que tu vas avoir, en quantités encore plus énormes, paraît-il.

— Ne te moque pas de moi, Taddeuz, je t'en supplie.

— Je ne me suis jamais moqué de quiconque. Sauf de moi-même.

Elle avait décollé son dos du fiacre, pour atteindre la poignée, un peu inclinée en avant. Elle accentue ce mouvement, mains serrées sur son sac et ses calepins, coincées entre ses cuisses et sa poitrine, le buste presque à l'horizontale.

— Tu es tellement passionnée, Hannah, tu as une telle avidité de vivre, c'est incroyable...

Elle ferme les yeux et pense : « Pourquoi ne dit-il pas carrément que je lui fais peur ? »

Mais il demande :

— Tu as tout préparé de notre mariage, n'est-ce pas ? Dans les moindres détails ?

— Oui.

— La date ?

— Le 30 décembre prochain.

— Pourquoi pas le 31 ?

— Je voulais que Johann Strauss joue à notre mariage. Mais le 31, on doit faire danser cette saleté d'empereur, qui donne aussi un bal, le crétin. Johann Strauss ne pouvait pas se dégager et ensuite...

(Ce n'est pas la seule raison du choix de date qu'elle a fait, mais elle ne voit pas l'urgence de s'expliquer davantage. L'impavidité de Taddeuz commence à l'inquiéter.)

— Est-ce qu'il n'est pas mort, Johann Strauss ?

— En mai dernier. Rien n'est allé comme je voulais.

— Je suis tout de même là.

— C'est vrai.

— Et pour l'endroit ?

— J'ai loué le palais d'un archiduc sur la Beethoven Platz.

— Nous nous marions à l'église ? ou seulement à l'état civil ?

— Les deux. Ce n'est pas difficile de devenir catholique.

Silence. Elle le voit, ou le sent, qui ferme les yeux : « Je l'épouvante, c'est clair. Oh, mon Dieu ! »

— J'ai aussi appris à danser, dit-elle. Et la typographie, pour relire tes manuscrits. Et à conduire une automobile. Et un peu de cuisine. Et à nouer les cravates.

Un temps.

— Entre autres choses.

Un temps.

— Pour la cuisine, c'est pas terrible.

Elle a glissé cette histoire de cravates et de cuisine dans son énumération, dans l'espoir de donner à celle-ci un tour plaisant. La tentative est vaine : Taddeuz ne sourit même pas. Ou presque pas.

— Je sais bien que je suis un peu folle, dit-elle.

— Ce n'est pas le mot que j'emploierais.

« Pourquoi ne bouge-t-il pas ? Si seulement il réagissait de quelque manière, en me giflant, ou en s'en allant... ou même en se mettant à rire...

« Je préférerais qu'il me claque, plutôt que de le voir rire... »

407

— Hannah ? Est-ce que nous sommes censés... vivre ensemble, jusqu'à notre mariage ?

— Non, dit-elle aussitôt dans un souffle. (Et, à sa propre surprise, elle rougit.)

— Je vois.

Un court silence. Il sort enfin de son épouvantable immobilité. Du pommeau de sa canne, il tapote le haut de la caisse du fiacre et celui-ci s'arrête.

— Eh bien, d'accord, dit Taddeuz.

— D'accord ?

— Nous admettons pour la postérité que je t'ai demandée en mariage et que tu m'as fait le bonheur de me répondre oui. Nous nous marierons donc ici à Vienne, le 30 décembre 1899, mariage civil et religieux. Tout cela est fort clair.

Il ouvre la portière et va descendre.

Elle dit, d'une vraiment toute petite voix :

— Tu pourrais m'embrasser...

Il la fixe, impassible.

Et enfin sa main s'allonge, lui relève le visage, la fait se redresser. Leurs lèvres se touchent à peine. Quand elle rouvre les yeux, il a déjà mis pied à terre et elle le voit qui marche devant la façade de l'Opéra sur la Ringstrasse, si grand qu'il dépasse tous les autres de presque une tête.

Il ne se retourne pas.

Il lui écrit une première fois de New York, où il s'est directement rendu en repartant de Vienne, afin de démissionner de son emploi auprès de John D. Markham, et aussi de récupérer des effets personnels dont beaucoup de livres...

... Une autre fois de Monte-Carlo, où il explique qu'il vit seul dans la villa déserte, bénéficiant de l'hospitalité amicale de son ancien employeur. Il travaille à finir sa pièce. *Qui ne va pas trop bien, mais ce n'est sans doute qu'un cap délicat à franchir...*

Dans les deux lettres il précise et confirme qu'il sera comme convenu à Vienne le 29 décembre en tout début d'après-midi, pour la signature du contrat de mariage. Ils se retrouveront Hannah et lui, et leurs témoins, chez le notaire qui a son étude sur le Graben, la longue place au cœur même de la Ville Intérieure.

Il lui fait adresser des roses rouges dès le lendemain de leur rencontre du Prater.

D'abord un énorme bouquet, accompagné de ce mot plutôt laconique et tiède, qu'il n'a sûrement pas écrit par hasard : *A ma fiancée.*

Intriguée et comme il avait sans doute prévu qu'elle le ferait, elle finit par compter les roses et en trouve soixante-quatorze. Le chiffre est étrange. Il faut à Hannah quelques secondes pour en comprendre la signification : après plus de sept ans de séparation, ils se sont retrouvés le 17 octobre 1899. Et jusqu'au 30 décembre, jour fixé pour leur mariage, il y a bien soixante-quatorze jours.

Le lendemain, autre bouquet identique...

... Sauf qu'il n'y a plus de soixante-treize roses...

·... Et soixante-douze le jour suivant...

... Et trente-sept et vingt-trois, et dix-neuf, onze, cinq, trois et deux...

Taddeuz apporte lui-même la dernière.

27

UNE SENSATION ETRANGE, POUR UN HOMME...

— Pas de palais archiducal ?

— J'aimerais autant pas, dit-il avec une mortelle nonchalance.

— Et pas non plus de Johann Strauss ?

— Il est mort.

— LE Johann Strauss, oui. Mais pas son neveu. Son neveu est vivant. Et il s'appelle Johann Strauss aussi, Johann III.

— Seulement si tu y tiens vraiment. Je ne voudrais surtout pas te gâcher ton mariage.

— Je pense pouvoir me passer de Johann Strauss III, dit-elle enfin dans un effort très douloureux pour conserver à leur discussion au moins le ton de la légèreté.

Arrivé de la veille (on est le 30), Taddeuz n'a pas eu pour elle le moindre geste d'affection ou a fortiori de tendresse — ne parlons pas d'amour. Elle ne l'a retrouvé que chez le notaire du Graben, découvrant seulement alors que ses angoisses étaient vaines, et qu'il était bien au rendez-vous. Il l'y attendait en compagnie de Rilke. Il lui a offert l'ultime rose rouge. Mais à part cela est resté muré dans une courtoisie un peu froide, avec son demi-sourire un peu moqueur et presque triste, si bizarre. A peine a-t-il posé les lèvres sur ses doigts gantés. Il a signé le contrat sans en lire une ligne, dans une totale indifférence. Le soir, ils ont tous dîné ensemble, elle et lui, avec Lizzie et Charlotte, Estelle et Polly Twhaites, plus Rilke, Hofmannsthal, Alfred Adler et Gustav Klimt qu'accompagnait Emilie Flöge, et Gustav Mahler dont Thomas Mann fera le héros de son *Mort à Venise,* et Arthur Schnitzler qui vient d'abandonner la médecine pour la littérature et n'a pas encore publié *la Ronde.*

Il a raccompagné Hannah et ses amies jusqu'à l'appartement de la chancellerie de Bohême puis est parti, a-t-il dit, enterrer sa vie de garçon en compagnie d'Hofmannsthal et de Rainer Maria Rilke.

Mêmes témoins le 30 décembre au matin pour le mariage civil et les deux cérémonies religieuses : l'une catholique — non pas dans la

411

merveilleuse église Saint-Charles, comme elle l'avait rêvé, mais dans la chapelle des Dominicains où il faisait un froid de mort — et l'autre juive, dans la synagogue de la Sterngasse. C'est Taddeuz qui a pris toutes les dispositions nécessaires à cette double consécration. Taddeuz l'a embrassée dans les deux cas, mais avec moins de gentillesse que ne l'ont fait Rainer ou Klimt, sans parler de Polly qui en pleurait.

... Et Hannah a dû foudroyer du regard Lizzie bouleversée par l'étrangeté de ce mariage : « Ne va surtout pas pleurnicher, toi ! »

Adieux à la même Lizzie, qui va repartir pour Londres avec les Twhaites, et à tous les autres.

Elle monte dans le train avec lui. Il s'assoit face à elle dans le compartiment pullman. Il demande :

— Et qu'as-tu prévu, pour la suite ?

— Suisse.

— Pourquoi pas ? Et où, en Suisse ?

« Il n'est absolument pas question que tu aies seulement la larme à l'œil, Hannah ! S'il peut rester si calme, tu le peux aussi. Tu finiras bien par savoir pourquoi il t'a épousée... ou s'est laissé épouser par toi... » Le train s'est mis en route et traverse la forêt viennoise où, entre autres projets mirifiques, elle s'était imaginée avec lui dans une voiture attelée à quatre chevaux, enveloppés d'une même fourrure, dans un silence enneigé, avec tout juste les violons de Johann Strauss (Trois à défaut du Premier) leur jouant précisément *G'schichten aus den Wienerwald*. « Tu ne pleures pas, Hannah, même si tu dois en mourir ! » Elle explique :

— Tout au sud de la Suisse, presque en Italie. Sur le lac de Lugano.

— Très bien.

Il neige. Les flocons brouillent le paysage. Ce devrait être parfaitement merveilleux, qu'il neige : des mois durant et sans doute des années (tu y pensais déjà dans le bateau qui t'emmenait à Melbourne), jour après jour, elle a espéré qu'il neigerait, au jour de leur mariage...

— Tu as préparé une maison là-bas, Hannah ?

— Mmmmm.

— Achetée ?

— En quelque sorte.

En réalité, elle n'a pas véritablement acheté la maison, qui est presque un château. Elle l'a louée, fort cher, mais le contrat de location négocié par Polly avec un confrère suisse contient une option d'achat et stipule que partie des loyers versés pourra éventuellement servir d'arrhes pour une acquisition définitive. « Tu fais même des affaires avec tes rêves, Hannah... » Car elle a rêvé, mille fois. Le train où ils sont, et puis deux autres en correspondance, enfin une voiture à l'arrivée... ils seraient à la maison du lac bien avant les douze coups du changement de siècle. Et Taddeuz et elle les écouteraient sonner, ces douze coups, ayant soupé devant le grand feu dans la cheminée, ayant peut-être déjà fait l'amour ou, mieux encore, s'il parvenait à refréner encore un peu la dévorante envie qu'il aurait eue d'elle, s'apprêtant à le faire ; elle aurait vu naître le XXe siècle dans ses bras, nue avec lui dans son ventre, sans doute un peu grisée par le champagne qu'ils auraient bu...

« Foutue idiote. »

Taddeuz :

— Je suppose que tu as programmé notre nuit de noces dans cette maison et seulement là ?

— Oui.

— Et je te ferai combien de fois l'amour ?

Elle soutient son regard.

Changement de train à Munich, puis en Suisse, à Zurich. Elle a fini par s'endormir, tandis que face à elle il lisait. Il lui a même fait la conversation, un temps, avec l'enjouement paisible d'un amical compagnon de voyage. Elle est encore toute somnolente, engourdie et comme léthargique, à l'avant-dernière étape en gare de Lugano, quand ils prennent place dans un landau noir et rouge à capote basse, tiré par quatre chevaux gris attelés à la daumont — les deux postillons sont montés en file sur les chevaux côté gauche. Il ne neige plus, s'il a neigé. La douzaine de kilomètres est franchie dans un silence feutré, qu'agrémentent parfois les clochettes des animaux de tête, quand ils dodelinent du chef ou encensent. Le lac est tout à fait noir, par cette obscurité sans lune. On entre dans Morcote à la pittoresque rue principale par endroits recouverte de voûtes, dont les poutres apparentes, en cette nuit de la Saint-Sylvestre, sont parées de lanternes vénitiennes en papier, multicolores. Le landau parvient à s'engager dans une ruelle en pente raide et l'escalade. Lorsqu'elle y est venue en reconnaissance, Hannah s'est attardée sur la terrasse de l'église Santa-Maria del Sasso, qui est du XIIIe siècle et se trouve juchée sur un à-pic de presque cent mètres. Mais il faisait grand jour et grand soleil ce jour-là, elle avait alors tous les espoirs du monde...

La maison-château est plus haut encore, elle domine tout, et à l'approche de la voiture, comme Hannah l'avait ordonné, rougeoyant sur la neige, toutes les torches s'allument en même temps.

— Puis-je fumer ?

Elle acquiesce. Ils sont arrivés peu après sept heures. La demeure a deux étages, avec, à celui du bas, des voûtes d'apparence romane. Ils l'ont visitée ensemble sans rien oublier. Devant l'immense chambre avec son gigantesque lit à quenouilles et quatre fenêtres donnant toutes sur le lac — en contrebas à plus de deux cents mètres —, Taddeuz n'a fait aucun commentaire. Il a quand même marqué un

413

temps d'arrêt et de surprise en découvrant à l'extrémité de l'étage le bureau qu'elle lui destinait, avec sa bibliothèque adjacente surabondamment garnie de livres, mais dont quelques rayons ont été laissés vides.

— Pour mes livres, Hannah ?

— Oui.

— Je n'en ai pas autant.

— Il se pourrait que tu en achètes. Ou que tu en écrives.

— Rien à redire à cela.

Il a passé sa main sur plusieurs reliures. Les livres sont en allemand, en français, en anglais, en russe et en polonais. Elle a fait spécialement relier de cuir toutes les œuvres publiées de Rilke, depuis *Vie et Chants* jusqu'à la plus récente, *la Princesse blanche*.

— Merci, Hannah. L'attention est délicate.

Et le petit sourire ordinaire, pas facile à interpréter.

Elle est allée faire toilette. Le changement s'est amorcé chez elle à cet instant : peu importe ce que lui a en tête, elle fera front et au diable les conséquences ! Elle met bel et bien la robe neuve prévue. Confectionnée tout exprès à Paris, elle est blanche et seulement relevée de liserés noirs et rouge andrinople ; elle est fermée jusqu'au cou et comporte dans le dos trente-neuf boutons minuscules. « Reconnais-toi au moins ce mérite, Hannah : tu es têtue ! »

Mieux que cela, durant tout le dîner, c'est elle qui a parlé. A son tour d'être calme et de faire la conversation. Elle lui a tout raconté, de son départ du shtetl sur le brouski de Visoker jusqu'à ses ambitions nord-américaines, sans rien omettre. Elle a étalé sa richesse, qui n'est qu'à son début. Elle a aussi énuméré ses quatre amants :

— En te comptant bien sûr. Le meilleur était André, mais Lothar n'était pas mal non plus. J'ai revu Lothar à Zurich, il est plus que probable qu'il a assassiné sa femme...

Ils ont achevé de dîner et sont passés dans le grand salon où flambe un feu. On leur a servi du café, les domestiques ont disparu.

Il allume son cigare.

— Qui a décoré la maison ?

— Quelqu'un appelé Henry-Béatrice.

Il relève un sourcil :

— Homme ou femme ?

— Les deux ensemble. L'idée de l'atmosphère stendhalienne est de lui. Quelle heure est-il ?

— Bientôt onze heures. Il y a un peu plus de deux ans, je suis entré dans une librairie de la rue de Rennes. J'y ai appris qu'on avait posé des questions sur moi.

Elle se fige, assise — robe très soigneusement étalée de part et d'autre d'elle — sur le canapé à la Pommier.

414

— Hannah, comment s'appelle ce garçon qui m'a recherché ?

— Maryan Kaden. C'est celui que j'ai envoyé à New York.

— L'idée était ingénieuse. Mais je ne lisais qu'en anglais, à l'époque. Et ensuite, j'ai pris mes précautions.

— Parce que tu savais qu'il travaillait pour moi ?

— Qui d'autre ?

Il lui sourit :

— Hannah, je savais où tu étais. Plusieurs de mes amies, ou des amies de Markham sont parmi tes plus fidèles clientes. Voici dix-huit mois, je me trouvais moi-même à Londres. Je t'y ai vue.

Elle ferme les yeux. Il acquiesce, en réponse à la question qu'elle n'a pas formulée :

— Oui, j'aurais pu te parler. Il m'aurait suffi de traverser la rue.

— Mais tu ne l'as pas fait.

— La preuve.

« Rouvre tes foutus yeux, Hannah, et regarde-le bien en face ! » Elle se redresse.

— Ensuite, dit-il, il y a eu ce superbe personnage qu'est Visoker. Je ne voudrais pas l'avoir pour ennemi. Mais il t'aime, plus que lui-même. Tu aurais peut-être dû l'épouser, au lieu de moi. Nous avons longuement parlé.

— Entre hommes.

— Entre hommes. Je n'avais jamais réussi à le voir, alors qu'il venait de me suivre pendant tout un mois. En revanche, j'ai repéré tout de suite ton détective anglais.

— Que t'a dit Mendel et que lui as-tu dit ?

— Tout à l'heure, Hannah, s'il te plaît. C'est une sensation étrange, pour un homme, d'être à ce point traqué.

— Les femmes en ont davantage l'habitude, en effet.

— C'est vrai. Dieu merci, tu ne m'as jamais envoyé de fleurs ou de bijoux. Et ne me dis pas qu'il aurait suffi que je vienne te voir pour que tu cesses. Tu n'aurais jamais renoncé. Même si j'avais été marié.

— Tu ne l'étais pas.

— J'ai failli l'être.

— Mary-Jane Gallagher.

— Je suis passé bien plus près que cela du mariage, avec d'autres.

— Je t'ai écrit.

— C'est la chose la plus intelligente que tu aies faite à mon égard. Et je ne t'ai pas répondu parce que je ne savais pas quoi répondre. Il m'est déjà arrivé de me sentir grotesque mais là, j'ai touché au plafond.

— Je t'aime.

— Je sais. Je pense même que tu m'aimes comme une femme, et pas comme une gamine qui se serait seulement amourachée d'un ami d'enfance. Mendel Visoker t'a dit que j'étais revenu à Varsovie, en juin 92 ?

— Il ne m'a pas dit pourquoi.

— Il le savait pourtant. Je t'ai cherchée dans tout Varsovie... Tais-toi, Hannah, ne dis rien... Personne n'a pu me dire où tu étais partie. Je suis allé jusqu'à ton shtetl de nuit, on n'en savait pas davantage. Hannah, si seulement tu ne m'avais pas tellement menti, à Varsovie ! Pourquoi rends-tu toujours compliquées les choses les plus simples, pourquoi a-t-il fallu que tu me racontes ces fables absurdes, sur un prétendu héritage ? J'y ai un peu cru, sur le moment, tu avais une robe merveilleuse, un peu vieille pour toi mais très belle. La même que ce soir, si je ne me trompe pas... Je ne t'ai pas crue longtemps. Tu semblais tellement épuisée... de plus en plus au fil des semaines. Et je ne savais pas comment te dire que ce n'était pas la peine de me jouer cette comédie, tu avais l'air de tellement y tenir... Cette unique nuit que nous avons passée ensemble, à Praga, le jour du Nouvel An...

— Je n'ai jamais passé une autre nuit de Nouvel An avec personne d'autre.

— Laisse-moi finir. J'aurais dû te parler cette nuit-là. Je ne l'ai pas fait et après tu as disparu. Je sais pourquoi, maintenant. Visoker m'a tout raconté, l'affaire de Pelte Mazur, avec plus de détails que tu ne viens de m'en donner. Mais à l'époque, je n'ai rien compris. Et des années après je te retrouve, je sais déjà que tu m'as fait rechercher dans toute l'Europe, je sais que tu commences à être très riche, on ne parle que de toi, de ce que tu as réussi en Australie auparavant. Ce n'est pas que tu aies de l'argent qui me gêne le plus — même si ça me gêne un peu —, c'est surtout cette passion comme fanatique que tu portes notamment à la réussite, et ce que je sais de ton caractère...

— Et la grange Temerl quand tu avais dix ans, dit-elle avec une férocité soudaine.

Silence. Il hoche la tête :

— Oui, il y a cela aussi. Ton frère ne serait pas mort sans moi.

— Je ne t'en ai jamais voulu. Mendel pourrait te le dire.

— Il me l'a dit. Tu pourrais difficilement trouver meilleur avocat que lui. J'ai pensé un moment que tu me l'avais envoyé pour ça. A présent je crois que tu as prévu qu'il me parlerait et plaiderait pour toi. Tu es capable de tous les calculs. Hannah, le 15 octobre dernier, j'ai été à deux doigts de rentrer en Amérique et de m'y marier, avec Mary-Jane ou une autre. Parce que j'estimais que vivre avec toi serait de la folie. Presque un suicide.

Elle le fixe éperdue :

— Et tu ne le crois plus ?

— Je n'en sais rien.

— Tu es pourtant venu à Vienne, finalement.

— Tu sais très bien pourquoi.

Elle secoue la tête, incrédule :

416

— Ce n'est pas vrai que tu m'aimes. Tu ne m'as seulement jamais embrassée pour de vrai.

— Et je t'aurais fait l'amour dans un fiacre ? Alors que tu avais tout prévu, jusqu'à cette maison ? Je jurerais que même les draps sont spéciaux.

— Je t'aime.

— Mais tu as quand même voulu attendre d'être ici pour que nous fassions l'amour.

— Je t'aime.

— Tu as voulu attendre d'être mariée. D'être redevenue vierge, en quelque sorte. Je t'aime aussi, plus que tu ne le croiras jamais. Et de deux choses l'une, comme dirait ton Visoker : ou bien nous faisons l'amour ici et tout de suite...

— Le lit, dit-elle avec toute sa malice revenue. Le lit en haut. Les draps sont vraiment spéciaux.

— ... Ou bien nous attendons le premier coup de minuit. Parce que, nom d'un chien, je commence à en avoir plus qu'assez, d'attendre !

Il dit :

— J'aurais calculé comme une certaine Hannah de ma connaissance, ayant prévu chaque détail avec une minutie extraordinaire, je me serais entraîné des semaines à défaire des boutons.

— Arrache-les.

— En aucun cas. Rien ne presse. Il nous reste encore dix-neuf minutes avant le changement de siècle. Hannah, le Taddeuz de Praga manquait pour le moins d'expérience, c'est entendu...

— Mais il y avait autre chose.

— Tiens-toi tranquille. Il y avait une autre raison.

Elle se tient droite et lui tourne le dos, tandis qu'agenouillé derrière elle, il défait un à un les trente-neuf boutons.

— ... Une autre raison, Hannah : ce même Taddeuz était presque paralysé par l'amour qu'il éprouvait déjà. Tu comprends ?

— Je comprends.

Il défait les boutons sans se presser le moins du monde. Sans s'attarder non plus. Et sous la soie blanche, jusqu'à la taille, elle est nue. (Un peu plus tôt, il l'a soulevée dans ses bras et portée du salon à la chambre. Il l'a déposée devant l'une des deux cheminées qui se répondent, aux deux murs opposés de la pièce. Elle est à moins d'un mètre des flammes ; en dépit du pare-feu de bronze, elle en sent la chaleur sur son visage et tout le devant de son corps.)

Ainsi qu'elle l'avait prescrit, les domestiques ont mêlé de l'eucalyptus et des ceps de vigne aux bûches de sapin, en proportions mathématiquement déterminées ; la senteur qui en résulte est exactement celle qu'elle désirait. « Il ne doit pas être possible d'être plus heureuse que je le suis en ce moment... »

Les doigts de Taddeuz l'effleurent à peine, à croire qu'il ne la touche pas et cependant elle sent la robe qui cède, à chaque nouveau bouton défait.

— Hannah non plus, dit-elle, n'était pas très maligne. N'en parlons plus.

— D'accord : tu es toute neuve.

— Ne te moque pas de moi.

Elle l'entend rire doucement :

— Ce n'est pas précisément ce que j'ai en tête.

— Et ne te moque pas de toi non plus, s'il te plaît.

— Juré.

Juste à cet instant-là, les boutons au creux de ses reins cessent leur résistance, le tissu prend de la liberté. Mais la robe tient encore par sept boutons à chaque poignet — elle les avait oubliés, ceux-là ! « Bon sang, Hannah, pourquoi n'avoir pas mis des serrures à combinaison, pendant que tu y étais ! »

— Rien ne presse, dit Taddeuz. Non, ne te retourne pas : tends-moi simplement les mains.

Elle les lui offre et ce faisant se cambre. La pointe de ses seins frotte contre la soie, elle en gémirait presque.

— Trois, quatre et cinq, dit très tranquillement Taddeuz sur le ton d'une comptine fredonnée. Dans ce fiacre, en octobre, si j'avais fait un tout petit peu plus que t'effleurer, j'aurais craqué complètement et me serais rué dans tes jupons comme un loup affamé. Il valait mieux que je me tienne à distance... Sept, huit, neuf, on approche.

— Sadique.

— C'est toi qui as choisi cette robe. Et ne parlons pas du wagon pullman. J'ai dû relire quinze fois la même page. Le pire, ça a été quand tu t'es endormie, il y avait une invraisemblable douceur sur ton visage. Je ne t'avais jamais vue dormir. Même à Praga, tu étais repartie avant l'aube. Si une femme a failli être violée, c'est bien toi, entre Zurich et Lugano, sur fond d'Helvétie sous la neige... Dix, onze, douze. Plus que deux.

— *S'il te plaît...*

— Rien ne presse. Chacun son tour d'attendre. D'ailleurs, une dame ne doit jamais avoir envie d'un homme, c'est contre toutes les règles. Une femme honnête n'a pas de plaisir, dit la chanson française. Treize et quatorze, le compte y est. Cinquante-trois boutons en tout. Ne bouge pas, c'est un ordre.

Il fait enfin glisser la robe, l'effeuille très lentement, une épaule après l'autre. La pointe de sa langue suit la crête des épaules dénudées. Puis, à mesure qu'il la déshabille, parcourt de même le creux de ses reins. Il la met nue un peu plus bas que la taille, à mi-hauteur des hanches rondes :

— Défais toi-même tes cheveux, Hannah. Non que je ne sache le faire mais j'aime le mouvement de ton buste quand tu lèves les bras... ainsi. Ravissant.

« ... Sans hâte, s'il te plaît, il nous reste un petit quart d'heure. J'ai vu les dessins que Klimt a faits de toi, tu as dû poser à demi nue, pour le moins.

— Il n'a vu que mes seins.

— C'est déjà trop. Ne recommence pas.

... Il se sert aussi des mains, à présent. Ses longs doigts dépassent enfin le médian des hanches, poussent une pointe sur le ventre. Il la fait se retourner. Dit d'une voix rauque :

— Ma femme a le plus beau corps du monde. Et que de jupons !

Avec infiniment d'adresse et une feinte négligence, il dénoue les derniers rubans et baisse un peu plus les épaisseurs multiples de la robe, des cinq jupons en mousseline de soie, du pantalon de dentelle. Interrompt la descente au millimètre près, juste à l'orée de la toison. Appose sa joue et puis ses lèvres et sa langue. Tandis que respectant ses ordres, elle continue de se tenir les bras levés, pour retenir ses cheveux qu'elle a défaits, haletante, visage renversé en arrière.

— Maintenant, Taddeuz...

— Rien ne presse.

Il la soulève et la porte telle qu'elle est sur le lit. Duquel il ôte les moines et bassinoires emplis de braises. Il l'allonge et alors seulement la met tout à fait nue, la débarrassant de la robe, des cinq jupons et du pantalon de dentelle.

... Puis des jarretières et des bas, qu'il roule nonchalamment, ponctuant sa manœuvre de baisers sur la chair très blanche des cuisses.

— Tu me rends folle.

— J'espère bien. Mais nous étions déjà fous tous les deux.

Elle veut l'aider à se déshabiller mais il l'oblige à s'allonger, et à attendre encore. Il entre enfin dans le lit. Elle plaque aussitôt son corps contre le sien, bouche contre bouche et le grand membre entre leurs deux ventres.

— Prends-moi.

— Il n'est pas encore minuit. Dans ta programmation...

— Prends-moi.

Il se redresse sur un coude et la regarde, dans la lueur tremblotante des chandelles qu'elle a préférées à toutes les lampes, et que ni elle ni lui n'ont voulu souffler. Il hoche la tête :

— La proposition vaut d'être étudiée.

— Je te hais.

— Moi aussi. Très doucement, alors. Pour commencer, du moins...

— J'ai peur, dit-il, que nous n'ayons changé de siècle sans nous en apercevoir.

— Quelle heure est-il ?

Elle est en train, avec la faim insatiable qu'elle a de lui, de l'embrasser sur tout le corps. Partout.

— Comme tu peux le remarquer, Hannah, je n'ai pas de montre sur moi.

— Cherche.

Il s'allonge un peu plus, mais ce n'est pas assez :

— Ce lit est grand comme le Prater, Hannah. Où diable l'as-tu trouvé ?

— Construit tout exprès. Quand on a un mari de trois mètres, autant prendre ses précautions.

Il rampe sur le dos et elle le traque, mordillant tout ce qu'elle peut attraper. Il atteint quand même le rebord, farfouille dans ses vêtements. Miraculeusement, la montre lui vient dans la main. Il la consulte :

— Presque quatre heures. Comme le temps passe... *HANNAH, ARRETE !*

Elle ricane :

— On est plutôt pantelant, hein ?

— Je sollicite une trève, madame.

Elle se hisse sur lui, des pieds à la tête, comme elle escaladerait une échelle. Finit par atteindre sa bouche. Etale ses cheveux sur leurs deux visages à la façon d'une tente :

— Et tu m'aimerais depuis quand ?

— Sais pas au juste. Peut-être Varsovie. Quand tu hurlais pour réclamer Lermontov dans la librairie, rue de la Sainte-Croix.

Les yeux gris s'écarquillent. Elle est à plat ventre sur lui et il caresse le long sillon de ses reins, si profond :

— Hannah, tu ne m'as pas abusé, ce jour-là.

— Tu n'as pas cru à une rencontre de hasard ?

— Te connaissant comme je te connais ? Pas une seconde.

— Menteur.

— Non.

— Je ne m'en suis pas rendu compte. Je n'ai rien deviné.

— Ce qui n'a pas dû t'arriver souvent.

C'est vrai, elle en est presque stupéfiée. Elle ferme les yeux et avec des façons de chatte, se coule, se pelotonne un peu plus sur lui, tête au creux du cou de Taddeuz :

— Taddeuz, que se serait-il passé si je ne t'avais pas menti, à Varsovie ? Si je n'avais pas, comme tu dis, compliqué les choses ?

— Je ne sais pas.

— Tu le sais sûrement.

— D'accord. Nous nous serions mariés à la fin de mes études, car je les aurais terminées. Ou même avant. Tu ne serais pas partie pour l'Australie, tu n'y aurais pas commencé de faire fortune, tu n'aurais pas eu d'autre amant que moi, nous nous serions établis à Varsovie, j'aurais un cabinet d'avocat, j'écrirais à temps perdu entre deux plaidoiries, nous aurions des enfants.

— Et nous n'aurions pas perdu toutes ces années.

Elle pleure très doucement : « Et il a raison, Hannah, cent mille fois raison. »

Il se soulève et la soulève, la fait glisser contre sa hanche, la serrant très tendrement et tirant un drap sur eux deux. Un drap de soie noire, blasonné de leurs deux visages, en rouge andrinople et blanc.

Silence.

— Je t'aime, Hannah. A jamais.

— Nous allons en avoir.

— Des enfants ?

— Au moins trois.

— Tu connais déjà leurs dates de naissance et leur sexe ou bien ta programmation ne va-t-elle pas jusque-là ?

— Il faut que je calcule tout, je suis ainsi.

— Je sais, dit-il. Personne au monde ne le sait plus que moi.

... Il lui refait l'amour, malgré ces larmes qu'elle ne parvient pas à refouler. Ou à cause d'elles.

La neige se remet à tomber le lendemain et ils contemplent le lac figé en contrebas, à quelques endroits envahi par la glace, depuis les fenêtres de leur chambre qu'ils ne vont pas quitter de quatre jours. Et elle a beau fouiller sa mémoire, Hannah ne peut que constater que c'est la première fois, depuis qu'elle est partie de son shtetl pour Varsovie, soit depuis presque dix ans, qu'elle passe ainsi des jours à ne pas travailler, oubliant jusqu'à l'argent qu'elle peut gagner, s'en fichant à l'extrême, et jusqu'à ses maniaques comptes et calculs. La sensation est très nouvelle, étonnante, presque honteuse...

« ... Mais elle te donne tout le bonheur du monde, tout le bonheur dont tu aies jamais rêvé... »

— Jusqu'à quand, Hannah ?

Elle est à cet instant sur le point de porter à ses lèvres une tasse qui, comme tout le service, vient de chez Ginori, à Doccia près de Florence ; toutes les pièces de ce service ont plus de cent ans d'âge ; la cafetière notamment est une pure merveille, avec son anse serpentine.

— Jusqu'à quand quoi ?

— Tu ne vas pas arrêter tes affaires.

(Ce n'est pas une question qu'il pose : il constate.)

— Jusqu'à quand vas-tu rester ici ?

« Nous y voilà. » Elle repose la tasse.

— Je serais un homme, Taddeuz, est-ce qu'on me demanderait de cesser de travailler ?

421

— Je ne te le demande pas. Et je ne te le demanderai jamais.

— Il me faut être à New York vers le 15 février. Et avant, je repasserai par Rome et Milan qui vont ouvrir, j'irai à Madrid et Lisbonne pour la même raison. Et puis Berlin, Paris et Londres. L'Amérique aussitôt après.

— Je n'ai pas une vocation de prince consort.

— Tu es écrivain.

— J'essaie d'en être un. A tort ou à raison.

Il sourit :

— Et il ne s'agit pas de notre première scène de ménage, Hannah. Je savais et tu savais que nous allions avoir ce genre de conversation.

— Qui pouvait attendre.

— C'est justement ma question : combien de temps ? Je ne vais pas te suivre de train en train, et d'hôtel en hôtel. Si je veux écrire, en supposant que j'en sois capable, il me faut travailler dans le calme, entouré de mes livres.

— Cette maison est à toi autant qu'à moi.

Il y a entre eux, à ce moment, les mots qu'il a prononcés lors du premier soir dans la maison-château : « ... Vivre avec toi serait de la folie, et presque un suicide. » Il pourrait les répéter. Elle le sait. Elle y répondrait par un million de promesses et de serments. Mais ils savent l'un et l'autre que cela ne servirait à rien. Tout au plus peut-elle dire ce qu'elle dit alors :

— Nous pouvons essayer, Taddeuz. A tout prix.

— D'accord.

— C'est pour cela que tu as tant hésité à venir me rejoindre, n'est-ce pas ?

— Oui.

— La seule raison ?

— Unique.

— Et si je ne t'avais pas écrit ?

« ... Si tu avais tenté de lui tendre un piège, Hannah, par exemple avec l'aide d'un éditeur, comme tu y as bel et bien pensé, il aurait tout compris dans la seconde et tu l'aurais perdu à jamais. Lui écrire et le laisser prendre sa décision lui-même a bien été la chose la plus intelligente que tu aies jamais faite ! »

— Ne réponds pas, dit-elle. Je ne t'ai pas posé la question, d'accord ?

— D'accord.

— Tu as terminé ta pièce de théâtre ?

Sourire :

— A en croire tous les directeurs de théâtre à qui je l'ai proposée, non.

... Mais le sourire s'efface :

— Hannah, ne t'en mêle pas, s'il te plaît. Ne t'en mêle jamais. En aucun cas. Quoi qu'il arrive.

— Je t'aime. Tu vas réécrire ta pièce ?

— Non. J'ai un autre sujet.

Il lui en parle. Et elle a de nouveau le sentiment d'être d'un autre monde que lui, déjà éprouvé quand elle a lu ses poèmes. Toutefois, dans l'heure suivante, et au cours des journées qui viendront après, une paix réelle et très douce s'établit entre eux. Il raconte merveilleusement ces histoires qu'il invente, dont il veut faire une pièce, un livre ou une nouvelle ; il a vraiment la tête pleine d'un univers et de personnages, sait les décrire ou leur donner une vie saisissante ; il peut la faire crouler de rire, ou au contraire pleurer, par son seul talent de conteur. Emerveillée et fascinée, comme fondante de bonheur, elle redécouvre en lui, à quelque dix-huit années de distance, le Taddeuz de son enfance.

En somme, elle ne s'était jamais trompée sur lui. Quoi que Mendel ou d'autres aient pu penser. (Même si Mendel est revenu de ses préventions, « ce qui était fichtrement héroïque de sa part, puisqu'il m'aime et que, forcément, il était jaloux de Taddeuz. Cher Mendel... »)

C'est vrai aussi que, d'une certaine façon, Taddeuz est plus intelligent qu'elle. Plus fin. Jamais elle n'a été devinée de la sorte par quelqu'un. « La différence entre lui et moi, c'est que je sais les choses avant qu'il les dise et que lui les sait avant que je les pense. » Rien à voir avec le fait qu'il soit un homme et elle une femme, « ça m'étonnerait bien que je fasse des complexes sur ce point » !

Quoique.

« Tout le problème est là, Hannah : les rôles seraient inversés, il ferait des affaires et de l'argent, et toi des livres, tout le monde trouverait ça normal. Dans l'ordre. Ça n'affolerait personne que tu restes à la maison, entretiennes le feu comme une vestale de Rome, prépares la soupe, fasses des enfants, les torches et les élèves, attendant le retour du seigneur et maître, prête en plus à retrousser ta chemise sitôt qu'il en aurait envie. Et même si tu avais effectivement envie d'écrire, dans les intervalles, il n'y aurait pas grand monde pour s'en étonner. On est au vingtième siècle — pas depuis longtemps, mais on y est. Seulement voilà, c'est le contraire : c'est toi qui cavalcades et c'est lui qui fera la vestale. Foutument dangereux, comme dirait Mendel... »

Elle avait prévu de consacrer un plein mois à ses noces. C'était déjà énorme pour elle que cette première grande coupure en dix ans. Elle en avait attendu monts et merveilles et, de fait, en a reçu monts et merveilles. Très au-delà, même, de ce qu'elle pouvait attendre. Pas uniquement à cause du plaisir physique extraordinaire qu'ils prennent ensemble. « Même André fait pâle figure, à côté de Taddeuz ; il est vrai que j'aime Taddeuz, ce qui n'était pas le cas d'André ; ça doit aider, contrairement à ce que je croyais en Australie ; j'en apprends, des choses... »

Mais aussi elle a la révélation des joies plus simples du compagnonnage quotidien, des silences partagés, des codes qui s'établissent on ne sait comment et dont on connaît seuls le secret, d'un regard échangé par-dessus les tasses du petit déjeuner, d'une présence dans l'obscurité de la chambre, de l'intimité qui gagne au fil des jours, de cette certitude où l'on est que ça vaut la peine d'engranger des souvenirs pour la suite, assurés que l'on est de ce qu'il y aura une suite. Ce qui, bien sûr, n'a jamais été le cas avec nul autre. Même André. Certes, elle a souvent dormi avec André mais — c'est elle qui l'avait voulu — sans cohabitation autre que passagère ; il ne s'agissait que d'une liaison, à peine mieux qu'un cinq à sept...

Et en outre, par-dessus toutes ces satisfactions, la joie fantastique du triomphe : elle a eu son Taddeuz. Qu'est-ce qui compte auprès de cela ?

« ... L'argent également va poser des problèmes. Taddeuz n'en a sûrement pas beaucoup. Ça gagne combien, un secrétaire d'ambassadeur ? Bien moins que toi, en tout cas. Et plus ça ira, plus la différence va s'accroître. Puisque tu vas nécessairement faire fortune. Déjà que c'est bien parti... A moins qu'il ne se mette à gagner des cent et des mille, comme écrivain. Ce serait sacrément souhaitable. Je me demande si ça peut devenir riche, un écrivain ? Certains, oui : le père Hugo n'était pas à la rue, que je sache. Et il y a d'autres exemples. Sans compter qu'on peut devenir très célèbre. Ça compense. L'idéal, ce serait qu'on n'en soit pas à dire qu'il est le mari d'Hannah, mais au contraire : " Hannah Qui ? Ah oui, la femme de l'écrivain ! "

« Ça arrangerait tout. Quoique... Quand tu entres dans un institut et que toutes les conversations s'arrêtent, tu en es toute palpitante, non ? »

Passé les quatre premiers jours, tout de même, ils sont un peu sortis. Elle a fait amener la Daimler de Vienne par le chauffeur. Emmitouflée dans ses fourrures de zibeline blanche, elle s'est installée au volant sans y penser, à la place du conducteur. A croisé le regard de Taddeuz :

— Comme tu voudras, a-t-il dit, fort calme.

Elle a changé de place et lui a abandonné la direction. Pour d'ailleurs reconnaître très vite, en toute honnêteté, qu'il est un bien meilleur pilote qu'elle. Ce qui l'a néanmoins un peu agacée :

— C'est juste parce que je manque d'expérience. Qu'est-ce que j'ai fait ? Quatre ou cinq fois le tour du Prater, c'est tout !

— D'accord.

— Ne dis pas d'accord avec l'air de sous-entendre que tu n'en crois pas un mot ! Je pourrais conduire très bien si je le voulais !

— D'accord.

Et de rire, ce monstre !

Pour cette première sortie, ils sont passés en Italie et ont poussé jusqu'à Stresa, faisant le tour du lac Majeur. Ils n'ont pas pu attendre d'être rentrés à Morcote. Dans la première auberge venue, ils ont loué une chambre à la journée, l'occupant juste le temps nécessaire (elle était glaciale et humide, la chambre) avant de ressortir dignement sous l'œil très réprobateur de l'assistance italienne.

« ... Ça arrangerait vraiment tout qu'il devienne un écrivain célèbre. Ou presque tout car il resterait ton caractère, Hannah. Tu avais vraiment besoin de le défier ? Pour un peu, tu aurais proposé une course d'automobiles entre lui et toi. Tu es incorrigible. Si seulement tu la fermais, de temps à autre ! Et puis il n'y a pas que ta grande... bouche. Prends l'amour, par exemple. Tout autre homme que Taddeuz aurait été épouvanté, aurait cru que tu as fait l'hétaïre pendant quinze ans, à te voir dans un lit. Elles ne doivent pas être cinquante dans le monde, de femmes Zonnêtes Zé mariées, à faire à leur mari ce que tu fais à Taddeuz, toutes ces caresses... Ce serait même stupéfiant qu'elles soient cinquante. Si ça se trouve, tu es seule. Et le moyen de le savoir ? Tu te vois demander à Estelle Twhaites, ou à toute autre dame respectable, sur le ton dont on s'enquiert de la recette d'un pudding : " Excusez-moi, chère madame, juste un petit renseignement : est-ce que vous prenez votre Polly personnel dans votre bouche, quelquefois ? " Elle en tomberait raide morte... Déjà qu'avec les dents qu'elles ont, je serais leur mari, j'aurais peur...

« Bon, ce n'est pas si drôle, Hannah, ne fais pas le clown. Ça ne passe décidément pas, ce qu'il t'a dit sur la vie avec toi, que ça pouvait être comme un suicide. C'est terrifiant qu'il le pense, c'est encore plus terrifiant de savoir qu'il n'a peut-être pas tort. Parce qu'il n'y a rien à faire : la petite mécanique dans ta tête n'arrête jamais de tricoter. A un problème, il y a toujours des tas de solutions, c'est ton credo. Seulement, il t'a mise en garde : « ne te mêle pas de mes affaires d'écrivain, Hannah, en aucune circonstance... » Il a bien lu dans tes yeux que tu commençais déjà à imaginer toutes sortes de manigances pour que ses poèmes, ses pièces ou ses livres aient du succès. Ne t'en mêle pas, Hannah. Essaie de ne pas lui fabriquer sa vie. Essaie surtout de ne pas la lui briser. »

Ils passent aussi six jours à Florence, dans la troisième semaine de janvier.

Il lui parle des Etrusques, de Farinata et des Uberti, de Savonarole et Machiavel, des Médicis, de toute la Florence du Quattrocento. Ils parcourent ensemble main dans la main ou lui la tenant par la taille (seulement quand ils sont seuls) toutes les beautés d'une ville qu'il adore, depuis les matins laiteux dans les jardins de Boboli jusqu'aux soirées sur les bords de l'Arno et à la lumière quasi divine baignant les collines de Sant' Ansano ou de Fiesole. C'est lui qui, mieux qu'un hôtel, leur a trouvé une grande chambre avec vue sur le Ponte Vecchio, où ce fou de Cellini a vécu. Et il commence à esquisser les grandes lignes et les personnages de ce roman historique qu'il veut faire — qu'il fera — sur les condottieres et notamment sur Jean des Bandes Noires dont le seul nom l'enchante...

... Dans le même temps, toute énamourée qu'elle soit de son Taddeuz et de la ville, Hannah note machinalement des emplacements pour une ou deux boutiques, et pourquoi pas un institut ? et s'étonne d'avoir tant tardé à ouvrir en Italie.

Des lettres les attendent, à leur retour à Morcote. Rien que l'épaisseur comparée des deux piles de courrier — à droite ce qui concerne Taddeuz, à gauche ce qui s'adresse à elle — est déjà un symbole. Un peu gênant. On ne lui écrit que sous son nom de jeune fille, la nouvelle de son changement d'état civil n'a pas encore atteint ses établissements ni la plupart de ses connaissances. Elle ne décachette que l'essentiel : trois lettres de Maryan depuis New York, deux de Polly pour les affaires, une de Rebecca qui signe Becky Singer et ne rêve que de retrouvailles, douze ou quinze de ses principales lieutenantes que sont Jeanne Fougaril à Paris, Cecily Barton à Londres, une Emma Weiss à Berlin, une Martha Uebermuller à Vienne... et encore Juliette Mann... et Boschatel, le ramasseur d'herbes et de plantes... et Jean-François Fournac rendant des comptes depuis Melbourne... et le cabinet Wittaker de la même ville confirmant que le Fournac susdit a été bien honnête... et le directeur de l'usine d'Evreux et...

Pour le reste, elle décide de n'y pas toucher. Il lui faudrait des heures et des heures pour dépouiller, vérifier, collationner, reporter sur ses calepins personnels tous les bilans hebdomadaires. Et ajouter des queues et des pattes à tous les mignons petits moutons frisés et multicolores.

— Pourquoi ne pas le faire, Hannah ? Je trouverai à m'occuper.

— Seulement si tu as envie d'être débarrassé de moi.

— Pas vraiment, répond-il avec un sourire moqueur. Pas vraiment...

Il ne lui a jusque-là pas posé la moindre question sur ses entreprises, manifestant la même indifférence que lors de la signature du contrat de mariage. Il le fait ce jour-là, par courtoisie. En ce premier mois de 1900, elle en est à vingt-sept instituts et boutiques et même si elle constate qu'elle ne le passionne guère, se laissera aller à lui décrire par le menu, non sans orgueil, toutes les structures qu'elle a créées, en plus des points de vente, de l'usine d'Evreux à la chaîne d'entrepôts, aux deux écoles — esthéticiennes et vendeuses — et aux deux laboratoires, un aux Gobelins et celui de Juliette Mann. Plus de quatre cents personnes travaillent pour elle. A plein temps, elle ne compte pas les surnuméraires.

— C'est impressionnant, Hannah.

— Tu t'en fiches complètement, n'est-ce pas ?

— Mais non. Je doute simplement de pouvoir t'être utile en quoi que ce soit.

— Pas plus que je ne pourrais t'aider à écrire. Taddeuz, viens avec moi à New York. Tu es américain, après tout.

Il rit :

— Toi aussi, à présent.

Elle en reste bouche bée : elle n'y avait pas pensé ! « J'ai changé de nationalité sans même m'en apercevoir ! »

— Viens avec moi, raison de plus. Juste quelques semaines. Je t'en prie...

Elle se fait chatte.

... Et pense : « Outre que je vois mal comment je pourrais me passer de lui — et lui de moi, j'espère —, il doit connaître un tas de gens, en Amérique. Son fameux John D. Markham par exemple, qui a été vice-ministre et est encore sénateur. Ce vieux schnock a sûrement des tas et des tas de relations, qui me seront bien utiles pour lancer mes instituts d'Outre-Atlantique...

« Et voilà que tu recommences à manipuler les gens, Hannah, sale garce ! »

28

LA PETITE MECANIQUE QUI...

Ils débarquent ensemble à New York au matin du 26 février 1900, du *Campania* de la Cunard. Elle a sauté l'étape de Berlin mais a respecté toutes les autres, y compris Paris et Londres, à cause de Lizzie. Et pour Hannah ce fut l'occasion d'un bonheur supplémentaire : l'immédiate sympathie, déjà de l'affection, qui s'est déclarée entre Taddeuz et la jeune Australienne, celle qu'avec Taddeuz elle aime le plus au monde : « Hannah, je l'adore. — Moi aussi, figuretoi. — J'ai toujours pensé que tu rêvais un peu, mais non, la réalité passe le rêve : il est merveilleux... »

Il est convenu que Lizzie gagnera à son tour l'Amérique un peu plus tard, au printemps. Pour l'heure, deux autres des frères Kaden sont arrivés d'Australie et séjournent en Grande-Bretagne avec leurs femmes.

A New York où il est maintenant depuis cinq mois, Maryan Kaden a abattu un travail considérable. Tout est prêt. Comme il l'avait écrit dans une de ses lettres, il pense avoir trouvé l'emplacement idéal. Non pas sur la Cinquième mais sur Park Avenue, en face du *Waldorf Astoria*.

— Pour l'institut. Et j'ai trois autres endroits possibles où créer des boutiques, dont un presque parfait, à mon avis : Cinquième avenue, tout près de cet orfèvre dont tu m'as parlé, *Tiffany*.

Les cent quatre-vingt-dix mètres d'altitude du Waldorf ont impressionné Hannah. Mais sans plus. Elle a voulu aller à Wall street. Une journée durant, Taddeuz et elle parcourent l'extrême pointe de Manhattan, depuis le Château Clinton jusqu'au pont de Brooklyn, flanqués durant toute leur promenade d'un jeune beau-frère de Becky Singer, anciennement Anielowicz. Le jeune homme a exactement l'âge d'Hannah, presque vingt-cinq ans ; né à New York, il y a fait ses études à l'Ecole de Droit ; on l'appelle Zeke, diminutif de Zaccharie ; il travaille comme courtier à la très importante firme Kuhn & Loeb ; sa famille a émigré d'Allemagne à la fin des années soixante et, dans le temps d'une génération, a bâti une impressionnante fortune : « Mes grands-parents et parents sont passés par Clinton Castle, qui accueillait les immigrants voici encore dix ans ; aujourd'hui, c'est Ellis Island qui remplit cet office... »

La Bourse de New York a quelque peu déçu Hannah ; le bâtiment est modeste, mais il paraît qu'on va construire, transformer et agrandir, et ajouter même une façade de colonnes ; et de même va-t-on édifier des immeubles immenses dans toutes ces rues parallèles ou perpendiculaires à Wall street, dont Hannah découvre ce jour-là que c'est plus un quartier qu'une simple artère ; et sur tout cela règne une fièvre très jeune et très gaie, certes féroce, mais qui la fait trembler d'excitation : « C'est bien l'Amérique que je m'étais imaginée... »

— Taddeuz ? Je voudrais m'installer ici.

Elle lance les mots avant même d'avoir conscience de les avoir pensés. La mécanique aura roulé à son insu.

... Mais non, évidemment, elle ne veut pas dire s'établir à Wall street même. Mais aux Etats-Unis, oui. Jusqu'à cette minute, elle n'avait d'autre objectif que d' « ouvrir » New York, tout comme elle a ouvert Berlin ou Vienne, Rome et Madrid, et même Paris et Londres. Et l'opération terminée, après deux ou trois mois, elle aurait regagné l'Europe, soit le 10 de la rue d'Anjou, soit les abords de Saint-James Place. Qui sont, qui étaient il y a encore quelques instants, ses quartiers généraux. Tout vient de changer. Et elle est sûre d'avoir raison. En Europe, elle a le sentiment d'être allée aussi loin qu'elle le pouvait, désormais il suffit de perfectionner, ce qui n'est guère enthousiasmant. Alors qu'ici, en revanche...

— Taddeuz, c'est vraiment le Nouveau Monde !

Zeke Singer les a amenés en premier lieu à la pointe extrême de la Battery, en vue directe de la Statue de la Liberté (une quinzaine d'années plus tôt, John D. Markham a assisté à l'inauguration aux côtés du président Cleveland). Zeke leur a fait ensuite remonter Lower Manhattan, leur montrant les installations portuaires sur East River, les tavernes de Fulton street, Hanover Square et la jolie petite place de Bowling Green, dont les demeures de notables commencent à être délaissées, au bénéfice des quartiers nord sur Park Avenue et en bordure de Central Park ; puis Walsh et Nassau streets, et Broadway et Trinity Church, le City Hall, autrement dit l'hôtel de ville ; Singer enfin a engagé leur voiture sur la rampe monumentale du pont de Brooklyn.

— Tu pourrais, tu devrais écrire en anglais, Taddeuz... Tu es capable de faire aussi bien que ce Josef Korzeniovski. Je ne dis pas qu'il nous faut abandonner l'Europe à jamais, nous l'aimons trop l'un et l'autre. D'ailleurs, il est bizarre que ce soit moi qui te dise ces choses : c'est tout de même par toi que je suis devenue américaine...

Elle lui étale ces millions de projets qu'elle a formés. Ce qu'elle a réussi d'abord en Australie, puis dans les vieilles villes européennes, elle est convaincue de le réussir mieux encore ici, dans ce pays géant dont tous les habitants sont des immigrants comme eux. Même ce pont si beau, sur lequel ils sont, a été conçu et construit par des Allemands de Thuringe ; Otto Singer, le mari de Rebecca-Becky, qui est aujourd'hui si riche, est né à Berlin ; Simon Baruch, dont le fils Bernard a tant d'intelligence, vient de Posen en Prusse et il est pourtant l'un des plus grands chirurgiens américains, le premier, dit-on, dans le monde à avoir tenté l'ablation de l'appendice ; et Morris Hillquit, né à Riga, qui pourrait être un jour maire de New York ? Et Sam Gompers, qui a créé l'American Federation of Labor et a vu le jour à Londres dans une famille venue de l'Est ? Et les frères Isidore et Nathan Strauss, qui ont avec *Macy's* le plus grand magasin du monde, « et soit dit en passant, se sont tant intéressés à mes produits » ?

Ils pourraient, ils devraient, Taddeuz et elle, se trouver une maison ou la faire construire, en plus de l'appartement qu'elle va prendre. Une maison qui serait à la campagne, à Long Island peut-être, qu'il choisirait lui-même, emplirait de livres, aménagerait à son goût...

« ... Bon sang, Hannah, c'est terrifiant : tu lui parles comme un homme le ferait à son épouse ! Et il s'en rend compte, il en souffre même s'il n'en dit rien... »

... Qu'il aménagerait à son goût puisqu'il y travaillerait. Sauf bien sûr quand il souhaiterait d'aller en Europe, en Italie ou en France. Ce qu'il pourrait faire chaque fois qu'il en aurait envie. Quitte à se concerter au mieux, lui et elle, pour effectuer ces voyages ensemble. Car il doit être clair qu'il aura sa liberté entière ; elle comprend que c'est son devoir à elle : elle ne doit pas entraver sa carrière d'écrivain...

— Dont je ne me mêlerai pas, Taddeuz, je te le jure. Pourquoi le ferais-je, d'ailleurs ? Tu as bien plus de talent que tu ne le crois toi-même. Je suis sûre que tu deviendras très célèbre, bien plus que moi avec mes boutiques et mes foutus pots de crème... Ne ris pas !... D'accord, je n'aurais pas dû dire « foutus ». Surtout que je ne le pense pas : j'adore ce que je fais, c'est passionnant.

Tout comme ce doit être sûrement très passionnant d'écrire, d'inventer, de faire naître. Elle le comprend, ou du moins le pressent et nom de Dieu...

— Excuse-moi : je n'aurais pas dû dire « nom de Dieu » non plus... Je ferai attention à mon langage, promis.

... Et bon sang (je peux dire « bon sang » au moins ? Ne ris pas !)... il doit certainement être possible, pour eux, avec tout cet immense amour qu'ils ont l'un pour l'autre, de mener une vie commune et pourtant parallèle, quoi qu'en pensent ces foutus... ces fichus crétins qui ne manqueront pas de ricaner, de jaboter tant et plus dans leur dos, qu'ils aillent tous au diable ! Il mettra du temps à percer probablement, un écrivain ne se fait pas en un jour. Quoique ce soit quand même plutôt embêtant, de n'être célèbre qu'après sa mort, on a l'air malin, mieux vaut mettre sa montre à l'heure. La tienne marche... Ne ricane pas bêtement : je parle uniquement de ta montre. Quoique.

La voiture est toujours arrêtée en plein milieu du pont qui, de quarante mètres, domine le fleuve.

— Taddeuz, cette maison à la campagne que nous allons trouver, il faudra aussi qu'elle convienne à des enfants. Nous en voulons tous les deux, on doit pouvoir trouver un terrain d'entente... horizontal, de préférence. J'ai envie de toi, nous n'avons pas fait l'amour depuis ce matin... Oui, je sais : je n'ai pas de vergogne. Je fais de mon mieux pour rougir mais rien à faire...

... Mais non Zeke Singer n'entend rien. Il est sourd, ça se voit !

Pour le premier des trois enfants qu'ils vont avoir — toutefois s'il en veut quatre ou cinq, ça peut toujours se négocier —, elle préférerait attendre un peu. Si possible. On ne peut rien prévoir, bien sûr. L'idéal serait d'attendre qu'elle ait fait le plus gros du travail, pour ses implantations américaines. A New York mais aussi dans d'autres villes : Boston, Philadelphie, Chicago, San Francisco qu'elle a hâte de connaître (« Becky a adoré, je vais y expédier Maryan dès que possible. Et à propos de Maryan, il va falloir le marier avec Lizzie. Elle y tient. Elle va avoir dix-huit ans et ça commence à l'ennuyer, d'être vierge. Tu en parles à Maryan pour lui apprendre qu'il est fiancé ou je m'en charge ? Ce serait peut-être mieux qu'il apprenne la nouvelle d'un homme. Au cas où il serait susceptible... ») A San Francisco donc et aussi à la Nouvelle-Orléans, Washington, Montréal et Toronto au Canada, la liste n'est pas limitative. Ça devrait aller assez vite. Elle va engager Zeke Singer. Et aussi ce Josuah Wynn recommandé par John D. Markham. D'autant que Josuah a une femme intelligente et qui sait compter et qui est « presque aussi requin que moi, elle devrait avoir honte ». En bref, elle va s'organiser, c'est follement amusant de construire. Et à propos de construction, elle pense déjà à un immeuble, très haut, rien qu'à elle, avec HANNAH en grosses lettres au couronnement. Pas tout de suite mais dans cinq, six ans. Elle a choisi l'endroit : face au *Waldorf*. Pour l'architecte, elle a déjà un nom en tête : Louis H. Sullivan. A moins qu'elle ne fasse appel à un jeune élève de Sullivan, un certain Frank Lloyd Wright, il paraît qu'il a du génie.

— En parlant de Becky, ne t'approche pas si près d'elle, s'il te plaît. Elle a beau être mon amie d'enfance et la plus belle femme de New York... Oui, je sais que tu l'as remarqué aussi, crapule... Heureusement qu'elle est si jolie, d'ailleurs. Ça lui a permis de faire un tel mariage car autrement, veuve d'un petit rabbin de Pologne et intelligente comme une tartine... Non, je ne suis pas jalouse, pas du tout, quelle idée !

... D'accord, elle est un peu jalouse. Mais elle aime bien Becky, au

432

fond. N'est-ce pas elle qui l'a mise en contact avec les frères Strauss de *Macy's* ? Et si ses crèmes et ses lotions doivent s'étendre sur tout le continent américain, c'est vrai qu'y sera pour beaucoup le fait qu'elle ait traité avec les grands magasins, de *Macy's* à *Bloomingdale*, en passant par la chaîne des *Lazarus* de l'Ohio et le *Sears & Roebuck* de Julian Rosenwald.

— Oh mon chéri, mon amour, nous allons réussir ensemble et mener une vie extraordinaire ! Tu veux parier que notre premier enfant sera un garçon et qu'il te ressemblera trait pour trait ? J'y tiens, mon amour, je veux deux Taddeuz identiques comme deux gouttes d'eau entre elles... Si nous rentrions au *Waldorf* faire l'amour ?

Taddeuz a voulu faire signe à Zeke Singer de repartir, mais Hannah a retenu son geste. Face à eux, de Brooklyn donc allant vers Manhattan, quatre chevaux avancent tirant une voiture splendidement décorée. C'est un attelage démodé, un attelage de prince, qui fend l'air dans un concert de clochettes. Et, menant l'équipage...

— Mendel ! s'écrie Hannah qui descend et se met à courir vers le cocher que Taddeuz a enfin reconnu, à quelques dizaines de mètres d'eux.

A son tour il quitte la voiture et d'un regard indique à Zeke Singer qu'il peut aller maintenant. Tournant le dos à Hannah et Mendel, il regarde New York dans la lumière.

Mendel a pris Hannah dans ses bras et la fait virevolter jusqu'à ce que la tête lui tourne et qu'elle demande grâce.

— Tu es toujours aussi riche, petite ?

— Encore plus. Et ça ne va pas s'arranger.

— Ton Taddeuz te fait bien l'amour ?

— Justement, nous allions... Oui, Mendel, mieux que dans un rêve.

— Et ces enfants ?

— Je crois qu'il serait raisonnable d'en envisager un premier pour le 21 juin 1903. Un garçon, pour être précise. Et si le deuxième (encore un garçon, je le crains), naissait le 18 septembre 1906, je ne serais pas étonnée. Ensuite, on verra pour la fille...

Les quatre chevaux sont parfaitement immobiles. A peine si un souffle de vent, de temps à autre, fait frissonner leurs crinières.

— C'est bien, dit Mendel. Tu n'as plus besoin de moi, maintenant.

Son regard se dirige vers la silhouette de Taddeuz, accoudé à quelques mètres d'eux.

— J'aurai toujours besoin de vous, Mendel...

— Tais-toi. J'étoufferais ici, et tu le sais. N'en parlons plus. Et arrête de me regarder comme ça de tes yeux de hibou. Bordel de Dieu, tu as tout réussi. Et ce que tu n'as pas encore fait, par distraction j'imagine, tu vas le réussir aussi. Alors...

Il plonge ses yeux dans ceux d'Hannah.

C'est bien vrai qu'il a toujours su lire dans les yeux des femmes.

Dans ceux d'Hannah mieux que dans ceux de toutes les autres. Mais quels yeux, hors ceux d'Hannah, l'ont hanté tout au long de ces dizaines de milliers de kilomètres en Europe, en Asie, en Australie et maintenant en Amérique ? Quel souvenir l'a constamment porté en vingt années de vie errante — tout son âge d'homme — hors celui d'une étrange et fabuleuse fillette du fond de la Pologne, surgie d'entre les blés dans une plaine immense ? « Oh Mendel, tu es incorrigible. Tu n'auras vécu que pour elle... Mais tu le referais si c'était à refaire, fou que tu es, même en sachant cet amour-là sans espoir, sans limite... »

Taddeuz s'est maintenant tourné vers eux. Ses cheveux d'or brillent. Son visage harmonieux semble les interroger.

Le cœur de Mendel saute dans sa poitrine. « Et ce serait maintenant, pense-t-il, au moment le plus absurde, que tu lui ferais cette déclaration ? Tu n'aurais pas dû lui passer tous ces romans... Dieu de Dieu, Mendel, ça n'est pas le moment, ni maintenant, ni plus tard... »

Et tandis que Taddeuz vient lentement vers eux, Mendel parle encore à Hannah. Quel qu'en soit son désir, il faudra laisser Taddeuz libre, ne pas tenter de l'entraîner dans le tourbillon de cette nouvelle vie, accepter ses erreurs, ne pas céder au désir fou de lui fabriquer une vie plus belle.

— Ne lui fais jamais ça, morveuse.

— Je sais. Je vais réussir ça aussi, Mendel.

Mendel ne répond pas.

Il a aidé Hannah, puis Taddeuz, à monter dans la voiture. Dans un dernier rire, il leur a assuré que désormais ils étaient réellement mariés, par tous les rites, puisque lui, Mendel, leur avait tenu la main, les avait unis et envoyés en voyage de noces de Brooklyn à New York.

La voiture s'éloigne, dans le tintement régulier des chevaux. Mendel l'entend mais ne la voit plus. Il est ailleurs. Il voit cette femme avec des milliers de visages, tantôt elle est assise, droite à ses côtés, tantôt elle rit et se jette dans ses bras en se moquant, tantôt elle lui dit qu'elle veut faire l'amour avec lui... Puis ce regard dur quand elle lui a demandé de retrouver Taddeuz. Et maintenant elle s'en va sur cet attelage que, dans un moment de folie, il a préparé pour eux. Le soleil voile son regard, il est déjà midi. Tout à coup Mendel comprend que cette tache de lumière à l'horizon va disparaître là-bas, au bout du pont ; alors, avant que le temps ne l'efface, lui, Mendel, tourne la tête et prend à pied le chemin de Brooklyn.

Table des matières

Livre 1
Mendel, Dobbe et quelques autres..................... 13

Livre 2
Des kangourous et une autruche 131

Livre 3
... et la petite mécanique va 299

Achevé d'imprimer en septembre 1985
sur presse CAMERON
dans les ateliers de la S.E.P.C.
à Saint-Amand-Montrond (Cher)

Nº d'Édition : 1137. Nº d'Impression : 1551.
Dépôt légal : septembre 1985.

49.21.0170.09
ISBN 2.86391.130.9
Imprimé en France